PRECISAMOS FALAR SOBRE O KEVIN

To Nina,

LIONEL SHRIVER

# Precisamos falar sobre o Kevin

TRADUÇÃO DE
Beth Vieira e
Vera Ribeiro

intrínseca

TÍTULO ORIGINAL
We Need to Talk About Kevin

CAPA
warraklourreiro

DIAGRAMAÇÃO
Ilustrarte Design e Produção Editorial

REVISÃO
José Figueiredo
Isabel Newlands

IMAGEM DA CAPA
Deborah Raven/Photonica/Wideimages

CIP-BRASIL. CATALOGAÇÃO-NA-FONTE. SINDICATO NACIONAL DOS EDITORES DE LIVROS, RJ.

S564p Shriver, Lionel, 1957-
Precisamos falar sobre o Kevin / Lionel Shriver ; tradução de Beth Vieira e Vera Ribeiro. - Rio de Janeiro : Intrínseca, 2007.

Tradução de: We Need to Talk About Kevin
ISBN 978-85-98078-26-7

1. Adolescentes (Meninos) - Ficção. 2. Ensino secundário - Ficção. 3. Massacre - Ficção. 4. Romance americano. I. Vieira, Beth. II. Ribeiro, Vera. III. Título.

07-2704 CDD 813
CDU 821.111(73)-3

[2007]



Editora Intrínseca Ltda.
Rua dos Oitis, 50
22451-050 – Gávea
Rio de Janeiro – RJ
Telefone: (21) 3874-0914
Fax: (21) 3874-0578
www.intrinseca.com.br

*Para Terri*

*Uma encrenca da qual ambas escapamos.*

*É justamente quando ela menos merece que mais a criança precisa do nosso amor.*

— Erma Bombeck

## *8 de novembro de 2000*

*Querido Franklin,*

Não sei ao certo por que o incidente banal desta tarde acabou provocando em mim a vontade de lhe escrever. O fato é que, desde que nos separamos, o que mais me faz falta, acho, é chegar em casa e ter a quem contar as curiosidades narrativas do meu dia, do jeito como um gato às vezes larga um camundongo aos pés do dono, as pequenas, modestas oferendas com que os casais se brindam, depois de revolver quintais diferentes. Se porventura você estivesse instalado em minha cozinha, lambuzando pasta crocante de amendoim no pão de Branola, embora fosse quase hora do jantar, eu mal teria tempo de largar os sacos de compras, um deles vazando uma gosma viscosa, transparente, e já estaria vomitando minha historinha, antes mesmo de reclamar, contrariada, que jantaríamos massa dali a pouco, portanto, será que daria para você fazer o favor de não comer o sanduíche inteiro?

Nos primeiros tempos, claro, meus relatos eram todos mercadorias exóticas, importadas de Lisboa ou de Katmandu. Mas, na verdade, ninguém quer escutar histórias de lugares distantes e acabei percebendo, graças a sua polidez delatória, que, no fundo, você preferia ninharias anedóticas menos distantes: um estranho encontro com o cobrador do pedágio na Ponte George Washington, por exemplo. As maravilhas do cotidiano serviam para ratificar sua opinião de que minhas viagens ao exterior eram uma espécie de engambelação. Minhas lembrancinhas — um pacote de *waffles* belgas, a expressão que os ingleses usam para dizer "frioleiras" (*codswallop!*, veja você) — vinham artificialmente revestidas de magia devido, apenas, à distância. Como aquelas bagatelas que os japoneses trocam entre si — num saquinho dentro de uma caixa num saquinho dentro de uma outra caixa —, o brilho das minhas oferendas de paragens longínquas era apenas invólucro. Muito mais notável é a façanha de revirar o lixo não transubstanciado do velho e feioso estado de Nova York e espremer um momento apimentado de uma ida ao Grand Union de Nyack.

Que foi justamente onde minha história ocorreu. Parece que estou enfim aprendendo aquilo que você tanto tentou me ensinar, ou seja, que o meu próprio país é tão exótico e quase tão perigoso quanto a Argélia. Eu estava na gôndola dos laticínios e não precisava de grande coisa; não poderia. Não como mais massa hoje em dia, não sem você para dar cabo da travessa toda. Sinto uma falta imensa do seu entusiasmo.

Continua difícil, para mim, aparecer em público. Seria de imaginar, num país notório pela "falta de senso histórico", como afirmam os europeus, que eu pudesse faturar com a famosa amnésia norte-americana. Mas que nada. Ninguém, nesta "comunidade", demonstra qualquer sinal de ter esquecido o fato, passado um ano e — para ser exata — oito meses. De modo que preciso me munir de muita coragem, quando os estoques acabam. É bem verdade que, para os funcionários do 7-Eleven da Rua Hopewell, a novidade já se esgotou, e dá para eu pegar uma garrafa de leite sem que todos me lancem olhares furiosos. Mas o nosso Grand Union de sempre continua um corredor polonês.

Sempre me sinto furtiva por lá. Para compensar, forço minhas costas a endireitarem, meus ombros a se abrirem. Entendo agora o que eles querem dizer com "manter a cabeça erguida" e, às vezes, fico surpresa com o tanto de transformação interior que uma postura ereta proporciona. Quando faço uma pose fisicamente orgulhosa, sinto-me um pouquinho menos torturada.

Indecisa entre ovos de tamanho grande ou médio, olhei na direção dos iogurtes. A menos de um metro de distância, os cabelos ressequidos de uma outra cliente exibiam bem uns dois centímetros de branco na raiz, ao passo que só restavam uns poucos caracóis nas pontas: um velho permanente em extinção. A blusa cor de lavanda e a saia combinando talvez já tivessem sido elegantes um dia, mas agora a blusa ficava presa debaixo do braço e o evasê só fazia realçar a largura dos quadris. A roupa precisava de uma passada a ferro e, na altura das ombreiras, havia uma tira esmaecida deixada por um cabide de arame. Era algo extraído das profundezas do armário, concluí eu, aquilo a que recorremos quando todo o resto está imundo ou largado no chão. Quando a cabeça dela se inclinou na direção dos queijos processados, vi de relance a prega de um queixo duplo.

Não tente adivinhar; você jamais seria capaz de reconhecê-la a partir deste retrato. Ela já foi neuroticamente esbelta um dia, de ângulos muito bem definidos e tão luzidia como se embrulhada para presente. Embora talvez seja mais romântico imaginá-los emaciados, nem todos os enlutados o são, e suponho que se possa chorar com igual eficiência tanto com chocolate quanto com água de torneira. Além disso, existem mulheres que se mantêm esguias e elegantes menos para agradar ao consorte do que para se manter à altura das filhas e, graças a nós, hoje em dia ela não tem mais esse incentivo.

Sim, era Mary Woolford. Não me sinto orgulhosa da atitude que tomei, mas o fato é que não consegui encará-la. Levei um choque. Minhas mãos estavam úmidas quando peguei a caixa de ovos para conferir se estavam todos intactos. Rearrumei a fisionomia, de modo a parecer uma daquelas clientes que acabaram de se lembrar de algum produto na gôndola vizinha, e, sem me virar, consegui colocar os ovos naquela parte do carrinho reservada para carregar crianças. Ao sair às pressas nessa pretensa missão, larguei o carrinho para trás, porque as rodas rangiam. Só fui respirar nas sopas.

Eu já devia estar preparada, e em geral estou — guarnecida e em guarda, quase sempre a troco de nada, afinal. Mas não dá para envergar armadura completa toda vez que saio para uma comprinha idiota, e, além disso, Mary não tem mais como me prejudicar agora, tem? Ela já fez tudo o que podia; me levou ao tribunal. Ainda assim, não consegui domar as batidas do meu coração nem voltar à seção de laticínios imediatamente, mesmo depois de ter-me dado conta de que havia esquecido no carrinho aquela bolsa egípcia bordada, com a carteira dentro.

O que foi, aliás, a única razão de eu não ter ido embora direto do Grand Union. Acabaria tendo que me esgueirar até lá, para recuperar a bolsa, e era sobre isso que eu meditava em frente às sopas Campbell de aspargo e queijo, refletindo sem muito propósito no tanto que Warhol teria se espantado com a reformulação do rótulo.

Até eu voltar, o terreno já estava desimpedido; passei a mão no carrinho, de repente a profissional que precisa liqüidar logo com as tarefas domésticas. Um papel conhecido, supostamente. Entretanto, faz tanto tempo que não penso em mim dessa forma, que tenho certeza de que o pessoal na minha frente, na fila do caixa, deve ter atribuído aquela impaciência toda menos à imperiosidade da mulher que trabalha fora, para quem tempo é dinheiro, e mais ao pânico suado e urgente de uma fugitiva.

Quando fui pagar as compras, a embalagem dos ovos parecia meio grudenta, o que levou a moça do caixa a abri-la. Oh! Mary Woolford tinha me visto, no fim das contas.

"A dúzia toda!", exclamou ela. "Vou pedir para trazerem outra."

Eu a impedi. "Não, não", falei. "Estou com pressa. Levo assim mesmo."

"Mas está tudo completamente..."

"Eu levo como está!" Não existe melhor fórmula para se obter a cooperação dos outros, neste nosso país, do que parecer meio desequilibrada. Depois de enxugá-lo enfaticamente com um lenço de papel, a moça passou o código de barras pela leitora, depois limpou as mãos e revirou os olhos.

"*Khatchadourian*", exclamou quando lhe entreguei o cartão de débito. O nome foi dito em voz alta, como se a intenção fosse fazer com que todos na fila escutassem. Era final de tarde, o turno ideal para alguém ainda cursando o colégio. Era provável que a garota tivesse uns dezessete anos, podia ter sido uma das colegas de classe de Kevin. Sei que há pelo menos uma meia dúzia de escolas de ensino médio nessa área, e a família talvez tivesse acabado de chegar da Califórnia. Mas, pela expressão da menina, acho que não. Ela me olhou feio. "Eis aí um nome incomum."

Não sei o que me deu, mas estou muito cansada disso. Não é que eu não me envergonhe. Ao contrário, sinto-me exausta de tanta vergonha, toda gosmenta com sua baba pegajosa de albume. Essa não é uma emoção muito produtiva. "Sou a única Khatchadourian no estado de Nova York", vangloriei-me, pegando meu cartão de volta com um gesto brusco. Ela jogou os ovos dentro de uma sacola, onde eles babaram um pouco mais.

Assim, já estou em casa — ou no que se pretende uma casa. Claro que você nunca esteve aqui, portanto, permita-me descrevê-la.

Você levaria um susto. Entre outras coisas, por eu ter escolhido permanecer em Gladstone, depois de fazer aquele escândalo todo quando saímos de

Manhattan. Mas achei que deveria ficar perto do Kevin. Além disso, por mais que eu almeje o anonimato, não quero que os vizinhos se esqueçam de quem sou; quer dizer, querer, eu quero, mas o esquecimento não está disponível. E este é o único lugar no mundo onde as ramificações da minha vida podem ser inteiramente sentidas, e, para mim, no momento, importa mais ser compreendida que amada.

Depois de pagar os advogados, ainda fiquei com uns trocados, o suficiente para comprar uma casinha pequena, embora o caráter provisório de alugar fosse mais condizente com minha situação atual. Além do mais, morar neste dúplex de brinquedo me pareceu um casamento apropriado de temperamentos. Ah, você ficaria horrorizado. Meus frágeis armários de madeira compensada desafiam o lema de seu pai: "os materiais são tudo". Mas é justamente essa qualidade de eles mal se agüentarem que admiro.

Tudo aqui é precário. A escada que leva ao andar de cima, muito íngreme, não tem corrimão, temperando minha subida até a cama com ondas de vertigem após três taças de vinho. O assoalho range, as esquadrias das janelas deixam entrar chuva e o lugar todo exala um ar de fragilidade, de falta de confiança, como se a qualquer momento, com uma piscada, a estrutura inteira pudesse simplesmente sumir, como uma má idéia. Penduradas num arame enferrujado, e ligadas direto no fio que sai do teto, as minúsculas lâmpadas halógenas do andar de baixo costumam oscilar, e essa luz intervalada contribui para a sensação de acende e apaga que permeia essa minha nova vida. Da mesma forma, a única tomada telefônica da casa regurgitou as entranhas; minha incerta conexão com o mundo exterior depende de dois fios mal soldados, e muitas vezes se interrompe. Embora o senhorio tenha me prometido um fogão de verdade, no fundo não me importo em cozinhar na chapa — cuja luz que indica "ligado" não funciona. A maçaneta da porta da frente sai na minha mão, quando entro. Até agora, venho conseguindo colocá-la de volta, mas o toco do trinco me perturba com intimações que fazem com que eu me lembre de minha mãe: impossibilitada de sair de casa.

Reconheço, também, a tendência generalizada de meu dúplex de espichar seus recursos até os limites máximos. O aquecimento é patético, sobe dos radiadores em baforadas rasas, rançosas, e, embora estejamos ainda no começo de novembro, já coloquei os controles no máximo. Quando tomo banho, uso só a água quente, nada da fria; ela sai apenas morna o bastante para que eu não trema, e o fato de saber que não há reservas permeia minhas abluções de inquietude. O controle da geladeira está sintonizado no ponto mais alto, mas o leite só dura três dias.

Quanto à decoração, ela evoca uma qualidade zombeteira que vem bem a calhar. As paredes de baixo foram emplastradas com um amarelo ofensivamente brilhante, aerando-se as pinceladas desleixadas com o branco que havia por baixo, como se rabiscadas a lápis. Em cima, no quarto, receberam um tratamento amadorístico, esponjado em tons verde-mar, lembrando uma pintura malfeita de criança pequena. Essa trêmula casinha — ela não parece muito *real*, Franklin. E eu tampouco.

Ainda assim, espero de coração que não se sinta penalizado: não é essa a minha intenção. Eu poderia ter achado acomodações mais majestosas, se quisesse. Gosto daqui, de certa forma. Não é sério, é de brinquedo. Eu moro numa casa de boneca. Até a mobília é fora de escala. A mesa de jantar bate na altura do peito, o que faz com que eu me sinta uma menina, e a mesinha de cabeceira, onde eu pus esse *notebook*, é baixa demais para digitar — mais ou menos da altura ideal para servir bolacha de coco e suco de abacaxi a crianças do jardim-de-infância.

Talvez essa atmosfera retorcida e juvenil ajude a explicar por que ontem eu não votei na eleição presidencial. Simplesmente esqueci. Tudo a minha volta parece estar acontecendo muito longe. E agora, em vez de apresentar um firme contraponto ao meu deslocamento, o país parece ter-se unido a mim no reino do surreal. Os votos foram computados. Mas, como em algum conto de Kafka, ninguém parece saber quem ganhou.

E eu tenho essa dúzia de ovos — o que sobrou deles. Esvaziei o restante numa tigela e catei os pedacinhos de casca. Se você estivesse aqui, eu talvez preparasse para nós uma bela fritada, com batatas cortadas em cubinhos, coentro e aquela pitada de açúcar que é o grande segredo. Sozinha, eu jogo tudo numa frigideira, mexo e belisco, emburrada. Mas vou comer tudo assim mesmo. Houve algo no gesto de Mary que, de um jeito meio rudimentar, achei bem elegante.

No início, a comida me revirava o estômago. Visitando minha mãe em Racine, fiquei verde diante dos charutinhos na mesa, muito embora ela tivesse passado o dia inteiro escaldando folhas de uva e preparando o recheio de carne de carneiro e arroz para fazer rolinhos perfeitos. Lembrei que ela poderia congelá-los. Em Manhattan, quando eu cruzava apressada pela *deli* da Rua

57, a caminho do escritório de advocacia do Harvey, o cheiro apimentado de gordura de *pastrami* me embrulhava o estômago. Mas a náusea passou e senti falta daquele odor. Quando, depois de quatro ou cinco meses, comecei a ter fome — uma fome de leão, na verdade —, esse apetite todo me pareceu impróprio. De modo que continuei fazendo o papel da mulher que perdera o interesse pela comida.

No entanto, depois de um ano, enfrentei o fato de que aquele teatro todo estava sendo desperdiçado. Se eu ficasse cadavérica, ninguém iria se importar. O que será que eu esperava, que você cingisse minhas costelas com aquelas mãos enormes, feitas para medir cavalos, que me erguesse para o alto e, em tom sério, me repreendesse com a censura que faz as delícias recônditas de toda mulher ocidental: "Você está magra demais"?

De modo que agora eu tomo o café-da-manhã com *croissants* e cato cada migalha com dedos úmidos. Picar repolho metodicamente ocupa uma parte dessas noites compridas. Cheguei até mesmo a recusar, uma ou duas vezes, aqueles poucos convites para sair que ainda fazem soar o telefone, em geral amigos do exterior que me mandam *e-mails* de vez em quando, mas com quem não me encontro há muito tempo. Sobretudo quando não sabem de nada, e sempre sei quando isso acontece: os inocentes fazem estardalhaço, ao passo que os iniciados começam com um gaguejo respeitoso, em tons abafados de quem está numa igreja. É óbvio que não quero ficar recitando a história. Tampouco cobiço a muda comiseração dos amigos que *não sabem o que dizer* e que, com isso, deixam que eu despeje a alma como forma de entabular conversa. Mas o que de fato me leva a dar a desculpa de estar muito "ocupada" é que tenho verdadeiro pavor de pensar que vamos pedir uma salada, que a conta vai chegar, que serão apenas 8:30 ou 9:00 da noite e que eu vou voltar para casa e para meu dúplex minúsculo sem ter nada para picar.

É engraçado, depois de passar tanto tempo viajando pela *A Wing & a Prayer* — um restaurante diferente toda noite, com garçons que falavam espanhol ou tailandês, cardápios que ofereciam *seviche* ou cachorro —, ter-me apegado a essa rotina feroz. É tenebroso, mas eu lembro minha mãe. No entanto, não consigo romper essa estreita seqüência (cubinhos de queijo ou seis ou sete azeitonas; peito de frango, costeleta ou omelete; uma verdura cozida; um só biscoito recheado de baunilha; vinho que perfaça meia garrafa apenas), como se estivesse andando sobre uma trave de equilíbrio e, com um único passo errado, pudesse cair. Fui obrigada a eliminar as ervilhas japonesas do cardápio, porque o preparo delas não é suficientemente árduo.

Seja como for, mesmo que a gente esteja separado, eu sei que você se preocupa se estou comendo ou não. Você sempre se preocupou. Graças à débil vingança de Mary Woolford, esta tarde, eu me sinto fartamente alimentada. Nem todas as travessuras dos nossos vizinhos foram assim tão antálgicas.

Como, por exemplo, todos os galões de tinta carmim esparramados na varanda da frente daquele nosso rancho de novo-rico (e era bem isso, Franklin, goste você ou não do fato — *era um rancho*) na Palisades Parade. Nas janelas também, e na porta da frente. Eles vieram à noite e, quando acordei, na manhã seguinte, a tinta já havia quase secado. Na época, foi mais ou menos um mês depois — que nome dar àquela quinta-feira? —, pensei que nada mais poderia me horrorizar, ou magoar. Imagino que seja uma noção comum, essa, a de que já estamos tão avariados que a própria avaria, em sua totalidade, acaba nos deixando mais seguros.

Foi ao virar da cozinha para a sala de estar, naquela manhã, que reconheci a idéia de estar lacrada para as frioleiras. Sufoquei um grito. O sol entrava em cheio pelas janelas, ou ao menos por onde a camada de tinta era mais fina e pelas vidraças que não haviam sido lambuzadas, lançando sobre as paredes brancas da sala vívidos laivos de vermelho, como num restaurante chinês de decoração espalhafatosa.

Sempre adotei a política, que você aliás admirava, de enfrentar meus receios, embora ela tenha sido concebida nos tempos em que meu maior temor era me ver perdida numa cidade estranha, uma brincadeira de criança. Quanto eu não daria, hoje, para voltar aos tempos em que não fazia idéia do que teria pela frente (a própria *brincadeira de criança*, por exemplo). O fato é que é difícil largar velhos hábitos, de modo que, em vez de voltar correndo para nossa cama e puxar as cobertas, resolvi investigar os danos. No entanto, a porta da frente não quis abrir. Estava grudada devido àquele grosso esmalte cor de carmim. Ao contrário da tinta látex, o esmalte não é solúvel em água. E tinta esmalte é cara, Franklin. Alguém investiu uma bela bolada. Claro que nossa antiga vizinhança tinha uma série de deficiências, mas falta de dinheiro nunca foi uma delas.

Assim, saí de roupão pela porta lateral e dei a volta. Inspecionando o trabalho artístico dos nossos vizinhos, senti que meu rosto assumia aquela mesma "máscara impassível" descrita pelo *New York Times*, durante o julgamento. O *Post*, menos delicado, descreveu minha expressão durante o tempo todo como de "desafio", e nosso periódico local, o *Journal News*, foi ainda mais longe: "Pela implacabilidade inexorável de Eva Khatchadourian, seu filho poderia não ter cometido nada mais chocante que enfiar o rabo-de-cavalo de uma menina dentro de um tinteiro." (Admito que enrijeci no tribunal, que espremi os olhos e suguei as bochechas de encontro aos molares; lembro-me de ter-me apegado a um dos seus lemas de durão: "Não deixe eles verem você suando." Mas, Franklin, "de desafio"? Eu estava tentando não chorar.)

O efeito chegou a ser magnífico, para quem gosta de sensacionalismo, coisa que, àquela altura, de fato não era meu forte. Parecia que a casa estava com a garganta cortada. Espalhado em impetuosos e arrebatados Rorschachs, o tom escolhido era de uma meticulosidade tal — intenso, forte, exuberante, com um quê de azul arroxeado — que talvez tivesse sido encomendado. Pensei estupidamente que, se por acaso os culpados houvessem encomendado aquela cor específica, em vez de comprar uma lata na cor padrão, a polícia talvez pudesse pegá-los.

Mas eu não estava disposta a entrar numa delegacia de polícia de novo, a menos que fosse preciso.

Meu quimono era fininho, aquele que você me deu no nosso primeiro aniversário de casamento, em 1980. Feito para ser usado no verão, era o único que havia sido presente seu e eu não queria saber de outro. Joguei fora muita coisa, mas nada do que você me deu ou deixou para trás. Reconheço que esses talismãs são lancinantes. É por isso que os guardo. Aquele tipo de terapeuta chegado a uma intimidação diria que meus armários abarrotados não são "saudáveis". Discordo. Ao contrário da dor repulsiva e aviltante por Kevin, pela tinta, pelos julgamentos na justiça criminal e civil, esta dor é *íntegra*. Por mais espezinhado que tenha sido o conceito, na década de sessenta, a integridade é uma qualidade que, acabei me dando conta, anda surpreendentemente escassa, hoje em dia.

A questão é que, agarrada àquele algodão macio e azul enquanto avaliava o trabalho de pintura um tanto relaxado que nossos vizinhos haviam resolvido patrocinar sem nos cobrar nem um único tostão, senti frio. Era mês de maio, mas o ar estava gelado, e o vento, forte. Antes de descobrir por mim mesma, talvez eu imaginasse que, na esteira do apocalipse pessoal, as pequenas chatices da vida desapareceriam para sempre. Mas não é verdade. Continuo sentindo arrepios de frio, ainda me desespero quando uma encomenda se perde no correio, e ainda me aborreço quando descubro que me deram troco errado no Starbucks. Talvez possa parecer um tanto constrangedor, na situação atual em que me encontro, continuar precisando de uma malha ou de uma luva, ou não gostar de ser passada para trás em um dólar e meio. Mas, desde aquela *quinta-feira*, toda a minha vida vem sendo sufocada debaixo de um cobertor tão imenso de constrangimentos, que acabei optando por considerar essas chateações passageiras um alívio, emblemas de um domínio que sobreviveu. Vestida de forma inadequada para a estação do ano, ou irritada porque num Wal-Mart do tamanho de um mercado de gado não consigo achar uma caixa de fósforo de cozinha, o lugar-comum emocional me enche de júbilo.

Ao entrar de novo pela porta lateral, intrigou-me o fato de um bando de saqueadores ter conseguido atacar aquela estrutura de modo tão cabal enquanto eu dormia, sem me dar conta de nada. Culpei a forte dose de calmantes que eu tomava toda noite (por favor, não diga nada, Franklin, eu sei que você desaprova), até que percebi que estava imaginando a cena de forma errada. Fora um mês depois, não um dia. Não houvera apupos nem urros, nenhuma balaclava nem rifles de cano serrado. Eles chegaram na surdina. Os únicos ruídos foram galhos quebrados, um baque surdo quando a primeira lata esbofeteou a porta de mogno brilhante, o murmúrio oceânico da lambida de tinta no vidro, um imperceptível ra-tá-tá quando caíram pingos com barulho igual ao de chuva grossa. Nossa casa não fora esguichada com os jorros fosforescentes da indignação espontânea, e sim lambuzada com um ódio que fervera em fogo lento, até ficar grosso e saboroso como um requintado molho francês.

Você teria insistido para que contratássemos alguém para limpar aquilo tudo. Você sempre foi adepto dessa esplêndida tendência norte-americana para a especialização — um especialista para cada necessidade —, e às vezes folheava as Páginas Amarelas só para se distrair. "Removedores de tinta: esmalte carmim." Mas os jornais tinham feito um grande estardalhaço sobre como éramos ricos, de quanto o Kevin fora mimado. Eu não quis dar a Gladstone a satisfação de fazer troça, "olhem só, vejam" como ela tem condições de contratar mais um serviçal para limpar a sujeira deles, feito aquele advogado caríssimo. Não, eu os obriguei a me ver, dia após dia, raspando a tinta à mão, alugando uma máquina de jato de areia para os tijolos. Um dia, já no finalzinho da tarde, vi meu reflexo depois de toda aquela labuta — roupas manchadas, unhas lascadas, cabelos salpicados — e recuei. Eu já havia ficado com aquela cara uma outra vez, antes.

Algumas frestas em volta da porta talvez ainda brilhem com laivos cor de rubi; lá nas profundezas alcantiladas dos tijolos falsamente de época, talvez ainda reluzam algumas gotas de rancor que não pude alcançar com a escada. Eu não saberia dizer. Vendi a casa. Depois do processo no cível, fui obrigada.

Eu achava que teria problemas para me livrar da propriedade. Sem dúvida que compradores supersticiosos fugiriam apavorados quando descobrissem quem era a proprietária do lugar. Mas isso só veio provar, de novo, como eu não entendia nada do meu próprio país. Certa vez, você me acusou de esbanjar toda a minha curiosidade em "cus-de-judas do Terceiro Mundo", quando tinha o que se poderia chamar de império mais extraordinário da história da humanidade bem ali, na minha cara. Você estava com a razão, Franklin. Não há nada que se equipare ao país onde nascemos e fomos criados.

Assim que a casa foi posta no mercado, choveram propostas. Não porque as pessoas não soubessem; porque sabiam. Nossa casa alcançou muito mais do que valia — mais de três milhões de dólares. Na minha ingenuidade, não compreendi que a fama da casa era seu ponto forte. Enquanto fuçavam em nossa despensa, pelo visto os casais emergentes iam imaginando, cheios de júbilo, momentos de glória no jantar que ofereceriam por ocasião da inauguração.

*[Tim-tim!] Atenção, todo mundo. Agora eu vou propor um brinde, mas antes, vocês nem imaginam de quem nós compramos esta casa. Estão todos preparados para ouvir?* Eva Khatchadourian... *Conhecem? Podem apostar. Para onde mais nós iríamos nos mudar? Para Gladstone, claro!... É,* aquela *Khatchadourian, Pete, que outras Khatchadourians que você conheceu na vida. Meu Deus, como é lento esse cara.*

*... Isso mesmo, "Kevin". Fantástico, não? Meu filho Lawrence ficou com o quarto que era dele. Outro dia tentou me levar na conversa. Disse que tinha de ficar comigo para assistir a* Henry: Retrato de um serial killer, *porque o quarto dele estava "assombrado" pelo "Kevin Ketchup". Tive que desapontar o garoto. Vai me desculpar, eu disse, mas o Kevin Ketchup não pode estar assombrando o seu quarto, porque o desgraçado miserável continua vivinho da silva, em algum presídio juvenil estadual. Se fosse por mim, cara, aquele mequetrefe tinha pego cadeira elétrica... Não, não foi tão ruim quanto em Columbine. Quantos foram, dez, meu bem? Nove, certo, sete garotos, dois adultos. A professora que ele matou era meio que a grande defensora do moleque,*

*coisa assim. E eu não entro nessa de ficar culpando os vídeos, o rock. Nós crescemos escutando rock, é ou não é? E nenhum de nós saiu feito doido matando todo mundo na escola. Veja o Lawrence. O garoto adora ver sangue na televisão, não importa quão realista seja, ele nem pisca. Mas quando o coelho dele foi atropelado? Chorou durante uma semana. Eles sabem ver a diferença.*

*Nós estamos criando nosso filho para saber o que é certo e o que é errado. Talvez pareça injusto, mas a gente no fim tem que se perguntar sobre os pais.*

Eva

## *15 de novembro de 2000*

*Querido Franklin,*

Você sabe que eu até tento ser educada. Quando meus colegas — é isso mesmo, estou trabalhando, e numa agência de viagens de Nyack, acredite se quiser, pelo que sou muito grata, aliás — começam a espumar por causa do número desproporcional de votos que Pat Buchanan recebeu em Palm Beach, eu aguardo com tamanha paciência que eles terminem que, de certa maneira, me tornei uma mercadoria preciosa: sou a única pessoa no escritório que dá a eles a chance de terminar uma frase. Se a atmosfera no país de repente ficou meio carnavalesca, festiva e fervilhante de opiniões ferozes, eu não me sinto convidada para o baile. Pouco me importa quem seja o presidente.

No entanto, sou capaz de ver muito nitidamente esta última semana através das lentes condicionais de meu próprio "se". Eu teria votado em Gore; você, no Bush. Teríamos tido discussões mais que acaloradas antes das eleições, mas isto — isto — ah, teria sido maravilhoso. Berros, socos no peito, portas batendo, eu recitando trechos selecionados do *New York Times*, você sublinhando furiosamente os editoriais do *Wall Street Journal* — e disfarçando sorrisos o tempo inteiro. Como eu sinto falta de me atormentar com bagatelas.

Talvez tenha sido desonestidade minha deixar subentendido, no começo da carta anterior, que, quando confabulávamos, no final do dia, eu lhe contava tudo. Ao contrário, uma das coisas que me impelem a escrever é o fato de ter a cabeça entulhada com todas as pequenas histórias que nunca lhe contei.

Não pense que eu acalentava meus segredos. Eles me encurralaram, me pressionaram e, tempos atrás, tudo que eu queria fazer era me abrir com você. Mas, Franklin, você não queria ouvir. Tenho certeza de que não mudou de opinião. Talvez eu devesse ter me esforçado mais, na época, para obrigá-lo a escutar, mas desde o princípio nos pusemos em lados opostos. Para muitos casais em conflito, essa coisa de ocuparem lados opostos é algo sem uma forma definida, o que os separa é uma espécie de divisória, uma abstração — um incidente ou ressentimento difuso, uma luta imaterial pelo poder dotada de vida própria: teias de aranha. Talvez, em momentos de reconciliação, para esses casais a irrealidade da linha que os separa contribua para sua dissolução. *Olhe*, consigo vê-los dizer, não sem um certo ciúme, *não há nada no quarto; podemos nos tocar através do ar fino que existe entre nós.* Mas, no nosso caso, o que nos separava era muito tangível e, se não estivesse no quarto, podia entrar quando quisesse, com as próprias pernas.

Nosso filho. Que não é bem um punhado de pequenos casos, e sim uma longa história. E embora o impulso natural dos contadores de história seja começar do início, resistirei a isso. Tenho de recuar mais um pouco. São tantas as histórias que já estão esboçadas antes de começar.

*O que deu em nós?* Éramos tão felizes! Então por que motivo retiramos todas as nossas fichas e as pusemos nessa aposta ridícula de ter um filho? É claro que você considera a simples pergunta profana. Embora aos estéreis seja permitido se desfazer daquilo que é inatingível e dizer que as uvas estão verdes, é contra todas as regras ter um bebê e despender ainda que poucos minutos na contemplação daquela vida paralela na qual os filhos não existem, não é mesmo? Mas uma perversidade de Pandora me força a abrir o que é proibido. Tenho imaginação e gosto de lançar desafios a mim mesma. De antemão, também já sabia disso a meu respeito: que eu era o tipo de mulher capaz, por mais terrível que fosse, de me arrepender de algo tão irrevogável quanto um ser humano. Por outro lado, Kevin não considerava a existência das pessoas como irrevogável — não é mesmo?

Desculpe, mas você não pode esperar que eu evite o assunto. Posso não saber como chamar aquilo, aquela *quinta-feira*: *atrocidade* parece coisa tirada de jornal, *incidente* é minimizar de forma escandalosa, quase obscena, o que houve, e *o dia em que nosso filho cometeu assassinato em massa* é comprido demais para cada menção que eu fizer, certo? E eu vou fazer. Acordo com isso na cabeça todas as manhãs e durmo com isso todas as noites. É meu parco substituto para um marido.

Assim, vasculhei a memória, tentando reconstruir aqueles poucos meses, em 1982, em que estávamos oficialmente "decidindo". Ainda morávamos no meu *loft* cavernoso em Tribeca, onde vivíamos rodeados de arqui-homossexuais, artistas solteiros que você tachava de "epicuristas", e casais de profissionais descompromissados que jantavam toda noite em restaurantes de comida texano-mexicana e badalavam no Limelight até as três da madrugada. Criança, naquela região, estava mais ou menos no mesmo pé que a coruja malhada e outras espécies ameaçadas de extinção, de modo que não é de se espantar que nossas ponderações fossem afetadas e abstratas. Chegamos até a nos impor um prazo, tenha a santa paciência — meu trigésimo-sétimo aniversário, naquele agosto — já que não queríamos um filho que ainda pudesse estar morando em casa quando fizéssemos sessenta anos.

Sessenta anos! Naquele tempo, uma idade tão estupendamente teórica quanto um bebê. No entanto, espero embarcar nessa terra estrangeira em cinco anos, a contar de agora, sem mais cerimônia que tomar um ônibus urbano. Foi em 1999 que eu dei um salto temporal, se bem que, mais do que no espelho, eu tenha notado o envelhecimento sob a égide dos outros. Quando renovei minha carteira de motorista, em janeiro último, por exemplo, o funcionário não se mostrou surpreso que eu estivesse já com cinqüenta e quatro anos, e você se lembra como eu era mal acostumada, nesse particular, habituada a constantes manifestações de incredulidade e declarações de que parecia no mínimo dez anos mais nova. As exclamações cessaram da noite para o dia. De fato, tive um encontro embaraçoso, logo depois da *quinta-feira,* no qual um funcionário do metrô de Manhattan chamou minha atenção para o fato de as pessoas acima de sessenta e cinco anos poderem obter o desconto para idosos.

Nós concordamos que, se fôssemos ser pais, essa seria "a mais importante decisão que tomaríamos em conjunto". Entretanto a própria solenidade da decisão fez com que jamais parecesse real, e assim foi que permaneceu no reino dos caprichos. Toda vez que um de nós tocava no assunto, eu me sentia uma menina de sete anos de idade à espera de ganhar de Natal uma boneca que fizesse xixi.

Lembro-me de uma série de conversas, durante aquele período, que oscilavam num ritmo aparentemente arbitrário ora a favor, ora contra. A mais enérgica delas foi, sem dúvida, a que tivemos depois de um almoço de domingo na casa dos nossos amigos Brian e Louise, na Riverside Drive. O casal havia parado de oferecer jantares por causa do *apartheid* matrimonial que causavam: um cônjuge bancando o adulto, servindo azeitonas *calamatas* e *cabernet*, o outro cercando, banhando e pondo na cama as duas pestinhas. De minha parte, sempre preferi ver os amigos à noite — há uma rebeldia implícita, nisso — se bem que rebeldia não fosse mais uma qualidade que eu associaria àquele carinhoso e acomodado roteirista de alguns sucessos, que fazia as próprias massas e regava vasinhos de salsa no parapeito da janela.

Descendo de elevador, exclamei espantada: "E ele que era tão chegado num pó."

"Sente-se melancólica?", você comentou.

"Ah, tenho certeza de que ele está mais feliz agora."

Eu não tinha certeza. Naquele tempo, eu ainda considerava a integridade um tanto suspeita. Na verdade, havia sido um almoço muito "agradável", o que deixou em mim uma desconcertante sensação de desamparo. Eu admirei uma mesa de jantar de sólido carvalho, arrematada por uma bagatela numa liqüidação de objetos usados no interior do estado, enquanto você se submeteu a um inventário completo de todas as bonecas da menina mais nova com uma paciência que me deixou besta. Elogiamos a criatividade da salada com um fervor sincero porque, no início da década de oitenta, queijo de cabra e tomate seco ainda não haviam saído de moda.

Anos antes, concordamos que você e Brian não discutiriam o tema Ronald Reagan — para você, um ícone bem-humorado de brilho fácil e grande talento fiscal, que havia devolvido o orgulho à nação; para Brian, um sujeito de uma idiotice ameaçadora que iria quebrar o país com seus cortes nos impostos dos mais ricos. Por isso, mantivemos as conversas girando em torno de assuntos seguros, enquanto "Ebony & Ivory" murmuravam ao fundo num volume para adultos e eu reprimia minha irritação com as duas crianças que não paravam de acompanhar a música com guinchos desafinados, nem de tocar sempre a mesma faixa. Você lamentou o fato de o Knicks não ter conseguido desempatar e Brian fez uma imitação bem razoável do homem interessado em esportes. Estávamos todos decepcionados porque *All in the Family* ia chegando ao final da última temporada, mas concordamos que a série meio que se esgotara. Creio que o único conflito surgido, em toda aquela tarde, foi a respeito do destino igualmente terminal de *M*A*S*H*. Cansado de saber que Brian o venerava, você desancou Alan Alda, chamando-o de "chato carola".

No entanto, as divergências gozavam de um clima de jovialidade espantosa. Brian tinha uma queda por Israel e me senti tentada a introduzir uma referência qualquer aos "judeus-nazistas" e arrasar com aquela afabilidade toda. Mas, em vez disso, perguntei a ele sobre seu novo roteiro, mas nunca obtive uma resposta decente porque a filha mais velha deles grudou goma de mascar em seu cabelo louro-Barbie. Houve uma longa divagação a respeito de solventes, na qual Brian colocou um ponto final tosando um cacho da menina com uma faca de cozinha, o que deixou Louise um pouco perturbada. Mas essa foi a única comoção havida naquele dia; ninguém bebeu em excesso ou se ofendeu; a casa deles era boa, a comida estava boa, as meninas eram boazinhas — tudo bom, bom, *bom*.

Fiquei decepcionada comigo mesma ao descobrir que nosso agradabilíssimo almoço, com pessoas agradabilíssimas, não fora o suficiente. Por que eu teria preferido uma briga? Acaso aquelas duas crianças não eram absolutamente encantadoras, então que importância tinha elas terem interrompido nossa conversa o tempo todo e eu não ter conseguido concluir um único pensamento a tarde inteira? Por acaso eu não me encontrava casada com o homem que amava? Por que então alguma coisa maldosa dentro de mim queria que Brian tivesse enfiado a mão por baixo da minha saia, enquanto eu o ajudava a pegar os potes de Häagen-Dazs na cozinha? Olhando em retrospecto, eu tinha toda razão de me dar a maior dura. Poucos anos mais tarde, eu teria pago um bom dinheiro para usufruir de uma reunião normal e alegre em família, durante a qual a pior coisa que as crianças conseguiriam aprontar seria grudar chiclete no cabelo.

Você, no entanto, declarou todo animado, no saguão do prédio: "Foi ótimo, o almoço. Eu acho os dois sensacionais. Vamos ver se a gente consegue convidá-los logo para ir lá em casa, se eles arrumarem uma babá."

Mordi a língua. Você não teria dado bola para as minhas implicâncias — o almoço não foi meio insosso, você não se sentiu meio que sei lá, de que adianta isso tudo, será que não tem algo de sem graça, de chocho, de pastoso nessa história de *Papai sabe tudo*, sabendo que o Brian já foi (finalmente posso admitir ter dado uma rapidinha com ele num quarto de hóspedes, durante uma festa, antes de você e eu nos conhecermos) o maior malandro? É muito possível que você sentisse o mesmo que eu, que esse para todos os efeitos bem-sucedido encontro também tivesse sido um tanto borocoxô, um tanto insípido a seu ver, mas, em vez de aspirar a um outro modelo óbvio qualquer — não iríamos sair atrás de um grama de cocaína —, você se refugiou na negação. Aquela era uma gente boa que fora boa conosco e, portanto, nós tínhamos tido *bons momentos*. Concluir outra coisa era assustador, teria despertado o fantasma inominável sem o qual não conseguiríamos subsistir, mas que não podíamos convocar a nosso bel-prazer, muito menos se agíssemos em concordância virtuosa com uma fórmula já estabelecida.

*Você* considerava a redenção como um ato de vontade. Você menosprezava as pessoas (pessoas como eu) que se lamentavam de suas malditas insatisfações generalizadas; para você, não abraçar a simples maravilha de estar vivo deixava transparecer uma fraqueza de caráter. Você sempre detestou frescuras em relação à comida, a hipocondríacos e esnobes que franziam o nariz para *Laços de ternura* só porque era popular. Boas comidas, um belo lugar, gente simpática — que mais eu poderia querer? Além disso, a boa vida não bate na porta. A alegria dá trabalho. Portanto, se acreditássemos com empenho suficiente que tínhamos nos divertido com Brian e Louise, em tese, então, nós teríamos nos divertido de fato. O único sinal de que, no fundo, você achou a tarde enfadonha foi seu excesso de entusiasmo.

Ao rodopiarmos pelas portas giratórias para dar na Riverside Drive, tenho certeza de que minha inquietude era disforme e passageira. Mais tarde, esses pensamentos voltariam para me assombrar, embora na época eu não tivesse como antecipar que essa sua compulsão para encaixar à força experiências indisciplinadas e disformes numa caixinha bem organizada, como alguém tentando atochar diversos paus dentro de uma mala Samsonite rígida, ou que a sincera confusão que você fazia entre o *ser* e o *dever ser* — sua comovente tendência para confundir o que você possuía de fato com o que você queria muito — iriam produzir um efeito tão devastador.

Propus que voltássemos a pé para casa. Quando eu viajava pela *A Wing & a Prayer*, eu andava o tempo inteiro e esse impulso era uma segunda natureza, para mim.

"Mas devem ser uns oito ou nove quilômetros até Tribeca!", você objetou.

"Você pega um táxi para chegar em casa e pular corda sete mil e quinhentas vezes diante de um jogo do Knicks na televisão, mas uma boa caminhada que vai levá-lo aonde você quer ir é exaustiva."

"É. Tudo nos seus devidos lugares." Seus sistemas eram encantadores quando restritos a exercícios ou à meticulosidade com que você dobrava as camisas. Mas, em contextos mais sérios, Franklin, eu me empolgava menos. Com o tempo, a ordem acaba escorregando facilmente para a conformidade.

Foi assim que ameacei voltar a pé sozinha e isso resolveu a parada. Eu partiria para a Suécia dali a três dias e você cobiçava minha companhia. Enveredamos ruidosamente pela trilha de pedestres do Riverside Park, com os ginkgos todos em flor e a grama forrada de gente anoréxica fazendo *tai-chi*. Animadíssima por ter me safado de meus próprios amigos, tropecei.

"Você está de fogo", disse você.

"Duas taças."

Um estalo de língua. "Em pleno dia."

"Eu devia ter tomado três", falei, irritada. Seus prazeres eram todos racionados, exceto *televisão*, e bem que eu gostaria de às vezes vê-lo se soltar e voltar aos nossos tempos de salada e namoro; vê-lo chegar a minha casa com duas garrafas de *pinot noir*, seis latinhas de St. Pauli Girl e um sorriso maroto que não prometia permanecer inalterado até que passássemos o fio dental.

"As filhas do Brian", comecei, formalmente. "Vendo as duas, você fica com vontade de ter filhos?"

"Talvez, quem sabe. Elas são uma gracinha. Por outro lado, não sou eu que tenho de botar as pestinhas na cama de novo, quando elas pedem uma bolacha, o coelhinho e cinco milhões de copos d'água."

Eu entendi. Essas nossas conversas eram meio galhofeiras e sua frase inicial tinha sido evasiva. Quando o assunto era procriar, um de nós sempre acabava entalado no papel de desmancha-prazeres e, em nossa última contenda, eu havia jogado água fria na fervura da procriação: uma criança significava barulho, sujeira, restrições e ingratidão. Dessa vez, resolvi optar pelo papel mais ousado: "Ao menos, se eu ficar grávida, algo vai *acontecer*."

"Claro que vai." Seu tom de voz foi seco. "Você vai ter um bebê."

Arrastei você até a beira do rio. "Eu gosto da idéia de virar a página, só isso."

"Isso foi inescrutável."

"O que eu quero dizer é: nós somos felizes, você não acha?"

"Claro que sim", você conveio, cauteloso. "Suponho que sim." Para você, nosso contentamento não suportaria escrutínio — como se fosse um pássaro irrequieto, fácil de assustar; assim que um de nós exclamasse *Olha só que lindo cisne!*, ele levantaria vôo na hora.

"Bem, talvez a gente seja feliz demais."

"É, pois é, já faz um tempo que eu andava querendo conversar sobre isso com você. Seria muito melhor se você pudesse me fazer um pouco mais infeliz."

"Pare com isso. Estou falando de história. Como nos contos de fada: 'E eles viveram felizes para sempre' é sempre a última frase."

"Me faz uma gentileza: seja um pouco mais clara."

Ah, você sabia exatamente o que eu queria dizer. Não é que a felicidade fosse insípida. É que ela não dava uma boa narrativa. E uma das nossas melhores e maiores distrações, com a velhice, é recitar, não só para os outros, como também para nós mesmos, nossa própria história. Eu sou mestre nisso: fujo da minha história todo dia e ela me persegue como um vira-lata abandonado. Por isso mesmo, um aspecto meu que mudou da juventude para cá é que agora eu considero as pessoas com pouca ou nenhuma história para contar como tremendamente afortunadas.

Diminuímos o ritmo perto das quadras de tênis, sob o fulgor do sol de abril, e paramos para admirar uma cortada poderosa por uma fresta na rede verde. "Tudo parece tão resolvido", lamentei eu. "A *Wing* decolou de tal forma que a única coisa que poderia de fato *acontecer* comigo, profissionalmente, é a empresa afundar. E eu sempre posso ganhar mais dinheiro — mas sou uma viciada em pechinchas, Franklin, não saberia o que fazer com mais. Dinheiro me dá tédio e está começando a mudar nosso modo de vida de um jeito que não ando gostando muito. Um monte de gente deixa de ter filhos porque não pode sustentar uma criança. Para mim, seria um alívio achar algo significativo no qual gastar dinheiro."

"Eu não sou significativo?"

"Você não precisa o suficiente."

"Uma nova corda de pular?"

"Merreca."

"Bom", você então admitiu, "pelo menos uma criança responderia a Grande Questão."

Eu também sabia como ser perversa. "Que grande questão?"

"Ah, você sabe", e seu tom foi despreocupado, ao acrescentar, feito um mestre-de-cerimônias empolado, "o velho dilema *e-e-existencial*."

Não consegui atinar com o porquê, mas a sua Grande Questão não me comoveu. Eu gostava bem mais do meu *virar a página*. "Eu sempre poderia me mandar para um novo país —"

"Tem algum sobrando? Você troca de país mais ou menos como a maioria das pessoas troca de meia."

"Rússia", eu comentei. "Mas, pelo menos desta vez, não me sinto inclinada a entregar minha alma para a Aeroflot. Porque ultimamente... todo lugar parece mais ou menos o mesmo. Os países todos têm comidas diferentes, mas todos eles têm *comida*, sabe o que estou querendo dizer?

"Como é mesmo que você chama isso? Ah, claro! Frioleiras."

Viu só como era seu costume, naquele tempo, fingir que não fazia idéia do que eu estava falando, se o assunto tratado envolvesse a menor sutileza ou complicação? Mais tarde, essa sua estratégia de se fazer de bobo, que começou como uma brincadeirinha, foi se deturpando e se transformando numa incapacidade bem mais sombria de entender qualquer coisa que eu expusesse, não porque o assunto era complicado, e sim porque tudo estava claro demais e você não queria que fosse assim.

Permita-me, então, elucidar: os países têm cada qual seu próprio clima, mas todos têm um clima, desse ou daquele tipo, alguma forma de arquitetura, desse ou daquele tipo, e uma inclinação para arrotar à mesa que pode ser considerada tanto elogiosa como rude. Daí que eu já tinha começado a me ater menos a questões da conveniência ou não de deixarmos as sandálias na porta, se estivéssemos no Marrocos, para me concentrar mais na constante: ou seja, onde eu estivesse, a cultura do lugar teria um costume para os sapatos. Parecia uma trabalheira danada — fazer o *check-in* da bagagem, me acostumar com o novo fuso horário — só para continuar encalacrada no velho *continuum* de clima-sapato; o próprio *continuum* acabou me parecendo uma espécie de locação, o que portanto me levava sempre a um mesmo lugar. Ainda que eu às vezes me pusesse a tecer elogios à globalização — eu agora podia comprar suas botinas prediletas, as Stove marrom-chocolate, na Banana Republic de Bangcoc —, o que ficara monótono mesmo era o mundo que eu levava na cabeça, o que eu pensava, como eu me sentia e o que eu dizia. A única forma de fazer minha cabeça ir a algum lugar, de fato, seria viajar para uma vida diferente, e não para um aeroporto diferente.

"A maternidade", condensei eu, lá no parque. "Isso sim é que é país estrangeiro."

Nas raras oportunidades em que tudo levava a crer que eu talvez quisesse de fato *fazer isso*, você ficava nervoso. "Você deve estar muito satisfeita com seu sucesso", você me falou. "Procurar locação para os anunciantes da Madison Avenue não me levou a orgasmos de auto-realização."

"Certo." Parei, encostei no parapeito morno de madeira que cercava o Hudson e abri os braços, para encará-lo de frente. "E aí, o que *acontece*? Com você, em termos profissionais, o que você quer, o que você espera?"

Você abanou a cabeça, em busca de meu rosto. Parecia ter entendido que eu não estava tentando impugnar suas conquistas ou a importância de seu trabalho. Isso tinha a ver com uma outra coisa. "Eu poderia sair atrás de locações para o cinema."

"Mas você sempre falou que as duas coisas são iguais. Você acha a tela, um outro vem e pinta a paisagem. E publicidade paga melhor."

"Casado com a Dona Caixa-Forte, isso não importa muito."

"Importa para você." Sua maturidade diante do fato de eu ganhar muito mais tinha limites.

"Já pensei em tentar algo totalmente diferente."

"Quer dizer então que você vai se munir de coragem e abrir um restaurante?"

Você sorriu. "Eles nunca dão certo."

"Justamente. Você é prático demais. Talvez venha a fazer algo diferente, mas vai continuar mais ou menos no mesmo *plano*. E eu estou falando de topografia. Topografia emocional, narrativa. Nós moramos na Holanda. E às vezes tenho ganas de Nepal."

Tendo em vista a ambição que motivava tantos outros nova-iorquinos, você poderia ter se magoado com o meu comentário. Mas você sempre foi muito prático a respeito de si mesmo e não se ofendeu. Tinha suas ambições — para a vida, como estaria ela quando acordasse, e não para atingir isso ou aquilo. Assim como a maioria das pessoas que não sentiram um chamado especial logo de início, você punha o trabalho em segundo plano; uma ocupação para encher o dia, mas não o coração. Eu gostava disso em você. Gostava muito.

Começamos a caminhar de novo e eu balancei sua mão. "Nossos pais vão morrer logo", recomecei. "Na verdade, um a um, todos que nós conhecemos vão começar a afogar suas tormentas na bebida. Envelheceremos e, em algum momento, vamos perder mais amigos do que conhecer gente nova. Claro que podemos ir viajar e sucumbir, por fim, às malas com rodinhas. Podemos comer mais, beber mais vinhos e fazer mais sexo. Mas — e não me entenda mal — tenho medo de que tudo comece a ficar meio gasto."

"Um de nós sempre pode ter um câncer no pâncreas", você sugeriu alegremente.

"Pois é. Ou enfiar sua picape numa betoneira, e aí o enredo se complica. Mas meu ponto é justamente esse. Tudo o que me passa pela cabeça que é possível de acontecer conosco daqui para a frente — e não estou falando de receber um postal carinhoso da França, e sim de acontecimentos concretos — é pavoroso."

Você beijou meu cabelo. "Meio mórbido, para um dia tão bonito."

Por alguns metros mais, andamos num semi-abraço, mas nossos passos colidiam; preferi enganchar o indicador num dos passadores do seu cinto. "Sabe aquele eufemismo, *ela está esperando*? É bem adequado. O nascimento de um bebê, desde que ele seja saudável, é motivo de esperança. É uma coisa boa, um acontecimento imenso, fantástico, bom. E dali em diante, tudo o que acontecer de bom a ele acontece para você também. Claro que as coisas ruins estão incluídas no pacote", acrescentei mais que depressa, "mas, você sabe, tem os primeiros passos, os primeiros namoros, os primeiros lugares nas corridas de saco. Crianças se formam, se casam, têm os próprios filhos — de certa maneira, você acaba fazendo tudo duas vezes. Mesmo que nosso filho tenha problemas", supus feito uma idiota, "pelo menos não seriam aqueles mesmos velhos problemas nossos..."

Chega. Recontar esse diálogo está me partindo o coração.

Olhando em retrospecto, talvez eu ter dito que queria mais "história" fosse uma forma de aludir ao fato de eu querer mais alguém para amar. Nós nunca dissemos essas coisas um ao outro; éramos tímidos demais. E eu ficava nervosa só de pensar que algum dia você pudesse imaginar que não era suficiente para mim. Na verdade, agora que nos separamos, eu gostaria de ter superado minha própria timidez e de ter-lhe dito mais vezes que me apaixonar por você foi a coisa mais espantosa que já me aconteceu na vida. Não só o me apaixonar, essa parte banal e finita, mas o estar apaixonada. Nos dias que passávamos separados, em cada um deles, eu recriava na imaginação aquele seu peito largo quentinho, de montes rijos e arredondados pelos cem peitorais diários, o vale da clavícula onde eu aninhava o topo da cabeça nas gloriosas manhãs em que não tinha que pegar um avião. Às vezes, escutava você me chamando de algum canto — "E-e-VA!" — muitas vezes num tom irascível, grosseiro, exigente, mandando segui-lo porque eu era sua, como se eu fosse um *cachorro*, Franklin! Mas eu era sua, não me ressentia com aquilo e queria que você exigisse: "Eeeeeee-VÁ!" sempre com a ênfase na segunda sílaba, e, em certas noites, eu mal conseguia responder porque minha garganta se fechava com um nó que vinha subindo lá de dentro. Eu tinha de parar de fatiar as maçãs para a torta porque uma película se formara sobre meus olhos e a cozinha toda havia ficado desfocada e bamba — se eu continuasse fatiando, iria me cortar. Você sempre gritava comigo, quando eu me cortava, você ficava furioso e a irracionalidade daquela raiva era tanta que quase me seduzia a repetir a façanha.

Nunca, jamais, deixei de lhe dar valor. Nós nos conhecemos muito tarde para isso; eu estava prestes a completar trinta e três anos, na época, e meu passado sem você era desolado e persistente demais para que eu achasse banal o milagre do companheirismo. No entanto, depois de ter sobrevivido tanto tempo das migalhas de minha própria mesa emocional, você me estragou com um banquete diário de olhares cúmplices de "mas que cara mais mala" nas festas, flores sem motivo nenhum e bilhetes nos ímãs da geladeira que sempre terminavam com "mil beijos, Franklin". Você me fez esganada. Como qualquer viciado que se preze, eu queria mais. E estava curiosa. Eu queria saber qual seria a sensação quando uma voz ardida chamasse: "Mãaa-MÍ" daquele mesmo canto. Foi você que começou — feito alguém que nos dá de presente um único elefante esculpido em ébano e, de repente, a gente encasqueta que seria divertido começar uma *coleção.*

*Eva*

P.S. (3:40 da madrugada)

Tenho tentado largar os comprimidos para dormir e um dos motivos é saber que você não aprova o uso de soníferos. Mas, sem eles, fico virando na cama. Estarei imprestável amanhã, na Viaje Conosco, mas queria anotar uma outra lembrança daquela época.

Lembra o dia em que a Eileen e o Belmont foram comer siri-mole conosco lá no *loft*? Aquela noite *foi* desenfreada. Até você atirou a prudência pela janela e avançou no *brandy* de framboesa às duas da madrugada. Sem interrupções para admirar roupinhas de boneca, nada de amanhã é *dia de aula*, fartamo-nos de fruta com *sorbet* e emborcamos fartas segundas doses transparentes e inebriantes de *framboise*, soltando brados entusiasmados diante das histórias — veja se você supera essa, dizíamos uns aos outros — que contávamos naquela orgia de adolescência eterna tão característica da meia-idade sem filhos.

Todos nós falamos sobre nossos pais — sobretudo em detrimento deles, coitados. Montamos uma espécie de competição oficiosa: quem tinha os pais mais tantãs. Você estava em desvantagem: o inabalável estoicismo pioneiro deles era difícil de parodiar. Já no meu caso, as engenhosas desculpas que minha mãe inventava para não sair de casa foram motivo de grande hilaridade e consegui explicar até a piadinha particular do "é muito prático" — o bordão da família para dizer "eles entregam em domicílio" — que rolava em casa entre meu irmão Giles e mim. Naquele tempo (antes de começar a não querer deixar os filhos dele chegarem perto de mim), bastava eu dizer "é muito prático" para ele cair na gargalhada. Lá pelas tantas, eu já podia dizer "é muito *prático*" para Eileen e Belmont que eles achavam uma graça danada também.

Porém não dava para competirmos com aquela trupe multirracial de boêmios de vaudevile que já vira de tudo na vida. A mãe de Eileen era esquizofrênica, o pai, jogador profissional e trapaceiro; a mãe de Belmont era uma ex-prostituta que continuava se vestindo como Bette Davis em *O que terá acontecido à Baby Jane?*, e o pai era um baterista semifamoso de jazz que havia tocado com Dizzy Gillespie. Desconfio que já tinham contado aquelas histórias antes, mas, por isso mesmo, contavam muito bem e, depois de tanto *chardonnay* acompanhando o festival de siri, eu ri de chorar. A certa altura, cheguei a pensar em dirigir a conversa para a monstruosa decisão que você e eu tentávamos tomar, mas Eileen e Belmont eram no mínimo dez anos mais velhos e eu não sabia se fora por opção que eles não haviam tido filhos. Tocar no assunto poderia ser indelicado.

Eles só foram embora lá pelas quatro da manhã. E pode ter certeza de uma coisa, Franklin, eu me divertira à beça. Foi uma daquelas raras noitadas que vale a trabalheira de correr até o mercado de peixe, picar todas as frutas, e que quase deveria ter valido a pena a faxina que fomos obrigados a fazer na cozinha, coberta de farinha e grudenta de casca de manga. Senti-me um tanto decepcionada quando tudo acabou, ou pesada com toda aquela bebida, cujo enleio, tendo passado, deixara apenas um vacilo nos pés e uma deficiência de atenção quando precisei me concentrar para não derrubar as taças. Mas não era por isso que eu me sentia entristecida.

"Que silêncio", você comentou, empilhando os pratos. "Cansada?"

Belisquei uma patinha solitária de siri que caíra da frigideira. "Nós devemos ter passado, o quê?, umas quatro, cinco horas, falando dos nossos pais."

"E daí? Se estiver se sentido culpada por ter falado mal da sua mãe, pode ir se preparando para fazer penitência até 2025. Porque esse é um dos seus esportes favoritos."

"Eu sei que é. E é isso que me incomoda."

"Ela não ouviu o que você disse. E ninguém saiu da mesa pensando que só porque você acha sua mãe engraçada, não enxerga o lado trágico. Ou que não gosta dela." E aí você acrescentou: "Lá do seu jeito."

"Mas, depois que ela morrer, nós não vamos... eu não vou poder continuar com isso. Não vai dar mais para ser tão ferina, não sem me sentir traiçoeira."

"Desanca a pobre coitada enquanto dá, então."

"Mas será que devíamos estar falando dos nossos pais, na nossa idade?"

"Qual é o problema? Você riu tanto que deve até ter molhado a calcinha."

"Fiquei com essa imagem, depois que eles se foram — nós quatro, todos já na casa dos oitenta, com manchas de velhice nas mãos, ainda enchendo a cara, ainda contando as mesmas histórias. Talvez pontilhadas de afeto ou remorso, uma vez que eles já teriam morrido todos, mas ainda falando sobre o papai e a mamãe esquisitos que arrumamos. Não lhe parece meio patético, isso?"

"Você prefere sofrer por El Salvador."

"Não é isso..."

"...ou então oferecer gotas de sabedoria junto com o cafezinho, como se serve chocolate com menta depois do jantar: os belgas são grosseiros, os tailandeses não gostam de trocar carinhos em público e os alemães são obcecados por merda."

Os laivos de amargor nessas gozações estavam se acentuando. Minhas suadas pepitas antropológicas pelo visto serviam como lembretes de que, enquanto eu partia para fantásticas aventuras no exterior, você ficava revirando os subúrbios de Nova Jersey em busca de uma oficina bem ferrada para a Black & Decker. Eu podia ter revidado, podia ter dito que sentia muito se minhas histórias de viagem eram consideradas enfadonhas, mas foi mais uma brincadeira sua do que qualquer outra coisa, era tarde e eu não estava a fim de briga.

"Não diga bobagem", eu falei. "Sou como qualquer outro ser humano: adoro falar dos outros. Não do *país* das pessoas. Pessoas que eu conheço, pessoas que estão próximas — pessoas que me deixam maluca. Mas sinto que estou abusando da minha família. Meu pai morreu antes de eu nascer; sobraram minha mãe e meu irmão, e isso não dá muita opção de escolha. Sinceramente, Franklin, talvez a gente devesse ter um filho só para ter algo mais sobre o que falar."

"Agora *isso* sim", e você fez um estardalhaço com a panela de espinafre na pia, "é que é frivolidade."

Eu banquei seu jogo. "Não é não. Nós falamos sobre o que pensamos, e o que pensamos é o que a nossa vida é. Não tenho certeza se quero passar a minha olhando para trás, para uma geração cuja linhagem estou ajudando a interromper. Há qualquer coisa de niilista em não ter filhos, Franklin. Como se você não acreditasse nessa *coisa* toda de humanidade. Se todos seguissem nosso exemplo, a espécie desapareceria em cem anos.

"Sem essa", você zombou. "Ninguém tem filho para perpetuar a espécie."

"Talvez não conscientemente. Mas foi só em meados dos anos sessenta que a gente começou a poder decidir, sem precisar entrar para um convento. Além do mais, depois de noites como esta, talvez haja uma certa justiça poética em filhos adultos falando durante horas com os amigos a *meu* respeito."

Como nós investimos em nós mesmos! Sim, porque a perspectiva desse minucioso exame me era agradável. *Olha como a mamãe era bonita, não? Como ela era brava, não? Nossa, ela ia para todos aqueles países perigosos sozinha!* Esses *flashes* sobre as ruminações filiais, altas horas da madrugada, vinham envoltos no véu transparente da adoração tão obviamente ausente da impiedosa dissecação que eu fazia de minha própria mãe. Que tal: *Você não acha a mamãe ultrapretensiosa? O nariz dela não é imenso? E aqueles guias de viagem que ela faz são tããããããão chaaaaatos*. Pior, a pontaria certeira das críticas feitas pelos filhos fica mais fácil devido ao acesso, à confiança, às revelações voluntárias e, por isso, constitui traição em dobro.

No entanto, mesmo olhando daqui, essa ânsia por "algo sobre o que falar" não me pareceu nem um pouco frívola. Na verdade, talvez eu tenha sido seduzida a contemplar a hipótese de uma gravidez por causa daquelas tentadoras cenas tão criativas, verdadeiros *trailers* de cinema: eu abrindo a porta para o menino por quem minha filha (confesso que sempre imaginei uma filha) acalenta sua primeira paixonite, acalmando seu desengonço com um papo fluente e fazendo uma avaliação interminável — brincalhona e impiedosa — assim que ele vire as costas. Meu desejo de ficar até tarde com Eileen e Belmont, e, uma vez na vida, conversar sobre jovens com toda a vida pela frente — que fariam histórias *novas* sobre as quais eu teria opiniões *novas* e cujo tecido ainda não estaria esgarçado de tanto serem repetidas — era bastante real e não conversa fiada.

Ah, mas nunca me passou pela cabeça o que, exatamente, depois que me dessem enfim o tão cobiçado assunto, eu teria para dizer. Tampouco poderia ter previsto a dolorosa ironia, digna do desfecho de algum daqueles contos surpreendentes de O. Henry, de, ao obter meu fascinante tópico de conversa, perder o homem com quem eu mais desejava conversar.

## *28 de novembro de 2000*

*Querido Franklin,*

Esse carnaval na Flórida não dá sinais de esmorecimento. O escritório está em polvorosa por causa de uma funcionária do governo que usa maquiagem demais e vários dos meus mui aflitos colegas estão prevendo uma "crise constitucional". Embora eu não tenha acompanhado os detalhes, duvido muito. O que me surpreende, agora, ao ver as pessoas nos *diners* se zangando umas com as outras, quando antes almoçavam em silêncio, é que, muito mais do que em perigo, elas se sentem em total segurança. Só mesmo um país que se crê invulnerável pode se dar ao luxo de encarar a barafunda política como entretenimento.

Mas, tendo chegado tão perto do extermínio, num passado bem recente (sei que você já cansou de me ouvir falar nesse assunto), poucos armênio-americanos partilham da presunçosa sensação de segurança dos conterrâneos. As próprias cifras de minha vida são apocalípticas. Eu nasci em agosto de 1945, quando os rastros de dois gigantescos cogumelos explodindo no Oriente nos deram um prudente antegosto do inferno. O próprio Kevin nasceu durante a ansiosa contagem para o início de 1984 — ano muito temido, como você há de se lembrar; ainda que eu ralhasse com quem tomava o título arbitrário de George Orwell ao pé da letra, aqueles dígitos de fato deram início a uma era de tirania, para mim. A própria *quinta-feira* aconteceu em 1999, um ano que muita gente considerou de antemão como sendo o fim do mundo. E não foi.

Desde que escrevi pela última vez, andei revirando meu sótão mental a ver se encontrava minhas ressalvas originais à maternidade. Lembro-me, sim, de uma montoeira de medos, todos do tipo errado. Caso eu tivesse enumerado as desvantagens da procriação, "filho pode acabar sendo assassino" jamais teria aparecido na lista. Na verdade, ela teria sido algo mais ou menos assim:

1. Pentelhação.
2. Menos tempo só para nós dois. (Que tal tempo *nenhum* só para nós dois?)
3. Os outros. (Reunião de Pais e Mestres. Professores de balé. Os amigos insuportáveis das crianças e seus insuportáveis pais.)
4. Virar uma vaca gorda. (Eu era esbelta e preferia ficar como estava. Minha cunhada teve varizes durante a gravidez, aquelas veias enormes nas pernas dela nunca mais desincharam e a perspectiva de ver minhas panturrilhas se ramificando em radículas azuis me torturava mais do que eu poderia admitir. De modo que não admiti nada. Sou vaidosa, ou já fui um dia, e uma de minhas vaidades era fingir que eu não tinha vaidade.)
5. Altruísmo artificial: ser forçada a tomar decisões segundo o que é melhor para uma outra pessoa. (Eu sou pavorosa.)
6. Redução nas minhas viagens. (Note que eu disse *redução*. Não *fim* delas.)
7. Tédio enlouquecedor. (Eu achava criança pequena uma chatice inominável. E, desde o princípio, sempre admiti isso para mim mesma.)
8. Vida social imprestável. (Nunca consegui ter uma conversa decente na presença de crianças de cinco anos na sala.)
9. Rebaixamento social. (Eu era uma empresária respeitada. Assim que aparecesse com uma criança a tiracolo, todos os homens que eu conhecia — e todas as mulheres também, o que é deprimente — deixariam de me levar tão a sério.)
10. Arcar com as conseqüências. (Procriar é saldar uma dívida. Mas quem quer saldar uma dívida da qual se pode escapar? Tudo

indica que as mulheres sem filhos escapam impune e furtivamente. Além do mais, de que adianta pagar uma dívida para o credor errado? Só a mais desalmada das mães poderia se sentir recompensada da trabalheira ao ver a própria filha levando finalmente uma vida tão horrenda quanto a sua.)

Essas, pelo que consigo me lembrar, foram as minúsculas apreensões que eu pesei de antemão, e note que tentei não contaminar a ingenuidade bestificante delas com o que de fato ocorreu. Obviamente, os motivos para continuar estéril — e que palavra devastadora, essa — eram todos incômodos tolos, sacrifícios insignificantes. Eram razões egoístas, maldosas e mesquinhas, de sorte que qualquer mulher que compilasse uma tal lista e optasse por manter sua vidinha arrumada, sufocante, estática, ressequida, sem saída e sem família era não apenas míope como também pavorosa.

No entanto, ao contemplar agora esse rol, constato, surpresa, que, por mais condenáveis que sejam, as reservas convencionais à procriação são todas muito práticas. Afinal, agora que os filhos não aram mais nossas terras nem nos dão guarida quando ficamos incontinentes, não há motivo sensato para tê-los. O espantoso é que, com o advento da contracepção eficaz, alguém ainda opte por frutificar. Por outro lado, amor, história, conteúdo, fé na "coisa" humana — os incentivos modernos são como os dirigíveis: imensos, flutuantes e raros; otimistas, generosos e até mesmo profundos, mas agourentamente soltos.

Durante anos esperei por aquele chamado avassalador do qual eu tanto ouvira falar, o anseio narcótico que, nos parques, aproxima inexoravelmente as mulheres sem filhos dos carrinhos de bebê. Eu queria me afogar nesse imperativo hormonal, acordar um dia, atirar meus braços em seu pescoço, pegá-lo de jeito e rezar para que, enquanto aquela flor negra desabrochava atrás de meus olhos, você tivesse me deixado com um filho na barriga. (*Com um filho na barriga*: há uma ressonância quente e gostosa nessas palavras, um reconhecimento arcaico mas terno de que, pelos nove meses seguintes, você terá companhia para onde quer que vá. *Grávida*, por outro lado, é um termo pesado, volumoso, que aos meus ouvidos sempre pareceu uma péssima notícia: "Eu estou *grávida*." Instintivamente, já imagino uma garota de dezesseis anos, à mesa do jantar — pálida, doentia, com um namorado canalha — fazendo um esforço danado para desembuchar os piores temores de sua mãe.)

Qualquer que seja o gatilho, o chamado não penetrou meu sistema e isso me deixou com a sensação de que havia sido enganada. Quando percebi, aos trinta e poucos anos, que ainda não entrara no cio materno, comecei a me preocupar com a possibilidade de haver algo errado comigo, algo faltando. Até dar à luz Kevin, aos trinta e sete anos, já havia começado a me perguntar se, ao não ter simplesmente aceitado esse meu defeito, eu não teria ampliado uma deficiência incidental, talvez até mesmo química, para uma falha de proporções shakespearianas.

Então o que foi que me fez sair de cima do muro? Você, para começo de conversa. Porque se *nós* éramos felizes, você não, não exatamente, e eu devia saber disso. Havia um vazio na sua vida que eu não podia preencher. Você tinha o trabalho e estava satisfeito com ele. Xereteando em estábulos e arsenais abandonados, em busca de um pasto que, além de circunscrito por uma cerquinha branca de madeira, precisava ter um silo de tijolos vermelho-cereja e vacas malhadas (Kraft — cujo queijo em fatias era feito com "leite de verdade"), você fazia o próprio horário, a própria paisagem. Gostava de sair atrás de uma locação ideal. Mas não amava sua profissão. Sua paixão eram as pessoas, Franklin. De modo que quando vi você brincando com as filhas do Brian, fazendo bilu-bilu para elas com macaquinhos de pelúcia, admirando as tatuagens laváveis das duas, ansiei por lhe dar a oportunidade de sentir o mesmo ardor que um dia eu havia encontrado na *A Wing & a Prayer* — ou, como dizia você, na AWAP.

Lembro-me de uma vez você ter tentado se expressar, hesitantemente, o que não fazia seu gênero; tanto no tocante a sentimento quanto a linguagem. Você nunca se sentiu muito confortável com a retórica da emoção, o que é bem diferente de sentir desconforto com a emoção em si. Você temia que demasiado escrutínio pudesse ferir os sentimentos, mais ou menos como o manuseio, bem-intencionado mas brutal, de uma salamandra por mãos desajeitadas e grandalhonas.

Estávamos na cama, ainda naquele *loft* abobadado de Tribeca, onde o elevador barulhento de porta pantográfica vivia enguiçando. Cavernoso, peneirado de poeira, uniformizado em cubículos civilizados por mesinhas de canto, aquele *loft* sempre me lembrava do esconderijo secreto de zinco que meu irmão e eu tínhamos em Racine. Havíamos acabado de fazer amor e eu estava começando a pegar no sono quando me sentei ereta na cama, assustada. Eu tinha de tomar o avião para Madri dali a dez horas e esquecera de pôr o despertador. Depois que ajustei o relógio, reparei que você estava deitado de costas. Com os olhos abertos.

"O que foi?"

Você suspirou. "Não sei como você consegue." Assim que me aninhei de volta na cama, pronta para me deleitar com mais louvores à minha coragem e ao meu fantástico espírito de aventura, você deve ter pressentido meu engano, porque acrescentou apressado. "Partir. Partir o tempo todo e por tanto tempo. *Me* deixar."

"Mas eu não gosto."

"Será mesmo?"

"Franklin, eu não fundei minha empresa para escapar das suas garras. Não se esqueça de que ela é anterior a você."

"Ah, dificilmente eu poderia ter esquecido desse fato."

"É meu trabalho!"

"Mas não precisa ser."

Sentei-me na cama. "Você por acaso está..."

"Não, não estou." Você me empurrou delicadamente de volta para a cama. A conversa não estava indo conforme o planejado, e você tinha, eu vi bem, planejado aquilo. Você rolou, pôs os cotovelos nas laterais do meu corpo e tocou muito rápido e de leve minha testa com a sua. "Não estou tentando acabar com os seus guias. Eu sei o quanto significam para você. Esse é o problema. Mas, se fosse comigo, eu não conseguiria. Eu não conseguiria levantar, pegar um avião para Madri e tentar desencorajar você de ir me esperar no aeroporto daqui a três semanas. Talvez uma ou duas vezes, sim. Mas não o tempo inteiro."

"Você conseguiria, se tivesse que ir."

"Eva. Você sabe e eu também. Você não precisa fazer isso."

Eu me torci. Você estava tão perto; senti calor, e, entre seus cotovelos, como se estivesse engaiolada. "Nós já conversamos sobre isso outras..."

"Não o suficiente. Seus guias de viagem são um tremendo sucesso. Você pode muito bem contratar universitários para fazer o seu trabalho e conferir as condições das pensões e dos albergues. Eles já não fazem boa parte das pesquisas?"

Fiquei perplexa. Já tínhamos falado sobre isso. "Se eu não ficar de olho, eles trapaceiam. Dizem que têm confirmação de que uma indicação continua valendo, não checam nada e mandam ver. Mais tarde, acaba que a pensão isso ou aquilo mudou de mãos e está infestada de piolhos, ou então que se mudou para outro lugar. E eu recebo reclamações de ciclistas que, depois de rodar cento e cinqüenta quilômetros numa competição, encontram uma agência de seguros em vez da merecida cama. Ficam furiosos, e eu não lhes tiro a razão. E, sem a dona espiando por cima do ombro, alguns estudantes aceitam propina. O maior bem da AWAP é a reputação que nós temos,,,"

"Mas você podia muito bem contratar uma outra pessoa para fazer a verificação do local. Ou seja, você vai para Madri amanhã porque quer. Não há nada de horrível nisso, a não ser que eu não iria, eu não conseguiria. Sabe que eu penso em você o tempo todo, quando você não está? Me preocupo se está comendo, com quem está se encontrando..."

"Mas eu também penso em você!"

Você riu e foi uma risada gostosa; sua intenção não era brigar. Fui liberada e você voltou a deitar de costas. "Besteira, Eva. Você fica aí pensando se a barraquinha de falafel na esquina vai durar até a próxima atualização do guia e em como descrever a cor do céu. Ótimo. Mas só pode ser porque você sente por mim algo diferente do que eu sinto por você. Não estou querendo dizer mais nada além disso."

"Você acha mesmo que o meu amor é menor que o seu?"

"Você não me ama do mesmo jeito. Não tem nada a ver com ser maior ou menor. Existe algo... que é só seu." Você estava tateando no escuro. "Talvez eu inveje isso. É como se fosse um tanque de reserva, algo parecido. Você põe o pé fora daqui e essa outra fonte entra em cena. Aí você saçarica pela Europa ou Malásia, até acabar a bateria, e só então volta para casa."

No entanto, o que você descreveu nesse dia estava mais perto de mim em tempos pré-Franklin. Eu fui, numa certa época, uma pequena unidade muito eficiente, feito uma daquelas escovas de dente para viagem que dobram e viram um estojinho. Sei que tenho a tendência de romancear demais essa época, se bem que principalmente no início eu tinha um fogo verdadeiro dentro de mim. Eu era uma menina, na verdade. A idéia de fundar a *A Wing & a Prayer* me veio na metade da primeira viagem à Europa, para a qual eu levara muito pouco dinheiro. A idéia de fazer um guia boêmio de viagem deu propósito ao que, de outra forma, estava começando a se desintegrar numa interminável xícara de café, e, dali em diante, passei a ir a toda parte com um bloco molambento de notas, registrando a tarifa dos quartos de solteiro, se havia água quente, se os funcionários falavam pelo menos um pouco de inglês ou se os assentos das privadas levantavam.

É fácil esquecer disso, agora que a AWAP deu origem a tanta concorrência, mas, em meados da década de sessenta, o pessoal que viajava para o exterior praticamente ficava nas mãos do *The Blue Guide*, cuja público-alvo era de meia-idade e de classe média. Em 1966, quando a primeira edição de *Western Europe on a Wing & a Prayer* foi para uma segunda reimpressão da noite para o dia, percebi que havia encontrado um bom filão. Gosto de me imaginar uma pessoa sagaz, mas ambos sabemos que tive sorte. Nunca previ a invasão dos mochileiros e também nunca fui bem uma demógrafa amadora para poder tirar partido proposital da explosão demográfica do pós-guerra e de todos aqueles jovens irrequietos atingindo a maioridade ao mesmo tempo, vivendo às custas do papai numa era de prosperidade, mas contando em espichar ao máximo umas poucas centenas de dólares na travessia da Itália e loucos por alguns conselhos sobre como fazer a viagem que, para início de conversa, o papai não queria que fizessem durar o máximo possível. Na maioria das vezes, imaginei que o viajante que viesse depois de mim sentiria medo, como eu fiquei com medo, que ele teria receio que lhe passassem a perna, como me aconteceu algumas vezes, e já que eu estava disposta a sofrer intoxicação alimentar primeiro, poderia ao menos garantir que nosso intrépido noviço não passasse acordado sua primeira noite eletrizante no exterior, vomitando. Não estou querendo dizer com isso que eu era benevolente, apenas que escrevi um guia que eu gostaria de ter podido usar.

Você está girando os olhos. Essa história já deu o que tinha que dar e talvez seja inevitável que as coisas que nos atraem em direção a alguém logo no início se tornem as mesmas com as quais mais tarde nos irritamos. Agüente mais um pouco.

Você sabe que sempre tive horror de acabar igual à minha mãe. É engraçado, mas Giles e eu só fomos saber da existência da palavra "agorafobia" quando já estávamos com uns trinta anos e sempre me espanto com a definição precisa do termo: "medo de grandes espaços abertos ou públicos". O que não é, até onde eu sei, uma descrição correta do problema. Minha mãe não temia estádios de futebol, temia sair de casa, e minha impressão é que entrava em pânico tanto em espaços fechados quanto em espaços abertos, desde que o espaço fechado não fosse a casa 137 da Avenida Enderby, em Racine, Wisconsin. Mas parece que não existe uma palavra para isso (Enderbyfilia?), e ao menos quando me refiro à minha mãe como agorafóbica, as pessoas entendem os pedidos de entrega em domicílio.

*Minha nossa, mas que ironia*, ouvi isso não sei quantas vezes. *E você correndo o mundo todo!* Há quem aprecie a simetria dos contrários aparentes.

Mas permita-me ser franca. Eu *sou* muito parecida com minha mãe. Talvez porque, quando criança, estava sempre indo fazer algo para o qual era pequena demais, e isso, portanto, me apavorava. Ela me fez sair para procurar uma junta de vedação para a pia da cozinha quando eu tinha oito anos de idade. Ao me forçar a ser sua emissária, quando eu ainda era muito nova, minha mãe conseguiu reproduzir em mim a mesma angústia desproporcional diante das pequenas interações com o mundo externo que ela própria sentia aos trinta e dois anos.

Não me lembro de uma única viagem ao exterior que eu tenha tido realmente vontade de fazer, que eu não tenha de uma forma ou de outra receado e desejado de coração poder cancelar. Sempre me via forçada a atravessar a porta de casa por uma conspiração de compromissos anteriores: a passagem comprada, o táxi pedido, um punhado de reservas confirmadas e, só para me enrascar um pouco mais, conversas sobre a viagem travadas com amigos, antes do adeus esfuziante. Mesmo no avião, eu teria me sentido felicíssima se aquele enorme jato tivesse penetrado na estratosfera para todo o sempre. Aterrissar era uma agonia, encontrar um quarto para a primeira noite era uma agonia, ainda que o alívio em si — minha duplicação especial da Avenida Enderby — fosse glorioso. Com o tempo, acabei me viciando nessa seqüência de terrores que iam se acelerando até culminar num mergulho vertiginoso num colchão adotivo. Passei a vida toda me obrigando a fazer coisas. Franklin, eu nunca fui a Madri por vontade de comer uma *paella*, e cada uma daquelas viagens de pesquisa que, na sua imaginação, serviam de desculpa para eu me safar dos enfezados laços de nossa tranqüilidade doméstica era, na verdade, uma luva que eu atirava ao chão e, depois, me obrigava a apanhar, aceitando o desafio. Se por acaso eu me sentia feliz de ter ido, nunca me senti contente de ir.

Porém, com o tempo, a aversão foi se amenizando e superar uma simples irritação não é tão suculento. Depois que adquiri o hábito de enfrentar meu próprio desafio — e provar repetidas vezes minha independência, competência, maturidade e mobilidade — o medo aos poucos se inverteu: mais do que uma nova viagem à Malásia, eu temia ficar em casa.

Portanto, meu receio não era apenas de virar minha mãe, eu temia *ser* mãe. Tinha medo de me tornar aquela âncora segura e estacionária que fornece a plataforma para a decolagem de mais um jovem aventureiro, cujas viagens eu talvez inveje e cujo futuro ainda não tem amarras nem mapas. Tinha medo de virar aquela figura arquetípica na soleira da porta — desmazelada, meio gorda — que acena adeuses e manda beijos enquanto uma mochila é posta no porta-malas; que enxuga os olhos com o babado do avental sob a fumaça do cano de escape; que se vira, desolada, passa o trinco na porta e vai lavar os poucos pratos que restaram na pia, sob um silêncio que pesa sobre a cozinha como um teto caído. Mais do que partir, eu tinha pavor de ser deixada. Quantas vezes não fiz isso com você, largá-lo com as migalhas da baguete de nosso jantar de despedida e voar para o táxi que me esperava na porta? Não creio que alguma vez eu tenha expressado o meu remorso por submetê-lo a todas aquelas pequenas mortes da deserção em série, ou que tenha elogiado seu comedimento ao limitar a mais que justificável sensação de abandono a um comentário sarcástico ou outro.

Franklin, eu *tinha verdadeiro pavor de ter um filho*. Antes de engravidar, minha visão do que significava criar uma criança — ler histórias sobre trens e casinhas com um sorriso no rosto, na hora de dormir, enfiar papinha em bocas escancaradas — parecia ser a de uma outra pessoa. Eu morria de medo de um confronto com o que poderia vir a ser uma natureza fechada, pétrea, de um confronto com meu próprio egoísmo e falta de generosidade, com o poder denso e tardio do meu próprio ressentimento. Por mais intrigada que estivesse com o "virar da página", sentia-me mortificada com a perspectiva de me ver irremediavelmente encurralada na história alheia. E creio que foi esse terror que talvez tenha me atraído, da mesma forma como um parapeito nos tenta a dar o salto. A intransponibilidade da tarefa, sua falta absoluta de atrativos, foi o que, no fim, me seduziu.

*Eva*

## *2 de dezembro de 2000*

*Querido Franklin,*

Estou instalada num pequeno café em Chatham e é por isso que escrevo à mão; além do mais, você sempre conseguiu decifrar meus postais meio ilegíveis, já que prática não lhe faltou. O casal da mesa ao lado está tendo o maior arranca-rabo por causa do processo de justificativa do voto de ausentes na comarca de Seminole — o tipo de minúcia que parece consumir o país inteiro, no momento, já que todo mundo à minha volta se transformou num especialista pedante em questões de procedimento. De qualquer forma, aqueço-me ao calor da discussão como se estivesse ao pé de um fogão a lenha. Minha apatia é de arrepiar os ossos.

O Café Bagel é um estabelecimento caseiro e não creio que a garçonete se importe se eu continuar por aqui com meu bloco e um café. Chatham também é caseira, autêntica — tem aquela qualidade peculiar à classe média americana que cidades mais abonadas, como Stockbridge e Lenox, gastam uma fortuna para recriar. A estação de ferro daqui ainda recebe trens. A rua principal de comércio ostenta os tradicionais sebos (cheios daqueles romances de Loren Estleman que você devorava), padarias com *muffins* de farinha integral e bordas tostadas, lojinhas vendendo artigos usados com propósitos beneficentes, um cinema em cuja marquise está escrito "*theatre*" e não *theater*, na presunção provinciana de que a forma britânica é mais sofisticada que a americana, e uma loja de bebidas que, junto com algumas garrafas *magnum* de Taylor para os freqüentadores, estoca também alguns vinhos zinfandel surpreendentemente caros, em benefício dos forasteiros. Agora que a maior parte das indústrias locais fechou, quem mantém vivo este lugarejo é o pessoal de Manhattan que tem casa de veraneio por aqui — esses veranistas e, claro, a nova casa de correção nos arredores da cidade.

Estava pensando em você, no caminho para cá, se é que ainda é preciso dizer. Como forma de contraponto, tentei imaginar o tipo de homem com quem eu achava que iria terminar meus dias, antes de nos conhecermos. A imagem sem dúvida veio de uma mistura dos rapazes que namorei em viagens, e a respeito dos quais você tanto me amolava. Alguns desses românticos pés-de-chulé eram uns amorzinhos, se bem que, toda vez que uma mulher qualifica um homem como *amorzinho*, a transa está fadada ao fracasso.

Levando-se em conta essa variada miscelânea de companheiros incidentais encontrados em Arles ou Tel Aviv (desculpe — "os vencidos"), era fatal que eu terminasse ao lado de algum intelectual magricela, cujo metabolismo acelerado processaria todas as formas de grão-de-bico num ritmo alucinante. Cotovelos pontudos, pomo-de-adão saliente, punhos fininhos. Um vegetariano ao pé da letra. Um tipo angustiado que lê Nietzsche e usa óculos, alienado de seu tempo e desdenhoso do automóvel. Um ávido ciclista e fã de caminhadas em montanhas. Profissionalmente, um marginal — quem sabe ceramista, com uma queda por madeiras duras e ervas aromáticas, cuja aspiração a uma vida despretensiosa de trabalho físico pesado e longos poentes na varanda de certa forma se desmente pela maneira como atira os vasos insatisfatórios num tambor de óleo. Um fraco por maconha; melancólico. Um senso de humor contido, mas implacável; uma risada seca, distante. Massagem nas costas. Reciclagem. Música de cítara e um flerte com o budismo que graças a Deus ficou para trás. Vitaminas e uma partida de *cribbage*, filtro de água e filmes franceses. Um pacifista com três guitarras, mas nada de televisão, e associações desagradáveis com esportes de equipe provenientes de uma infância infeliz. Um quê de vulnerabilidade nas entradas, na altura das têmporas; um rabo-de-cavalo macio, castanho, caindo num fiapo pela espinha. Uma pele emaciada, cor-de-oliva, quase doentia. Sexo terno, sussurrante. Um estranho talismã de madeira esculpida atado ao pescoço, que ele nem explica nem tira, nem durante o banho. Diários que não devo ler, em que cola cáusticos recortes deletérios para ilustrar o tenebroso mundo em que vivemos. ("Achado Horripilante: a polícia encontrou partes diversas do corpo de um homem, inclusive um par de mãos e duas pernas em seis armários de bagagem na estação ferroviária central de Tóquio. Após inspecionar todos os 2.500 guarda-volumes automáticos, a polícia descobriu duas nádegas dentro de um saco plástico de lixo.") Um cínico em questões de política partidária, com um inquebrantável distanciamento irônico da cultura popular. E acima de tudo? Com um inglês fluente ainda que permeado de um bonito sotaque, um *estrangeiro*.

Poderíamos morar no interior — em Portugal ou num vilarejo da América Central — onde uma fazenda um pouco mais adiante vende leite cru, manteiga batida na hora e abóboras gordas cheias de sementes. Em nossa casinha de pedra coberta de heras, com os parapeitos das janelas corados de gerânios, poderíamos assar pão de centeio puro e *brownies* de cenoura para nossos rústicos vizinhos. Homem supereducado, meu sonhado parceiro continuaria fossando o solo de nosso idílio em busca das sementes do próprio descontentamento. E, rodeado por dádivas naturais, se tornaria um asceta cada vez mais despeitado.

Você já começou a rir? Porque depois disso veio você. Um carnívoro grande e forte, de cabelo loiríssimo e pele corada que queima quando vai à praia. Um monte de apetites. Uma gargalhada cheia e barulhenta; um sujeito que conta piadas hilárias. Cachorro-quente — nem mesmo uma *bratwurst* da Rua 86 Leste — miúdos gordurosos e farinhentos de porco com aquele tom aterrador de rosa. Beisebol. Bonés de propaganda. Trocadilhos e filmes de sucesso, água de torneira e cerveja. Um consumidor destemido e confiante que só lê os rótulos para se certificar de que há um número suficiente de aditivos. Um fã do asfalto, apaixonado por sua picape, que acha que bicicleta é para os *nerds*. Trepa gostoso e fala palavrão; um gosto secreto, ainda que impenitente, por pornografia. Mistérios, policiais e ficção científica; uma assinatura da *National Geographic*. Churrascos no Quatro de Julho e a intenção, chegada a maturidade, de começar a jogar *golfe*. Adora salgadinhos ordinários de tudo quanto é tipo, formato, cor e sabor: Burgles. Curlies. Cheesies. Squigglies — você ri, mas eu não como isso — qualquer coisa que tenha mais cara de embalagem que de comida e que esteja ao menos a uns seis graus de separação da fazenda. Bruce Springsteen, os primeiros álbuns, em volume alto, com os vidros da picape baixados e o cabelo voando. Canta junto, desafinado — como é que eu fui me encantar por alguém com esse ouvido? Beach Boys.

Elvis — você nunca perdeu suas raízes, não é mesmo? Adorava o velho *rock* básico. Bombástico. Se bem que não irremediavelmente pesado. Lembro que você acabou gostando do Pearl Jam, bem no momento em que Kevin se desencantou com eles... (desculpe). Bastava que fosse barulhento; você não tinha tempo para o meu Elgar, meu Leo Kottke, embora abrisse uma exceção para Aaron Copeland. Você enxugou os olhos bruscamente, no Tanglewood, como se para afastar mosquitos, na esperança de que eu não tivesse notado que "Quiet City" o fez chorar. E prazeres comuns, óbvios: o zoológico e o jardim botânico do Bronx, a montanha-russa de Coney Island, a balsa para Staten Island, o prédio do Empire State. Você é o único nova-iorquino que eu conheço que já tomou o barco para ir ver a Estátua da Liberdade. Você me arrastou junto, uma vez, e éramos os únicos turistas que falavam inglês, ali. Arte figurativa — Edward Hopper. E Jesus Cristo, Franklin, um *republicano*. Adepto de uma defesa forte, mas de um governo discreto, com poucos impostos. Fisicamente você também foi uma surpresa — a própria fortaleza defensiva. Houve momentos em que você se preocupou, achando que eu o considerava muito pesado, eu fazia tanto escarcéu por causa de seu tamanho, embora você estivesse dentro do peso padrão, oscilando entre setenta e quatro e setenta e sete quilos, sempre lutando contra aqueles três quilos de salgadinhos de *cheddar* que se instalavam em volta da cintura. Mas, para mim, você era *enorme*. Tão resistente, tão sólido, tão largo, tão grosso, nada daquela história de punhos delicadinhos que eu imaginara. Da constituição de um carvalho, e nele eu encostava o travesseiro e lia; de manhã, me enroscava no vão dos seus galhos. Que sorte temos quando somos poupados daquilo que achamos que queremos! Quão cansada eu não teria ficado de todos aqueles vasos idiotas e dietas pernósticas, e como eu detesto as lamúrias da cítara!

Mas a maior surpresa de todas foi ter me casado com um *norte-americano*. Não qualquer norte-americano, tampouco alguém que calhou de ser norte-americano. Não, você era norte-americano por opção, tanto quanto por nascimento. Você era, na verdade, um patriota. Eu nunca tinha conhecido nenhum, até então. Jecas, sim. Gente cega, ignorante, que nunca viajou a parte alguma, que acha que os Estados Unidos são o mundo inteiro, de modo que dizer qualquer coisa contra o país é como denegrir o universo, ou o ar. Mas você, não, você já tinha ido a alguns outros lugares — México, uma viagem desastrosa à Itália com uma mulher cuja cornucópia de alergias incluía tomate — e já havia decidido que gostava mesmo era do seu país. Não, melhor dizendo, que você *amava* seu país, suas engrenagens perfeitas, sua eficiência, seu senso prático, seus sotaques fortes, despretensiosos, sua ênfase na honestidade. Eu diria — eu disse — que você estava enamorado de uma versão arcaica dos EUA, quem sabe de um país que se fora havia tempos ou de um país que nunca houve; que você estava apaixonado por uma idéia. E você diria — disse — que uma parte dos Estados Unidos era uma idéia, e que isso vinha a ser bem mais do que a grande maioria dos países, que quase não passam de fiapos de passado e circunscrições num mapa, poderia reivindicar para si. Era uma boa idéia, bonita, também, você disse, e salientou — sou forçada a admiti-lo — que uma nação cujo objetivo é preservar acima de tudo a capacidade de seus cidadãos de fazer basicamente tudo o que querem é justamente o tipo de lugar que deveria cativar pessoas como eu. Mas não deu certo, eu objetaria, e você retrucaria, mais que em qualquer outra parte, e lá iríamos nós de novo.

É verdade que me desencantei. Mas ainda assim gostaria de lhe agradecer por ter me apresentado a meu próprio país. Não foi assim que nos conhecemos? Tínhamos decidido, na AWAP, colocar anúncios na *Mother Jones* e na *Rolling Stone*, e quando me mostrei um tanto vaga sobre que fotos gostaríamos de usar, a Young & Rubican mandou você ir me ver. Você apareceu no meu escritório de camisa de flanela, *jeans* empoeirado e uma impertinência divertida. Esforcei-me ao máximo para parecer profissional, porque seus ombros eram tentadores. França, supus eu. O vale do Ródano. Depois vacilei com as despesas — mandar você para lá, hospedá-lo. Você riu. Não seja ridícula, você me disse, peremptório. Posso achar um vale do Ródano para você na Pensilvânia. Que foi de fato o que você fez.

Até aquela data, os Estados Unidos eram, para mim, um lugar de onde partir. Depois de ter me convidado para sair na maior cara-de-pau — uma executiva com quem você tivera uma relação de negócio — você me instigou a admitir que, se eu tivesse nascido num outro lugar qualquer, os Estados Unidos seriam talvez o primeiro país que eu visitaria. Independentemente do que eu pudesse pensar a respeito, eram os Estados Unidos que afinal davam as cartas e mexiam os pauzinhos, que produziam os filmes, que vendiam Coca-Cola e que exportavam *Jornada nas Estrelas* até para Java; o centro da ação, o país com quem era preciso se relacionar, ainda que esse relacionamento fosse hostil, os Estados Unidos exigiam, senão aceitação, ao menos rejeição — tudo menos indiferença. O país que, na cara de todos os outros países, acabaria por visitá-*lo* em praticamente qualquer lugar do planeta, querendo você ou não. Certo, certo, protestei eu. *Certo.* Eu visitaria.

E assim foi que o visitei. Naqueles primeiros tempos, lembra-se do seu espanto incessante? Que eu nunca tivesse ido a um jogo de beisebol. Ou a Yellowstone. Ou ao Grand Canyon. Eu virava a cara para elas, mas nunca tinha comido uma torta de maçã quente do McDonald's. (Confesso: gostei.) Algum dia, você comentou, não haveria mais McDonald's. E só porque existe um monte deles não significa que as tortas de maçã não sejam excelentes ou que não seja um privilégio viver numa época em que se pode comprá-las por 99 *cents*. Esse era um dos seus temas preferidos: que a profusão, a duplicação, a popularidade não eram necessariamente fatores de depreciação e que o próprio tempo se encarregava de transformar tudo em raridade. Você adorava saborear o tempo presente e tinha mais consciência que qualquer outra pessoa que eu conheço de que todos seus componentes são fugazes.

E essa também era sua visão do país: que ele não seria eterno. Que era um império, não havia dúvida, se bem que não houvesse motivo para ter vergonha do fato. A história é feita de impérios e os Estados Unidos eram, de longe, o maior, mais rico e mais justo de todos os impérios que já dominaram o planeta. Era inevitável que ruísse. Os impérios sempre caem por terra. Mas nós tínhamos sorte, você disse. Acabamos participando do experimento social mais fascinante de todos os tempos. Claro que era imperfeito, você acrescentava, com a mesma rapidez com a qual eu observava, antes de Kevin nascer, que é claro que algumas crianças "têm problemas". Mas você dizia que, se por acaso os Estados Unidos afundassem ou desmoronassem enquanto você estivesse vivo, sofressem um colapso econômico ou fossem vencidos por um agressor, se fossem corrompidos por dentro até a podridão, você iria chorar.

Acredito que fosse isso mesmo. Mas eu às vezes argumentava, no tempo em que você me carregava para o Smithsonian, me instigando a recitar, em ordem, a lista dos nossos presidentes, e me sabatinando sobre as causas dos Distúrbios da Praça Haymarket, que eu não estava propriamente visitando o país. Eu estava visitando o *seu* país. Aquele que você construíra para si, do mesmo jeito como uma criança constrói uma cabana de madeira com palitos de sorvete. Era uma reprodução deliciosa, aliás. Mesmo agora, quando topo às vezes com trechinhos do Preâmbulo à Constituição, *Nós, o povo...*, sinto a nuca arrepiar. Porque escuto a sua voz. A Declaração da Independência, *Consideramos estas verdades como evidentes* — sua voz.

Ironia. Andei pensando em você e na ironia. Você sempre se enfezava quando meus amigos da Europa vinham de visita e descartavam nossos compatriotas como "pessoas sem senso de ironia". No entanto (ironicamente), nos últimos anos do século vinte a ironia grassava no país, de forma até penosa. Na verdade, eu estava farta dela, embora não tivesse me dado conta disso até que nos conhecemos. Lá por volta de 1980, era tudo "retrô", havia uma certa fajutice entremeada às coisas, um distanciamento em todos aqueles *diners* da década de cinqüenta com suas banquetas de cromo e copos gigantescos de *root beer* com sorvete. Ironia significa ter e ao mesmo tempo não ter. Ironia envolve um diletantismo afetado, um repúdio. Tínhamos amigos cujo apartamento era inteirinho decorado com *kitsch* sardônico — bonecas pretinhas, anúncios emoldurados de propagandas da Kellog's dos anos vinte (Olha só as tigelas esvaziando!") — eles não possuíam nada que não fosse uma piada.

Você não saberia viver desse jeito. Ah, não ter "senso de ironia" era supostamente não saber o que significava — ser um idiota — senso de humor. E você sabia o que era isso. Você riu, de leve, diante do pé de abajur feito de ferro fundido, na forma de um jóquei negro, que Belmont comprara para pôr na lareira; mas foi por educação. Você entendeu a piada. Só que não achou tão engraçada assim e, na sua vida, você queria objetos que fossem de fato belos, não apenas risíveis. Homem luminoso, você era sincero por desígnio próprio, além de sê-lo por natureza, era um *norte-americano* por decreto pessoal e acataria tudo quanto houvesse de bom nisso. Chama-se ingenuidade, quando se é ingênuo de propósito? Você fazia piqueniques. Você tirava férias convencionais e visitava os monumentos nacionais. Você cantava *Sobre a te-e-rra dos livres!* no mais alto do seu desafinamento nos jogos do Mets e jamais ostentava um sorrisinho de galhofa. Os Estados Unidos, dizia você, estavam na vanguarda existencial. Éramos um país de prosperidade nunca antes alcançada, onde praticamente todos tinham o suficiente para comer; um país que se empenhava em promover a justiça e que punha quase todos os tipos de entretenimento e de esportes, todas as religiões, etnias, ocupações e filiações políticas à disposição, com uma variedade imensa de paisagens, flora, fauna e clima. Se não fosse possível, em nosso país, ter uma vida boa, significativa e suntuosa, com uma linda mulher e um garoto forte e saudável, então não seria possível em nenhum outro. E mesmo agora, creio que você talvez tivesse razão. Mas talvez isso não seja possível em lugar nenhum.

9:00 da noite (EM CASA)

A garçonete era tolerante, mas o Café Bagel estava fechando. E uma folha impressa pode ser impessoal, mas é mais fácil para a vista. Por falar nisso, me preocupo com a possibilidade de que, durante todo o trecho à mão, você tenha saltado coisas, pulado frases. Fico achando que, assim que você viu "Chatham" escrito no alto, não conseguiu pensar em mais nada, que você, pela primeira vez, não está nem aí para o que sinto em relação aos Estados Unidos. *Chatham*. E eu por acaso vou a *Chatham*?

Vou sim. Vou sempre que possível. Felizmente, essas excursões a cada duas semanas à Casa de Correção Juvenil de Claverack estão confinadas a um horário tão restrito de visita que não tenho liberdade para pensar em ir uma hora depois ou num outro dia. Saio exatamente às 11:30 porque é o primeiro sábado do mês e tenho de chegar imediatamente após a segunda leva do almoço, às 14:00. Não me dou ao luxo de refletir sobre o quanto receio ir vê-lo, ou, bem mais improvável, o quanto anseio por isso. Eu apenas vou.

Você está espantado. Não deveria ficar. Ele é meu filho também, e as mães devem visitar os filhos no presídio. É interminável minha lista de defeitos como mãe, mas sempre segui as regras. Aliás, seguir ao pé da letra a lei não escrita da maternidade foi uma das minhas falhas. Isso veio à tona no julgamento — no processo da vara cível. Fiquei aturdida ao me ver tão decente em letra de forma. Na audiência, Vince Mancini, o advogado de Mary, me acusou de ter ido visitar meu filho tão conscienciosamente durante o julgamento criminal porque eu já previa um processo por negligência dos deveres maternos. Eu estava desempenhando um papel, ele sustentou, eu estava fingindo. O problema com a jurisprudência, claro, é que ela não é capaz de se adaptar às sutilezas. Mancini sacou alguma coisa. Talvez houvesse de fato um elemento de teatro naquelas visitas. Mas elas continuaram quando não tinha mais ninguém vigiando, porque, se é verdade que estou tentando provar que sou uma boa mãe, estou provando isso, e de modo muito lúgubre, diga-se de passagem, só para mim.

Até Kevin se espantou com minhas insistentes aparições, o que não significa dizer que ele estivesse, ao menos no início, satisfeito com elas. Em 1999, aos dezesseis anos, ainda estava naquela idade em que ser visto ao lado da mãe é um constrangimento; há um travo agridoce na maneira como esses truísmos sobre a adolescência persistem ao lado de problemas mais adultos. E, naquelas primeiras visitas, ele parecia considerar minha simples presença como uma acusação, de tal forma que, antes mesmo que eu dissesse uma palavra, ele já estava bravo. Não me parecia muito sensato que *ele* ficasse irritado *comigo*.

Porém, seguindo a mesma linha de pensamento, quando um carro quase me pega num cruzamento de pedestres, já reparei que o motorista em geral fica uma fera — grita, gesticula, xinga — comigo, a quem ele quase atropelou e que, indiscutivelmente, tinha o direito de atravessar a rua naquele local. Acho que o raciocínio emocional, se é que podemos chamá-lo assim, é transitivo: você me deixa mal; estar mal me deixa furioso; portanto, você me deixa furioso. Se tivesse tido a presença de espírito de tirar partido da premissa maior, eu poderia talvez ter divisado no rancor instantâneo de Kevin um bruxuleio de esperança. Mas, na época, a fúria dele simplesmente me atordoava. Parecia tão injusto aquele comportamento. As mulheres têm uma tendência maior para a mortificação, e não apenas no trânsito. De modo que pus a culpa em mim e ele pôs a culpa em mim. Eu me senti intimidada.

Vai daí que, no começo, logo depois de Kevin ter sido preso, não tínhamos conversas propriamente ditas. Só de me ver na frente dele, eu já ficava de joelhos bambos. Ele solapava até mesmo a minha energia para chorar, o que, por outro lado, também não teria sido muito produtivo. Uns cinco minutos depois, eu talvez perguntasse a ele, com voz rouca, sobre a comida. Embasbacado, ele me fitava com olhar incrédulo, como se, naquelas circunstâncias, a pergunta fosse tão tola quanto na verdade era. Ou então eu perguntava: "Eles estão tratando você bem?", embora eu não tivesse certeza do que queria dizer com isso nem tampouco se *queria* que seus guardiões o tratassem "bem". Ele então resmungava que *claro, eles me dão beijinho de boa-noite todo dia*. Não demorei muito para esgotar as perguntas *pro forma* de mãe, pelo que, acredito, nos sentimos ambos aliviados.

No entanto, se levei pouco tempo para abandonar a pose de mãe leal, cuja única preocupação é saber se o filhinho está comendo os legumes, continuamos às voltas com a postura mais impenetrável de Kevin como o sociopata inatingível. O problema é que, se o papel da mãe que, apesar dos pesares, segue dando apoio ao filho é no fim das contas humilhante — estúpido, irracional, cego e meloso e, portanto, um lado que eu poderia descartar de bom grado —, Kevin se apóia demais em seu próprio clichê, para abandoná-lo sem protestar. Até hoje parece disposto a me mostrar que, se no passado ele foi um jovem subjugado, alguém obrigado a lavar o próprio prato, hoje ele é uma celebridade que já apareceu na capa da *Newsweek* e cujo nome fricativo, *Kevin*

*Khatchadourian* — ou "KK" para os tablóides, idêntico a Kenneth Kaunda na Zâmbia —, estalou censoriamente na língua dos âncoras de todas as grandes redes nacionais. Ele contribuiu inclusive para a formulação da agenda nacional, incitando novos pedidos de castigos corporais, penas de morte aplicáveis a menores e bloqueadores de canais de televisão e *sites* da Internet. Na cadeia, e ele fez questão de que eu soubesse, não era nenhum delinqüente mequetrefe, e sim um bandido notório por quem os jovens companheiros sentiam o maior respeito.

Certa vez, naqueles primeiros tempos (depois que ele ficou mais falante), perguntei: "Como é que eles vêem você, os outros meninos? Eles... eles fazem alguma crítica? Pelo que você fez?" Foi o mais perto que consegui chegar de perguntar a ele se lhe passavam rasteira nos corredores ou jogavam catarro em sua sopa. Entenda que, no início, fui hesitante, respeitosa. Ele me dava medo, um medo físico, e o que eu menos queria era provocá-lo. Havia guardas ali por perto, claro, mas também havia agentes de segurança na escola dele, policiais em Gladstone, e de que adiantou isso? Nunca mais vou me sentir protegida.

Kevin soltou um grasnido, aquela risada dura e acabrunhada dele, que sai pelo nariz. E me disse algo assim: "Tá brincando, cara? Esses porras me adoram, mãezinha. Não tem um maluco aqui que já não tenha apagado uns cinqüenta babacas da própria *galerinha com quem eles andam* antes do café-da-manhã — isso só na cabeça deles, é claro. Eu sou o único com cacife para fazer isso na vida real." Toda vez que Kevin fala em "vida real", é com a mesma firmeza excessiva com que os fundamentalistas se referem ao céu ou ao inferno. É como se ele estivesse tentando se convencer de algo.

Eu só tinha a palavra dele, claro, de que, longe de ser evitado por todos, Kevin alcançara uma condição de proporções míticas entre os bandidinhos que haviam apenas roubado carros ou esfaqueado um traficante rival. Mas acabei acreditando que ele devia ter angariado um certo prestígio, já que, lá do seu jeito meio obtuso, esta tarde mesmo ele me deu a entender que isso estava começando a arrefecer.

Ele falou: "Vou dizer uma coisa, estou cansado pra caralho de contar sempre a mesma porra de história" — de onde pude deduzir que eram seus colegas que estavam ficando cansados de ouvi-la. Um ano e meio é muito tempo para quem é adolescente, e Kevin já é notícia de ontem. Ele já tem idade bastante para compreender, também, que uma das diferenças entre o "perpetrador", como eles dizem nas séries policiais, e o leitor padrão de jornal é que o público pode se permitir o luxo de ficar "cansado pra caralho dessa mesma porra de história" e se sentir livre para ir em frente. Os culpados continuam encalacrados no que deve ser um ensaio tirânico da mesma velha história de sempre. Kevin vai subir os degraus que levam à saleta de condicionamento aeróbico do ginásio de esportes da Gladstone High pelo resto da vida.

Portanto ele está ressentido e não o culpo por estar começando a se entediar com a própria atrocidade, ou por invejar a capacidade dos outros de largá-la de lado. Hoje, ele se pôs a resmungar contra um "pivete" recém-chegado a Claverack que tem apenas treze anos. Kevin acrescentou, em meu benefício: "O pinto dele é do tamanho de um batom. E daqueles pequenos, sabia?" Kevin agitou o mindinho. E foi com satisfação que explicou o que o garoto fizera para alcançar a fama: um casal de idade que morava no apartamento vizinho se queixou de que ele tocava os CDs dos Monkees alto demais e às três da madrugada. No fim de semana seguinte, a filha do casal encontrou os pais na cama, rasgados da virilha à garganta.

"Mas isso é um horror", eu falei. "Não acredito que alguém ainda escute os Monkees."

Ganhei uma risadinha relutante. Ele continuou, explicando que a polícia nunca encontrou as tripas do casal — o detalhe preferido da mídia, para não falar do fã-clube instantâneo que surgiu em Claverack.

"Seu amigo é precoce", eu disse. "As tripas desaparecidas... não foi você que me ensinou que, nesse ramo, para ser notado é preciso acrescentar um extra?"

Você talvez fique horrorizado, Franklin, mas levei quase dois anos para chegar a esse ponto com ele, e essa nossa macabra caçoada sem sorrisos é um sinal de progresso. Kevin, no entanto, ainda não se sente confortável com meu espírito brincalhão. Usurpo as falas dele. E ele sente ciúmes.

"Não acho que ele seja tão esperto assim", disse Kevin, com indiferença. "Muito provavelmente, olhou lá pra baixo pra toda aquela tripa e pensou: *Legal! Salsicha de graça!*"

Kevin me deu uma olhada de esguelha. Minha impassibilidade foi obviamente uma decepção.

"Todo mundo por aqui acha o nanico o maior durão", Kevin recomeçou. "O pessoal todo tipo, 'ei, leque, pode tocar *Sound of music* na altura que tu quisé que tá *limpeza*, falou'." O sotaque *da periferia* aperfeiçoou-se com o tempo e deixou marcas no jeito de falar dele. "Mas eu não fiquei impressionado, não. O cara é um garoto. Muito pequeno pra saber o que estava fazendo."

"E você não era?"

Kevin cruzou os braços, com ar de satisfação; eu tinha voltado a bancar a mãe. "Eu sabia exatamente o que estava fazendo." Ele se debruçou nos cotovelos. "*E faria tudo de novo.*"

"Entendo por quê", eu disse, com um gesto formal para a sala sem janelas, de paredes revestidas de escarlate e verde-maçã; sei lá por que eles decoram presídios como se fossem uma sala de recreação. "Funcionou tão bem pra você."

"Apenas uma troca de um muquifo por outro." Ele acenou a mão direita com dois dedos estendidos, de um jeito que me deixou ver que agora fuma. "Funcionou que foi uma maravilha."

Assunto encerrado, como de hábito. Ainda assim, percebi que o fato de esse emergente de treze anos ter roubado a ribalta de nosso filho incomodou-o. Pelo visto você e eu não precisaríamos ter nos preocupado com sua falta de ambição.

Quanto à minha despedida dele hoje, pensei em deixar isso de fora. Mas é justamente o que eu gostaria de ocultar de você que talvez eu precise urgentemente incluir.

O guarda com a cara toda salpicada de verrugas tinha dito que o nosso tempo estava esgotado; uma vez na vida, tínhamos usado os sessenta minutos inteiros sem passar boa parte deles fitando o relógio. Estávamos um de cada lado da mesa e eu ia resmungar alguma encheção de lingüiça do gênero "vejo você daqui a duas semanas" quando percebi que Kevin vinha me encarando de frente, quando até então todos os seus olhares haviam sido de esguelha. Isso me calou, me deixou nervosa e me fez perguntar a mim mesma por que algum dia eu quis que ele me olhasse nos olhos.

Quando parei de me revirar para pôr o casaco, ele disse: "Você pode enganar os vizinhos, os guardas, Jesus e a sua mãe gagá com essas visitas de mãe boazinha, mas a mim você não engana. Continue com isso, se quer uma estrela dourada. Mas não precisa arrastar a bunda até aqui por minha causa." Depois acrescentou: "Porque eu odeio você."

Sei que os filhos dizem isso a todo momento, nos acessos de raiva: *Eu odeio você, eu odeio você!*, olhos espremidos tentando conter as lágrimas. Mas Kevin está com quase dezoito anos e não falou isso com raiva.

Faço uma idéia do que seria de esperar que eu respondesse: *Ora, ora, eu sei que você não falou a sério*, quando sei muito bem que falou. Ou então: *Eu o amo de qualquer maneira, meu jovem, goste você ou não.* Mas eu tinha uma vaga suspeita de que justamente por seguir esses roteiros prontos é que eu acabara aterrissando numa sala quente de cores berrantes, cheirando a banheiro de ônibus, numa tarde de dezembro adorável sob todos os outros aspectos, num clima de uma clemência inusitada. De modo que, em vez dessas frases feitas, eu disse, no mesmo tom informativo: "Em geral eu também odeio você, Kevin", e me virei para ir embora.

Acho que já deu para perceber por que eu precisava de um café para me animar. Foi necessária uma grande força de vontade para evitar o bar.

Na volta para casa, vim pensando que, por mais que eu sonhasse em fugir de um país cujos cidadãos, quando incentivados a "fazer basicamente tudo o que querem", saem estripando os idosos, fora muito lógico eu ter me casado com outro norte-americano. Meus motivos para achar os estrangeiros fora de moda eram melhores do que os da grande maioria, já que me aprofundei no exotismo dessas pessoas até revirar suas entranhas. Além do mais, até completar trinta e três anos, eu já estava exausta, sofrendo daquele cansaço cumulativo de ficar em pé o dia todo que você só registra depois que senta. Eu era sempre a eterna estrangeira, ensaiando feito louca o meu italiano tirado de um dicionário de frases para dizer "cestinho de pão". Até mesmo na Inglaterra, quando precisava mencionar calçada, não podia esquecer de dizer "*pavement*", em vez de "*sidewalk*". Consciente de que era uma espécie de embaixadora, eu enfrentava uma barragem diária de preconceitos hostis, tomando cuidado para não ser arrogante, xereta, ignorante, presunçosa, grosseira ou espalhafatosa em público.

Mas, se me apropriei do planeta inteiro como se fosse meu quintal particular, foi essa arrogância que me marcou como irremediavelmente norte-americana, isso e a idéia fantasiosa de que conseguiria me transformar num híbrido tropical internacionalista, eu e minhas horrendas origens em Racine. Até mesmo o descuido com que abandonei minha terra natal foi típico de nossa gente metida, irrequieta e agressiva, que presume (todos menos você), com a maior condescendência, que os Estados Unidos continuarão onde estão, fixos e permanentes. Os europeus têm uma idéia melhor das coisas. Eles conhecem o caráter vivo, contemporâneo, da História, sua brutalidade instantânea, e em geral voltam correndo para cuidar de seus frágeis jardins e assegurar que a Dinamarca, digamos, continue onde está. Mas, para aqueles de nós para quem "invasão" é um termo associado, exclusivamente, ao espaço sideral, o país é um rochedo inatacável que há de esperar indefinidamente e intacto o nosso regresso. De fato, mais de uma vez expliquei minhas perambulações a estrangeiros como algo propiciado pela noção de que "os Estados Unidos não precisam de mim".

É embaraçoso escolher o companheiro para toda a vida segundo os programas de televisão a que ele assistia quando criança, mas, de certa forma, foi justamente isso que eu fiz. Eu queria poder qualificar um homenzinho nervoso e ineficaz qualquer como um "Barney Fife", sem ter de acrescentar, por vias tortas, que Barney era personagem de um seriado simpático, raras vezes exportado, chamado *The Andy Griffith Show*, no qual um deputado muito do incompetente estava sempre se envolvendo em encrencas devido a seu próprio excesso de confiança. Eu queria poder cantarolar a música-tema de *The Honeymooners* e ter você fazendo coro com "Que gostoso que é!" E queria ser capaz de dizer, quando alguma coisa me deixasse espantada, "Isso aí veio do *left field*", sem precisar me censurar depois porque o beisebol não é um esporte lá muito popular no exterior. Eu queria parar de fingir que era uma aberração cultural, sem costumes próprios, e ter uma casa onde imperassem, também nela, regras a respeito de sapatos às quais as visitas teriam de se adaptar. Você me restaurou o conceito de terra natal.

*Terra natal* foi justamente o que Kevin me tirou. Meus vizinhos agora me olham com a mesma suspeita que reservam aos imigrantes ilegais. Eles buscam as palavras certas e falam comigo com uma deliberação exagerada, como se eu fosse uma mulher para quem o inglês é uma segunda língua. E, desde que fui exilada nessa classe rara, mãe de um daqueles "garotos Columbine", também tateio em busca das palavras certas, sem muita certeza de como traduzir meus pensamentos extramundo para a linguagem das liqüidações de dois-pelo-preço-de-um e das multas de trânsito. Kevin me transformou em estrangeira de novo, e em meu próprio país. Talvez isso ajude a explicar essas visitas em sábados alternados, porque só na Casa de Correção de Claverack é que eu não preciso traduzir minha gíria estrangeira para o corriqueiro-provinciano. É só lá que podemos fazer alusões sem ter de explicá-las, que podemos presumir o entendimento de um passado cultural comum.

*Eva*

## *8 de dezembro de 2000*

*Querido Franklin,*

Eu sou a que sempre se oferece, na Viaje Conosco, para ficar até mais tarde e terminar o serviço, mas a maior parte dos vôos de Natal já está reservada e, esta tarde, recebemos todos o "bônus" para poder sair mais cedo, sendo hoje uma sexta-feira. Começar mais uma maratona desolada neste dúplex, quando nem cinco horas da tarde são ainda, me deixa perto da histeria.

Diante da televisão, cutucando um frango, preenchendo as respostas mais simples das palavras-cruzadas do *Times*, muitas vezes tenho a sensação incômoda de estar à espera de algo. Não falo daquela coisa clássica de esperar que a vida comece, feito o carinha na linha de largada que não escutou o disparo. Não. Falo de esperar algo específico, uma batida na porta, e essa sensação se torna às vezes por demais insistente. Hoje voltou com força total. De orelha em pé, alguma coisa dentro de mim, a noite toda, todas as noites, espera você voltar para casa.

Fato que inevitavelmente me faz voltar àquela noite seminal de maio de 1982, quando minha expectativa de que você fosse entrar pela porta a qualquer momento era bem menos absurda. Você estava atrás de uma locação lá para os lados do areal de Pine Barrens, no sul de Nova Jersey, para uma propaganda da

Ford, e devia chegar por volta das sete da noite. Eu tinha voltado fazia pouco de uma viagem de um mês à Grécia, para a atualização do *Greece on a Wing & a Prayer*, e quando vi que, às oito da noite, você ainda não tinha chegado, fiz questão de lembrar que meu próprio avião havia chegado com seis horas de atraso, o que arruinara seus planos de me levar direto do JFK para o Union Square Café.

De todo modo, lá pelas nove eu estava começando a ficar nervosa, para não dizer faminta. Mordisquei distraída um pedaço de *halvah* com pistache comprado em Atenas. Num chamado étnico, eu preparara uma travessa de *moussaka*, com a qual planejava convencê-lo de que, aninhada em meio a carne moída de carneiro e montes de canela, berinjela era uma coisa bem gostosa, afinal.

Às 9:30, o creme da cobertura tinha começado a escurecer e secar nas bordas, mesmo que eu tivesse reduzido o forno para 250°. Tirei a travessa do fogo. Equilibrada no eixo entre preocupação e raiva, me deixei levar por um acesso de birra, bati com força a gaveta do armário quando fui pegar o papel-alumínio, resmungando o tempo todo que tinha fritado todas aquelas rodelas de berinjela e agora estava tudo virando uma *grande gororoba ressequida e torrada!* Tirei a salada grega da geladeira e, furiosa, descarocei as azeitonas calamatas, mas depois larguei tudo ali murchando no balcão e a balança se desequilibrou. Não deu mais para ficar brava. Eu me sentia petrificada. Conferi para ver se os dois telefones estavam no gancho. Confirmei se o elevador funcionava, embora sempre houvesse a possibilidade de você subir pela escada. Dez minutos depois, conferi os telefones de novo.

É por isso que as pessoas fumam, pensei.

Quando o telefone finalmente tocou, por volta das 10:20, dei um salto. Ao ouvir a voz de minha mãe, minhas esperanças se dissolveram. Expliquei-lhe muito concisamente que você estava três horas atrasado e que eu não podia ocupar a linha. Ela pareceu ter compreendido, fato raro, em se tratando de minha mãe, que, na época, tinha por hábito considerar minha vida uma interminável acusação, como se o único motivo de eu viver me aventurando em novos países desconhecidos fosse lhe esfregar na cara o fato de, por mais um dia, não ter conseguido ir além da varanda. Na hora, eu devia ter dito que, aos vinte e três anos, ela também havia passado pela mesma experiência, e olhe que não foi só por algumas horas, foram muitas semanas, até que o correio enfiou um envelope fininho, do Ministério da Guerra, pela fenda da porta. Mas, em vez de lembrá-la disso, fui cruelmente rude e desliguei.

Dez e quarenta. O sul de Nova Jersey não era uma região perigosa, composta basicamente por florestas e plantações, muito diferente de Newark. Mas havia carros que pareciam mísseis envenenados e motoristas de uma imbecilidade assassina. *Por que você não ligou?*

Isso foi antes do advento dos celulares, de modo que não o culpo. Sei também que é uma experiência muito comum: o marido, a mulher, o filho se atrasam, atrasam uma barbaridade, depois chegam em casa e sempre há uma explicação. Na maioria dos casos, isso toca de raspão num universo paralelo em que eles não voltam nunca mais — fato para o qual também há uma explicação, só que uma explicação que vai rachar sua vida em um antes e um depois, em que desaparecem sem deixar rastros. As horas que se alongavam em existências diversas de repente se fecham como um leque. De modo que, ainda que aquele pavor salgado em minhas gengivas tivesse um gosto conhecido, não conseguia me lembrar de outro momento específico em que houvesse andado de um lado para o outro em nosso *loft* daquela maneira, a cabeça inundada de cataclismos: um aneurisma, um funcionário enraivecido dos correios no Burger King, com uma automática na mão.

Às onze da noite, eu já estava fazendo promessas.

Virei uma taça de *sauvignon blanc*; estava com gosto de vinagre de picles. Esse era o gosto do vinho sem você por perto. A *moussaka* não passava de uma casca seca e morta. Assim era o aspecto da comida sem você. Nosso *loft*, com seu rico espólio de cestos e estatuetas de todas as partes do mundo, assumiu o aspecto vulgar e abarrotado de uma lojinha de importados. Isso era a nossa casa sem você. Os objetos nunca me pareceram tão inertes, tão tenazmente improfícuos. Suas sobras zombavam de mim: a corda de pular, frouxa no gancho; as meias sujas, rijas, caricaturas desinfladas de seus pés tamanho quarenta e três.

Ah, Franklin, claro que eu sabia que um filho não é substituto para um marido porque eu já tinha visto meu irmão sucumbir à pressão de ter de ser "o homenzinho da casa"; já tinha visto como o afligia que nossa mãe estivesse sempre investigando seu rosto, em busca de semelhanças com aquela foto que não envelhecia nunca, sobre o console. Não era justo. Giles nem se lembrava mais de nosso pai, que morrera quando ele tinha três anos de idade e que, havia muito, tinha passado de um pai de carne e osso que derruba sopa na gravata a um ícone alto e moreno assomando na lareira com a farda impecável de aeronauta, um emblema imaculado de tudo quanto o garoto não era. Até hoje, Giles é uma pessoa acanhada. Quando, na primavera de 1999, ele se viu forçado a me visitar, e não havia nada a dizer, nem a fazer, ele corou com um ressentimento sem palavras, porque eu despertara nele aquele mesmo sentimento de inadequação que permeara toda a sua infância. Mais que isso, ele se ressentiu com os reflexos da atenção que o público dedicou a nosso filho. Kevin e a *quinta-feira* o expulsaram de sua toca de coelho e ele estava furioso comigo por ter sido obrigado a se expor. A única ambição de Giles é a obscuridade, porque ele associa qualquer olhar mais atencioso com ter falhas.

O fato é que eu não conseguia me perdoar por termos feito amor na noite anterior e, de novo, sem nem me dar conta, eu ter enfiado aquela capa de borracha no colo de meu útero. O que eu poderia fazer com sua corda de pular, suas meias sujas? A única lembrança respeitável de um homem, que valia mesmo a pena guardar, não era a do tipo que desenha cartões de Dia dos Namorados e aprende a escrever *Mississippi*? Eu sabia que nenhum rebento poderia substituir você. Mas, se algum dia tivesse que sentir sua falta, falta para sempre, eu queria ter alguém comigo para sentir falta junto, alguém que o conheceria também, ainda que apenas como um hiato na vida, como você seria um hiato na minha.

Quando o telefone tocou de novo, quase à meia-noite, esperei um pouco. Era tarde o suficiente para que fosse um relutante emissário do hospital, da polícia. Deixei tocar uma segunda vez, a mão sobre o fone, aquecendo o plástico como se ele fosse uma lanterna mágica capaz de conceder um último pedido. Diz minha mãe que em 1945 ela deixou o envelope sobre a mesa durante horas e horas, fazendo uma xícara de chá preto e amargo atrás da outra e deixando que esfriassem. Já grávida de mim, da última folga dele, ela fez inúmeras viagens ao banheiro, fechando a porta e mantendo a luz apagada, como se estivesse se escondendo. Vacilante, ela me descrevera uma tarde quase gladiatória: diante de um adversário maior e mais feroz que ela, e ciente de que perderia.

Você parecia esbodegado e sua voz tão sem substância que, por um momento desagradabilíssimo, confundi com a de minha mãe. Você pediu desculpas por ter me deixado preocupada. A picape tinha quebrado no meio do nada. Você teve de andar quase vinte quilômetros para achar um telefone.

Não havia motivo para esticar a conversa, mas foi aflitivo terminar a ligação. Quando eu disse tchau, meus olhos se encheram de lágrimas envergonhadas pelas muitas vezes em que tinha dito "eu te amo!" naquele espírito de beijinho na porta que faz da paixão uma paródia.

Fui poupada. Nos sessenta minutos que o táxi gastou para levá-lo de volta a Manhattan, me permiti o luxo de escorregar de volta para aquele velho mundo onde eu me preocupava com as panelas, tentava seduzi-lo para os encantos da berinjela e importunava-o para ir à lavanderia. Era o mesmo mundo onde eu ainda podia adiar a possibilidade, por mais uma noite, de termos um filho, porque existiam algumas ressalvas e haveria muitas outras noites.

Mas me recusei a sossegar de imediato, a recair naquele descuido casual que torna o dia-a-dia possível, e sem o qual todos nós iríamos nos entrincheirar na sala de estar para todo o sempre, como fez minha mãe. Na verdade, durante algumas horas, talvez eu tenha sido contemplada com uma amostra do que fora a vida dela depois da guerra, porque à minha mãe talvez tenha faltado mais o necessário auto-engano do que coragem. Seu povo dizimado pelos turcos, o marido derrubado do céu por um povinho amarelo inescrupuloso, minha mãe vê o caos lhe roendo a porta, ao passo que os demais mortais habitam uma paisagem lúdica, cuja benevolência é uma ilusão coletiva. Em 1999, quando entrei para sempre no universo dela — um lugar onde tudo pode acontecer e em geral acontece —, tornei-me bem mais compreensiva em relação ao que Giles e eu sempre havíamos considerado neurose.

Você voltaria, sim, para casa — dessa vez. Mas, quando pus o fone no gancho, ficou registrado, com um clique sussurrado: talvez ainda chegue o dia em que ele não volte.

Assim, em vez de moroso e infinito, o tempo ainda parecia descontroladamente curto. Quando entrou, você estava tão cansado que mal conseguia falar. Deixei-o passar sem jantar, mas não permiti que dormisse. Já tive meu quinhão de desejo sexual irrefreável e posso lhe garantir que aquilo foi uma urgência de outra ordem. Eu queria arrumar um *back-up*, uma espécie de cópia de segurança, para você e para nós, mais ou menos como enfiar um papel carbono na minha IBM Selectric. Queria ter certeza de que, se algo acontecesse com um de nós, haveria algo sobrando, além das meias. Naquela noite, eu queria bebês enfiados em todos os cantos, feito dinheiro em açucareiros, garrafas de vodca para alcoólatras carentes de força de vontade.

"Eu não pus o diafragma", resmunguei, depois que acabamos.

Você se mexeu na cama. "É perigoso?"

"Muito perigoso", eu disse. De fato, praticamente qualquer estranho poderia ter aparecido dali a nove meses. Melhor seria termos deixado a porta destrancada.

Na manhã seguinte, você falou, enquanto nos vestíamos: "Ontem à noite... não foi apenas esquecimento, foi?" Sacudi a cabeça, satisfeita comigo mesma. "Você tem certeza disso?"

"Franklin, nós jamais vamos ter certeza. Nós não fazemos a menor idéia do que é ter um filho. E só existe uma forma de descobrir."

Você me pegou pelas axilas, me ergueu bem no alto e eu reconheci aquela mesma expressão iluminada de quando você brincava de "aviãozinho" com as filhas do Brian. "Fantástico!"

Eu parecia estar tão confiante, mas, quando você me trouxe de volta para a aterrissagem, comecei a entrar em pânico. A complacência tem um jeito muito seu de se restabelecer por conta própria e eu já havia parado de temer que você não fosse viver até o final da semana. *O que eu tinha feito?* Quando, mais tarde, naquele mesmo mês, fiquei menstruada, eu lhe disse que estava desapontada. Essa foi minha primeira mentira, e foi bem cabeluda.

Durante as seis semanas seguintes, você se empenhou todas as noites. Você gostava de ter uma tarefa a cumprir e copulava comigo com aquela mesma atitude exuberante de se-vai-fazer-faça-certo com que construíra nossas estantes. Quanto a mim, já não tinha tanta certeza sobre essas trepadas militares. Sempre apreciei a frivolidade do sexo e gostava de umas transas *hardcore*. O fato de até a Igreja Ortodoxa Armênia poder olhar aquilo tudo que andávamos fazendo com sincera aprovação me deixava sem a menor vontade.

Enquanto isso, comecei a ver meu corpo sob uma nova luz. Pela primeira vez, tive consciência das pequenas elevações em meu peito como tetas destinadas à alimentação de um filhote, e notar sua semelhança física com o úbere das vacas ou com os volumes bambos de cadelas lactantes de repente foi inevitável.

A fenda entre minhas pernas também se transformou. Perdeu um pouco da qualidade ultrajante, uma certa obscenidade, ou atingiu uma obscenidade de cunho diferente. As dobras já não pareciam mais se abrir para um estreito e quente beco-sem-saída, e sim para algo escancarado. A própria passagem se tornou caminho para alguma outra parte, um lugar real, e não apenas para uma escuridão na minha cabeça. O pedacinho de carne na frente adquiriu um aspecto tortuoso, sua inclusão obviamente ulterior, tentação, gratificação por fazer o levantamento de peso da espécie, como os pirulitos que eu ganhava no dentista.

Veja só, tudo o que me fazia bonita era intrínseco à maternidade, e até mesmo o meu desejo de que os homens me considerassem atraente era uma maquinação do corpo projetada para expelir seu próprio substituto. Não quero com isso dar a entender que fui a primeira mulher a descobrir os pássaros e as abelhas. Mas isso tudo era novo para *mim*. E, honestamente, eu não tinha muita certeza a respeito. Sentia-me dispensável, jogada fora, engolida por um grande projeto biológico que não iniciei nem escolhi, que me produziu mas que também iria me mastigar e depois cuspir fora. Eu me senti usada.

Tenho certeza de que você se lembra daquelas brigas por causa da bebida. Segundo você, eu não deveria beber nada. Eu me esquivei. Assim que eu descobrisse que estava grávida — que *eu* estava grávida, nunca fui muito adepta desse negócio de *nós* — pararia na hora. Mas talvez levasse anos para conceber e, nesse tempo, eu é que não iria arruinar minhas noites com copos de leite. Múltiplas gerações de mulheres haviam bebido um trago ou outro durante a gravidez e, pelo que me constasse, não tinham parido retardados mentais, tinham?

Você emburrava. Calava a boca se eu me servisse de uma segunda taça de vinho, e seus olhares de reprovação arruinavam o prazer (como aliás era a intenção). Ranzinza, você resmungava que, no meu lugar, *você* pararia de beber, e sim, durante anos, se necessário fosse — e quanto a isso eu não tinha dúvida. Eu permitiria que a procriação influenciasse nosso comportamento; você queria que ela ditasse nosso comportamento. Se isso lhe parece uma distinção sutil, é tão sutil quanto a noite e o dia.

Fui privada do clichê cinematográfico que dá a dica, não tive de correr para vomitar no banheiro, mas parece que não interessa aos cineastas admitir que algumas mulheres não sentem enjôo matinal. Embora você tenha se oferecido para me acompanhar no teste de urina, eu o dissuadi da idéia: "Eu não estou indo fazer um teste de câncer ou algo parecido." Lembro-me desse comentário. Muito semelhante ao que as pessoas dizem de brincadeira, é bastante significativo o que afirmam que isso ou aquilo *não* é.

Na ginecologista, entreguei meu vidro de conserva de alcachofras, a rapidez do gesto encobrindo o constrangimento intrínseco de passar efluentes fedidos a estranhos, e fui esperar na recepção. A dra. Rhinestein — uma mulher jovem, fria para sua profissão, com um temperamento distante, clínico, mais apropriado a testes farmacêuticos com ratos — entrou majestosa dez minutos depois e se inclinou na escrivaninha para rabiscar algo. "Seu teste deu positivo", disse ela, energicamente.

Quando ergueu os olhos, me olhou uma segunda vez. "Está se sentindo bem? Está tão pálida."

De fato eu sentia um frio estranho.

"Eva, eu pensei que você estivesse *tentando* engravidar. A notícia deveria ser boa." Ela disse isso com severidade, mas sem censura. Tive a impressão de que, se eu não fosse ficar satisfeita com a notícia, ela tiraria meu bebê para dá-lo a alguém com a cabeça no lugar — que daria pulos de alegria, como num programa de auditório em que o participante ganha o carro.

"Baixe a cabeça e ponha entre as pernas." Pelo visto eu tinha começado a bambear.

Assim que me forcei a erguer o corpo e sentar direito, ainda que apenas porque a médica me pareceu muito entediada, a dra. Rhinestein começou a desfiar uma longa lista de tudo o que eu não poderia fazer, do que eu não poderia comer e beber e *quando* — e daí que eu tinha planos de atualizar o guia da Europa Oriental? — eu teria de voltar para a próxima consulta. Aquela foi minha introdução à maneira como, cruzada a soleira da maternidade, de repente você se transforma em propriedade social, no equivalente animado de um parque público. Aquela frase tão recatada, "você agora está comendo *por dois*, querida", nada mais é que uma forma de provocação, porque nem mais o jantar é assunto privado seu. De fato, à medida que *a terra dos livres* vai se tornando cada vez mais coercitiva, a inferência parece ser a de que "você está comendo por *nós* agora", pelos cerca de duzentos milhões de enxeridos que têm a prerrogativa, qualquer um deles, de reclamar se porventura algum dia você tiver vontade de comer um *donut* com geléia e não uma refeição completa, composta por grãos integrais e legumes de folha, que cubra todos os cinco principais grupos alimentares. O direito de mandar nas grávidas estava sem dúvida a caminho de entrar para a Constituição.

A dra. Rhinestein fez a lista das marcas recomendadas de vitaminas e um sermão sobre os perigos de continuar jogando *squash*.

Tive a tarde inteira para preparar a versão de mim mesma como a esfuziante futura mamãe. Por instinto, escolhi um vestido leve de algodão liso, mais para o petulante que para o sensual, depois juntei os ingredientes para uma refeição que fosse agressivamente nutritiva (truta salteada sem farinha de rosca, salada com brotos diversos). Nesse meio-tempo, tentei diferentes abordagens para a cena já tão surrada: contida, demorada; espantada, artificialmente espontânea; desbundada — *ah, querido!* Nenhuma delas me pareceu adequada. Enquanto eu zanzava pelo *loft*, enroscando velas novas nos suportes, fiz uma tentativa corajosa de cantarolar alguma coisa, mas só consegui pensar em músicas dos grandes musicais tipo *Hello, Dolly!*

Eu detesto musicais.

De hábito, o toque final de uma ocasião festiva seria a escolha do vinho. Fitei melancólica nosso belo estoque de garrafas, fadadas a juntar poeira. Que bela comemoração.

Quando o elevador parou ruidoso no nosso andar, dei as costas para compor a fisionomia. Bastou uma olhada para a gama angustiada de contrações conflitantes que fazemos quando "compomos" a fisionomia para você me poupar do anúncio. "Você está grávida."

Dei de ombros. "É o que tudo indica."

Você me beijou, castamente, sem língua. "E quando soube — como se sentiu?"

"Um pouco zonza."

Com delicadeza, você roçou a mão no meu cabelo. "Bem-vinda a sua nova vida."

Como minha mãe sempre teve tanto pavor de álcool quanto da rua, uma taça de vinho até hoje retém para mim o fascínio de tudo quanto é ilícito. Embora não achasse que tinha *um problema*, fazia tempo que uma boa dose de um tinto encorpado, no final do dia, se tornara emblemática, para mim, da idade adulta — esse tão alardeado Santo Graal da liberdade, para os norte-americanos. No entanto começava a intuir que a idade adulta mesmo, de verdade, não era lá muito diferente da infância. Ambas as condições, em seus extremos, giravam em torno de cumprir regras.

E assim foi que me servi com uma taça de suco de uva-do-monte e brindei, toda animada. *"La chaim!"*

Gozado como a gente vai escavando o buraco com uma colherinha de chá — uma concessão mínima, um arredondamento insignificante ou uma levíssima reformulação de determinada emoção para outra que seja um tiquinho mais simpática ou lisonjeira. Não me importava o fato em si de me ver privada de uma taça de vinho. Mas, como a lendária viagem que começa com um único passo, eu já tinha embarcado no meu primeiro ressentimento.

Ressentimento banal, é verdade, mas a maioria deles o é. E, por sua pequenez, me senti obrigada a reprimir. Por falar nisso, essa é a natureza do *ressentimento*, a objeção que não podemos exprimir. É o silêncio, mais que a queixa, o que torna a emoção tão tóxica, como os venenos que o organismo não expele com a urina. Vai daí que, por mais que eu tentasse ser adulta sobre a questão do meu suco de uva-do-monte, escolhido a dedo por sua semelhança com um *beaujolais* jovem, lá bem no fundo eu continuava uma pirralha. Enquanto você ficava sugerindo nomes (para meninos), eu revirava o cérebro para saber, no meio de tudo aquilo — fraldas, noites insones, idas a jogos de futebol —, pelo que eu deveria ansiar.

Doido para tomar parte, você decidiu parar de beber também, em nome de minha gravidez, embora nosso bebê não fosse nascer mais forte por você ter abandonado a cervejinha de antes do jantar. E assim foi que você se pôs, feliz da vida, a emborcar suco de uva-do-monte como ninguém. Parecia que você estava adorando a oportunidade de provar quão pouco a bebida significava para você. Fiquei irritada.

Por outro lado, você sempre se encantou com auto-sacrifícios. Por mais admirável que seja a atitude, sua disposição de dar a vida a terceiros talvez derive, em parte, do fato de que, quando teve a vida inteirinha no colo, você não soube o que fazer dela. O auto-sacrifício era uma saída fácil. Sei que parece um comentário cáustico. Mas de fato eu realmente acredito que esse seu desespero — de se livrar de si mesmo, se isso não for abstrato demais — acabou pesando tremendamente no nosso filho.

Lembra-se daquela noite? Devíamos ter tido tanta coisa para falar, mas estávamos sem graça, hesitantes. Não éramos mais Eva e Franklin, mas sim mamãe e papai. Era a nossa primeira refeição como uma *família*, uma palavra e um conceito com os quais nunca me senti à vontade. E eu estava de mau humor, eliminando todos os nomes que você sugeria, Steve, George, Mark, como sendo "comuns demais", e você se magoou.

Eu não conseguia conversar com você. Eu me sentia enclausurada, entupida. Eu queria dizer: Franklin, não sei ao certo se essa é uma boa idéia. Sabia que no terceiro trimestre eles não deixam nem você entrar num avião? E eu odeio toda essa *coisa* virtuosa de manter uma *boa* dieta, de dar um *bom* exemplo, de achar uma *boa* escola...

Mas era tarde. Nós deveríamos estar comemorando e eu deveria estar nas nuvens.

Tentando desesperadamente recriar aquela vontade de um *back-up* que tinha me metido na encrenca, evoquei a lembrança da noite em que você ficou preso no areal — *areal*, será que foi isso que disparou meu alarme? Porém aquela decisão apressada tomada em maio fora uma ilusão. Eu já havia resolvido bem antes, na verdade no dia em que me apaixonei irrecuperável e irrevogavelmente por esse seu franco sorriso americano, por essa sua fé inabalável em piqueniques. Por mais cansada que eu estivesse de escrever sobre novos países — com o tempo é inevitável que comida, bebida, cores e árvores, a própria condição de se estar vivo percam o frescor —, e ainda que seu brilho estivesse meio embaçado, essa ainda era a vida que eu preferia, e na qual os filhos não cabiam muito bem. A única coisa que eu amava mais que isso era Franklin Plaskett. Você ambicionava tão pouco; havia uma única coisa importante que você queria que estava a meu alcance fornecer. Como é que eu poderia ter negado a você a luz que lhe iluminava o rosto quando atirava as duas meninas eufóricas de Brian para o alto?

Sem uma garrafa para nos deter, fomos para cama meio cedo. Você ficou nervoso, sem saber se "deveríamos" fazer sexo, se isso não iria machucar o bebê, e eu, meio irritada. Já estava me sentindo vitimada, como se eu fosse alguma princesa, por um organismo do tamanho de uma ervilha. E eu queria muito fazer sexo, pela primeira vez em muitas semanas, já que iríamos finalmente trepar por vontade e não para dar uma contribuição à espécie. Você aquiesceu. Mas foi deprimentemente delicado.

Eu esperava que, com o tempo, a ambivalência sumisse, mas a sensação conflitante foi se acentuando e, desse modo, ficando mais secreta. Finalmente vou abrir o jogo. Acho que a ambivalência não desapareceu porque não era o que parecia ser. Não é verdade que eu me sentisse "ambivalente" a respeito da maternidade. Você queria ter um filho. Eu não. Tudo somado, até parecia uma ambivalência, mas, mesmo formando um casal que era realmente o máximo, não éramos uma mesma pessoa. Nunca consegui que você gostasse de berinjela.

*Eva*

## *9 de dezembro de 2000*

*Querido Franklin,*

Sei que lhe escrevi ontem mesmo, mas dependo agora desta correspondência para fazer o relato de Chatham. Kevin estava num humor especialmente combativo. De cara, ele me acusou: "Você nunca quis me ter, não é mesmo?"

Antes de ser recolhido feito um bicho que morde, Kevin não era muito dado a me fazer perguntas pessoais e cheguei a ver um elemento promissor nessa curiosidade. Nosso filho devia ter topado com ela na inquietude monótona de sua cela, andando de um lado para o outro; bem, para alguma coisa serve o tédio *mortal*. Imagino que ele já houvesse reconhecido anteriormente que eu tinha uma vida, para querer arruiná-la com tamanha determinação. Mas devia ter concluído também, agora, que eu possuía capacidade de fazer escolhas: eu optara por ter um filho, mas acalentava outras aspirações que sua chegada talvez tenha cerceado. Essa intuição estava tão em desacordo com o diagnóstico dos terapeutas, de uma "deficiência empática", que achei que ele merecia uma resposta honesta.

"Eu achava que sim", falei. "E seu pai, ele queria você... desesperadamente."

Desviei os olhos; a expressão de sarcasmo sonolento foi imediata no rosto de Kevin. Talvez eu não devesse ter mencionado seu desespero. Quanto a mim, eu adorava seu anseio. Pessoalmente, eu havia lucrado com sua insaciável solidão. Mas as crianças talvez se inquietem diante de uma fome tão grande, e Kevin sempre traduzia inquietude em desprezo.

"Você *achava que sim*", disse ele. "Depois mudou de idéia."

"Eu achava que precisava de uma mudança. Mas ninguém precisa de uma mudança para pior."

Kevin se sentiu vitorioso, pelo visto. Durante anos ele me provocara para ser maldosa. Eu permanecera factual. Apresentar as emoções como fatos — coisa que elas são — proporciona uma defesa frágil.

"Ser mãe foi mais difícil do que eu imaginava", expliquei. "Eu estava acostumada a aeroportos, paisagens marítimas, museus. De repente, lá estava eu, confinada sempre nos mesmos poucos aposentos, eu e o Lego."

"Mas eu fiz o possível", disse ele, com um sorriso que se abriu sem vida, como se puxado por ganchos, "para manter você entretida."

"Eu havia antecipado limpar vômito. Assar biscoitos de Natal. Eu jamais teria imaginado..." O olhar de Kevin me desafiou. "Eu jamais teria imaginado que simplesmente *criar uma ligação* com você", e formulei isso da forma mais diplomática que consegui, "me daria tanta dor de cabeça. Eu achava..." Respirei fundo. "Eu achava que essa parte vinha de graça."

"De graça!", zombou ele. "Acordar todas as manhãs não vem de graça."

"Não mais", admiti, pesarosa. As minhas experiências do dia-a-dia e as de Kevin haviam convergido. O tempo se despega de mim como se estivesse trocando de pele.

"Alguma vez já lhe ocorreu pensar", disse ele, de um jeito capcioso, "que talvez *eu* não quisesse ter *você*?"

"Qualquer que fosse o casal, você não teria gostado. Teria achado a profissão deles idiota, fosse qual fosse."

"Guias de viagem para pães-duros? Descobrir mais uma curva inclinada para um anúncio do jipe Cherokee? Convenhamos que isso é *especialmente* idiota."

"Viu?", eu explodi. "Sinceramente, Kevin... será que *você* iria querer ter você? Se houver alguma justiça nesse mundo, um dia desses você ainda vai acordar com *você mesmo* num berço ao lado da sua cama!"

Em vez de recuar ou revidar, ele amoleceu. Um aspecto que é mais comum nos idosos que nos jovens: os olhos vidram e despencam, a musculatura afrouxa. Uma apatia tão absoluta que é como se fosse um buraco onde você corre o risco de cair.

Você acha que fui má com ele e por isso ele se retraiu. Pois eu não. O que eu acho é que ele quer que eu seja má com ele, da mesma forma como outras pessoas se beliscam para ter certeza de que estão acordadas. O que aconteceu foi que ele amoleceu por frustração, porque ali estava eu, finalmente lhe atirando alguns comentários mornamente ofensivos, e ele não sentiu nada. Além disso, acredito que foi a imagem de "acordar com você mesmo" que provocou a reação, já que é justamente o que ele faz todos os dias, e o motivo de cada manhã lhe parecer tão custosa. Franklin, eu nunca conheci ninguém — e a gente *conhece* os próprios filhos — que achasse a própria existência um fardo ou uma indignidade maiores. Se por acaso você estiver imaginando que foi a forma de eu tratá-lo que levou nosso menino a essa *baixa auto-estima*, pense melhor. Eu via aquela expressão enfezada nos olhos dele quando Kevin tinha um ano de idade. É até possível que ele se tenha em alta conta, sobretudo depois que virou tamanha celebridade. Há uma diferença enorme entre não gostar de si mesmo e simplesmente não querer estar aqui.

Ao me despedir, joguei-lhe umas migalhas. "Mas briguei muito para que você tivesse o meu sobrenome."

"Pois é, bom, facilitou sua vida. Aquela velha história de *K-h-a...*?", disse ele, com voz arrastada. "Graças a mim, agora todo mundo no país sabe soletrar seu nome."

Você sabia que os americanos olham muito para as grávidas? No Primeiro Mundo, ondes os índices de natalidade são baixos, a gestação é uma novidade e, nos tempos de peitos e bundas espalhados por tudo quanto é banca, é a verdadeira *pornografia* — invocando visões intrusivamente íntimas de pernões esparramados, vazamentos, incontinência, aquela lúbrica enguia umbilical. Dando minhas próprias olhadas pela Quinta Avenida, enquanto minha barriga inchava, eu costumava registrar com incredulidade: todas aquelas pessoas tinham saído da boceta de uma mulher. Na cabeça, eu usava as palavras mais fortes possíveis, para esclarecer bem a questão. Como a finalidade dos seios, um dos fatos mais notórios que costumamos suprimir.

Seja como for, eu estava acostumada a atrair olhares com uma sainha curta, e os olhares de esguelha que eu recebia de estranhos, nas lojas, começaram a me dar nos nervos. Junto com o fascínio, e até mesmo encanto em seus rostos, eu via também um estremecimento passageiro de nojo.

Você acha isso forte demais. Eu não. Já reparou quantos filmes retratam a gravidez como uma infestação, uma colonização sub-reptícia? *O bebê de Rosemary* foi só o começo. Em *Alien*, um extraterrestre nojento sai da barriga de John Hurt. Em *Mimic*, uma mulher dá à luz um verme de sessenta centímetros. Mais tarde, o *Arquivo X* banalizou as cenas de alienígenas de olhos esbugalhados explodindo nauseabundamente da barriga de seres humanos. Nos filmes de horror ou de ficção científica, o anfitrião é consumido ou despedaçado, reduzido a uma casca ou resíduo para que alguma criatura de pesadelo possa sobreviver.

Desculpe, mas não fui eu que inventei esses filmes, e qualquer mulher cujos dentes tenham apodrecido, cujos ossos tenham perdido massa, cuja pele tenha ficado marcada sabe o alto preço que tem de pagar por levar um sanguessuga durante nove meses dentro da barriga. Aqueles filmes de natureza que mostram as fêmeas do salmão lutando para subir a corrente e desovar para, depois, desintegrar — os olhos embaçados, as escamas caindo — me deixavam furiosa. Durante o tempo todo em que estive grávida de Kevin, combati a idéia de Kevin, a noção de que eu havia sido rebaixada de motorista a veículo, de proprietária para o imóvel em si.

Fisicamente, a experiência foi mais fácil do que eu imaginava. A maior afronta do primeiro trimestre foi o fato de eu ter criado uma certa inchação molenga que passou fácil por uma queda especial pelas barras de chocolate Mars. Meu rosto se encheu, chanfrando minhas feições andróginas e angulosas em contornos mais suaves, próprios de uma moça. Meu rosto ficou mais jovem, mas, na minha opinião, mais tolo.

Não sei por que levei tanto tempo para notar que você simplesmente presumia que nosso bebê levaria o seu sobrenome, e olhe que nem mesmo quanto ao nome de batismo estávamos concordando. Você propôs *Leonard* ou *Peter*. Quando eu contrapus com *Engin* ou *Garabet* — ou *Selim*, como meu avô paterno — você assumiu aquela mesma expressão de tolerância que eu exibia quando as filhas do Brian vinham me mostrar suas bonecas. Por fim, você disse: "Você não pode estar falando sério e propondo que eu chame meu filho de *Garabet Plaskett*."

"Nnão", eu falei. "*Garabeth Khatchadourian*. Soa muito melhor."

"Soa como um garoto que não tem parentesco nenhum comigo."

"Engraçado, mas é justamente como *Peter Plaskett* soa para mim."

Estávamos naquele barzinho charmoso que existia na esquina da Beach Street, o Beach House, desperdiçando o cenário com meu suco de laranja puro, se bem que eles serviam um *chili* de matar de bom, lá.

Você tamborilou os dedos. "Será que podemos ao menos vetar *Plaskett-Khatchadourian*? Porque assim que os nomes hifenizados começarem a se casar entre si, os filhos deles vão ter nomes do tamanho de uma lista telefônica. E já que alguém tem que ceder, é mais simples seguir a tradição."

"Segundo a *tradição*, as mulheres não tinham direito à propriedade até por volta dos anos setenta, em alguns estados. *Tradicionalmente*, no Oriente Médio, nós andamos na rua dentro de um saco preto e *tradicionalmente* na África eles arrancam fora os nossos clitóris como se fossem um pedaço de cartilagem..."

Você encheu minha boca com pão de milho. "Chega de sermão, menina. Não estamos falando de circuncisão feminina, e sim do sobrenome do nosso filho."

"Os homens sempre deram seu sobrenome aos filhos, mas o *trabalho* que é bom eles nunca fizeram." Migalhas de pão de milho disparavam de minha boca. "É hora de virar a mesa."

"Mas por que virá-la em cima de mim? Meu Deus, será que os homens norte-americanos já não estão presos o suficiente na barra do avental das mulheres? Você é a primeira, na hora de se queixar de que são todos uns bundões que adoram *quiche* e freqüentam oficinas de choro."

Cruzei os braços e convoquei a artilharia pesada. "Meu pai nasceu no campo de concentração de Dier-ez-Zor. Os campos eram infestados de doenças e os armênios mal tinham o que comer, nem mesmo água para beber — foi um espanto ele ter sobrevivido, porque seus três irmãos não agüentaram. O pai do meu pai, Selim, foi fuzilado. Dois terços da família da minha mãe, os Serafians, foram obliterados tão completamente que não sobrou nem mesmo a história deles. Você me desculpe por estar comparando nossas famílias, mas os anglo-saxões não são bem uma espécie em risco de extinção. Meus antepassados foram sistematicamente exterminados e ninguém nunca fala sobre isso, Franklin!"

"Um *milhão* e meio de pessoas!", você entoou, gesticulando feito um louco. "Você *sabia* que foi o que os Jovens Turcos fizeram com os armênios, em 1915, que deu a *Hitler* a *idéia* para o *Holocausto*?"

Fuzilei você com os olhos.

"Eva, seu irmão tem dois filhos. Só aqui nos Estados Unidos há pelo menos um milhão de armênios. Ninguém está prestes a desaparecer."

"Mas você liga para o seu sobrenome só porque é seu. E eu ligo para o meu — bom, ele me parece mais importante que o seu."

"Meus pais teriam um enfarte. Iriam achar que estou renegando a família. Ou que você manda em mim. Vão achar que eu sou um cretino."

"E você acha que eu vou ficar com varizes por um *Plaskett*? É um nome bruto!"

Você não gostou do que ouviu. "Você nunca me disse que não gostava do meu nome!"

"Esse *a* muito aberto é meio espalhafatoso, grosseiro..."

"Grosseiro!"

"É tão horrendamente *americano*. Me faz pensar naqueles turistas gordos de fala anasalada passeando por Nice, com os filhos sempre berrando que querem sorvete. Gente que grita: *Benzinho, olha só aquele 'Pla-a-as-kett'*, quando a palavra é francesa e deveria ser pronunciada *pla-quê*."

"Não é *pla-quê*, sua esnobe antiamericana! É Plaskett, uma família pequena, mas muito respeitável, de origem escocesa, e um nome que eu teria muito orgulho em legar a meus filhos! Agora entendi por que você não quis mudar o seu, quando nos casamos. Você odeia o meu nome!"

"Desculpe! É claro que eu adoro seu nome, de certa forma, principalmente porque é o *seu* nome..."

"Vamos fazer um trato", você propôs. Em nosso país, a parte ofendida goza de uma enorme vantagem. "Se for menino, é Plaskett. Se for menina, pode ficar com o seu *Khatchadourian*."

Empurrei o cestinho de pão e cutuquei-o no peito. "Quer dizer então que, se for menina, você nem vai dar bola. Se você fosse iraniano, ela não iria à escola. Se fosse indiano, ela seria vendida a um estranho como se fosse uma vaca. Se fosse chinês, ela morreria de inanição e seria enterrada no quintal..."

Você ergueu as mãos. "Tudo bem, então. Se for uma *menina*, o nome é Plaskett. Mas com uma condição. Nada dessa história de batizar o menino de *Gara-souvlaki* ou coisa parecida. Vamos escolher algo *americano*. Negócio fechado?"

Fechado. E, olhando em retrospecto, fizemos o negócio certo. Em 1996, Barry Loukaitis, de catorze anos, matou um professor e dois alunos, depois de ter feito a classe toda refém, em Moses Lake, Washington. Um ano depois,

Tronneal Mangum, de treze anos, matou a tiros um garoto da mesma escola que lhe devia quarenta dólares. No mês seguinte, Evan Ramsey, de dezesseis anos, matou um aluno e o diretor da escola e feriu dois outros em Bethel, Alasca. Naquele mesmo ano, no outono, Luke Woodham, de dezesseis anos, matou a própria mãe e dois estudantes, ferindo sete pessoas, em Pearl, Mississippi. Dois meses depois, Michael Carneal, de catorze anos, matou a tiros três alunos e feriu outros cinco em Paducah, Kentucky. Na primavera de 1998, em Jonesboro, Arkansas, Mitchell Johnson, de treze anos, e Andrew Golden, de onze, abriram fogo na escola, matando uma professora e quatro alunos, e ferindo outras dez pessoas. Um mês depois disso, Andrew Wurst, de catorze anos, matou um professor e feriu três alunos em Edinboro, Pensilvânia. No mês seguinte, em Springfield, Oregon, Kip Kinkel, de quinze anos, massacrou pai e mãe, antes de matar mais dois alunos de sua escola e ferir vinte e cinco. Em 1999, e apenas dez dias após uma certa *quinta-feira*, Eric Harris, de dezoito anos, e Dylan Klebold, de dezessete, depois de plantar bombas na escola em que faziam o ensino médio, em Littleton, Colorado, mataram a tiros um professor e doze alunos, deixando outros vinte e três feridos, antes de se matar. De modo que o jovem Kevin — escolha sua — saiu tão norte-americano quanto Smith e Wesson.

Quanto a seu sobrenome, nosso filho fez mais para manter o nome *Khatchadourian* vivo do que qualquer outra pessoa da família.

Assim como tantos vizinhos nossos, que se agarraram à tragédia para se sobressair na multidão — escravidão, incesto, um suicídio — eu havia exagerado no meu melindre étnico para impressionar. De lá para cá, aprendi que a tragédia não é uma coisa que deva ser amontoada. Apenas os intocados, os bem alimentados e os contentes poderiam ambicionar o sofrimento, como um paletó de grife. Eu doaria prontamente minha história ao Exército da Salvação, de sorte que alguma outra desmazelada, carente de cor, pudesse gastá-la.

O nome? Acho que eu só queria que o bebê fosse meu. Não conseguia me livrar da sensação de ter sido tomada. Mesmo quando fui fazer o ultra-som e a dra. Rhinestein passou o dedo por uma massa em movimento, no monitor, eu pensei: *Quem é esse?* Embora estivesse bem ali, debaixo de minha pele, nadando num outro mundo, a forma me parecia distante. E será que um feto tem sentimentos? Eu não tinha como antever que continuaria fazendo essa mesma pergunta a respeito de Kevin quinze anos depois.

Confesso que, quando a dra. Rhinestein apontou para o pontinho no meio das pernas, senti um certo desalento. Ainda que, de acordo com nosso "negócio", eu estivesse agora carregando um Khatchadourian, apenas pôr meu nome na escritura não iria anexar o menino a sua mãe. E, se eu apreciava a companhia masculina — gostava da atitude prática deles, costumava confundir agressividade com honestidade e desprezava frescuras —, já não tinha tanta certeza quanto aos *meninos*.

Quando eu tinha oito ou nove anos, uma vez mais forçada por minha mãe a ir buscar algo adulto e complicado, fui cercada por um grupo de meninos pouco mais velhos que eu. Ah, não me estupraram nem nada; levantaram meu vestido, baixaram minha calcinha, puseram alguns torrões de terra dentro e saíram correndo. Mesmo assim, tive medo. Mais velha, continuei mantendo uma boa distância de meninos de onze anos, nos parques — eles virados para as moitas, com o zíper baixado, lançando olhares maliciosos por cima do ombro e rindo sem parar. Mesmo antes de ter um, eu já sentia verdadeiro pavor de menino. E, hoje em dia, bem, eu desconfio que tenho pavor de mais ou menos todo mundo.

Apesar do esforço feito para enxergar os dois sexos como duplicatas, não hão de ser muitos os corações que disparam de medo ao passar por um grupo de garotas que trocam risinhos. Mas qualquer mulher que passe por um bando de desocupados insuflados de testosterona sem apressar o passo, sem evitar o olho no olho — capaz de sugerir desafio ou convite —, sem suspirar de alívio ao chegar ao quarteirão seguinte é uma ignorante em *zoologia*. Um garoto é um animal perigoso.

Será diferente para o homem adulto? Nunca perguntei. Talvez vocês consigam enxergar o que se passa dentro de um moleque, a aflição de quem não sabe se é normal ter um pênis curvo, a transparência com que fazem de tudo para aparecer uns para os outros (embora seja justamente por isso que tenho medo deles). Sem dúvida a notícia de que você iria dar guarida a um desses terrores em sua própria casa deve tê-lo encantado tanto que foi obrigado a ocultar um pouco do entusiasmo. E o sexo de nosso filho o fez ainda mais convicto de que o bebê era seu, seu, *seu*.

Sinceramente, Franklin, sua atitude de dono me irritava. Se por exemplo eu atravessasse a rua com o sinal mudando, você não se preocupava com minha segurança, mas ficava indignado com minha irresponsabilidade. Esses "riscos" que eu assumia — que eu considerava parte de minha vida normal

— pareciam, na sua cabeça, demonstrar displicência em relação a um de seus pertences pessoais. Toda vez que eu cruzava a soleira da porta, juro que você fechava um pouco a cara, como se eu estivesse levando para longe uma de suas posses mais preciosas sem pedir permissão.

Você não me deixava nem *dançar*, Franklin! Na verdade, houve uma tarde em que aquela minha sutil mas inexorável ansiedade se dissipou, misericordiosamente. Pus o nosso *Speaking in Tongues*, do Talking Heads, e comecei a saçaricar toda animada no nosso *loft* tão parco de móveis. O disco ainda estava na primeira faixa, "Burning Down the House", e eu mal começara a suar quando ouvi o chacoalhar do elevador e lá estava você. No momento de levantar a agulha, com um gesto precipitado, você arranhou o disco, de modo que dali em diante ele sempre empacava na primeira faixa, ficava no "*baby*, o que você esperava?", e se eu não apertasse o cartucho da agulha de leve com o dedo, não passava nunca para o "vai explodir em cha-amas".

"Ei!", eu disse. "Para que isso?"

"Que é que você acha que está fazendo, porra?"

"Depois de muito tempo, estava me divertindo. É contra a lei?"

Você agarrou meu braço. "Está *tentando* sofrer um aborto? Ou será que acha emocionante cortejar o perigo?"

Eu me livrei. "Até onde eu sei, gravidez não é pena de prisão."

"Pulando feito uma doida, se atirando por cima dos móveis..."

"Ah, sem essa, Franklin. Não faz tanto tempo assim, as mulheres trabalhavam na roça até a hora de parir e, quando chegava o momento, agachavam entre as fileiras de hortaliças. Naqueles tempos, as crianças de fato vinham dos canteiros de repolho, como se dizia antigamente."

"*Naqueles tempos,* a mortalidade infantil e materna era colossal!"

"E você lá está se importando com mortalidade materna? Contanto que eles consigam retirar o guri do meu corpo inerte enquanto o coração ainda bate, você vai ficar feliz feito um passarinho."

"Que coisa mais horrorosa de dizer."

"Estou com vontade de ser horrorosa", eu disse, me aboletando no sofá, enfezada. "Se bem que, até o Papai Sabe Tudo aqui voltar para casa, eu estava me sentindo ótima."

"Mais dois meses, só. Será que é um sacrifício tão grande assim de fazer, ir com mais calma, para o bem-estar de uma pessoa totalmente nova?"

Rapaz, eu já não agüentava mais ter esse *bem-estar de uma pessoa totalmente nova* pesando sobre meus ombros. "O *meu* bem-estar pelo visto agora não vale um tostão furado."

"Não há motivo para você não escutar música... contanto que seja num volume que não obrigue o John aí de baixo a bater no teto com uma vassoura." Você repôs a agulha no começo do lado A, mas num volume tão baixo que David Byrne ficou com a voz da Minnie. "Mas como toda grávida normal, pode continuar sentada aí e *acompanhar o ritmo com os pés*."

"Não sei se essa é uma idéia muito boa", eu disse. "Toda essa vibração... Já pensou se chega até o Pequeno Lorde e atrapalha a soneca embelezadora dele? E será que não deveríamos estar escutando Mozart? Pode ser que Talking Heads não esteja no Livro. Pode ser que tocando aquela música do assassino, 'Psycho Killer', a gente esteja alimentando o bebê com Maus Pensamentos. Melhor dar uma conferida."

Era você quem pilotava todos aqueles manuais sobre respiração, dentição e desmame, enquanto eu lia sobre a história de Portugal.

"Pare de sentir pena de si mesma, Eva. Eu pensei que o propósito todo de a gente ter um filho era amadurecer."

"Se eu tivesse percebido que era isso que significava para você, aparentar uma maturidade fajuta, desmancha-prazeres, eu teria repensado a história toda."

"*Jamais diga isso*", você falou, vermelho feito uma beterraba. "É tarde demais para reconsiderações. *Nunca, jamais,* diga que você se arrependeu do nosso próprio filho."

Foi aí que eu comecei a chorar. Depois de ter dividido com você minhas mais sórdidas fantasias sexuais, violado de tal modo normas heterossexuais que, sem o auxílio das vergonhosas sacanagens mentais que você próprio alimentava para contrabalançar, nem tenho coragem de repetir aqui — desde quando havia alguma coisa que um de nós não pudesse *nunca, jamais,* dizer?

*Baby o que você esperava... Baby o que você esperava...*

A agulha tinha prendido de novo.

*Eva*

## *12 de dezembro de 2000*

*Querido Franklin,*

Bem, hoje não me deu vontade de fazer hora extra na agência. Os funcionários passaram da peleja afável para a guerra total. Observar os embates decisórios em nosso escritório minúsculo sem tomar partido conferiu às cenas o efeito ligeiramente cômico e isento semelhante a quando assistimos à televisão com o som desligado.

Ainda não consegui entender direito como foi que a "Flórida" se transformou num problema racial, se bem que mais cedo ou mais tarde — em geral mais cedo — tudo acabe virando problema racial, por aqui. O fato é que os outros três democratas da agência agora deram de xingar de "racista" os dois pobres republicanos que, refugiados na saleta dos fundos, conversam em tons abafados que são interpretados pelos demais como os sussurros conspiratórios da intolerância compartilhada. Engraçado; antes da eleição, nenhuma dessas pessoas demonstrava o menor interesse pelo que era tido, de maneira geral, como uma chatíssima disputa.

Seja como for, hoje iria sair uma decisão da Suprema Corte e o rádio esteve ligado o dia todo. As recriminações trocadas entre os funcionários eram tantas e tão esbravejantes que mais de um cliente, abandonado no balcão, simplesmente virou as costas e foi embora. No fim, fiz o mesmo. É curioso que, enquanto os dois conservadores tendem a discutir abertamente a favor do *lado deles*, os liberais estão sempre avaliando as coisas em nome da verdade, da justiça ou da humanidade. Embora eu já tenha sido uma democrata ferrenha, há muito que desisti de defender a humanidade, já que, na maioria dos dias, não tenho forças nem mesmo para defender a mim mesma.

Assim, ao mesmo tempo em que torço para que esta correspondência não esteja descambando para uma tentativa histérica de justificar meus atos, não quero que pense que estou preparando o terreno para dizer que Kevin é culpa exclusivamente minha. Às vezes também condescendo e viro o gargalo da culpa com uma sede tremenda. Mas note que eu disse *condescendo*. Há um auto-engrandecimento no lamaçal dessa mea-culpa, uma certa vaidade. A culpa confere um poder espantoso. E simplifica tudo, não só para os espectadores e vítimas, mas, sobretudo, para os culpados. Ela impõe uma ordem à escória. A culpa ensina uma lição muito clara da qual outras pessoas talvez possam obter consolo: *se ao menos ela não...*, e com isso torna a tragédia evitável. Talvez seja até possível encontrar uma paz muito frágil na aceitação da responsabilidade total, e às vezes vejo essa calma em Kevin. É um aspecto que seus guardiões confundem com impenitência.

Para mim, contudo, essa ávida deglutição da culpa não funciona. Lá no fundo, nunca consigo entrouxar essa história toda. Ela é maior que eu. Prejudicou muita gente, tias, primos e melhores amigos que nunca vou conhecer nem reconheceria se nos encontrássemos. Não consigo acomodar dentro de mim o sofrimento de um número tão grande de jantares em família em que uma cadeira há de permanecer sempre desocupada. Não sofri porque a foto sobre o piano continuará sendo sempre a que foi dada aos jornais, nem porque os retratos dos irmãos sobre o mesmo móvel continuarão marcando momentos de maior maturidade — formatura na faculdade, casamentos —, enquanto o instantâneo que entrou para o álbum do ano da escola vai descolorir com o sol. Não vivi casamentos antes robustos se deteriorando mês a mês; não senti o bafo adocicado de gim no hálito de uma até então ativa corretora de imóveis já nas primeiras horas da tarde. Não senti o peso de todos aqueles caixotes arrastados para o caminhão depois que um bairro verdejante de carvalhos recortado por regatos borbulhantes forrados com pedras roliças em seus leitos, animado com a risada saudável dos filhos dos outros, de repente, da noite para o dia, tornou-se intolerável. Minha impressão é que, para poder me sentir culpada de forma mais significativa, seria necessário eliminar todas essas perdas da cabeça. No entanto, como naqueles jogos que costumávamos fazer no carro, em que você recita *Vou fazer uma viagem e vou levar comigo uma águia abandonada, um bebê balbuciante, um cabrito calado...*, sempre me dá um branco antes de chegar ao fim do alfabeto. Começo a fazer malabarismos com a lindíssima filha de Mary, o geninho de informática dos Fergusons, o desajeitado ruivinho dos Corbitts, sempre um desastre nas peças da escola, acrescento aquela professora de inglês excepcionalmente graciosa, Dana Rocco, mas as bolas despencam no chão.

Claro que o fato de eu não conseguir engolir a culpa toda não significa que os outros não vão empilhá-la inteira em cima de mim, de um jeito ou de outro; eu ficaria feliz de proporcionar a eles um recipiente útil se achasse, de fato, que isso iria lhes fazer algum bem. Sempre volto a Mary Woolford, cuja experiência de injustiça, até então, tinha sido uma rua de mão única especialmente inconveniente. Suponho que eu a chamaria de mimada; de fato, Mary fez um escarcéu meio excessivo quando Laura não conseguiu entrar para a equipe de corridas e saltos, mesmo que sua filha, ainda que encantadora ao extremo, fosse fisicamente lerda e nem um pingo atlética. Mas talvez não seja justo chamar de falha de caráter o fato de a vida de alguém ter sido sempre mansa, com obstáculos mínimos. Além disso, ela era uma mulher obstinada, e, assim como meus colegas democratas, propensa por natureza à indignação. Antes da *quinta-feira*, estava acostumada a dar vazão a essa característica, que de outra forma eu presumo teria atingido níveis de combustão, em campanhas para que o governo municipal instalasse uma travessia de pedestres ou impedisse a existência de abrigos para os sem-teto em Gladstone; conseqüentemente, a recusa de verba para a tal faixa ou a chegada de um zé-ninguém cabeludo nos arredores da cidade constituíam, até então, sua versão de catástrofe. Não tenho bem certeza de como essa gente consegue lidar com desgraças de verdade, depois de ter exercitado com tanta freqüência os plenos poderes de sua consternação com o trânsito.

De modo que até entendo que uma mulher que vinha dormindo um sono inquieto em cima de grãos de ervilha encontrasse dificuldade em se deitar sobre uma bigorna. De qualquer forma, é uma pena que não tenha conseguido permanecer dentro do inerte e sereno poço da mais pura incompreensão. Ah, eu sei que não dá para viver a vida inteira aturdido — a necessidade de compreender, ou ao menos de fingir que compreendemos, é grande demais —, mas eu mesma descobri ser a vasta e branca perplexidade um lugar abençoadamente calmo em minha mente. Receio que a indignação alternativa de Mary, sua febre evangélica de pedir explicações aos culpados, seja um lugar de muito estardalhaço, que cria a ilusão de uma jornada, de um objetivo a ser alcançado, desde que esse objetivo permaneça fora do alcance. Francamente, durante a audiência na vara cível, tive de lutar contra o impulso de chamá-la de lado e desabafar, com delicadeza: "Você não está imaginando que vai se sentir melhor se ganhar, está?" Na verdade, me convenci de que Mary teria se consolado mais se o processo que acabou numa condenação espantosamente leve por negligência materna tivesse sido rejeitado, porque, aí sim, ela teria condições de alimentar um universo teórico alternativo onde pudesse descarregar toda a sua agonia em cima de uma mãe insensível e indiferente, que merecera tudo quanto havia lhe acontecido. De certa maneira, Mary parecia confusa sobre a natureza do problema. O problema não era quem seria punido pelo quê. O problema é que a filha dela estava morta. Por mais compaixão que eu demonstrasse, esse não era um assunto passível de ser descarregado em cima de terceiros.

Além disso, talvez eu me sentisse mais propensa a aceitar essa noção tão secular de que alguém tem de ser responsabilizado sempre que algo ruim acontece se não houvesse uma eterna auréola de inculpabilidade em volta da cabeça dos que se imaginam eternamente cercados por agentes do mal. Ou seja, parece que as pessoas que costumam processar o empreiteiro que não conseguiu protegê-las de forma absoluta dos estragos de um terremoto são também as primeiras a dizer que o filho não passou no exame de matemática devido a uma síndrome de *deficit* de atenção, e não porque o garoto passou a noite jogando videogame em vez de ficar estudando frações complicadas. Se, subjacente a esse seu relacionamento melindroso com cataclismos — marca registrada da classe média norte-americana —, houvesse a firme convicção de que coisas ruins não deveriam acontecer e ponto, talvez eu até achasse a ingenuidade cativante. Mas a convicção central desses tipos enraivecidos — que espicham gulosamente o pescoço para ver os engavetamentos na pista contrária — parece ser a de que nada de ruim deve acontecer com *eles*. Por último, embora você saiba que nunca fui muito chegada à religiosidade, depois de toda aquela baboseira ortodoxa que me empurraram goela abaixo quando criança (se bem que, por sorte, até eu completar uns onze anos, minha mãe já não tinha mais coragem de se aventurar até a igreja, a uns quatro quarteirões de distância, e organizava "serviços" meio mornos em casa), ainda me espanto diante de uma raça que se tornou tão antropocêntrica que todos os acontecimentos, de vulcões a mudanças climáticas globais, tornaram-se questões pelas quais os responsáveis são seus próprios integrantes. A espécie humana em si é um ato, por falta de palavra melhor, de Deus. Pessoalmente, eu diria que o nascimento de crianças perigosas também é um ato de Deus, mas era justamente essa a nossa disputa judicial.

Harvey me aconselhou desde o início a fazer um acordo amigável. Você deve se lembrar de Harvey Landsdown, aquele advogado que você achava meio metido. Ele é, mas contava histórias maravilhosas. Agora vai jantar na casa dos outros e conta histórias a meu respeito.

Harvey me desestruturava um pouco, já que é do tipo que vai direto ao ponto. No escritório dele, eu engasgava e me perdia em divagações; ele mexia na papelada, querendo dizer que eu estava desperdiçando o tempo dele ou então meu dinheiro — dava no mesmo. Não nos entendíamos no quesito verdade, tínhamos uma visão diferente dela. Ele queria o cerne. Eu, por outro lado, acho que você só chega ao cerne juntando todas as ínfimas particularidades inconclusivas da história, anedotas que não fariam o menor sucesso numa mesa de jantar e que parecem irrelevantes até que você amontoa tudo numa só pilha. Talvez eu esteja tentando fazer isso nestas cartas, Franklin, porque, embora me esforçasse para responder às perguntas dele de forma direta, toda vez que eu fazia declarações simples, para me eximir de culpa, do tipo "Claro que eu amo meu filho", sentia que estava mentindo e que qualquer juiz ou jurado perceberia na hora.

Harvey não se importava com isso. Ele é o tipo de advogado que enxerga a lei como um jogo, não como um auto de moralidade. Dizem que esse é o tipo que se deve querer. Harvey gosta de proclamar que estar do lado certo nunca ganhou causa nenhuma, e chegou até mesmo a me deixar com uma sensação meio difusa de que ter a justiça do nosso lado é uma leve desvantagem.

Claro que eu não tinha a menor certeza de que a justiça estivesse do meu lado e Harvey achava enfadonho aquele meu desespero. Ele me mandou parar de recear a impressão que iria causar, aceitando a fama de mãe inadequada, e obviamente não estava nem um pouco preocupado se eu era ou não adequada como mãe. (E, Franklin, eu fui uma péssima mãe. Fui terrível na função. E me pergunto se algum dia você vai me perdoar por isso.) O raciocínio dele era pura matemática e desconfio que é assim que muitos processos são decididos. Ele me disse que provavelmente tínhamos condições de fazer um acerto amigável com os pais e assim poderíamos vir a desembolsar muito menos que a quantia determinada por um júri sentimental. Fator crucial, não tínhamos a menor garantia de que seríamos ressarcidos dos custos processuais, mesmo que ganhássemos a causa. Quer dizer então, comecei eu devagar, que no país onde todos são "inocentes até prova em contrário" alguém pode me acusar de seja lá o que for e quem fica com o prejuízo de centenas de milhares de dólares sou eu, ainda que eu prove que a acusação não teve fundamento? Bem-vinda aos Estados Unidos da América, disse-me ele, alegremente. Sinto falta de ter você para poder atirar vitupérios. Harvey não estava nem um pouco interessado no meu exaspero. Achava essas ironias jurídicas muito divertidas — afinal, não era a empresa dele, iniciada com uma única passagem aérea de ocasião, que estava em jogo.

Olhando agora, Harvey tinha absoluta razão — quanto ao dinheiro, vale dizer. E tenho refletido, de lá para cá, sobre o que teria me levado a forçar Mary a entrar em juízo, contrariando o sólido conselho legal que me deram. Eu devia estar brava. Se eu havia feito algo errado, me parecia que já recebera castigo exemplar. Tribunal nenhum poderia ter me condenado a algo pior que essa vida árida em meu dúplex espremido, com meu peito de frango e meu repolho, minhas trêmulas lâmpadas halógenas, minhas visitas robóticas de quinze em quinze dias a Chatham — ou, quem sabe, ainda pior, a quase dezesseis anos vivendo com um filho que, como ele próprio declarou, não me queria como mãe e me dava bons motivos, quase que diários, para não querê-lo como filho. Seja como for, eu também deveria ter concluído que, se um veredicto de culpa dado pelo júri não iria atenuar a dor de Mary, um julgamento mais brando jamais conseguiria mitigar meu próprio senso de cumplicidade. É triste, mas sou obrigada a dizer que talvez tenha sido motivada, em boa medida, pela vontade desesperada de me ver exonerada em público.

Infelizmente, no fundo não era a isenção pública o que eu desejava, o que talvez explique por que me sento aqui noite após noite tentando registrar o mais ínfimo detalhe incriminador. Veja esse espécime deplorável: aos ser informada, aos trinta e sete anos, já madura e bem casada, de que estava grávida do primeiro filho, ela quase desmaiou de pavor; reação que oculta de seu extasiado marido com um vestido atrevido de algodão. Abençoada com o milagre de uma nova vida, ela prefere reclamar de uma taça de vinho que lhe é negada e se preocupar com o surgimento de veias nas pernas. Rebola pela sala, ao som de música *pop* barata, sem pensar na criança que vai nascer. Num momento em que seria melhor aprender nas entranhas o verdadeiro significado de *nosso*, ela prefere pensar que o futuro bebê é *dela*. Mesmo depois do ponto no qual já deveria ter aprendido a lição, continua martelando a respeito de um filme em que o nascimento de um ser humano é confundido com a expulsão de um verme tamanho família. Ela é uma hipócrita a quem é impossível satisfazer. Admite que correr o mundo o tempo inteiro não é aquela maravilha toda que outrora dizia ser — que essas perambulações superficiais haviam se tornado, na verdade, irritantes e monótonas —, mas, assim que suas viagens são postas em perigo pelas necessidades de uma outra pessoa, derrete-se toda pelos tempos idílicos em que anotava se um albergue da juventude de Yorkshire estava equipado com cozinha ou não. Pior de tudo, antes mesmo de seu desafortunado filho ter conseguido sobreviver ao clima inóspito de seu útero retesado e relutante, ela cometeu o que você mesmo, Franklin, classificou como oficialmente impronunciável. Ela mudou caprichosamente de idéia, como se os filhos não passassem de um pequeno item de vestuário que você experimenta em casa e — depois de um giro crítico diante do espelho onde se conclui que não, sinto muito, é uma pena mas isso aqui de fato não me *cai* bem — leva de volta para a loja.

Reconheço que o retrato que pinto aqui não é *atraente* e, por falar nisso, não me lembro de quando foi a última vez em que me senti atraente, para mim mesma ou para qualquer outra pessoa. Na verdade, anos antes de ficar grávida, cruzei com uma jovem no White Horse do Village, com quem eu tinha feito faculdade em Green Bay. Embora não conversássemos desde aquela época, ela tinha dado à luz pela primeira vez fazia pouco tempo e só precisei dizer "oi" para que começasse a desfiar suas mazelas para mim. Compacta, com ombros mais largos que o comum e um cabelo preto bem encaracolado, Rita era uma mulher atraente — no sentido físico. Sem eu ter pedido nada, ela me descreveu as condições impecáveis em que se encontrava seu corpo antes da gravidez. Pelo visto freqüentava a Nautilus todos os dias e a definição dos músculos nunca estivera tão nítida; a porcentagem entre gordura e músculo, tão fantástica; e a condição aeróbia, tão maravilhosa. Aí veio a gravidez e, bem, foi *terrível*! A Nautilus simplesmente deixou de ser *agradável* e foi obrigada a parar... Agora, agora ela estava um *trapo*, mal conseguia fazer uma série de abdominais em noventa graus, muito menos as três séries padrão em quarenta e cinco, ia ter de começar do início de novo ou *pior...!* A mulher estava uma fera, Franklin; ela obviamente andava pela rua vociferando contra seus músculos abdominais. No entanto, em momento algum mencionou o nome da criança, o sexo, a idade ou o pai. Lembro que recuei alguns passos, pedi licença para ir até o bar e fui embora sem dizer tchau. O que mais me amolou, o que me fez fugir dali, foi o fato de ela ter me passado não só a imagem de alguém insensível e narcisista como também de alguém *igualzinha a mim*.

Já não tenho mais tanta certeza se me arrependi de nosso primeiro filho antes mesmo de ele nascer. É difícil, para mim, reconstruir aquele período sem contaminar as lembranças com o tremendo desapontamento dos anos posteriores, um desapontamento que escapa às restrições do tempo e extravasa para o período em que Kevin ainda não existia para que eu desejasse o contrário. Mas a última coisa que quero é eliminar minha parcela nesta história terrível. Dito isso, estou resolvida a aceitar a devida responsabilidade por cada pensamento perverso, por cada petulância, por cada momento de egoísmo, não com o objetivo de invocar toda a culpa para mim, e sim para admitir que *isso* é minha culpa, que *aquilo* é minha culpa, mas *dali*, bem, *dali* eu não passo, e do outro lado *aquilo*, *aquilo*, Franklin, *aquilo não* é.

Entretanto, para não passar de um certo ponto é preciso chegar até a beiradinha.

Lá pelo último mês, a gravidez já era quase divertida. Eu estava tão desgraciosa que meu estado tinha uma novidade meio cômica e, para uma mulher que sempre fora tão conscienciosamente magra, havia um certo alívio em virar uma baleia. Ver como vive a outra metade, se quiser — ou mais da metade, eu suponho, a partir de 1998, primeiro ano em que o número de pessoas oficialmente gordas nos Estados Unidos ultrapassou o de magras.

Kevin chegou com duas semanas de atraso. Rememorando, sinto uma convicção supersticiosa de que ele fazia cera já no útero — que estava se escondendo. Talvez eu não fosse a única, nesse experimento, a ter algumas reservas.

Por que você nunca se afligiu com nosso augúrio? Tive de dissuadi-lo de comprar tantos coelhinhos de pelúcia, carrinhos de bebê e xales de crochê, antes do nascimento. E se por acaso, comentei eu, algo sair errado? Não seria melhor esperar para não se decepcionar? Você nem se abalava e dizia que contar com o desastre era cortejá-lo. (Por conseguinte, ao contemplar um gêmeo mais sinistro do garoto sadio e feliz com que você contava, pus o primeiro no mundo.) Eu era a mãe com mais de trinta e cinco anos resolvida a testar o feto para verificar a possibilidade de síndrome de Down; você se opôs com veemência. Tudo que eles podem lhe dar é uma porcentagem, você argumentou. Vai me dizer que, se a probabilidade for de uma em quinhentas, você vai em frente, mas uma em cinqüenta e já era? Claro que não, eu falei. Uma em dez, então. Uma em três. Qual é o limite? Por que se forçar a fazer esse tipo de escolha?

Seus argumentos foram convincentes, se bem que eu tenha me perguntado se por trás deles não estaria espreitando uma noção mal idealizada e romanceada da criança incapacitada: uma daquelas desastradas mas doces emissárias de Deus, que ensinam aos pais que há muito mais coisas na vida do que inteligência, uma alma pura sobre a qual despejar o mesmo tipo de afeto que dispensamos generosamente aos bichinhos de estimação da família. Sedento de sorver fosse qual fosse o maluco coquetel genético que o nosso DNA preparara, você deve ter flertado com a possibilidade de ganhar todos aqueles pontos extras com seu auto-sacrifício: sua paciência quando nosso cabeça-de-bagre levasse seis meses para aprender a amarrar os sapatos se mostraria sobre-humana. Pródigo e protetor ao extremo, descobriria em si mesmo um poço pelo visto inesgotável de generosidade que sua mulher "estou-indo-para-a-Guiana-amanhã" nunca utilizava, e, com o tempo, você abandonaria o trabalho para melhor se dedicar em tempo integral ao nosso guri de três anos de idade e mais de um metro e meio de altura. Os vizinhos todos elogiariam sua atitude positiva, de quem sempre vê o melhor lado, sua resignação diante da cartada que a Vida lhe pôs na mesa, a maturidade com que enfrenta e supera revezes que outros da mesma raça e classe considerariam devastadores. Você estava simplesmente louco para se atirar nesse negócio de ser pai, não estava? Para mergulhar num abismo, se jogar numa pira. Será que nossa vida em comum era assim tão insuportável para você, tão vazia?

Nunca lhe contei, mas fiz o teste escondido. O otimismo do resultado (cerca de uma probabilidade em cem) me permitiu contornar uma vez mais a enormidade de nossas diferenças. Eu, bem, eu era fresca. Minha maneira de abordar a maternidade era condicional, e as condições, severas. Eu não queria parir um imbecil ou um paraplégico; sempre que via mulheres exaustas empurrando o carrinho de um filho todo torto, vítima de distrofia muscular, até o Hospital Nyack para fazer hidroterapia, eu não ficava comovida, deprimida. Na verdade, uma lista sincera, que incluísse tudo quanto eu não gostaria de criar, desde o idiota do tipo comum até o obeso mórbido, chegaria a duas páginas fácil, fácil. Vendo agora, contudo, meu erro não foi ter feito o teste em segredo, e sim ter achado o resultado animador. A dra. Rhinestein não testou a possibilidade de existência de malícia, indiferença rancorosa, ou maldade congênita. Se fosse possível, pergunto-me quantos peixes não atiraríamos de volta.

Quanto ao parto em si, até aquela data eu tinha uma atitude meio machista em relação à dor que apenas traía o fato de nunca ter sofrido uma doença grave, quebrado um osso ou escapado de um engavetamento de quatro veículos. Sinceramente, Franklin, não sei de onde tirei essa idéia de que era durona. Eu era a Mary Woolford do mundo físico. Meu conceito de dor vinha de topadas no pé, cotovelos ralados e cólicas menstruais. Sabia o que significava ficar meio dolorida depois do primeiro dia da temporada de *squash*; não fazia a menor idéia do que fosse perder a mão numa máquina industrial, ou ter uma perna atropelada por um trem. E, no entanto, com que animação acatávamos nossas mitologias mútuas, não obstante o quão exageradas fossem elas. Minha reação *blasé* a dedos cortados na cozinha — um convite transparente para ser admirada por você, meu querido — era aceita como prova suficiente de que eu conseguiria forçar, com o mesmo estoicismo, que algo do tamanho de uma costela assada inteira saísse por um orifício que até então nunca acomodara nada mais largo que um salsichão. Nem era preciso dizer que eu não usaria anestesia.

Por mais que tente, não consigo de forma alguma atinar com o que estávamos tentando provar. De sua parte, talvez fosse o desejo de mostrar que eu era aquela heroína épica com que você sempre quis se casar. Já eu talvez tenha me deixado levar pela pequena disputa que as mulheres travam em torno do parto. Até a sossegada mulher de Brian, Louise, dizia que havia conseguido suportar um trabalho de parto de vinte e seis horas quando teve Kiley graças apenas a um "chá de folha de framboesa", um mito muito apreciado da família que ela repetiu em três ocasiões diferentes. Eram encontros como esse que engrossavam as fileiras do curso de parto natural que fiz na New School, se bem que aposto que muitas daquelas alunas que viviam repetindo a ladainha de "eu quero saber qual é a sensação" pediram arrego e imploraram por uma epidural na primeira contração.

Não eu. Eu não era corajosa, mas era teimosa e tinha orgulho de sobra. A obstinação pura e simples é mais durável que a coragem, embora não seja tão bonita.

Sendo assim, na primeira vez que minhas entranhas se retorceram como se fossem um lençol molhado, meus olhos saltaram de leve e as pálpebras se arregalaram de surpresa; meus lábios se comprimiram. Impressionei você com minha calma. Era essa a intenção. Estávamos almoçando no Beach House de novo e eu havia decidido não terminar meu *chili*. Numa demonstração de igual comedimento, você deu cabo de um naco de pão de milho antes de se levantar para ir até o banheiro pegar uma pilha de uns trinta centímetros de toalhas de papel; minha bolsa havia estourado, galões de água escorriam de dentro de mim, ou assim me pareceu, e eu havia encharcado o assento. Você pagou a conta e não se esqueceu nem mesmo de deixar gorjeta, antes de me conduzir pela mão de volta a nosso *loft*, conferindo o relógio. Não iríamos causar constrangimentos a nós mesmos aparecendo no Beth Israel horas antes que meu colo do útero começasse a dilatar.

Algumas horas depois, enquanto me levava pela Canal Street na sua picape azul-clara, você resmungou que iria dar tudo certo, embora não houvesse como saber. Na recepção, fiquei espantada com a condição corriqueira de meu estado; a enfermeira bocejou, fortalecendo minha determinação de ser uma paciente exemplar. Eu deixaria a dra. Rhinestein impressionada com meu áspero senso prático. Eu sabia que era um processo natural e não iria fazer escândalo a respeito. De modo que quando uma outra contração me dobrou ao meio, como se eu tivesse sido pega desprevenida por um gancho de direita, limitei-me a exalar um pequenino *uuf*.

Era tudo uma encenação ridícula e absolutamente inútil. Não havia motivo algum para impressionar a dra. Rhinestein, de quem eu nem sequer gostava. Se a intenção era deixá-lo orgulhoso, Franklin, você já estava obtendo um filho dessa barganha, uma recompensa suficiente em troca de aturar alguns berros e grosserias. Talvez até lhe fizesse um certo bem reconhecer que a mulher com quem se casara era uma mortal como outra qualquer, que adorava conforto e odiava sofrer e que, portanto, poderia optar sensatamente por anestesia. Em vez disso, fiz algumas piadas insossas na maca, no corredor, e segurei sua mão. A mão que, como você me contou mais tarde, eu quase quebrei.

Ah, Franklin, não há por que fingir agora. Foi horrível. Eu até posso ser capaz de agüentar determinados tipos de dor, mas, se for esse o caso, minha intrepidez mora nas canelas e nos braços, não entre minhas pernas. Essa nunca foi uma parte do corpo que eu teria associado com estoicismo, com algo tão odioso quanto exercício. E, à medida que as horas foram se arrastando, comecei a desconfiar que já estava velha demais para aquilo, que, beirando os quarenta, não tinha mais elasticidade para me espichar até essa nova vida. A dra. Rhinestein comentou, formal, que eu era pequena, como se assinalando uma inadequação, e após umas quinze horas, se desesperou com severidade: *Eva! Você precisa se esforçar de verdade.* E eu que queria tanto impressioná-la.

Houve momentos, depois de umas vinte e quatro horas, em que algumas lágrimas escorreram por minhas têmporas, lágrimas que eu enxugava apressada, não querendo que você visse. Mais de uma vez, me ofereceram uma epidural e minha insistência em recusar a anestesia adquiriu um aspecto meio demente. Agarrei-me a essa recusa, como se a grande questão fosse passar pelo pequeno teste, e não dar à luz. Enquanto recusasse a agulha, eu estava ganhando.

No fim, foi a ameaça de uma cesárea que decidiu o impasse; a dra. Rhinestein não fez o menor esforço para ocultar o fato de que tinha outras pacientes esperando no consultório e que estava desgostosa com minha atuação apagada. Eu tinha um horror anormal de entrar na faca. Não queria a cicatriz. Da mesma forma que Rita, sinto vergonha de dizer, eu temia pelos músculos do meu estômago; e o procedimento era parecido demais com todos aqueles filmes de horror.

Assim, *me esforcei*, momento em que tive de reconhecer que estava, sim, resistindo ao parto. Toda vez que aquela massa enorme se aproximava do canal minúsculo, eu o sugava de volta. Porque doía. Doía *de verdade*. Naquele curso da New School, eles viviam repetindo que a dor era *boa*, que você devia *ir com ela*, devia se *entregar à dor* e só quando me vi em decúbito dorsal é que atinei com a idiotice do conselho. Dor, uma coisa *boa*? Fui tomada por um sentimento de desprezo. Na verdade, nunca lhe contei isso antes, mas a emoção na qual me prendi para poder ir além de um limiar crítico foi *aversão*. Senti desprezo de me ver escancarada feito algum produto agrícola, com estranhos olhando embasbacados por entre meus joelhos dobrados. Detestei o rosto pequeno e pontudo como o de um rato da dra. Rhinestein, seus modos bruscos, críticos. Odiei a mim mesma por ter concordado com o humilhante teatro, quando eu estava *ótima* antes e bem naquele momento poderia estar na *França*. Repudiei todas as minhas amigas que costumavam compartilhar comigo suas reservas em relação ao sucesso econômico com o corte de impostos ou que, ainda que sem grande entusiasmo, me perguntavam como fora minha última viagem ao exterior e que, no entanto, durante os últimos vários meses não fizeram senão matraquear a respeito de estrias e remédios para prisão-de-ventre, ou, muito alegrinhas, trocar histórias de horror sobre eclampsia terminal e filhos autistas que não faziam mais nada além de se balançar para frente e para trás o dia inteiro e morder as mãos. Sua expressão eternamente esperançosa e encorajadora me deu *nojo*. Tudo muito simples, você querer ser *papai*, comprar todas aquelas bugigangas de pelúcia, mas fui eu que tive de engordar até virar uma porca, eu que precisei virar uma abstêmia certinha, mamando vitaminas, eu que tive de ver meus seios aumentando, inflando e ficando doloridos, quando antes eram tão contidos e pequenos, e eu é que seria estraçalhada por um melão abrindo caminho por uma passagem da largura de uma mangueira de quintal. De fato, odiei você, seus pequenos arrulhos e sussurros, queria que parasse de enxugar minha testa com aquela toalhinha úmida, como se fizesse a menor diferença, e acho que sabia que estava machucando sua mão. E, sim, cheguei inclusive a odiar o bebê — que, por enquanto, em vez de me trazer esperança para o futuro, *história*, conteúdo e "um virar da página", tinha me dado peso, constrangimento e um trovejante tremor subterrâneo que abalara o próprio solo oceânico da pessoa que eu achava que era.

Mas, ultrapassado aquele limiar, topei com uma agonia tamanha que não podia mais me dar ao luxo de gastá-la com ódio. Gritei e não liguei a mínima. Eu teria feito qualquer coisa naquele momento para parar com aquilo: penhorado minha empresa, vendido nosso filho para ser escravo, prometido minha alma ao inferno. "Por favor...", eu disse, ofegante, "eu quero... aquela epidural!"

A dra. Rhinestein ralhou comigo. "Agora é tarde demais para isso, Eva, se você sabia que não iria agüentar, deveria ter dito antes. O menino está saindo. Por favor, veja se não desiste *agora*."

E, de repente, estava tudo acabado. Mais tarde, acharíamos graça de eu ter agüentado tudo para só no fim implorar por alívio — quando ele já não podia mais ser oferecido —, mas na hora não foi nada engraçado. No momento mesmo em que ele nascia, associei nosso filho com minhas próprias limitações — não só com o sofrimento, mas também com a derrota.

*Eva*

## *13 de dezembro de 2000*

*Querido Franklin,*

Assim que entrei na agência essa manhã percebi logo, pelo mau humor maléfico dos democratas, que a "Flórida" estava encerrada. A sensação de ter levado a pior nos dois campos me pareceu puerperal.

Mas se meus colegas, tanto os partidários de um quanto os de outro, se sentiram frustrados com o fim de refrega tão revigorante, meu desconsolo é ainda maior que de hábito, banida que fui até mesmo da sensação de perda que afetou todo mundo. Multiplicada muitas vezes, essa minha solidão deve se aproximar da experiência de minha mãe ao final da guerra, já que meu aniversário em 15 de agosto coincide com o Dia da Vitória no Japão, quando a rendição de Hirohito foi transmitida aos japoneses. Pelo visto, as enfermeiras ficaram tão felizes que foi difícil fazê-las prestar atenção aos intervalos das contrações. Escutando as rolhas de champanhe espoucando no corredor, ela deve ter-se sentido completa e melancolicamente posta de lado. Muitas enfermeiras receberiam os maridos de volta, mas minha mãe não. O resto do país podia ter ganhado a guerra, mas os Khatchadourians de Racine, Wisconsin, haviam sido derrotados.

Mais tarde, ela também deve ter-se sentido meio peixe fora d'água diante dos sentimentos abraçados pela empresa de cartões de felicitações para a qual fora trabalhar (tudo menos a Johnson Wax, principal empresa de Racine). Que coisa mais estranha, empacotar os votos de Feliz Aniversário de Casamento dos outros sem precisar enfiar um na bolsa para levar para casa quando chegava a data. Não sei ao certo se devo ou não me alegrar por esse emprego ter lhe dado a idéia de abrir o próprio negócio de cartões de felicitações, o que por sua vez lhe forneceu a oportunidade de se enfurnar na Avenida Enderby por toda a eternidade. Mas uma coisa é certa, aquele cartão "Pelo nascimento de seu primeiro bebê" que ela fez especialmente para mim — com camadas de papel de seda em tons de azul e verde —, bem, era muito bonito.

Na verdade, quando minha mente clareou, no Beth Israel, lembrei-me de minha mãe e me senti uma ingrata. Meu pai não teve a chance de segurar a mão dela como você segurou a minha. No entanto, tendo a meu dispor a mão de um marido vivo, resolvi esmagá-la.

De todo modo, todos nós sabemos que mulheres em trabalho de parto podem ficar agressivas, de modo que me sinto tentada a admitir que me tornei um pouco hostil no auge da coisa e deixar a confissão por aí. Afinal, senti-me desconcertada na hora e beijei você. Isso foi antes de os médicos decidirem que se deve botar o recém-nascido direto no peito da mãe, ensangüentado e tudo, de modo que tivemos alguns poucos minutos para nós, enquanto eles cortavam o cordão e davam uma limpada na criança. Eu estava emocionada, afagando e apertando seu braço, aninhando a testa no interior macio de seu cotovelo. Eu nunca tinha segurado nosso filho.

Mas não posso permitir que eu me safe assim tão fácil.

Até o dia 11 de abril de 1983, eu me iludia com a idéia de ser uma pessoa excepcional. Mas, desde o nascimento de Kevin, estou convencida de que somos todos provavelmente de uma profunda normalidade. (Na verdade, achar que somos excepcionais é talvez a regra geral.) Temos expectativas muito definidas sobre nós mesmos em determinadas situações — para além de expectativas; são exigências. Algumas são de pouca importância: se alguém nos fizer uma festa surpresa, ficaremos maravilhados. Outras são consideráveis: se o pai ou a mãe morre, nos sentimos muito mal. Mas, talvez, junto com essas expectativas haja o medo secreto de que acabaremos desapontando as convenções, na hora do vamos-ver. Que, ao recebermos aquele telefonema fatal avisando que nossa mãe está morta, não sentiremos nada. Pergunto-me se esse pequeno medo calado, inexprimível, é ainda mais agudo que o medo da má notícia em si: o de que vamos nos descobrir uns monstros. Confesso que, durante o tempo em que fomos casados, sempre tive um grande medo de que, se algo lhe acontecesse, eu desmoronaria. Mas havia sempre uma sombra esquisita por perto, um submedo, se preferir, de que não fosse ser assim — que eu sairia de casa feliz da vida para jogar *squash*.

O fato de esse *submedo* nunca levar a melhor é fruto de uma fé grosseira. É preciso acreditar que, se acontecer o impensável, o desespero desabará por conta própria; que a dor, por exemplo, não é uma experiência que precise ser convocada, nem uma habilidade que requeira prática, e o mesmo se aplica à alegria de praxe.

Por isso, até mesmo a tragédia pode ser acompanhada por vestígios de alívio. Descobrir que uma amargura é de fato arrasadora nos serve de consolo, reafirma nossa humanidade (se bem que, tendo em vista o que as pessoas aprontam, eis aí uma palavra estranha para pormos ao lado da compaixão, ou até mesmo da competência emocional). Para pegar um exemplo fácil, vamos voltar ao dia de ontem, Franklin. Eu estava indo para o trabalho, pela Route 9W, quando um Fiesta virou à direita, atropelando uma bicicleta que passava. A porta do lado do passageiro transformou a roda da frente da bicicleta em um *pretzel*, jogando o ciclista sobre a capota do carro. Ele aterrissou numa posição sutilmente impossível, como se desenhada por um estudante de arte pouco promissor. Eu já tinha passado pelo local, mas, no retrovisor, vi que três outros veículos pararam para ajudar.

Parece perversidade encontrar conforto em desgraças assim. No entanto é muito pouco provável que algum dos motoristas que desceram para ligar para os serviços de emergência conhecesse pessoalmente o ciclista ou tivesse algum interesse oculto no destino dele. Mesmo assim, importaram-se o suficiente para não fugir das potenciais chaturas que surgiriam, como, por exemplo, ter que testemunhar no tribunal. Quanto a mim, o que eu digo é que o drama me deixou fisicamente abalada — minhas mãos tremeram no volante, meu queixo caiu e a boca secou. Mas me safei bem. Ainda empalidecia com a agonia de estranhos.

Entretanto sei muito bem o que é sair do roteiro. Festa-surpresa? Engraçado ter me ocorrido isso. Na semana em que eu completaria dez anos de idade, pressenti que havia alguma coisa no ar — sussurros e um armário do qual me mandaram ficar longe. Como se isso não constituísse indício suficiente de algo por acontecer, Giles ainda cantarolou: "Você vai ter uma surpresa!" Na segunda semana de agosto, eu sabia qual era o dia importante e, até ele chegar, já estava explodindo.

No início da tarde do meu aniversário, fui chamada ao quintal.

"Surpresa!" Quando fui convidada a entrar de novo em casa, cinco das minhas amigas tinham se esgueirado pela porta da frente, enquanto eu tentava espiar pelas cortinas fechadas da cozinha. Em nossa sala de estar toda decorada, acomodaram-se em volta da mesa dos cartões, coberta por uma toalha de papel rendado, pratos coloridos de papel, ao lado dos quais minha mãe inscrevera com a caligrafia fluida de sua profissão o nome das convidadas num cartãozinho. Havia também algumas de minhas lembrancinhas de festa preferidas: pequenos guarda-sóis de bambu e línguas-de-sogra barulhentas que apitavam. Também o bolo fora comprado numa padaria e a limonada, tingida de um rosa muito vivo, para que tudo parecesse ainda mais festivo.

Sem dúvida que minha mãe viu minha expressão despencar. As crianças são muito ruins de esconder seus sentimentos. Durante a festa, eu estava distraída, lacônica. Abri e fechei meu guarda-sol algumas vezes e logo me cansei dele, o que era estranho. Eu sentia uma inveja colossal das meninas que tinham ido a festas para as quais eu não fora convidada e aparecido na escola justamente com aqueles guarda-sóis cor-de-rosa. Entretanto, de alguma maneira, compreendi que eles vinham em pacotes de dez, dentro de um saco plástico, e que podiam ser comprados até mesmo por gente como nós, e isso desvalorizou completamente as lembrancinhas. De duas das convidadas, eu nem gostava muito; os pais nunca acertam quem são nossos amigos. O bolo estava encerrado dentro de uma carapaça de glacê duro, doce e sem gosto; os de minha mãe eram melhores. Havia mais presentes que de hábito, mas tudo o que me lembro é que todos foram inexplicavelmente decepcionantes. E fui então visitada por um gosto pressagioso da idade adulta, uma sensação sem ressalvas de "Sem Saída" que raramente afeta as crianças: que estávamos sentados numa sala e não havia nada a dizer ou fazer. Assim que terminou tudo, o chão forrado de migalhas e papel de presente, eu chorei.

Devo estar dando a impressão de menina mimada. Até então, nunca houve nada de especial no meu aniversário. Vendo agora, sinto-me simplesmente desprezível. Minha mãe teve tanto trabalho. Seu negócio nunca rendia muito; ela se matava em cima de um cartão durante mais de uma hora e o vendia por um quarto de dólar, um preço diante do qual os fregueses ainda reclamavam. Em termos da ínfima economia da família, as despesas tinham sido consideráveis. Ela deve ter ficado aturdida; se fosse um tipo diferente de mãe, teria dado umas boas palmadas no meu traseiro ingrato. O que eu estaria imaginando para que, em comparação, minha festa-surpresa tivesse sido tamanho descontentamento?

Nada. Ou nada em especial, nada que pudesse ganhar uma forma concreta em minha cabeça. Esse era o problema. Eu estava esperando algo amplo e amorfo, uma coisa bem vasta e maravilhosa que nem eu conseguia imaginar o que fosse. A festa que ela preparou era previsível demais. Na verdade, mesmo que tivesse contratado uma banda de música e alguns mágicos, ainda assim eu teria ficado desanimada. Não havia extravagância nesse mundo que não ficasse aquém do que eu imaginava, porque sempre seria algo finito e fixo, uma coisa e não outra. Seria apenas o que era.

A questão é que não previ o que exatamente iria acontecer comigo quando Kevin foi içado pela primeira vez até meu peito. Eu não havia previsto nada *exatamente*. Eu queria o que não podia imaginar. Queria ser transformada; queria ser transportada. Queria que uma porta se abrisse e toda uma nova vista que eu não sabia existir ali fora se esparramasse diante de meus olhos. Eu queria no mínimo uma revelação, e revelações, por sua própria natureza, não podem ser antecipadas; elas prometem aquilo que ainda não se conhece. Mas, se houve uma lição a ser tirada do meu décimo aniversário, foi a de que as expectativas são perigosas quando são ao mesmo tempo grandes e amorfas.

Talvez eu esteja dando uma interpretação errada de mim mesma. Claro que estava apreensiva. Mas minhas expectativas quanto à maternidade *eram* grandes, caso contrário não teria concordado em levar a idéia adiante. Eu havia prestado uma atenção faminta aos relatos de amigas: *Você não faz idéia de como é, até ter o seu.* Sempre que me permitia confessar que nunca fora muito chegada em bebês e crianças pequenas, elas me garantiam: *Eu era assim também! Não suportava o filho dos outros! Mas é diferente... é totalmente diferente — quando eles são seus.* Eu adorava isso, a perspectiva de *um outro país*, de uma terra estranha na qual celerados insolentes eram milagrosamente transmudados, como você mesmo disse, numa resposta à "Grande Questão". De fato, talvez eu tenha interpretado erroneamente meus sentimentos sobre países estrangeiros. Sim, eu estava sofrendo de exaustão de viagens, e, sim, sempre lutei contra um pavor hereditário para conseguir entrar num avião. Mas, ao pôr os pés pela primeira vez na Namíbia, em Hong Kong, e até mesmo em Luxemburgo, eu ficava nas nuvens.

*O que eu não tinha entendido*, Brian me confidenciou um dia, *é que você se apaixona pelos próprios filhos. Você não sente apenas amor por eles. Você se apaixona. E o momento em que você põe os olhos neles pela primeira vez... é indescritível.* Bem que eu gostaria que Brian tivesse descrito esse momento. Como eu gostaria que ele tivesse ao menos tentado.

A dra. Rhinestein balançou o bebê sobre o meu peito e depositou aquela criatura minúscula nele com — fiquei feliz de vê-la enfim demonstrar que tinha essa capacidade — infinita ternura. Kevin estava úmido, e o sangue marcava as dobras do pescoço, dos braços e das pernas. Hesitante, pus as mãos em volta dele. A expressão no rosto retorcido de Kevin era de desagrado. O corpo, inerte; eu só podia interpretar a lassitude dele como falta de entusiasmo. Sugar é um de nossos poucos instintos natos, mas, com a boca bem em cima do bico marrom e crescido de meu seio, a cabeça dele descambou, enojada.

Embora tivesse sido avisada de que não produziria leite quando bem entendesse, como se eu fosse um bule numa cafeteria, continuei tentando; ele continuou resistindo; também não aprovou o outro bico. E o tempo todo eu lá, esperando. Com a respiração rasa, esperei. E continuei esperando. *Mas todo mundo diz...*, pensei eu. E aí, muito distintamente: *Cuidado com o que "todo mundo diz"*.

Franklin, eu me senti... ausente. Continuei vasculhando dentro de mim, atrás daquela emoção *indescritível*, mais ou menos como alguém que revira uma gaveta de talheres atrás do descascador de batata, mas por mais que eu revirasse e chacoalhasse, não obstante o que eu tirasse do caminho, a emoção não estava ali. O descascador de batata está *sempre* na gaveta, afinal de contas. Debaixo da espátula, enfiado no meio do manual de instruções com a garantia do processador...

"Ele é lindo", murmurei; eu tinha apelado para uma fala de televisão.

"Posso?", você perguntou todo tímido.

Ergui o bebê para você. Ao contrário das contorções tristonhas que executara em meu peito, o recém-nascido Kevin pousou um braço em volta de seu pescoço, como se tivesse encontrado o verdadeiro protetor. Quando olhei para você, olhos fechados, rosto colado em nosso filho, reconheci, ainda que sob o risco de soar frívola demais: aí está o descascador de batata. Pareceu-me tão injusto. Você estava claramente engasgado, cheio até a garganta de um deslumbramento que desafiava classificação. Era como ver você lambendo uma casquinha de sorvete que não quisesse dividir com ninguém.

Sentei-me na cama e você me devolveu a criança, momento em que Kevin começou a berrar. Segurando o bebê, que continuava se recusando a mamar, fui revisitada por aquela sensação de "e agora?" da festa de meu décimo aniversário: lá estávamos nós, num quarto, e não parecia haver nada para dizer nem fazer. Os minutos se escoavam, Kevin gania, aquietava-se molemente e se contorcia irritado, de vez em quando; senti as primeiras pontadas do que, surpreendentemente, só pode ser chamado de tédio.

Ah, por favor, não. Sei o que você diria. Eu estava exausta. Tinha passado por um trabalho de parto de trinta e sete horas e seria ridículo pensar que fosse ser capaz de sentir qualquer outra coisa a não ser exaustão e torpor. E havia sido absurdo imaginar uma explosão de fogos de artifício: um bebê é um bebê. Você me cutucaria até eu me lembrar daquela historinha maluca que eu lhe contei, quando viajei para o exterior pela primeira vez, como parte do meu curso na Universidade de Green Bay: quando desembarquei no aeroporto de Madri, fiquei obscuramente abatida ao perceber que também na Espanha havia árvores. *Claro que na Espanha havia árvores!*, você zombou. Fiquei constrangida; claro que eu sabia que havia árvores, mas com o céu, o chão e as pessoas andando por ali — bem, simplesmente não me pareceu assim tão diferente. Mais tarde, você se referiu a essa anedota para mostrar que minhas expectativas eram sempre absurdamente gigantescas; que minha sofreguidão pelo exótico era autodestrutiva porque, assim que eu punha as mãos no extraordinário, ele passava ao plano do comum e não contava mais.

Além disso, você insistiria, persuasivo, a maternidade não é algo que aconteça num instante. O fato de haver um bebê — quando tão recentemente não havia nenhum — é tão desconcertante que eu ainda não conseguira torná-lo real para mim mesma. Eu estava atordoada. Era isso, sim, eu estava atordoada. Não que eu fosse uma desalmada, ou tivesse algum defeito. Além do mais, às vezes, quando você se observa muito de perto, quando faz uma análise severa dos próprios sentimentos, eles fogem, esquivam-se da captura. Eu me sentia inibida e me esforçava demais. Estava metida numa espécie de paralisia emocional. Eu não acabara de dizer que os extravasamentos espontâneos de paixão são uma questão de fé? Pois então, minha crença havia vacilado; eu permitira que o *submedo* obtivesse vitória temporária sobre mim. Tudo que precisava fazer era relaxar e deixar que a natureza seguisse seu curso. E, pelo amor de Deus, descansar um pouco. Sei que você me diria todas essas coisas, porque eu mesma as disse todas. E elas não causaram o menor impacto — em minha sensação de que estava tudo dando errado já do começo, que eu não estava seguindo o programa, que eu havia decepcionado calamitosamente tanto nós dois como nosso filho recém-nascido. Que eu era, para ser bem sincera, uma aberração.

Enquanto eles me davam os pontos, você se ofereceu para levar Kevin de mim e eu sabia que deveria protestar. Mas não o fiz. Ao me ver livre, a gratidão que senti foi desalentadora. Se quer saber a verdade, eu estava com raiva. Estava com medo, com vergonha de mim mesma, mas também me senti enganada. Eu queria minha festa-surpresa. Pensei, se uma mulher não pode contar consigo mesma para fazer jus a uma ocasião como esta, então não pode contar com nada; dali em diante, o mundo estava de castigo. Prostrada, com as pernas escancaradas, fiz uma promessa: embora tivesse aprendido a expor minhas partes "privadas" para o mundo todo ver, jamais revelaria a quem quer que fosse que o parto não me comovera. Você já tinha seu impronunciável — "Nunca, jamais, diga que você se arrependeu do nosso próprio filho"; e agora eu tinha o meu. Lembrando desse momento, mais tarde, eu lançaria mão daquela palavra, *indescritível*. Brian era um pai formidável. Eu tomaria emprestada a ternura de meu bom amigo por uns tempos.

*Eva*

## *18 de dezembro de 2000*

*Querido Franklin,*

Hoje foi o dia de nossa festinha de Natal, na agência, algo não muito fácil de encarar quando se juntam seis pessoas que até poucos dias antes estavam a ponto de se esganar. Não tenho muita coisa em comum com eles, mas no geral gosto da companhia — não tanto para lavar a alma enquanto almoço um sanduíche, e sim pelos diálogos cotidianos sobre pacotes para as Bahamas. (Às vezes me sinto tão agradecida pelo número de vôos a reservar que poderia até chorar.) Além disso, a simples proximidade do calor de um corpo proporciona o mais profundo conforto animal.

A gerente foi simpática ao me contratar. A *quinta-feira* atingiu tantas famílias na área que, no início, Wanda se preocupou com a possibilidade de que as pessoas começassem a evitar sua agência só para não ter de pensar a respeito. No entanto, para ser justa com nossos vizinhos, muitas vezes é um cumprimento de boas-festas excepcionalmente sincero que me fornece a dica de que um cliente me reconheceu. Foram os funcionários que eu decepcionei. Acho que esperavam, ao conviver com uma espécie de celebridade, gozar de uma certa parcela da distinção e também que eu fosse proporcionar histórias comoventemente perturbadoras com as quais poderiam animar seus jantares. Mas nossa associação é tangencial demais e duvido que seus amigos se deixassem impressionar. A maioria das minhas histórias é bastante comum. Só há uma delas que, no fundo, eles querem ouvir e essa eles já conheciam de cor e salteado antes de eu entrar no barco.

A própria Wanda, uma divorciada cadeiruda, de gargalhada ruidosa, deve ter achado que nos tornaríamos amigas muito rápido. Até o fim de nosso primeiro almoço eu já sabia que o ex-marido dela tivera uma ereção ao vê-la fazendo xixi, que Wanda acabara de "podar" uma hemorróida e que, até ter escapado por um triz de um segurança da Saks, aos trinta e seis anos, fora uma cleptomaníaca. Eu retribui com a revelação de que, após seis meses em meu dúplex de brinquedo, eu tinha finalmente conseguido comprar cortinas. Dá para entender por que ela deve ter se irritado um pouco de eu ter ficado com Manhattan e ela, com as miçangas.

E assim foi que esta noite Wanda me pegou de jeito ao lado do fax. Não que ela quisesse se intrometer, mas será que eu já tinha procurado "ajuda"? Eu sabia o que ela estava querendo dizer, claro. A Diretoria de Ensino ofereceu aconselhamento psicológico gratuito a todo o corpo discente da Gladstone High School, e até mesmo alguns estudantes que se matricularam este ano, que nem cursavam o colégio em 1999, declararam-se traumatizados e despencaram no divã. Eu não queria parecer hostil e dizer às claras que não via como a simples repetição de meus problemas diante de um estranho faria diminuir uma vírgula que fosse deles, e que sem dúvida o aconselhamento psicológico era o refúgio lógico daqueles cujos problemas eram fantasias efêmeras e não uma questão de fatos históricos. De modo que objetei apenas que minha experiência com os profissionais de saúde mental tinha sido um tanto amarga, omitindo bondosamente que as falhas da psiquiatria em relação a meu filho foram manchete de uma costa à outra do país. Além do mais, não me parecia prudente confidenciar que, até o momento, eu encontrara minha única "ajuda" ao escrever a você, Franklin. Porque de algum modo eu tenho certeza de que estas cartas não constam da lista das terapias prescritas, uma vez que você está no próprio cerne do que eu preciso "superar" para que possa ter meu "encerramento". E que perspectiva mais terrível, essa.

Já em 1983 eu achava difícil entender por que um rótulo psiquiátrico tão padronizado quanto *depressão pós-parto* deveria ser considerado um consolo. Nossos conterrâneos parecem depositar uma confiança enorme na etiquetagem de suas mazelas. Presumivelmente, sofrer de uma doença comum a ponto de ter até nome é sinal de que não estamos sozinhos e que há uma série de opções disponíveis, desde salas de bate-papo na Internet até rapsódicas dores de barriga comunitárias de grupos de apoio. Essa compulsão para seguir a manada se infiltrou até mesmo nas conversas inconseqüentes que travamos todos os dias. Não me lembro de quando teria sido a última vez que ouvi alguém dizer "eu acho um custo acordar". Hoje, sou informada de que a pessoa *não é matutina*. Todos os simpatizantes que requerem aquela baita xícara de café na hora de despertar devem fornecer suporte extra aos menos propensos a pular da cama para embarcar numa maratona de quinze quilômetros.

Talvez eu tivesse atingido um novo apreço por meus próprios pendores normativos, inclusive devido à expectativa até que razoável de que, ao dar à luz uma criança, eu iria sentir algo, inclusive algo bom. Mas eu não havia mudado tanto assim. Nunca encontrei alívio em ser apenas como todos os demais. E embora a dra. Rhinestein tivesse me oferecido *depressão pós-parto* como um presente, como se dizer à pessoa que ela é infeliz fosse alegrá-la, não pago profissionais para que me entupam com o óbvio, com o meramente descritivo. O termo era mais uma tautologia que um diagnóstico: eu estava deprimida depois do nascimento de Kevin porque estava deprimida depois do nascimento de Kevin. Muito obrigada.

No entanto ela também sugeriu que, como o desinteresse de Kevin pelo meu peito continuava, talvez eu estivesse sofrendo de um sentimento de rejeição. Enrubesci. Constrangeu-me a possibilidade de estar levando a sério as obscuras predileções de uma criatura tão minúscula e informe.

Claro que ela tinha razão. De início, pensei que estava fazendo algo errado, que não estava guiando a boca de Kevin. Mas não; eu punha o bico dos seio entre os lábios dele, e dali para onde mais eles poderiam ir? Ele sugava uma ou duas vezes, mas depois desviava a cabeça, o leite azulado escorrendo pelo queixo. Ele tossia e, talvez fosse imaginação minha, parecia até querer vomitar. Quando fui fazer uma consulta de emergência, a dra. Rhinestein me informou, sem rodeios, que "isso às vezes acontece". Santo Deus, Franklin, as coisas que a gente descobre que "às vezes acontecem" quando viramos pai e mãe! Fiquei desesperada. No consultório dela, eu vivia rodeada de folhetos sobre a melhor forma de reforçar o sistema imunológico do bebê. E tentei de tudo. Não bebi. Eliminei todos os laticínios. Fazendo um sacrifício tremendo, larguei da cebola, do alho, da pimenta. Eliminei carne e peixe. Institui uma dieta sem glúten, o que me deixou com pouco mais que uma tigela de arroz e uma salada sem tempero.

No fim, eu estava morrendo à míngua enquanto Kevin continuava a se alimentar daquela forma apagada dele, com mamadeiras preparadas no microondas, que ele só aceitava de você. Ele se recusou inclusive a tomar o meu leite na mamadeira, contorcia-se inteiro e não dava um gole. Ele sentia o cheiro do meu leite. Sentia o meu cheiro. No entanto, os testes de alergia não deram nada, pelo menos no aspecto médico. Nesse meio tempo, meus outrora minúsculos seios estavam tesos, doloridos e vazando. Rhinestein foi peremptória ao dizer que eu não deveria em hipótese alguma deixar o leite secar, já que, de vez em quando, essa aversão — foi essa a palavra que ela usou, Franklin, *aversão* — desaparecia. Era uma situação tão estranha e penosa que nunca consegui pegar o jeito da bomba de tirar leite, o que não quer dizer que não foi doçura da sua parte ter comprado aquele extrator Medela para mim. Infelizmente, acabei por odiar a bomba elétrica, um gelado substituto plástico para um bebê quentinho mamando em meu peito. Eu estava doida para dar a ele o leite da bondade humana, mas ele não o queria, ou não o queria de mim.

Não devia ter levado para o lado pessoal, mas como não fazer isso? Não era o leite de uma outra mulher que ele não queria, era o leite de sua mãe. Na verdade, acabei me convencendo de que nossa trouxinha de felicidade tinha descoberto meu jogo. As crianças têm uma intuição fantástica, porque a intuição é mais ou menos tudo o que têm. Tenho certeza de que, quando eu o pegava no colo, ele detectava um certo enrijecimento em meus braços que abria o jogo. Estou convencida de que, quando eu arrulhava e sussurrava para ele, Kevin inferia, graças a um sutil exaspero em minha voz, que sussurrar e arrulhar não me vinham de forma natural, assim como também tenho certeza de que seus ouvidos precoces conseguiam isolar, daquela interminável fieira de papagaiadas lenitivas, um sarcasmo insidioso e compulsivo. Mais ainda, já que eu tinha lido — perdão, você tinha lido — que era importante sorrir para o bebê, na tentativa de provocar um outro sorriso de resposta, eu sorria e sorria, sorria até ficar com o rosto doendo, mas, quando meu rosto ficava dolorido, estou certa de que ele sabia. Toda vez que eu me forçava a sorrir, era muito claro que ele sabia que eu não estava com vontade de fazer isso, porque nunca me sorriu de volta. Ele ainda não tinha visto muitos sorrisos na vida, mas tinha visto o seu, e era suficiente para reconhecer que, comparativamente, havia algo errado com o da mamãe. Ele se abria de uma forma falsa; evaporava com uma velocidade reveladora assim que eu me afastava do berço. Será que foi assim que Kevin arranjou o sorriso dele? No presídio, aquele sorriso de marionete, como se puxado por uma cordinha?

Sei que você duvida, mas tentei o quanto pude estabelecer um elo apaixonado com meu filho. Só que nunca havia experimentado o que eu sentia por você, por exemplo, como um exercício que fosse obrigada a ficar repetindo horas e horas, como as escalas musicais. Quanto mais eu *tentava*, mais consciente ficava de que o esforço era abominável. Aquela ternura toda que, no fim, eu simplesmente imitava, não deveria ter chegado sem ser convidada? Portanto não era só Kevin que me deprimia, nem o fato de você estar começando a me negar afeto, Franklin; a verdade é que eu me deprimia. Eu era culpada de mau procedimento emocional.

Porém Kevin também me deprimia, e eu estou falando de *Kevin* e não do *bebê*. Desde o comecinho, aquela criança sempre foi particular, para mim, ao passo que você muitas vezes perguntava *Como vai o garoto?* Ou *Como está o meu menino?* ou *Cadê o bebê?* Para mim, ele nunca foi "o bebê". Ele era um indivíduo singular e espertíssimo, que chegara para ficar e apenas calhava de ser bem pequeno. Para você, ele era "nosso filho" — ou, depois que você começou a se afastar de mim, "meu filho". Havia um caráter genérico persistente na sua adoração que sei que ele pressentiu.

Antes que você fique bravo, não entenda isso como uma crítica. Deve ser esse compromisso abrangente com o que, na verdade, é uma abstração, com o certo e o errado dos filhos, ainda mais feroz que o compromisso assumido com eles enquanto pessoas difíceis, explícitas, que permite a devoção total mesmo que, como indivíduos, eles decepcionem. De minha parte, foi esse amplo pacto solene com os filhos-em-tese o que talvez eu tenha deixado de fazer e ao qual não pude recorrer quando Kevin acabou finalmente testando meus laços maternos até o limite matemático perfeito da *quinta-feira*. Eu não votava em partidos, e sim em candidatos. Minhas opiniões eram tão ecumênicas quanto minha despensa, na época ainda abarrotada de salsa verde da Cidade do México, anchovas de Barcelona, folhas de limoeiro de Bangcoc. Nunca me opus ao aborto, mas execrava a pena de morte, o que significa, imagino, que acatava a santidade da vida apenas nos adultos. Meus hábitos ambientais eram inconstantes; era capaz de botar um tijolo na nossa caixa de descarga, mas, depois de me submeter a dezenas de chuveiros cuspindo fiapos sob a divagante pressão européia da água, eu me deixava ficar meia hora debaixo de um dilúvio escaldante. Meu armário era forrado de saris indianos, cangas ganenses, *au dais* vietnamitas. Meu vocabulário era salpicado de importações — *gemütlich*, *scusa*, *hugge*, *mzungu*. Eu misturava e combinava de tal forma o planeta que você às vezes ficava preocupado, achava que eu não tinha compromisso com nada nem com parte alguma, embora estivesse errado; meus compromissos eram simplesmente vastos e vergonhosamente específicos.

Por esse mesmo motivo, eu não podia amar *uma* criança qualquer; eu teria de amar essa criança. Eu estava conectada ao mundo por uma infinidade de fios, você, por uns poucos e grossos cabos de amarração. Era a mesma coisa em relação ao patriotismo.Você amava a *idéia* dos Estados Unidos com muito mais intensidade que o país em si, e foi por ter adotado essa aspiração americana que superou o fato de ver seus pares, ianques e pais como você, fazendo fila a noite inteira na frente da FAO Schwartz com garrafas térmicas de sopa, tudo para comprar um lançamento limitado da Nintendo. No particular reside aquilo que é considerado de mau gosto. No conceitual reside o grandioso, o transcendente, o duradouro. Países terrenos e meninos maus podem ir para o inferno; a idéia de país e de filhos triunfará por toda a eternidade. Embora nenhum de nós jamais tenha posto os pés numa igreja, acabei chegando à conclusão de que você é uma pessoa religiosa.

No fim, uma mastite pôs fim à busca desesperada da comida que afastava Kevin do meu leite. A má nutrição talvez tenha me deixado suscetível. Isso e o meu desjeito para convencê-lo a pegar o peito, o que pode ter machucado os bicos o suficiente para transmitir alguma infecção dele para mim. Avesso a que eu me alimentasse, ainda assim Kevin era capaz de me introduzir à corrupção, como se já desde o ano zero fosse o mais mundano entre nós dois.

Como o primeiro sinal de mastite é cansaço, não espanta que os sintomas iniciais tenham passado despercebidos. Ele vinha me esgotando havia semanas, já. Aposto que até hoje você não acredita em mim quando falo nos acessos de birra de Kevin, se bem que uma ira que dura seis, oito horas talvez não seja bem um acesso, e sim um estado natural, do qual os intervalos de tranqüilidade que você presenciava nada mais eram que desvios bizarros. Nosso filho tinha *acessos de paz*. E o que vou dizer pode lhe parecer loucura total, mas a consistência com que Kevin se esgoelava com uma força de vontade precoce durante o tempo inteiro em que ficávamos nós dois sozinhos, e depois, bruscamente, como alguém desligando uma estação que só toca *heavy metal*, a maneira como parava assim que você entrava em casa — bem, aquilo me parecia deliberado. Com o silêncio ainda ressoando em meus ouvidos, você se curvava sobre o nosso anjo letárgico, que, fato ignorado por você, apenas começava a ressonar para se restabelecer do afã olímpico com que berrara o dia todo. Embora nunca tenha desejado a você as dores de cabeça latejantes que me afligiam, não suportava a sutil desconfiança criada entre nós a partir do momento em que a sua experiência do nosso filho deixou de se enquadrar à minha. Já cheguei a alimentar a ilusão retroativa de que, desde o berço, Kevin aprendera a dividir para conquistar, e que o plano era expor à luz do dia temperamentos tão opostos que estaríamos fadados a nos desentender, você e eu. As feições de Kevin eram inusitadamente pronunciadas para um bebê, ao passo que as minhas continuavam exibindo aquela credulidade arredondada de Marlo Thomas, como se ele houvesse sugado minha perspicácia já no útero.

Quando não tinha filhos, minha percepção do choro de um bebê era algo indiferenciado. Ou era alto ou não era tão alto. Mas, na maternidade, apurei o senso auditivo. Há o lamento da necessidade inarticulada, que é na verdade a primeira tentativa da criança de ter uma linguagem, sons que significam *molhado*, *comida* ou *alfinete*. Há o berro de terror — não tem ninguém por aqui e talvez nunca mais haja. Há aquele *uá-uá* lasso, não muito diferente do chamado às orações no Oriente Médio ou de improvisações musicais; esse é um choro criativo, divertido, de bebês que, mesmo sem se sentir especialmente infelizes, não entenderam direito que nós, adultos, gostaríamos que restringissem o choro a estados de sofrimento. Talvez o mais triste de todos seja o gemido calado e habitual de um bebê que pode até estar se sentindo em desconforto total, mas que, seja por negligência ou conhecimento inato, deixou de antecipar a possibilidade de resgate — alguém que, já da infância, se reconciliou com a idéia de que viver é sofrer.

Ah, imagino que existam tantas razões para o choro de um recém-nascido quantos são os motivos do choro de crianças maiores, mas Kevin não praticava nenhum desses modos lacrimosos padronizados. Claro que, depois que você chegava em casa, ele às vezes se agitava um pouco, como um bebê *normal* pedindo para ser trocado ou alimentado; você então cuidava do assunto e ele parava; e aí você me olhava como quem diz "viu?" e minha vontade era lhe dar um tiro.

Para mim, depois que você saía, Kevin não se vendia com nada assim tão insignificante e transitório como leite ou fraldas secas. Se o receio de ser abandonado era parcialmente responsável por níveis que rivalizavam, em termos de decibéis, com uma serra elétrica industrial, sua solidão exibia uma extraordinária pureza existencial; que não se deixaria abater pelo aspirador daquela megera com aquele bafo nauseante de fluidos esbranquiçados. E nele eu não detectava nenhum grito de apelo, nenhum queixume de desespero, nenhum gorgolejar de receios sem nome. Não, o que ele fazia era atirar a voz como uma arma, uivos atingindo as paredes do nosso *loft* como um taco de beisebol destruindo um abrigo de ônibus. Juntos, os punhos lutavam com o móbile em cima do berço, as pernas chutavam o cobertor e, em certos momentos, eu recuava alguns passos depois de afagar, acariciar e trocar fraldas, e me maravilhava com o puro atletismo da atuação. Era inconfundível: alimentando esse notável motor havia o destilado e infinitamente renovável combustível da *indignação*.

*Pelo quê?*, você poderia muito bem perguntar.

Ele estava seco, alimentado, tinha dormido bem. Eu tentava com a coberta, sem a coberta; ele não estava nem com frio nem com calor. Já havia arrotado e meu instinto mais profundo me dizia que ele não tinha cólica; o choro de Kevin não era um grito de dor, e sim de ódio. Ele tinha brinquedos pendurados no teto, blocos de borracha na cama. A mãe havia tirado seis meses de licença para passar o dia inteiro a seu lado; eu o pegava no colo com tanta freqüência que meus braços doíam; você não pode dizer que lhe faltasse atenção. Como os jornais tanto gostariam de repetir, dezesseis anos depois, Kevin tinha tudo.

Tenho uma teoria segundo a qual é possível situar a maioria das pessoas num espectro muito rudimentar de preferência e talvez seja com a posição ocupada nessa escala que todos os seus outros atributos se relacionem: exatamente o quanto elas gostam de estar aqui, de estar vivas, apenas. Acho que Kevin odiava. Acho que ele estava fora dessa escala, ele odiava completamente estar aqui. Talvez tenha até guardado vestígios de uma memória espiritual, de tempos pré-concepção; Kevin sentia muito mais falta do nada glorioso do que do meu útero. Parecia se sentir furioso por ninguém tê-lo consultado para ver se queria mesmo acabar num berço, com o tempo escoando sem parar quando nada, absolutamente nada, o interessava ali naquele berço. Kevin foi o garoto mais sem curiosidade que já vi na vida, com raras exceções à regra, mas estremeço só de me lembrar delas.

Uma tarde, comecei a me sentir mais lerda do que o normal, às vezes até meio zonza. Fazia dias que não conseguia me manter aquecida, e estávamos no final de maio, já; lá fora, os nova-iorquinos andavam de *short*. Kevin apresentava um recital virtuosístico. Enroscada no sofá, envolvida por um cobertor, refleti irritada que você tinha pego mais trabalho que nunca. Reconheço que, como *freelance*, você queria evitar que seus clientes antigos encontrassem alternativas, ao passo que minha empresa podia ficar na mão dos subalternos que não desapareceria assim sem mais nem menos. Mas o fato é que isso significava que eu estava encalacrada o dia inteiro com o inferno dentro de um cesto, enquanto você zarpava feliz da vida em sua picape azul-clara atrás de prados pontilhados de vacas com a coloração certa. Desconfio de que, se nossa situação fosse inversa — você no comando de uma próspera empresa e eu fazendo trabalho *freelance* para descobrir locações de filmagem —, Eva é quem teria de largar as funções como se fossem uma batata quente.

Quando o elevador parou com o estardalhaço de costume, eu tinha acabado de notar que um pequeno trecho debaixo de meu seio direito tinha ficado vermelho, dolorido e curiosamente rígido, espelhando outra mancha bem maior do lado esquerdo. Você abriu a porta gradeada e foi direto para o berço. Eu estava contente de vê-lo transformado em pai extremoso, mas dos dois outros moradores do *loft* só sua mulher tinha capacidade para apreciar o significado da palava *olá*.

"*Por favor*, deixa ele dormir", eu cochichei. "Ele só sossegou uns vinte minutos durante o dia todo. Hoje ele se superou. Duvido que esteja realmente dormindo. Ele deve ter é desmaiado."

"Bom, mas ele comeu?" Surdo aos meus apelos, você o havia posto nos ombros e cutucava o rosto amassado de Kevin. Ele parecia enganosamente contente. Sonhos de esquecimento, talvez.

"Comeu, Franklin", eu falei, com um controle imoderado. "Depois de *quatro ou cinco horas* escutando o nosso pequeno Kevin botar a casa abaixo, lembrei-me desse detalhe. — Por que você está usando o fogão?"

"O microondas mata os nutrientes." Na hora do almoço, no McDonalds, você lia livros sobre bebês.

"Não se trata simplesmente de descobrir o que ele quer e não consegue pedir. Na maior parte do tempo, ele não faz idéia do que quer." Peguei você no ato: os olhos revirados para o teto, meio como, ah, não, de novo, não. "*Você acha que estou exagerando*."

"Eu não disse isso."

"Você acha que ele é 'bravinho'. Que ele 'choraminga' porque sente fome..."

"Olha, Eva, eu sei que ele é meio mal-humorado..."

"Viu só? *Meio mal-humorado*." Arrastei-me até a cozinha, com meu cobertor. "Você não acredita em mim!" Eu estava suando frio e devia estar ou muito pálida ou muito vermelha. As solas de meus pés doíam só de andar e eu sentia pontadas de dor no braço esquerdo.

"Acredito que você está sendo sincera quando fala da sua *percepção* de como é difícil. Mas o que você esperava, sombra e água fresca o tempo todo?"

"O tempo todo, não, mas isso é pior que me ver perdida no Saara."

"Olha só, ele é meu filho também. E eu convivo com ele todo dia. Às vezes o garoto chora um pouquinho. E daí? Eu ficaria preocupado se não chorasse."

Pelo visto, meu testemunho estava comprometido. Eu teria de invocar outras testemunhas. "Você sabia que o John aí de baixo está ameaçando se mudar?"

"O John é bicha e bicha não gosta de bebê. O país inteiro é contra crianças, estou começando a notar." A severidade da frase não foi muito típica, mas, ao menos uma vez na vida, você falou do país real e não do Valhalla patriótico de sua imaginação. "Viu?" Kevin havia se levantado de seu ombro e pego a mamadeira na mais santa paz, sem abrir os olhos. "Me desculpe, mas na maior parte do tempo ele me parece muito bonzinho."

"Ele não está sendo *bonzinho*, ele está é exausto! E eu também. Mais que esgotada, não estou me sentindo muito bem. Meio zonza. Com calafrios. Acho até que estou com febre."

"É uma pena", você me disse, com formalidade. "Então vá descansar um pouco. Eu faço o jantar."

Olhei você bem nos olhos. Essa sua frieza foi tão estranha para mim! Eu é que devia fazer pouco de minhas enfermidades, seu papel era fazer um rebuliço por causa delas. Então resolvi forçá-lo a passar por um arremedo da velha solicitude; peguei a mamadeira e pus sua mão em minha testa.

"Meio quente, mais nada", você disse, retirando a mão na mesma hora.

Infelizmente, eu não podia mais suportar, minha pele doía onde o cobertor encostava. De modo que voltei titubeando para o sofá, como se a revelação tivesse me causado vertigem: você estava bravo comigo. Ser pai não o havia decepcionado. Eu, sim. Você achava que tinha se casado com uma destemida. Em vez disso, sua mulher estava se saindo uma bela de uma chorona, a própria imagem da rabugice que ela tanto criticava entre os descontentes empanzinados do país, para quem uma tarefa corriqueira como ter de ir até o depósito da FedEx, depois de perder uma entrega por três vezes consecutivas, constitui um estresse intolerável, motivo para terapias dispendiosas e alívio farmacêutico. Até pela recusa de Kevin em aceitar meu seio você me considerava vagamente responsável. Porque lhe fora negada a tão sonhada cena maternal, a suculenta pausa de um domingo de manhã, entre lençóis e torradas com manteiga: filho mamando, mulher emocionada, peitos jorrando fartura sobre o travesseiro, até você se ver forçado a sair da cama e ir buscar a câmera.

Por enquanto, eu achava ter conseguido disfarçar com brilhantismo meus verdadeiros sentimentos em relação à maternidade; uma grande parte das mentiras, no casamento, é mera questão de ficar calado. Eu me abstivera de atirar aquele óbvio diagnóstico de *depressão pós-parto* sobre nossa mesinha de centro como se fosse um troféu, mas guardara essa credencial formal para mim mesma. Enquanto isso, tinha levado para casa uma batelada de páginas para editar, mas só dera cabo de umas poucas; estava comendo mal, dormindo mal e tomando banho no máximo a cada três dias; não via ninguém e raramente saía, porque as iras de Kevin em público não eram socialmente aceitáveis; e, todos os dias, enfrentava uma mixórdia roxa de fúria insaciável enquanto repetia comigo mesma, com total incompreensão, *eu devia estar amando isto.*

"Se você está achando difícil lidar com a situação, não nos faltam recursos." Você assomou por cima do sofá, com seu filho no colo, como um daqueles fabulosos ícones camponeses de dedicação à família e à pátria dos murais soviéticos. "Poderíamos contratar uma moça para ajudar."

"Ah, esqueci de lhe dizer", murmurei. "Fiz uma reunião via telefone com o escritório. Estamos pesquisando a possível demanda para uma edição africana. Acho que tem chance de emplacar."

"Eu não quis dizer com isso", você se curvou e falou, a voz grave e quente no meu ouvido, "que uma outra pessoa pode criar nosso filho enquanto você vai caçar serpentes no Congo Belga."

"Zaire", eu disse.

"Nós estamos nisso juntos, Eva."

"Então *por que você sempre fica do lado dele?*"

"Ele só tem sete semanas de vida! Ele ainda não tem tamanho para assumir um lado!"

Forcei-me a levantar do sofá. Você pode ter pensado que eu estava chorando, mas meus olhos lacrimejavam por vontade própria. Quando me arrastei até o banheiro, foi menos para pegar o termômetro do que para sublinhar o fato de que você não tinha ido buscá-lo para mim. Quando voltei com o tubo enfiado na boca, será que foi imaginação ou você estava de novo girando os olhos para o teto?

Examinei o mercúrio sob a lâmpada. "Toma, lê você. Está tudo meio nublado."

Distraído, você ergueu o termômetro até a luz. "Eva, você fez alguma besteira. Deve ter posto do lado contrário ou algo parecido." Você sacudiu o mercúrio, enfiou o termômetro na minha boca e saiu para trocar a fralda de Kevin.

Devagar, fui até o trocador e fiz minha oferenda. Você conferiu e me lançou um olhar furioso. "Não tem a menor graça, Eva."

"Do que você está falando?" Dessa vez, eram lágrimas.

"Aquecer o termômetro. Brincadeira mais besta."

"Eu não aqueci termômetro nenhum. Eu só pus debaixo da língua..."

"Não fala besteira, Eva. Aqui está marcando quase 40°."

"Ah."

Você olhou para mim. Olhou para Kevin. Pelo menos naquele momento, sentiu-se dividido. Mais que depressa, tirou nosso filho do trocador e colocou-o na cama com tamanho descuido que Kevin esqueceu de sua rígida programação teatral e desandou nos guinchos de eu-detesto-o-mundo-todo que soltava o dia inteiro. Com aquela atitude masculina que sempre adorei, você não deu a mínima.

"Mil desculpas!" Com um gesto preciso, fui erguida do chão e levada de volta ao sofá. "Você está de fato doente. Precisamos chamar a Rhinestein, levar você para um hospital..."

Eu estava sonolenta, prestes a desmaiar. Mas me lembro de ter pensado que fora preciso muita coisa. De ter me perguntado se teria uma toalha fresca na testa, água gelada no copo, três aspirinas do lado e a dra. Rhinestein ao telefone se o termômetro tivesse marcado apenas 38,5°.

*Eva*

## *21 de dezembro de 2000*

*Querido Franklin,*

Estou um tanto abalada porque o telefone acabou de tocar e não faço idéia de como foi que um tal de Jack Marlin me achou, já que meu número não consta da lista. Ele disse que trabalhava para a NBC, que era documentarista. O curioso título provisório de seu projeto, "Atividades Extracurriculares", até que me soou suficientemente autêntico, e pelo menos ele se distanciou logo de cara do *Angústia na Gladstone High*, aquele programa que a Fox foi correndo fazer e que, segundo Giles, só tinha gente chorando na frente das câmeras e serviços religiosos. Mesmo assim, perguntei ao tal Marlin por que achava que eu teria vontade de participar de mais uma autópsia sensacionalista do dia em que minha vida, conforme eu a conhecia, chegara ao fim; ele respondeu que talvez eu quisesse contar "meu lado da história".

"E que lado seria esse?" Para todos os efeitos, eu tinha entrado para a oposição quando o Kevin estava com sete semanas de vida.

"Por exemplo, seu filho não teria sido vítima de abuso sexual?" Marlin pressionou.

"*Vítima?* Será que estamos falando do mesmo garoto?"

"E aquela história do Prozac?" O murmúrio compassivo só pode ter sido fingimento. "Essa foi a defesa dele, em tribunal, e muito bem sustentada."

"Isso foi idéia do advogado dele", eu disse num fio de voz.

"Mas, em termos gerais... talvez a senhora ache que Kevin foi incompreendido."

Desculpe, Franklin, eu sei que deveria ter desligado, mas falo com tão pouca gente, fora do escritório... O que eu disse? Algo do gênero: "Infelizmente eu entendo meu filho bem demais." E acrescentei: "Por falar nisso, Kevin deve ser um dos jovens mais bem compreendidos do país. As ações falam mais alto que as palavras, não é mesmo? A mim me parece que ele transmitiu sua *visão pessoal de mundo* melhor que muita gente. A mim me parece que o senhor deveria entrevistar crianças que nunca vão conseguir se exprimir tão bem quanto ele."

"O que a senhora acha que ele estava tentando dizer?", perguntou-me ele, animado com o fato de ter fisgado um espécime de carne e osso daquilo que se transformou numa elite fugidia de pais e mães estranhamente desinteressados de seus quinze minutos de fama na telinha.

Tenho certeza de que a ligação foi gravada e eu deveria ter ficado de boca fechada. Em vez disso, desabafei: "Qualquer que tenha sido a *mensagem*, senhor Marlin, o fato é que ela foi muito desagradável. Por que o senhor está querendo lhe dar mais uma oportunidade de apresentá-la?"

Quando o sujeito se pôs a dizer que compreender como a mente desses rapazes perturbados funciona é vital para que, da próxima vez, a "gente possa prever", interrompi a enxurrada de tolices.

"Eu previ durante quase dezesseis anos, senhor Marlin. E não adiantou grande coisa." E desliguei.

Sei que o homem estava apenas fazendo seu trabalho, mas não gosto do trabalho dele. Estou cansada de repórteres farejando minha porta como se fossem cães atrás de carne. Estou cansada de ser um prato cheio para eles.

Senti-me gratificada quando a dra. Rhinestein, depois de ter discorrido sobre o quase ineditismo de meu estado, se viu forçada a admitir que eu estava com mastite nos dois seios. Os cinco dias que passei no Beth Israel tomando antibióticos por via intravenosa foram doloridos, mas eu já tinha começado a dar valor à dor física como uma forma de sofrimento compreensível, ao contrário daquele desnorteante desespero da maternidade recente. O alívio da simples quietude era imenso.

Ainda dominado pelo afã de ser o ganha-pão da família e talvez — admita — relutante em testar o temperamento "bonzinho" de nosso filho, você aproveitou a chance para contratar uma babá. Ou será que eu deveria dizer duas babás, porque até eu voltar para casa a primeira já havia ido embora.

Não que você tivesse me adiantado essa informação. Na picape, a caminho de casa, você apenas começou a tagarelar sobre o quão maravilhosa era a Siobhan e eu tive de interrompê-lo. "Pensei que o nome dela fosse Carlotta."

"Ah, *essa*. Você sabe como é, muitas dessas imigrantes abandonam o serviço quando o visto delas vira abóbora. Elas não se importam de fato com as crianças."

Toda vez que a picape passava por uma protuberância na pista, meus peitos pegavam fogo. Eu não queria nem pensar no penoso processo de ter de tirar meu leite assim que chegasse em casa, coisa que me haviam mandado fazer de forma religiosa de quatro em quatro horas, em nome da mastite, ainda que fosse apenas para jogar o leite no ralo. "Presumo que não tenha dado certo com essa Carlotta."

"Eu disse a ela logo de cara que ele era um *bebê*. Que faz cocô, que peida, que arrota..."

"...que berra..."

"... um *bebê*. Pelo visto ela esperava algo como um forno autolimpante ou coisa parecida."

"E aí então você despediu a moça."

"Não foi bem assim. Mas a Siobhan é uma santa. Da Irlanda do Norte, veja só. Vai ver esse pessoal acostumado a levar bomba e tudo o mais consegue guardar as devidas proporções e agüentar um chorinho."

"Quer dizer então que a Carlotta pediu demissão. Depois de uns poucos dias. Porque o Kevin era... qual é mesmo o termo técnico? *Irritadiço*!

"Depois de um dia, acredite se quiser. E quando eu liguei, na hora do almoço, para ver se estava tudo em ordem, ela teve o desplante de insistir para que eu largasse o trabalho e fosse cuidar do meu filho. Até pensei em não pagar um tostão a ela, mas não queria que entrássemos para a lista negra da agência." (Profético. Nós entramos para a lista negra da agência dois anos depois.)

Siobhan *era* uma santa. Meio feinha à primeira vista, com uma cabeleira negra, rebelde, toda cacheada, e aquela pele fantasmagoricamente branca dos irlandeses, tinha um corpo parecido com o de uma boneca, que não afina nas juntas, apenas pregueia um tiquinho; mesmo sendo quase magra, com pernas que eram duas toras e um torso sem cintura, dava a impressão de ser gorda. No entanto, com o tempo, acabei por achá-la mais bonitinha, porque era de fato muito bondosa.Verdade que fiquei meio apreensiva quando ela mencionou, ao sermos apresentadas, que seguia a seita cristã do Curso Alfa. Eu considerava essas pessoas um bando de fanáticos desmiolados e tinha verdadeiro pavor de precisar me submeter a testemunhos diários de fé. Um preconceito, claro, que Siobhan aliás não merecia; raras vezes ela voltou a tocar no assunto. Talvez essa inusitada rota religiosa fosse uma forma de escapar das ninharias católico-protestantes de County Antrim, das quais ela nunca falava, e das quais se isolara ainda mais ao atravessar o Oceano Atlântico, como se por garantia.

Você me amolava, dizendo que eu gostava tanto de Siobhan porque ela era fã da *A Wing & a Prayer*, porque ela tinha usado a AWAP viajando pela Europa. Sem saber direito qual seria o "chamado" de Deus, segundo o que ela me disse, Siobhan não conseguia ver uma ocupação melhor que correr o mundo, despertando em mim a nostalgia por uma vida que já ia se distanciando. Ela acendeu em mim o mesmo orgulho que eu esperava um dia fosse inflamar nosso filho, depois que ele tivesse idade suficiente para apreciar os feitos dos pais. Uma ou duas vezes eu inclusive acalentara uma estranha fantasia, na qual via Kevin debruçado sobre minhas velhas fotos, perguntando, muito empolgado: *Onde é isso? O que é aquilo? Você já foi à ÁFRICA? Uau!* Mas a admiração de Siobhan mostrou ser cruelmente enganosa. Kevin de fato se *debruçou* sobre uma caixa com fotos minhas, uma vez — com uma lata de querosene nas mãos.

Depois de uma segunda rodada de antibióticos, a mastite cedeu. Resignada com a idéia de que Kevin iria se alimentar sempre com as fórmulas, deixei que meu peito ingurgitasse e secasse, e, com Siobhan assumindo o comando, pude enfim voltar para a AWAP naquele outono. Que alívio, pôr uma boa roupa, poder me mexer rápido, falar em tons baixos de adulto, mandar alguém fazer algo e ser obedecida. Enquanto readquiria gosto por aquilo que com o tempo havia se tornado lugar-comum, também me censurava por ter imputado a um feixe tão miúdo de confusão motivações tão malignas quanto querer nos separar. Eu não estava bem. Tinha sido mais difícil me adaptar à nova vida do que eu imaginara. Recuperando parte da antiga energia, e descobrindo, com muito prazer, que voltara ao manequim de antes, presumi que o pior tivesse passado; eu tinha até a intenção, na próxima vez em que alguma amiga fosse dar à luz o primeiro filho, de me desdobrar para ser solidária.

Várias vezes convidei Siobhan para ficar mais um pouco e tomar um café comigo quando eu chegava em casa e o prazer obtido das conversas com uma mulher com pelo menos metade da minha idade talvez não tenha sido tanto o de saltar gerações como o mais corriqueiro de trocar idéias com alguém. Eu confiava em Siobhan porque não estava confiando em meu marido.

"Você devia estar morta de vontade de que o Kevin nascesse", disse-me ela, numa dessas ocasiões. "Rodando pelo mundo como você fazia, encontrando pessoas incríveis — e com tudo pago, ainda por cima, se é que dá para acreditar nisso! Eu não me imagino largando isso tudo."

"Eu não larguei nada", falei. "Daqui a um ano, mais ou menos, eu retomo as rédeas e volto ao normal."

Siobhan mexeu seu café. "É isso que o Franklin espera de você?"

"É o que ele deveria esperar."

"Mas ele chegou a mencionar meio que assim", ela não se sentia muito à vontade com a própria hesitação, "que essa coisa de você viajar e ficar meio que assim um mês fora... que isso tinha acabado."

"Por algum tempo, fiquei meio cansada das viagens. Sempre tinha aquela hora em que eu me via sem uma calcinha limpa para usar; todas aquelas greves dos ferroviários franceses. É possível que eu tenha dado a impressão errada."

"Ah, é", disse ela, pesarosa. Duvido que Siobhan estivesse tentando causar problemas, embora pressentisse a aproximação deles. "O Franklin devia se sentir muito sozinho quando você viajava. E agora, se você voltar a viajar, ele não vai ter ninguém para ajudar a cuidar do pequerrucho quando eu não estiver. Claro que aqui tem muito pai que fica em casa e a mãe é que sai para trabalhar, não é?"

"Tem americanos e americanos. O Franklin não faz esse gênero."

"Mas você tem uma empresa para cuidar. Claro que daria para..."

"Apenas no sentido financeiro. Já é duro o suficiente quando a mulher sai num artigo da revista *Fortune* e o marido só pesquisou a locação para o anúncio da página ao lado."

"O Franklin falou que você costumava viajar até cinco meses por ano."

"Naturalmente", falei com dor no coração, "vou ter de reduzir isso."

"Sabe, o pequerrucho é meio difícil. Ele é um... ele é um bebê agitado. Às vezes com o tempo isso passa." Depois arriscou, muito singela: "Às vezes não."

Você achava que Siobhan gostava de nosso filho, mas eu via que a lealdade dela era mais em relação a você e a mim. Raras vezes falava a respeito de Kevin em outros termos que não logísticos. As próximas mamadeiras já tinham sido esterilizadas; as fraldas descartáveis estavam acabando. Para alguém de temperamento tão quente quanto o dela, essa abordagem mecânica parecia artificial. (Se bem que uma vez ela observou: "E não é que ele tem uns olhinhos de fuinha!" Ela riu, nervosa, e explicou: "Quer dizer... olhos intensos." "É, de fato são meio inquietantes", retruquei, com aquela neutralidade que só eu sabia ter.) Mas ela adorava a gente. Ficava fascinada com a liberdade de nossas vidas profissionais e, apesar do romance evangélico com "os valores familiares", era óbvio que não conseguia entender como podíamos ter cerceado essa intoxicante liberdade com os grilhões de um bebê. E talvez tenhamos lhe dado esperança no futuro. Éramos de meia-idade mas escutávamos The Cars e Joe Jackson; mesmo que não aprovasse palavras grosseiras, deve ter se sentido reanimada ao ver um velhote de quase quarenta anos chamando um dúbio manual sobre bebês de *merda*. Em troca, nós pagávamos a ela um bom salário e acomodávamos o horário de suas obrigações na igreja. Eu lhe dava um ou outro presente, como por exemplo aquela echarpe da Tailândia pela qual ela me agradeceu tanto que fiquei até sem graça. Ela achava você tremendamente lindo, admirava o vigor de seu corpo e o movimento cativante de seus cabelos louros. Às vezes me pergunto se ela não estaria meio "a fim" de você.

Tendo todos os motivos para presumir que Siobhan estava satisfeita trabalhando para nós, fiquei intrigada ao reparar, com o correr dos meses, que ela começava a parecer estranhamente abatida. Sei que os irlandeses não envelhecem bem, mas, mesmo para uma raça de pele tão fina, ela ainda era jovem demais para adquirir aquelas rugas fundas de preocupação na testa. Às vezes demonstrava irritação, quando eu chegava do escritório, e um dia me respondeu, mal humorada, quando manifestei surpresa por estarmos ficando de novo sem comida para bebê: "É, mas nem tudo entra na boca desse menino, sabia!" Na mesma hora pediu desculpas, os olhos se encheram de lágrimas, mas não quis explicar. Começou a ficar mais difícil seduzi-la para tomar uma xícara de café e fazer o relatório das atividades do dia, como se não visse a hora de sair do nosso *loft*, e fiquei desnorteada com a reação dela quando propus que fosse morar conosco. Lembra quando eu sugeri fechar aquele canto tão mal utilizado do *loft* e instalar um banheiro separado? O que eu tinha em mente seria muito mais amplo que o cubículo que Siobhan dividia no East Village com uma garçonete promíscua, bêbada e atéia de quem ela nem gostava muito. Eu também não iria reduzir o salário dela, de modo que teria dado para economizar uma bela grana de aluguel. No entanto, diante da perspectiva de se tornar uma babá residente, ela recuou. Quando argumentou que jamais poderia romper o contrato daquele cortiço na avenida C, bem, a mim me pareceu um argumento de *merda*.

Depois ela começou a faltar por motivo de doença. Só uma ou duas vezes por mês, no início, mas com o tempo ligava com dor de garganta ou problemas de estômago pelo menos uma vez por semana. E estava com um aspecto de dar dó, na verdade; não devia estar se alimentando bem, porque aquelas dobrinhas de boneca tinham sido substituídas por uma fragilidade de boneco de pau, e quando os irlandeses empalidecem, ficam com cara de exumados. De modo que hesitei em achar que ela fingia. Respeitosamente, perguntei se estava tendo problemas com algum namorado, se tinha acontecido algo com sua família em Carickfergus, se estava com saudade da Irlanda do Norte. "Saudade da *Irlanda do Norte*?", ela repetiu, com ironia. "Você só pode estar me gozando." Aquele momento de humor serviu para destacar o fato de que suas piadas tinham rareado bastante.

Essas férias improvisadas de Siobhan me causavam muito transtorno, uma vez que, segundo a já então bem estabelecida lógica de contrapor seu tênue emprego *freelance* a minha néscia segurança de diretora executiva, era eu que ficava em casa. Além de ser obrigada a reprogramar reuniões, ou passar pelo inconveniente de precisar realizá-las por telefone, um dia inteiro a mais gasto cuidando de nosso pequeno e precioso pupilo desestabilizava o precário equilíbrio em que me encontrava. Até o cair da noite, sem ter tido a chance de me preparar para o incansável horror de Kevin pela própria existência, já me sentia, como dizia nossa babá, *despirocada*. Foi graças à adição desse dia a mais na semana que Siobhan e eu acabamos, de início de forma tácita, nos entendendo.

É óbvio que os filhos de Deus saboreiam Seus gloriosos dons sem petulância, porque o silêncio excepcional de Siobhan só podia ter saído do catecismo. Agrado nenhum neste mundo teria feito com que ela revelasse seus motivos para se acamar toda sexta-feira. De modo que, ao menos para lhe dar permissão para que fizesse o mesmo, queixei-me.

"Não me arrependo nem um pouco de minhas viagens", comecei, num fim de tarde enquanto ela se preparava para ir embora, "mas é uma pena que eu tenha conhecido o Franklin tão tarde. Quatro anos só nós dois não foi suficiente para eu me cansar dele! Deve ser gostoso conhecer o parceiro lá pelos vinte e poucos anos, com tempo suficiente sem filhos para, sei lá, ficar até mesmo meio entediada. Aí então, lá pelos trinta, você está pronta para uma mudança e um filho é bem-vindo."

Siobhan me lançou um olhar penetrante e, embora eu esperasse censura em seus olhos, vi apenas uma súbita vivacidade. "Claro que você não está querendo dizer com isso que o Kevin não foi bem-vindo."

Eu sabia que o momento exigia que eu a tranqüilizasse o quanto antes, mas não consegui. Isso iria me acontecer de vez em quando, nos anos vindouros: eu fazia e dizia aquilo que era esperado de mim durante semanas a fio, sem vacilar, até que, de repente, eu dava de cara com um muro. Abria a boca e o *Que desenho mais bonito, Kevin* ou o *Se a gente arrancar as flores do chão, elas morrem e você não quer que elas morram, quer?* ou ainda o *Sim, nós temos tanto orgulho do nosso filho, senhor Cartland* simplesmente se recusavam a sair.

"Siobhan", eu disse, relutante. "Eu ando um pouco decepcionada."

"Eu sei que não tenho sido cem por cento, Eva..."

"Não com você." Já me ocorreu que ela talvez tivesse entendido muito bem o que eu quis dizer e que fez a confusão de propósito. Eu não deveria ter sobrecarregado uma moça tão jovem com meus segredos, mas me senti estranhamente impelida a desabafar. "Todo esse berreiro e os brinquedos horríveis de plástico... Não sei direito o que eu tinha em mente, mas isso é que não era."

"Claro que você deve estar com um pouco de depressão pós-parto..."

"Seja qual for o nome disso, não me sinto feliz. E o Kevin também não me parece nada feliz."

"Ele é um bebê!"

"Ele já está com mais de um ano e meio. Sempre tem aquelas pessoas que vivem arrulhando *Ele é uma criança tão feliz!* Pois bem, nesse caso também existem crianças infelizes. E nada do que eu faça provoca a menor diferença."

Siobhan continuou remexendo na sua sacola, aninhando os últimos itens de suas poucas posses lá dentro com uma concentração desnecessária. Ela sempre levava um livro para ler durante as sonecas de Kevin e finalmente reparei que ela vinha enfiando aquele mesmo volume na sacola havia meses e meses. Eu teria entendido se fosse uma Bíblia, mas era apenas um livrinho de textos inspirados — fino, com a capa já muito ensebada — e ela uma vez tinha me dito que era uma ávida leitora.

"Siobhan, eu não sei lidar com criança pequena. Nunca tive muita empatia com elas, mas esperava que... Bom, que a maternidade fosse me revelar uma outra faceta de mim mesma." Recebi mais uma daquelas suas olhadas penetrantes. "Mas não."

Ela parecia passada. "Já conversou com o Franklin sobre o que você sente?"

Ri com um único *rá*. "Se eu tivesse, aí nós teríamos de *fazer* algo a respeito, mas o quê?"

"Você não acha que os primeiros dois anos são os mais difíceis? Que depois fica tudo mais fácil?"

Passei a língua pelos lábios. "Sei que isso não parece lá muito bonito. Mas o fato é que continuo à espera da retribuição emocional."

"Mas é só dando que você obtém algo de volta."

Ela me fez sentir vergonha, mas depois pensei melhor. "Eu lhe dou todos os meus fins de semana, todas as minhas noites. Dei a ele até mesmo meu marido, que não se interessa mais por nenhum outro assunto que não seja nosso filho, nem tem vontade de fazer nada junto comigo, a não ser empurrar um carrinho de criança para cima e para baixo pelo Battery Park. Em troca, Kevin me golpeia com olhares malignos e não suporta que eu o pegue no colo. Aliás, pelo que me conste, não suporta quase nada."

Esse gênero de conversa estava deixando Siobhan inquieta; isso era heresia doméstica. Mas algo desmoronou lá dentro e ela não conseguiu mais sustentar a posição de animadora de torcida. Então, em vez de prever as delícias que me esperavam no futuro, assim que Kevin ficasse um pouco maior, ela disse, soturna: "É, eu entendo você."

"Me diga uma coisa, com você o Kevin... reage?"

"Se ele *reage*?" O sarcasmo era novidade. "Pode-se dizer que sim."

"Quando você está com ele, durante o dia, ele ri? Balbucia feliz da vida? *Dorme*?" Percebi então que durante muitos meses eu evitara fazer essas perguntas e que, ao agir assim, havia tirado partido da natureza generosa de Siobhan.

"Ele puxa meu cabelo", ela disse baixinho.

"Mas todo bebê... eles não sabem..."

"Ele puxa com força, com muita força. Ele já tem idade suficiente e acho que sabe que dói. E Eva, aquela echarpe de seda tão linda, de Bangcoc. Está um trapo."

*Xi-pleng! Xi-pleng!* Kevin estava acordado. E martelava, sem demonstrar muito pendor musical, o chocalho naquele xilofone de metal com que você aparecera em casa um dia (desgraçadamente). "Quando ele está sozinho comigo", falei por cima da balbúrdia. "O Franklin diz que ele é *irritadiço...*"

"Ele joga todos os brinquedos para fora do cercado, depois berra, e só pára depois que estão todos de volta lá dentro, e aí ele joga tudo para fora de novo. *Atira* com força."

*P-p-plenk-xeng-XENG! PLENK! P-P-P-plenkpenkplenkplenk!* Aquele estardalhaço violento me dizia que Kevin chutara o instrumento por entre as grades do berço.

"É de dar desespero!" Siobhan estava exasperada. "Ele faz a mesma coisa quando está no cadeirão, com cereal, com mingau, com bolacha salgada... Com a comida toda dele, joga tudo no chão, não faço idéia de onde ele tira tanta energia!"

"Você quer dizer", toquei na mão dela, "você não sabe de onde *você* tira tanta energia."

*Muah... Mmuah... Mmmmuahuah...* E Kevin começou, feito um cortador de grama. Siobhan e eu nos olhamos bem nos olhos. *Muah-iii! IIIiii! IIIIIII!* Nenhuma das duas se mexeu na cadeira.

"Claro", Siobhan acrescentou, esperançosa, "que deve ser diferente quando é nosso."

"Ô", disse eu. "Totalmente diferente."

*IIahIIIIIahIII! IIahIIIIahIII! IIahIIIIahIIII!*

"Antes eu queria ter uma família grande", ela disse, virando para o outro lado. "Agora já não tenho mais certeza."

"Se eu fosse você", falei, "pensaria duas vezes."

Kevin preenchia o silêncio enquanto eu batalhava contra um pânico crescente. Tinha de dizer alguma coisa para adiar o que viria a seguir, mas não consegui pensar num único comentário que não acabasse justificando ainda mais aquilo que eu desejava fervorosamente evitar.

"Eva", começou ela. "Eu estou um bagaço. Acho que o Kevin não gosta de mim. Já rezei até dizer chega... para ter mais paciência, mais força. Pensei que Deus estivesse me testando..."

"Quando Jesus disse *Deixai vir a mim as criancinhas*", falei com secura, "não acho que estivesse pensando em babás."

"Detesto pensar que eu O decepcionei! Ou a você, Eva! De qualquer modo, você acha que existe alguma chance... Você acha que poderia me usar na *A Wing & a Prayer*? Aqueles guias todos, você disse que muitos deles são pesquisados por estudantes universitários, coisa e tal. Será que você poderia... será que poderia me fazer o imenso favor de me mandar para a Europa, ou para a Ásia? Eu faria um trabalho brilhante, juro que faria!"

Eu murchei. "Você está dizendo que quer ir embora."

"Você e o Franklin têm sido mais que bondosos, comigo, e devem me achar tremendamente ingrata. De qualquer maneira, quando vocês se mudarem para fora da cidade, vão ter de achar uma outra pessoa, certo? Porque eu vim para cá com o firme propósito de morar em Nova York."

"Eu também! Quem foi que falou que a gente vai sair da cidade?"

"O Franklin, claro."

"Nós não vamos mudar daqui, não", falei com firmeza.

Ela deu de ombros. Já havia se afastado o suficiente de nossa pequena unidade para considerar a falha de comunicação como algo que não lhe dizia respeito.

"Você quer ganhar mais?", ofereci de modo patético; minha residência em tempo integral no país estava começando a render seus frutos.

"O salário é ótimo, Eva. Mas é que eu não consigo mais. Todo dia de manhã eu acordo e..."

Eu sabia direitinho como ela se sentia quando acordava. E eu não poderia continuar fazendo isso com ela. Acho que sou uma péssima mãe e você também sempre achou isso. Mas lá bem no fundo de mim se esconde um certo instinto maternal. Siobhan estava no limite. Ainda que contrariando nossos melhores interesses, eu tinha como lhe conceder a salvação terrena.

"Nós estamos fazendo a atualização do guia da Holanda", falei com voz pesada; eu tinha o horrendo pressentimento de que a demissão de Siobhan começaria a vigorar de imediato. "Você gostaria disso? De avaliar albergues em Amsterdã? Eles fazem uns *rijsttafels* deliciosos por lá."

Siobhan não se agüentou e atirou os braços em meu pescoço. "Quer que eu tente acalmá-lo?", ela se ofereceu. "Talvez esteja molhado..."

"Duvido muito; seria racional demais. Não, você já trabalhou o dia todo. E tire o resto da semana de folga. Você está esbodegada." Eu tentava amaciá-la, fazer com que ficasse conosco até que encontrássemos uma substituta. Que esperança!

"Só mais uma coisa", disse Siobhan, enfiando meu bilhete com o nome do editor do guia da Holanda na sacola. "Os pequerruchos variam, claro. Mas o Kevin já devia ter começado a falar, a esta altura. Algumas poucas palavras, pelo menos. Talvez você devesse conversar com um médico. Ou falar mais com ele."

Prometi fazer o que me pedira, depois levei-a até o elevador, lançando um olhar tristonho para o berço. "Sabe de uma coisa, *é* diferente quando o filho é seu. Não dá para ir para casa." De fato, meu anseio de *ir para casa* tinha se tornado recorrente, mas era mais intenso quando eu já estava lá.

Trocamos um sorriso amarelo e ela me acenou por trás das grades da porta do elevador. Fiquei vendo pela janela da frente enquanto ela descia a Rua Hudson, distanciando-se do nosso *loft* e do *pequerrucho* o mais rápido que suas pernas grossas conseguiam levá-la.

Voltei para a maratona de nosso filho e olhei para aquele ressentimento todo retorcido. Eu não iria pegá-lo no colo. Não havia ninguém ali para me obrigar e eu não queria. Eu não iria, como Siobhan sugerira, dar uma olhada em sua fralda, nem esquentar a mamadeira. Eu o deixaria chorar até cansar. Com os dois cotovelos apoiados na grade do berço, encaixei o queixo nos dedos entrelaçados. Kevin estava agachado, numa das posições que a New School recomendava para o parto: pronto para o esforço. A maioria dos bebês chora de olhos fechados, mas os de Kevin tinham uma fresta aberta. Quando nossos olhares se cruzaram, senti que finalmente havíamos nos comunicado. As pupilas dele ainda eram quase pretas e pude ver que registraram empedernidamente o fato de que, uma vez na vida, mamãe não iria entrar em pânico por fosse qual fosse o problema.

"A Siobhan acha que eu devia conversar com você", falei com malícia, por sobre o escarcéu. "E com quem mais eu conversaria, já que você espantou a moça? Isso mesmo, você tanto berrou e vomitou que ela se foi. Qual é o problema com você, seu merdinha? Está satisfeito, agora que arruinou a vida da mamãe?" Tive o cuidado de usar aquele insípido tom de falsete que os especialistas recomendam. "Você até pode ter enganado o papai, mas a mamãe sabe muito bem qual é a sua. Você é um merdinha, não é?"

Kevin se pôs de pé sem perder um ganido. Agarrado às grades do berço, ele gritou para mim bem de perto, e meus ouvidos doeram. Todo franzido, seu rosto parecia o de um velho senhor, espremido naquela expressão de eu-te-pego do preso que já começou a cavar um túnel com uma lima de unha. Em minha posição de guarda de zoológico, minha proximidade era perigosa; Siobhan não estava brincando quando falou do cabelo.

"A mamãe era feliz antes que o Kevin mijão viesse ao mundo, você sabia disso? E agora a mamãe acorda todo dia querendo estar na França. A vida da mamãe agora é uma droga, você não acha que a vida da mamãe é uma droga? Você sabia que em certos dias a mamãe preferia estar morta? Para não escutar você guinchar nem mais um minuto, tem dias em que a mamãe gostaria de pular da ponte do Brooklyn..."

Virei-me e perdi a cor. Talvez eu nunca tivesse visto aquele olhar pétreo em seu rosto.

"Eles entendem o que nós dizemos muito antes de aprender a falar", você disse, me empurrando para o lado para pegá-lo no colo. "Não entendo como você pode ficar aí parada, vendo nosso filho chorar."

"Franklin, calma, eu só estava brincando!" Lancei um olhar furibundo e particular para Kevin. Fora graças ao berreiro dele que eu não tinha escutado a porta do elevador. "Estou meio chateada hoje, certo? A Siobhan pediu demissão. Escutou essa? A Siobhan foi embora."

"É, escutei, sim. Pior para ela. A gente arruma outra."

"O negócio é que durante esse tempo todo ela considerou o emprego como uma nova versão do Livro de Jó... Olha, deixa que eu troco a fralda."

Você se afastou de mim. "Fique longe dele até botar a cabeça no lugar. Ou pular de uma ponte. O que vier primeiro."

Fui atrás. "Escute, o que é essa história de *mudar daqui*? Desde quando?"

"Desde que — e eu estou citando você — o *merdinha* começou a querer andar. Aquele elevador é uma armadilha mortal."

"A gente pode pôr uma grade isolando o elevador!"

"Ele precisa de um *quintal*." Fingindo-se de santo, você atirou a fralda suja no cesto. "Onde a gente possa bater uma bola, encher uma piscininha."

Comecei a ver que estávamos lidando com a sua infância — uma idealização dela — que poderia vir a ser, assim como seu país imaginário, um tremendo de um erro. Não há batalha mais fadada ao fracasso do que a travada com o imaginário.

"Mas eu amo Nova York!" Eu estava parecendo um adesivo de carro.

"É uma cidade suja, infestada de doenças, e o sistema imunológico de uma criança só se desenvolve por inteiro depois dos sete anos. E nós temos condições de mudar para um distrito onde haja boas escolas."

"Esta cidade tem as melhores escolas particulares do país."

"As escolas particulares de Nova York são muito esnobes e cruéis. As crianças nesta cidade começam a se preocupar com a admissão em Harvard aos seis anos de idade."

"E o que você me diz do ínfimo probleminha de que sua mulher não quer sair desta cidade?"

"Você teve vinte anos para fazer o que bem entendesse. Eu também. Além disso, você me falou que estava louca para gastar nosso dinheiro em algo que valesse a pena. Agora é sua chance. Devíamos comprar uma casa. Com um bom terreno em volta e um balanço feito de pneu."

"Minha mãe nunca tomou uma única decisão baseada no que seria bom para *mim*."

"Sua mãe vive trancada dentro de um armário faz quarenta anos. Sua mãe é louca. Sua mãe não é bem a pessoa ideal para servir de modelo a ninguém."

"O que estou querendo dizer é que, quando eu era criança, os pais davam as cartas. Agora que sou mãe, são as crianças que fazem isso. O que significa que a gente se fode indo ou voltando. Não acredito numa coisa dessas." Desabei no sofá. "Eu quero ir à África e você quer ir para *Nova Jersey*."

"Que história é essa de África? Por que você não pára de falar nisso?"

"Nós vamos levar adiante o projeto para um guia da África. O *Lonely Planet* e o *Rough Guide* estão começando a competir feio conosco na Europa."

"E o que essa edição tem a ver com você?"

"O continente é colossal. Alguém tem de fazer uma pesquisa preliminar dos países."

"Alguém que *não seja você*. Está difícil de você entender, não está? Talvez tenha sido um erro você pensar na maternidade como 'um outro país'. Isso aqui não é férias no exterior. Isso aqui é sério..."

"*Estamos falando de vidas humanas, Jim!*"

Você nem sequer sorriu da brincadeira. "Como você se sentiria se ele perdesse a mão nas grades do elevador, tentando abrir a porta? Ou se um idiota qualquer seqüestrasse o menino no supermercado?

"No fundo quem quer uma casa é *você*", acusei. "*Você* é que quer um quintal. Você tem essa idéia gozada *à la* Norman Rockwell da paternidade. É *você* que quer ser treinador da liga infantil de beisebol."

"Acertou, Eva." E você endireitou o corpo vitorioso, segurando Kevin no quadril, vestido com sua esplendorosa Pampers limpinha. "E nós somos dois contra um."

Era uma proporção que eu estava destinada a enfrentar de novo várias vezes.

*Eva*

## *25 de dezembro de 2000*

*Querido Franklin,*

Concordei em visitar minha mãe no Natal, de modo que escrevo de Racine. No último minuto — quando soube que eu viria — Giles resolveu levar a família para passar os feriados com os sogros. Eu poderia ter ficado magoada, e é verdade que meu irmão me faz falta, ainda que somente como parceiro para caçoar de mamãe, mas ela está ficando tão frágil, agora — aos setenta e oito anos —, que nossa aflição condescendente por ela parece injusta. Além do mais, eu entendo. Quando Giles e os filhos estão por perto, nunca falo de Kevin ou do processo movido por Mary; meio traiçoeiramente, também nunca falo de você. Mas, por meio de conversas benignas em torno da neve, ou da conveniência de colocar pinhão no *sarma*, continuo sendo a personificação do horror que, apesar das portas trancadas e janelas vedadas de mamãe, conseguiu ir se infiltrando.

Giles não aceita que eu tenha ficado com o papel de figura trágica da família. Ele só conseguiu chegar até Milwaukee e o filho mais novo é sempre o padrão, ao passo que eu ganhava a vida me afastando o máximo possível de Racine. Quase como um De Beers restringindo o suprimento de diamantes, eu me fazia escassa, o que, para Giles, era uma artimanha barata para fabricar uma preciosa gema artificial. E agora me rebaixo ainda mais e uso meu filho para tomar de assalto o mercado da culpa. Tendo mantido a cabeça sempre abaixo do parapeito, trabalhando para a Budweiser, Giles sente uma admiração ressentida por qualquer um que apareça nos jornais. Vivo tentando encontrar uma forma de lhe dizer que esse é o tipo de fama vagabunda que a mais banal das mães pode obter nos sessenta segundos que um rifle automático leva para disparar cem balas. Não me sinto especial.

Lembra-se do cheiro peculiar que permeia essa casa, e que eu costumava dizer que era de ranço? Lembra-se de como eu insistia que o ar era rarefeito, aqui? Minha mãe dificilmente permite abrir uma porta, que dirá arejar a casa, e eu tinha certeza de que a dor de cabeça muito peculiar que sempre me dá quando ponho os pés nessa casa era o início de um envenenamento por dióxido de carbono. Agora, porém, a densa e aderente mistura de gordura velha de cordeiro, poeira e mofo aguçada pelos miasmas medicinais de suas tintas coloridas me traz algum conforto, não sei por quê.

Durante anos, vi minha mãe como alguém incapaz de entender minha vida, mas, depois da *quinta-feira*, reconheci que nunca fiz o menor esforço para entender a dela. Estivemos afastadas durante décadas não porque ela fosse agorafóbica, e sim porque eu me comportava de forma distante e impiedosa. Como agora preciso de um pouco de bondade, tornei-me mais bondosa também, e nós nos damos espantosamente bem. Quando eu viajava a trabalho, devia parecer presunçosa e metida, mas meu novo desespero para conseguir um pouco de segurança restituiu-me à condição de filha de verdade. De minha parte, acabei reconhecendo — já que qualquer mundo é, por definição, fechado em si mesmo e, para quem vive nele, é também tudo o que existe — que a geografia é relativa. Para minha intrépida mãe, a sala de estar podia ser o Leste Europeu e meu antigo quarto, a República dos Camarões.

Claro que a Internet é a melhor e a pior coisa que poderia ter acontecido com ela, que agora pode encomendar qualquer coisa, desde meias para varizes até folhas de uva, pelo computador. Vai daí que os inúmeros servicinhos que eu tinha que fazer para ela quando estava em casa já estão resolvidos e me sinto um tanto inútil. Presumo que tenha sido uma boa coisa, a tecnologia lhe proporcionar independência — se é que é esse o nome.

Minha mãe, falando nisso, não evita de jeito nenhum falar de Kevin. Esta manhã, enquanto abríamos nossos poucos presentes, ao lado de sua árvore raquítica (encomendada *on-line*), ela comentou que era muito raro que Kevin se comportasse mal, no sentido tradicional da palavra, o que sempre a deixou desconfiada. Toda criança se comporta mal, disse ela. E você está em terreno bem mais seguro quando a má-criação é feita às claras. E então se lembrou da visita que fizemos quando Kevin tinha uns dez anos — idade suficiente para saber o que é certo, ela afirmou. Minha mãe tinha acabado de dar os toques finais a uma pilha de vinte e um cartões de Natal exclusivos, encomendados por um alto executivo da Johnson Wax. Enquanto preparávamos *khurabia* com açúcar de confeiteiro na cozinha, Kevin picou sistematicamente todos os cartões em pedacinhos. (Você falou — um mantra — que ele "só estava tentando ajudar".) *Faltava alguma coisa naquele menino*, declarou ela, no passado, como se Kevin estivesse morto. Estava tentando fazer com que eu me sentisse melhor, claro, mas minha preocupação, na hora, foi que faltou a ele uma mãe como a minha.

Na verdade, atribuo o desabrochar de minha atual graça filial a um telefonema asfixiado na noite da própria *quinta-feira*. A quem mais eu poderia recorrer, se não a minha mãe? O caráter primitivo desse elo dava o que pensar. Juro que não me lembro de uma única ocasião em que Kevin — aflito por causa de um joelho ralado, uma briga com um amiguinho — tenha recorrido a mim.

Percebi logo, pelo cumprimento contido e formal dela, *Alô, Sonya Khatchadourian falando*, que não tinha assistido ao noticiário da noite.

*Mãe?* foi tudo que consegui dizer — chorosa, escolar. A respiração ofegante que veio em seguida deve ter soado como um trote. De repente, porém, senti-me protetora. Se ela tinha um pavor mortal de dar um pulo até o Walgreens, como iria confrontar o terror imensamente mais palpável de um neto assassino? Pelo amor de Deus, pensei cá comigo, ela está com setenta e seis anos, e já vê a vida por uma fenda de caixa postal. Depois disso, nunca mais vai tirar a cabeça para fora do cobertor.

No entanto, os armênios têm um talento especial para a dor. Sabe que ela nem sequer se *surpreendeu*? Estava sombria, mas permaneceu calma e, uma vez na vida, mesmo com a idade avançada, comportou-se e falou como uma mãe de verdade. Eu podia contar com ela, me garantiu, afirmação que, até pouco antes, teria sido motivo de escárnio. Era quase como se todo aquele seu receio tivesse finalmente se redimido; como se, de alguma forma, sentisse alívio ao constatar que todo aquele fechem-as-porteiras não fora infundado. Afinal, ela já tinha estado lá antes, onde o resíduo das tragédias do mundo vinha banhar sua praia. Talvez nunca tenha saído muito de casa, mas, de todos em nossa família, foi a que mais profundamente se deu conta de como o descuido com que pessoas adjacentes levam suas vidas muitas vezes ameaça tudo quanto você mais preza. Grande parte de sua família fora massacrada, seu próprio marido havia sido atingido pelos japoneses como um prato num treinamento de tiro ao alvo; a fúria de Kevin se encaixava direitinho. Na verdade, a ocasião parece ter liberado algo dentro dela, um misto de amor e bravura, se é que os dois não são, sob muitos aspectos, a mesma coisa. Ciente de que a polícia iria querer que eu ficasse à disposição, recusei o convite dela de ir para Racine. Com muita gravidade, minha mãe enclausurada *ofereceu-se para ir ficar comigo.*

Foi logo depois de Siobhan abandonar o navio (ela nunca mais voltou, tive de enviar seu último pagamento a AmEx, em Amsterdã), que Kevin parou de berrar. Parou de vez. Talvez, despachada a babá, tenha achado que sua missão terminara. Talvez tenha finalmente concluído que todo aquele exercício em altos decibéis não o isentava do implacável avanço da vida-num-quarto e que, portanto, não valia a pena. Ou talvez estivesse planejando alguma nova tática, agora que sua mãe tinha se tornado imune a seu berreiro, assim como acabamos não escutando os estágios finais de um alarme de carro que dispara na rua.

Ainda que eu não estivesse reclamando, o silêncio de Kevin possuía uma qualidade opressora. Primeiro porque era um silêncio de verdade — total, de bico calado, despido dos gorgolejos e gritinhos que a maioria das crianças emite enquanto explora o metro quadrado infinitamente fascinante de seu cercadinho de náilon. Depois porque era inerte. Embora já soubesse andar — algo que, como todas as outras habilidades vindouras, ele aprendeu sozinho — não parecia haver nenhum lugar em especial aonde ele quisesse ir. De modo que sentava no cercado ou no chão durante horas, os olhos apagados se movendo com um descontentamento desfocado. Eu não conseguia entender por que ele não raspava pelo menos um pouco de felpa dos nossos tapetes armênios, ainda que se recusasse a enfiar anéis coloridos no pino de plástico ou tirar algum som de sua caixa de atividades. Eu o rodeava de brinquedos (era difícil passar um dia sem que você entrasse em casa com alguma coisa nova), mas Kevin se limitava a olhar para eles, ou chutá-los para longe. Ele não brincava.

Você se lembra dessa fase sobretudo como o período em que brigávamos o tempo todo por causa da mudança e da longa viagem que eu faria pela

África. Eu, no entanto, me lembro acima de tudo que tive de ficar em casa, depois que perdemos outra babá, durante dias intermináveis — misteriosamente, eles transcorreram tão lentos quanto na época em que Kevin não parava de berrar.

Antes de ser mãe, eu imaginava que ter uma criança pequena do lado seria mais ou menos como ser dona de um cãozinho alegre e companheiro, mas nosso filho tinha uma presença muito mais densa que qualquer bicho de estimação. Em qualquer momento eu estava imensamente ciente de sua proximidade. Embora aquela nova fleuma facilitasse meu trabalho de edição, eu me sentia vigiada e fui ficando inquieta. Comecei a jogar uma bola na direção de Kevin e, uma vez, consegui fazer com que ele a jogasse de volta para mim. Animada, ridiculamente animada, aliás, joguei a bola para ele novamente. Ele jogou-a de volta. Mas, assim que joguei a bola uma terceira vez para o meio de suas pernas, pronto. Com uma olhada lânguida, ele deixou a bola parada no joelho. Comecei então a pensar, Franklin, que ele era inteligente. Em sessenta segundos, havia entendido: caso continuássemos com o "jogo", a bola continuaria rolando de um lado a outro ao longo da mesma trajetória, um exercício obviamente sem sentido. Nunca consegui fazer com que ele a jogasse de novo.

Esse abatimento, combinado a uma relutância que já ultrapassara o ponto em que todos os seus manuais, Franklin, previam as primeiras tentativas de falar, me levou a consultar um pediatra. O dr. Foulke mostrou-se confiante, pronto a repetir aquele mesmo papo de sempre, de que o desenvolvimento "normal" da criança abarca uma vasta gama de avanços e pausas idiossincráticas, mas mesmo assim aplicou uma bateria de testes simples em nosso filho. Eu havia manifestado preocupação de que houvesse um *deficit* de audição, daí a falta de reação de Kevin; sempre que eu o chamava, ele se virava para mim com tamanha imperturbabilidade, como quem diz, tudo a seu tempo, que era impossível saber se tinha me escutado ou não. No entanto, mesmo não estando *interessado* em nada que eu dissesse, seus ouvidos funcionavam direito e minha teoria de que o volume da gritaria dos primeiros tempos danificara suas cordas vocais não foi sustentada pela ciência médica. Cheguei inclusive a verbalizar meu receio de que o retraimento de Kevin poderia quem sabe indicar os primeiros sinais de autismo, mas pelo visto ele não exibia o comportamento repetitivo característico desses pobres infelizes presos em seu próprio mundo, que se balançam o tempo inteiro; se Kevin estava preso, era no meu mundo e no seu. Na verdade, o máximo que consegui obter do dr. Foulke foi a reflexão de que Kevin "era um menino meio frouxo, não é mesmo?", referindo-se a uma certa moleza física dele. O médico levantava um braço de nosso filho, soltava-o e o braço caía feito um macarrão molhado.

Assim, insisti tanto para que Foulke atribuísse alguma enfermidade a nosso filho, que lhe carimbasse na testa alguma síndrome americana qualquer, que o pediatra deve ter me achado uma dessas mães neuróticas que almejam colocar os filhos em destaque, mas que, em tempos de degeneração como os nossos, só conseguem conceber o excepcional em termos de deficiência ou doença. E, para ser sincera, eu queria, sim, que ele achasse algo errado com Kevin. Ansiava para que nosso filho tivesse alguma pequena desvantagem ou falha capaz de acender minha simpatia. Eu não era feita de pedra e, sempre que via um garotinho de rosto manchado ou dedos grudados na sala de espera, estremecia, aflita, só de pensar nas torturas que iria sofrer durante o recreio. Eu queria ao menos sentir pena de Kevin, o que já me parecia um começo. Cheguei de fato a desejar que nosso filho tivesse os dedos grudados? Bem, cheguei, Franklin. Se isso fosse adiantar.

Kevin estava abaixo do peso, o que significa que nunca teve as feições arredondadas, rechonchudas, de criança fofa que transformam até a mais feiosa delas num ser adorável durante aquela janela fotogênica entre os dois e os três anos de idade. O rosto de Kevin tinha a mesma agudeza de fuinha de seus primeiros anos. E bem que eu gostaria, por falta de algo melhor, de poder mais tarde olhar para as fotos de um menino gorducho e me perguntar o que teria saído errado. Em vez disso, os instantâneos que tenho (e você tirou montes) documentam sempre uma cautela impassível e um autocontrole perturbador. O rosto fino de pele azeitonada me é muito familiar: olhos fundos, nariz reto com uma ponte larga, ligeiramente aquilino, lábios finos, cerrados numa obscura teimosia. Essas fotos são reconhecíveis não só por sua semelhança com a foto de escola que apareceu em todos os jornais, como também por sua semelhança comigo.

Mas eu queria que ele se parecesse com você. A geometria toda do corpo de nossa filho era baseada no triângulo, e a sua, no quadrado; há qualquer coisa de malicioso e insinuante a respeito de ângulos agudos, ao passo que, nas linhas perpendiculares, é tudo estável e confiável. Não que eu quisesse um pequeno Franklin Plaskett correndo em volta da casa, mas queria olhar para o perfil de meu filho e compreender, num lampejo radiante, que ele tinha sua testa alta e forte — em vez de uma que se projetava de forma brusca por cima de olhos que até podem ter começado como belos e profundos, mas que estavam destinados, com a idade, a parecer afundados. (Eu sei disso.) Senti-me feliz por Kevin ter feições armênias, mas torcia para que seu robusto otimismo anglicano conferisse um certo ímpeto ao lento e rancoroso sangue de minha herança otomana, iluminasse aquela pele pálida com laivos corados de jogos disputados no outono, ressaltasse aqueles cabelos pretos sombrios com reflexos dos fogos de artifício do Quatro de Julho. Ademais, a qualidade furtiva do olhar de Kevin e o sigilo de seu silêncio pareciam me colocar frente a uma versão em miniatura de minha própria dissimulação. Ele me vigiava e eu o vigiava, e, sob esse escrutínio duplo, eu me sentia duplamente constrangida e falsa. Achava o rosto do nosso filho esperto e contido demais; e a mesma máscara evasiva de opacidade me fitava de volta quando eu escovava os dentes.

Eu era contra plantar nosso filho diante da televisão. Odiava os programas infantis; os desenhos eram hiperativos, os programas educativos, tolos, muito pouco sinceros e condescendentes. Mas ele parecia tão sem estímulos... De modo que, uma tarde, já exausta de tanto balbuciar *Está na hora do nosso suquinho!*, liguei a televisão e pus num desenho animado.

"Num gosta."

Trêmula, afastei-me das vagens das quais tirava o fio, certa, pelo tom enfadonho e sem vida do pronunciamento, de que não viera de nenhum dos personagens do desenho.

Kevin repetiu, monocórdico: "Num gosta."

Com uma urgência que até então não havia aplicado àquele relacionamento precário, peguei cada ombro seu nas mãos. "Kevin? *Do que você gosta?*"

Era uma pergunta para a qual ele não se achava preparado, e que até hoje, aos dezessete anos, Kevin ainda não consegue responder de modo satisfatório para si, e menos ainda para mim. Por isso, voltei para o que ele *não gostava*, um assunto que no futuro se mostraria inesgotável.

"Querido? O que você quer parar?"

Ele bateu a mão no tubo da televisão. "Num gosta. Desliga."

Levantei-me do chão maravilhada. Ah, eu desliguei na hora o desenho animado, claro, pensando, *Deus do céu, eu tenho um garoto de bom gosto*. Como se fosse eu a criança, fui compelida a fazer experiências com meu novo e fascinante brinquedo, a apertar botões e ver o que acendia.

"Kevin, você quer um biscoito?"

"Odeia biscoito."

"Kevin, você vai falar com o papai, quando ele chegar em casa?"

"Num se num quisé."

"Kevin, você sabe dizer 'mamãe'?"

Eu tinha alguns escrúpulos quanto à forma como nosso filho iria me chamar. Alguns me pareciam infantis, outros vulgares, até mesmo servis. *Mamã* era coisa de boneca movida a pilha, *manhê* me parecia honesto e *mãe*, um tanto formal para 1986. Lembrando agora, pergunto-me se minha intenção seria evitar as formas mais comuns porque eu não gostava — bem, porque ainda não me sentia à vontade sendo mãe. Questão de pouca importância, já que a resposta previsível foi "Num".

Quando você chegou em casa, Kevin se recusou a dar um bis da loquacidade, mas eu repeti tudo, palavra por palavra. Você ficou extasiado. "Frases completas, assim de cara! Li que os que parecem ser os mais atrasados podem ser também incrivelmente inteligentes. São perfeccionistas. Não querem tentar até estarem com tudo certinho."

Eu alimentava uma teoria rival: a de que, sendo capaz de falar havia anos, Kevin preferia ficar escutando os desavisados; ele era um espião. E atentei menos para sua gramática e mais para o que foi dito. Sei que esse tipo de afirmação sempre o deixa irritado, mas já me ocorreu pensar, em determinadas ocasiões, que de nós dois sempre fui a mais interessada em Kevin. (Em minha mente, já até posso vê-lo tendo um ataque apoplético.) Quer dizer, interessada em Kevin como Kevin é de fato, não em Kevin como Seu Filho, um garoto obrigado a uma luta incessante com o formidável modelo de perfeição que o pai formara na cabeça e com quem competia com mais ferocidade ainda do que jamais competiu com Celia. Por exemplo, aquela noite, comentei o seguinte: "Estou esperando faz um tempão para saber o que se passa por trás daquele olharzinho penetrante."

Você deu de ombros. "Bolinha de gude, barbante, lagartixa."

Viu? Kevin era (e continua sendo) um mistério para mim. Você tinha aquela despreocupação de garoto e admitia, abertamente, que já tinha passado por isso e que não havia nada para ser descoberto. Quem imaginaria que você e eu iríamos divergir num nível tão profundo quanto à natureza do caráter humano. Você via a criança como uma criatura parcial, uma forma mais simples de vida, que evoluía até a complexidade da idade adulta diante dos olhos de todos. Mas, desde o momento em que foi posto em meu peito, enxerguei Kevin Khatchadourian como preexistente, alguém com uma vasta vida interior flutuante, cuja sutileza e intensidade diminuiriam com a idade. Acima de tudo, ele me parecia um ser oculto, ao passo que a sua experiência foi a de acesso ensolarado e tranqüilo.

De todo modo, durante várias semanas ele falava comigo de dia e, quando você chegava em casa, ele se fechava em copas. Assim que o elevador chacoalhava, ele me lançava um olhar de cúmplice: vamos pregar mais uma peça no papai. Talvez eu tenha sentido um prazer culpado em usufruir sozinha do discurso filial, graças ao qual tomei conhecimento de que ele *num gostava* de arroz-doce, com ou sem canela, que ele *num gostava* dos livros do dr. Seuss, que ele *num gostava* dos discos com historinhas musicadas que eu tirava da biblioteca. Kevin tinha um vocabulário especializado; era um gênio com palavras começadas por *n*.

A única lembrança que tenho de algum prazer infantil verdadeiro nesse período vem da festa do terceiro aniversário, enquanto eu servia suco de uva-do-monte e você dava laços nas fitas dos embrulhos que dali a poucos minutos você mesmo teria de desfazer. Tendo comprado um bolo marmorizado de três andares na Vinierro's da Primeira Avenida, decorado com um time inteiro de beisebol, você o colocara todo orgulhoso sobre a mesa, em frente ao cadeirão de Kevin. Nos dois minutos em que ficamos de costas, Kevin demonstrou o mesmo dom que já havia exibido anteriormente, durante a semana, arrancando com muito método, através de um buraquinho pequeno, todo o recheio do que achávamos que fosse seu coelhinho predileto. Minha atenção foi atraída por um risinho seco que eu só poderia caracterizar como um riso nascente de escárnio. As mãos de Kevin eram as de um colocador de gesso. E sua expressão era de enlevo.

Um aniversariante assim tão jovem, sem compreender ainda direito o conceito de aniversários, não tinha motivo para captar o conceito de *fatias*. Você riu e, depois daquele trabalhão todo, fiquei contente que tivesse encarado o acidente como comédia. Mas, enquanto eu limpava as mãos dele com um pano úmido, meu risinho foi mudo. A técnica de Kevin de enfiar as duas mãos no meio do bolo e rasgá-lo ao meio num único movimento cirúrgico era um lembrete desconfortável daquelas cenas de seriados médicos em que o paciente está com parada cardíaca e um médico qualquer berra "Então vamos abrir!" Programas sanguinolentos por volta do fim do milênio deixaram pouca coisa para a imaginação: a caixa torácica é fendida com uma serra elétrica, as costelas são empurradas e então nosso bonitão do *Plantão médico* mergulha num mar vermelho. Kevin não tinha só brincado com aquele bolo. Ele lhe arrancara o coração lá de dentro.

No fim, claro que acabamos fazendo a troca esperada: eu lhe dei carta branca para ir procurar uma casa do outro lado do Hudson; você me deu carta branca para fazer a viagem de reconhecimento pela África. Saí perdendo, claro, mas quem está desesperado em geral opta pelo alívio de curto prazo, em troca de prejuízos a perder de vista. De modo que vendi meu direito inato por um prato de sopa.

Não quero com isso dizer que me arrependo daquela estada na África, se bem que, em termos de estrutura, não foi o momento mais propício. A maternidade me arrastara para o que em geral consideramos as questões mais básicas: comer e cagar. E é nisso que se resume a África. Talvez seja nisso que todo país se resume, no fim das contas, mas sempre apreciei os esforços para disfarçar o fato, e quem sabe tivesse me dado melhor viajando para nações mais decorativas, onde os banheiros têm sabonete em formato de rosa e as refeições pelo menos vêm enfeitadas com umas folhinhas de chicória. Brian havia comentado que os filhos são antídotos maravilhosos para o esgotamento; disse que você consegue apreciar o mundo outra vez através dos olhos maravilhados deles, e que tudo do qual antes você havia se cansado de repente se torna vibrante e novo. Bem, a perspectiva de uma cura total soava magnífica aos meus ouvidos, melhor que uma plástica ou uma receita de Valium. Mas é desalentador ter de relatar que, todas as vezes em que tentei ver o mundo pelos olhos de Kevin, ele me pareceu inusitadamente lúgubre. Através dos olhos de nosso fillho, o mundo todo ficava parecido com a África, as pessoas andando sem rumo de um lado para o outro, pedindo, se agachando ou deitando no chão para morrer.

No entanto, em meio a toda aquela miséria, não consegui localizar uma empresa de safári que pudesse ser considerada em conta; a maior parte cobrava centenas de dólares por dia. Da mesma forma, os alojamentos se dividiam de um jeito que eliminava meu mercado-alvo: ou eram luxuosos e caros, ou imundos e vagabundos demais. Havia uma série de estabelecimentos italianos e indianos interessantes de experimentar, mas os autênticos restaurantes africanos serviam quase só carne de bode sem tempero. O transporte era uma desgraça, com linhas de trem sempre sujeitas a interromper os serviços de repente, sem nenhum tipo de explicação, aviões decrépitos, pilotos recém-saídos da Escola de Vôo de Bananarama, motoristas camicases e ônibus socados de passageiros ruidosos e de galinhas esvoaçantes.

Sei que pareço pernóstica. Tinha estado no continente uma vez e ficado encantada. A África parecia de fato *um outro lugar*. Entretanto, nesse ínterim, a vida selvagem havia mirrado e a humana se multiplicado; o aumento da miséria foi exponencial. Dessa vez, avaliando o território com olhos profissionais, descartei países inteiros como absolutamente inviáveis. Uganda ainda recolhia da boca dos crocodilos os cadáveres atirados por Amin e Obote; a Libéria era governada por um facínora imbecil, Samuel Doe; mesmo naquela época, hútus e tútsis estavam se estraçalhando no Burundi. O Zaire estava sob o controle de Mobutu Sese Seko, ao passo que Mengisto continuava a pilhar a Etiópia e Renamo fazia o que queria em Moçambique. Se incluísse a África do Sul no livro, estava arriscada a me ver boicotada em todo o território norte-americano. Quanto ao pouco que restou, você pode até me acusar de não ser *maternal*, mas me sentia relutante em assumir a responsabilidade pelos jovens e imaturos ocidentais que partiriam para aquelas regiões perigosas armados apenas com um característico volume de capa azul do *A Wing & a Prayer*. Sem sombra de dúvida, acabaria lendo sobre roubos em Tsavo, com um saldo de três mortos jogados numa vala, em troca de dois mil xelins, uma câmera e um guia, e acharia que fora tudo culpa minha. Como Kevin iria ilustrar mais tarde, eu atraio risco, real ou imaginado.

Por isso, comecei a achar que a cabeça do pessoal de marketing estava no lugar errado. Eles tinham pesquisado a demanda, mas não a oferta. Eu não acreditava que mesmo nosso intrépido exército de estudantes universitários e meus incansáveis funcionários conseguiriam montar um volume capaz de proteger os usuários de erros e percalços dos mais grosseiros, pelos quais pagariam tão caro que até mesmo um continente repleto de pechinchas lhes pareceria abusivamente caro. Uma vez na vida, senti-me maternal — em relação a leitores como Siobhan, e o último lugar em que eu gostaria de ver terminar aquela palidíssima garota que enxergava algo de bom em tudo era num cortiço abafado e implacável de Nairobi. O guia para a África da *A Wing & a Prayer* já nascera morto.

Mas minha decepção maior era comigo mesma. Ainda que abandonar a idéia deste guia me liberasse de ter de rodar o continente tomando notas, eu acabara dependente da pesquisa para poder ver um propósito na viagem. Desobrigada de seguir um itinerário ditado por capítulos convenientemente etiquetados, senti-me sem destino. A África é um péssimo lugar para ficar o tempo inteiro se perguntando o que fazer, embora haja algo em suas cidades descuidadas, fétidas e desesperadas que força essa pergunta.

Eu não conseguia tirar você e Kevin da cabeça. A falta tremenda que você me fazia era um lembrete doído de que essa saudade me acompanhava desde o dia em que Kevin nascera. Longe de casa, eu não me senti emancipada, e sim omissa, encabulada porque, a menos que tivesse finalmente resolvido o problema da babá, você seria obrigado a carregá-lo consigo na picape, para procurar locações. Para onde eu ia, sentia-me pesada, como se estivesse me arrastando pelas ruas esburacadas de Lagos com caneleiras de cinco quilos nas pernas: eu havia iniciado algo em Nova York que ainda não terminara, de modo nenhum, e que vinha evitando, e, o que é pior, o que eu começara estava indo de mal a pior. Até aí, eu era capaz de enfrentar. Para isso, meu isolamento serviu. Afinal de contas, se há uma coisa da qual ninguém consegue escapar, na África, é das crianças.

Durante as etapas finais da viagem, que nem chegou a completar os três meses planejados, como você há de estar lembrado, tomei algumas decisões. Eu saíra de casa não tanto pelo espírito de aventura, e sim para marcar território, para provar que minha vida *não* tinha mudado, que eu continuava jovem, curiosa, e livre — mas acabei demonstrando, para além de toda e qualquer dúvida, que minha vida de fato mudara, que, aos quarenta e um anos, não era mais nem remotamente jovem, que tinha saciado por completo uma certa curiosidade fácil a respeito de outros países e que existia um tipo de liberdade da qual eu não poderia mais me valer sem, com isso, afundar a única minúscula ilha de permanência, significado firme e desejo duradouro que eu conseguira anexar neste vasto e arbitrário mar de indiferença internacional.

Acampada no linóleo áspero do aeroporto de Harare porque não havia mais cadeiras e o vôo estava com oito horas de atraso — depois que a mulher de algum ministro do governo desejosa de fazer compras em Paris se apropriou do 737 inteirinho só para ela —, eu parecia ter perdido, de forma inexplicável, aquela minha serena certeza de que os inconvenientes (quando não a própria desgraça) constituíam o trampolim para quase todas as aventuras dignas desse nome no exterior. A velha máxima plantada em todas as introduções dos livros da AWAP, que dizia que a pior coisa que pode acontecer numa viagem é dar tudo certo, não me convencia mais. Ao contrário, como qualquer outro turista ocidental do tipo padrão, eu não via a hora de entrar num lugar com ar-condicionado e não me conformava com o único refrigerante à venda ser Fanta laranja, do qual eu não gostava. Com as geladeiras quebradas, as Fantas estavam fervendo.

Aquele longo e suado atraso me permitiu entender que, até então, eu não fizera mais que pôr os dedos do pé na água, em termos de compromisso com a maternidade. De modo que resolvi, por mais estranho que possa parecer, que seria preciso repensar minha árdua decisão de 1982 e mergulhar de cabeça. Eu tinha de engravidar de Kevin outra vez. Assim como seu nascimento, criar nosso filho poderia ser uma experiência inspiradora, mas só se eu parasse de lutar contra ela. Como repeti durante tantos anos para Kevin (sem qualquer resultado), raramente, por si só, o alvo de nossas atenções é insípido ou arrebatador. Nada é interessante se você não estiver interessado. Em vão, eu vinha esperando de braços cruzados que Kevin me provasse, me demonstrasse ser digno do meu ardor. Era coisa demais para pedir a um menino tão pequeno, que só conseguiria ser adorável a meus olhos se eu o deixasse ser. Estava na hora de eu ceder um pouco também.

No vôo de volta para casa, eu estava repleta de resoluções, otimismo e boa vontade. Pensando nisso agora, sou obrigada a admitir que eu era bem mais emotiva em relação a Kevin quando ele não estava por perto.

*Feliz Natal,*

*Eva*

# *27 de dezembro de 2000*

*Querido Franklin,*

Depois de ter tido o cuidado de perguntar de antemão se eu estaria em condições de encarar o evento, minha mãe hoje deu uma festinha só para mulheres, mas acho que se arrependeu da data escolhida — o momento não foi propício. O problema é que ontem, em Wakefield, Massachusetts, um sujeito enorme e infeliz — um engenheiro de programação chamado Michael McDermott, que, como o país inteiro agora sabe, é fã de ficção científica, da mesma forma, aliás, que a maioria dos cidadãos também sabe da predileção de nosso filho por roupas de tamanho menor —, esse sujeito entrou na Edgewater Technology com uma espingarda, uma automática e uma pistola, e matou sete colegas de trabalho. Imagino — e veja como estou versada nos detalhes da vida financeira do sujeito, sei até que o carro dele, que já usava há seis anos, estava para ser retomado — que McDermott estivesse irritado com os patrões, que embargaram seu salário para o pagamento de impostos atrasados.

Não pude deixar de pensar nos seus pais, já que eles não moram muito longe de Wakefield. Seu pai faz tanta questão de que tudo quanto eles têm em casa, além de ser da melhor qualidade, também tenha um bom senso de proporção, que essa exigência com certeza também se aplica a relações comportamentais, como a que existe entre o agravo e a reparação. Eles devem achar que o mundo do fisicamente monstruoso, que não respeita os *materiais*, está começando a sufocá-los.

Voltando à festinha — como elas já desistiram há um bom tempo da penosa charada de retribuir o convite de Sonya Khatchadourian para não ter de ouvir as mesmas desculpas enroladas que ela me dava para não comparecer à noite de estréia de uma peça na escola, e como também já tiveram ocasião de experimentar em diversas oportunidades o *lahmajoon* e os *ziloogs* com gergelim de minha mãe, aquelas velhotas não estavam dispostas a se demorar nos acepipes. O que elas queriam, em que pese um certo acanhamento, tendo em vista a convidada de honra, o que estavam morrendo de vontade de fazer era falar sobre Michael McDermott. Uma viúva comentou, pesarosa, que entendia por que um homem ainda moço podia se sentir rejeitado com um apelido como "Mucko". Minha enfezada tia Aleen resmungou que sua antiga briga com a Receita Federal — com o correr dos anos, uma diferença de dezessete dólares no acerto de contas da declaração de 1991 que, acrescida de juros e mora, havia ultrapassado os mil e trezentos dólares — qualquer dia desses poderia levá-la a pegar numa espingarda também. Mas todas elas estavam sutilmente dispostas a ceder terreno para mim — a especialista de plantão com compreensão privilegiada das mentes instáveis.

Por fim, vi-me forçada a enfatizar com firmeza que nunca tínhamos nos visto, o gordo solitário e eu. Pelo visto, foi também uma oportunidade para elas registrarem que, já há algum tempo, ninguém no país pode ser considerado um especialista no velho e bom homicídio, assim como tampouco existem advogados que estudem o velho e bom Direito. O que existe agora é o Massacre no Local de Trabalho e a Matança na Escola, ramos de especialização totalmente diversos; aliás, pressenti um certo constrangimento coletivo na sala, como se elas tivessem tocado a campainha do Departamento de Vendas quando deveriam ter solicitado o Serviço de Relacionamento com o Cliente. Como ainda é perigoso demais trazer o tema "Flórida" à baila sem ter certeza de que todos estão do mesmo lado, alguém prudentemente transferiu o assunto de volta para o *lahmajoon*.

Seja como for, quem foi que disse que o crime não compensa? Duvido que a Receita Federal consiga obter um tostão que seja do dinheiro de Mucko agora, ao passo que, em termos de custos processuais, o nosso sonegador de quarenta e dois anos de idade com certeza vai sair por uma quantia bem mais salgada para Tio Sam do que a Receita teria conseguido espremer do contracheque dele.

Essa é a maneira como eu penso agora, claro, já que, para mim, o preço da justiça não é mais uma questão abstrata, e sim um cômputo inflexível de dólares e *cents*. E não é infreqüente que as imagens daquele julgamento me voltem — do julgamento na vara cível. Do julgamento na justiça criminal não lembro quase nada.

"Senhora Khatchadourian", ouço Harvey dizer, com aquele vozeirão dele, durante a repergunta. "A acusação ressaltou bastante o fato de a senhora dirigir uma empresa em Manhattan e deixar seu filho aos cuidados de estranhos, e também que estava na África quando ele completou quatro anos de idade."

"Na época, eu não tinha conhecimento de que ter uma vida era ilegal."

"Mas, na volta, a senhora contratou uma outra pessoa para cuidar dos assuntos do dia-a-dia da sua empresa para poder ser uma mãe melhor para seu filho, certo?"

"Correto."

"A partir daí, a senhora assumiu o papel principal, não é mesmo? Na verdade, exceto em ocasiões especiais, a senhora parou de contratar ajuda externa, não é verdade?"

"Para ser franca, nós desistimos de contratar babás porque não conseguíamos achar ninguém capaz de agüentar o Kevin por mais que algumas poucas semanas."

Harvey fez cara feia. Sua cliente era autodestrutiva. Eu imaginava que essa qualidade me tornava especial, mas a expressão fatigada no rosto de meu advogado sugeria que eu era do tipo padrão.

"Mas a senhora percebeu que ele precisava de continuidade e foi por isso que deu por encerrada essa roda-viva de jovens mocinhas. A senhora parou de trabalhar fora."

"Parei."

"Senhora Khatchadourian, a senhora gostava do seu trabalho, não gostava? Ele lhe dava muita satisfação pessoal, certo? De modo que essa decisão foi um sacrifício considerável feito em nome de seu filho, correto?"

"O sacrifício foi enorme", falei. "E também inútil."

"Não tenho mais perguntas, meritíssimo." Havíamos ensaiado *enorme* e ponto final. Ele me fuzilou com os olhos.

Será que em 1987 eu já estava planejando a minha defesa? Embora minha licença por tempo indeterminado tenha sido em grande e ultracompensatória escala, foi também cosmética. Eu achava que *causaria boa impressão*. Jamais teria me imaginado como alguém capaz de perder tempo com o que os outros pensam, mas quem entesoura segredos culpados acaba inevitavelmente fascinado pelas aparências.

Vai daí que, quando vocês dois foram me buscar no aeroporto Kennedy, curvei-me para abraçar Kevin primeiro. Ele continuava naquela fase desconcertante de boneco de pano, "frouxo". Nosso filho não me abraçou de volta. Mas a força e a duração do meu abraço alardearam a conversão sofrida em Harare. "Senti tanta saudade de você!" falei. "A mamãe tem duas surpresas, meu bem! A primeira é que lhe trouxe um presente. Mas a mamãe também promete que nunca mais na vida vai ficar longe de você por tanto tempo!"

Kevin apenas afrouxou um pouco mais. Ergui-me e ajeitei sua cabeleira rebelde, constrangida. Eu estava desempenhando o meu papel, mas quem visse poderia muito bem concluir, pela lassidão anormal de meu filho, que eu o mantinha algemado ao tanque de água quente no porão.

Dei um beijo em você. Na minha cabeça, todo filho gostava de ver os pais trocando carinho, mas Kevin sapateou, impaciente, mugiu e puxou você pela mão. Talvez eu estivesse enganada. Nunca vi minha mãe beijar meu pai. Bem que eu gostaria de ter visto.

Você interrompeu o beijo e resmungou: "Pode levar um tempo, Eva. Para crianças da idade dele, três meses é uma vida. Eles ficam bravos. Acham que você não vai voltar nunca mais."

Eu já ia retrucar, de brincadeira, que Kevin parecia mais aborrecido de me ver de *volta*, mas me calei a tempo; um dos primeiros sacrifícios a fazer, em nome da vida em família, é a irreverência. "O que é que ele quer?", perguntei, enquanto Kevin continuava puxando sua mão e mugindo.

"Salgadinhos de queijo", você respondeu, animadíssimo. "É a grande onda, no momento. Certo, campeão! Vamos achar um saco de petroquímicos fosforescentes para comprar, garoto!" E você partiu, com o menino a reboque, deixando para mim a tarefa de arrastar as malas pelo terminal.

Na picape, tive de remover diversos salgadinhos viscosos do banco de passageiros, em várias fases de derretimento. O entusiasmo alimentar de Kevin não chegava à deglutição; ele chupava os salgadinhos, sugando a camada de néon e cobrindo-os com saliva suficiente para dissolvê-los.

"A maioria das crianças prefere açúcar, certo?", você explicou, deliciado. "O nosso filho gosta de sal." Tudo indicava que um fetiche por cloreto de sódio era infinitamente superior a uma predileção por doces.

"Os japoneses acham que eles são opostos", falei, jogando minha coleção de salgadinhos melados pela janela. Embora houvesse um banco traseiro na picape, a cadeirinha de Kevin estava ajustada entre nós dois, e lamentei não poder, como costumava, pôr minha mão na sua coxa.

"A *mãemãe* peidou", disse Kevin, fazendo a junção entre mamãe e mãe. (Foi bonitinho. Deve ter sido.) Tá fedido!

"Esse não é o tipo de coisa que você precisa anunciar, Kevin", falei, com severidade. "Comi aquele prato que leva feijão e banana no Norfolk, antes de pegar o avião."

"Que tal o Junior's?", você sugeriu. "Fica no caminho e eles aceitam criança."

Não foi uma atitude típica sua, ter deixado de levar em consideração o fato de que eu saíra de Nairobi quinze horas antes, que talvez eu pudesse estar um pouco cansada, estufada, superalimentada com os bolinhos e sanduichinhos servidos pela companhia aérea, e muito pouco a fim de ir para uma lanchonete barulhenta, cafona, esfuziantemente iluminada, cuja única característica redentora era seu *cheesecake*. Cá com meus botões, havia torcido para que você tivesse arrumado uma babá e pudesse ter ido me esperar sozinho no aeroporto; de lá, teríamos nos dirigido a um local sossegado, onde, tomando um drinque, eu revelaria, retraída, minha maternal página virada. Eu queria me livrar de Kevin para melhor confidenciar a você o quanto de tempo a mais eu pretendia passar com ele.

"Ótimo", eu disse num fio de voz. "Kevin, ou você come esses trecos de queijo ou vou jogar fora. Não espalhe tanta migalha na caminhonete."

"Criança faz bagunça mesmo, Eva!", você falou, todo alegre. "Relaxa!"

Kevin me lançou um sorriso ladino, cor de laranja, e depositou um salgadinho no meu colo.

No restaurante, Kevin zombou dos cadeirões para bebê. Como obviamente ser progenitor nos transforma da noite para o dia em moralistas insuportáveis, preguei: "TUDO bem, Kevin. Mas *lembre-se*: você *só* pode sentar como adulto se *agir* como um."

"NÃ-NÃ nã, nã-nã. Nã *nã-nã-nã*: Nã-nã *nã* nã-nã nã-nã nã-nã *nã*-nã-nã nã *nã-nã* nã-nã nã!" Kevin não teve a menor dificuldade em captar a cadência severa do meu discurso, nem sua inflexão moralista, e fazer disso uma grande zombaria, e com tal perfeição que talvez tivesse futuro como cantor de *covers* em boates.

"Pare com *isso*, Kevin." Tentei fazer uma voz casual.

"Nã-nã nã *nã-nã*, nã-nã!"

Virei-me para você. "Faz quanto tempo a *novidade*?"

"Nã nã-nã nã-nã nã *nã-nã-nã-nã*?"

"Um mês, talvez. É só uma fase. Passa."

"Nã nã, nã-nã. Nã nã nã-nã nã-nã. Nã-nã."

"Tomara", falei, cada vez menos disposta a deixar qualquer coisa me escapar da boca; não queria correr o risco de vê-la voltar aos meus ouvidos na língua do *nã-nã*.

Você queria pedir *onion rings* para ele e eu disse que nosso filho devia ter comido porcarias salgadas a tarde inteira. "Escute", você me respondeu. "Assim como você, eu fico agradecido quando ele come alguma coisa. Talvez seja falta de algum elemento-traço como iodo, por exemplo. Confie na natureza, é o que eu sempre digo."

"Tradução: você também gosta de comer besteiras, portanto os dois estão se unindo pela comida. Peça um hambúrguer para ele. O garoto está precisando de proteína."

Quando a garçonete releu o pedido para nós, Kevin acompanhou tudo com seus nã-nã-nãs: "NÃ-nã-nã nã-nã, nã-nã nã nã-nã nã nã-nã" pelo visto se traduz como "salada verde, molho da casa à parte."

"Que gracinha de menino", disse ela, olhando desesperada para o relógio da parede.

Quando o hambúrguer chegou, Kevin pegou o saleiro comprido, multifacetado, com buracos enormes na tampa, e cobriu a carne de sal até ficar parecida com o Monte Kilimanjaro depois de uma tempestade de neve. Contrariada, estendi a mão com uma faca para raspar o sal, mas fui impedida. "Por que não dá uma chance do baixinho aqui se divertir, ou fazer uma graça?", censurou você em voz baixa, segurando meu braço. "Essa coisa de sal também é só uma fase, que vai passar e, mais tarde, quando ele for mais velho e lhe contarmos isso, ele vai poder ver que tinha uma personalidade bem excêntrica, desde criança. É a vida. É uma vida boa."

"Duvido que o Kevin venha a ter qualquer dificuldade para descobrir seus traços excêntricos." Embora o sentido de missão materna de que eu me imbuíra durante as duas últimas semanas estivesse se esvaindo rápido, eu fizera uma promessa a mim mesma e a Kevin, e, de maneira implícita, também a você, quando cheguei aos Estados Unidos. Respirei fundo. "Franklin, eu tomei uma decisão importante na viagem."

Com aquele clássico *timing* de quando se come fora, nossa garçonete chegou com a minha salada e o seu *cheesecake*. Os pés dela rilharam no linóleo. Kevin havia esvaziado o saleiro no chão.

"Ela está com cocô na cara." Kevin apontava para a marca de nascença na face esquerda da moça, um sinal de quase oito centímetros, mais ou menos no formato de Angola. Ela empastelara corretor bege sobre a grande mancha marrom, mas a maquiagem derretera um pouco. E, como acontece com a maioria dos disfarces, a camuflagem foi ainda pior que a falha honesta, uma lição que, de minha parte, ainda seria preciso registrar. Antes que eu pudesse impedi-lo, Kevin perguntou diretamente para ela: "Por que você não limpa o seu rosto? Tem cocô."

Pedi mil desculpas à moça, que não devia ter muito mais que dezoito anos e que, sem dúvida, sofrera a vida toda por causa daquele defeito. Ela conseguiu produzir um sorriso sombrio e prometeu ir buscar os temperos para mim.

Virei-me imediatamente para nosso filho. "Você sabia que aquela mancha não era 'cocô', não sabia?"

"Nã NÃ-NÃ nã-nã-nã nã-nã nã-nã-nã *nã-nã*, nã-nã-nã?" Todo retraído no banco, Kevin estava de pálpebras semicerradas e o olhar brilhante. Havia posto os dedos sobre a mesa e o nariz de encontro à borda, mas eu sabia, por aqueles olhos franzidos e reluzentes, que, abaixo da mesa, espreitava um sorriso: largo, retesado e curiosamente forçado.

"Kevin, você sabe que você magoou a moça, não sabe?", disse eu. "Você iria gostar, se eu dissesse que o seu rosto está com 'cocô'?"

"Eva, as crianças não entendem que os adultos podem se melindrar com coisas como a aparência."

"Você tem certeza de que elas não entendem mesmo? Leu isso em algum lugar?"

"Daria para você não arruinar nossa primeira tarde juntos?", você me implorou. "Por que sempre tem que pensar o pior dele?"

"De onde foi que saiu isso?", perguntei, perplexa. "Me parece que é muito mais uma questão de *você* sempre pensar o pior de *mim*."

Mistificação inocente continuaria sendo minha tática pelos três anos seguintes. Nesse meio tempo, a atmosfera azedara e já não condizia com o meu planejado pronunciamento, de modo que despachei o assunto sem maiores cerimônias e o mais rápido que pude. Receio que minhas intenções tenham soado como um desafio: olha aqui, pode ir tirando o cavalinho da chuva, se você acha que eu sou tão ruim assim como mãe.

"Uau", disse você. "Tem certeza? Esse é um passo e tanto."

"Lembrei do que você me disse sobre o Kevin e o começo da fala, que talvez ele tenha demorado tanto tempo para dizer alguma coisa porque queria fazer tudo certinho. Bem, eu também sou uma perfeccionista. E não estou acertando nem com a AWAP nem com a maternidade. No trabalho, vivo tirando folga sem aviso prévio e as publicações saem com atraso. Enquanto isso, o Kevin acorda e não faz idéia de quem vai cuidar dele naquele dia, se é a mãe ou alguma mocinha inútil que dará no pé em poucos dias. Estou pensando em levar dessa forma até ele terminar o primário. E, olha, pode até ser muito bom para a firma. Um acréscimo de perspectiva, idéias novas. Os guias talvez estejam dominados demais pelas minhas opiniões."

"*Você*", aturdimento e horror, "dominante?"

*NÃ-NÃÃÃÃÃÃ?* Nã-nã-*nãããã*-nã?"

"Kevin, pare com isso! Já chega. Deixa a mamãe e o papai conversarem..."

"NÃ-nã, NÃÃÃ-nã nã...! Nã-nã nã-NÃÃÃ...!"

"Estou falando sério, Kevin, pare com isso ou nós vamos embora."

"Nã-nã nã-NÃÃÃ-nã nã-nã, nã-nã, nã-nã *nã-nã* nã nã nã-nã *NÃA-nã-nã*!"

Nem sei por que fiz essa ameaça, já que não havia o menor indício de que Kevin queria ficar. Esse foi meu primeiro contato com o que acabou sendo um enigma crônico: como punir um menino com uma indiferença quase zen a qualquer coisa que se pudesse pensar em lhe negar.

"Eva, você só está piorando as coisas..."

"E o que você sugere para ele ficar quieto?"

"Nã nã NÃ-NÃÃÃÃ nã-nã-nã nã nã nã-nã nãaaaa-nãaaa?"

Dei um tapa em Kevin. Não com muita força. Ele me pareceu feliz.

"Onde foi que aprendeu esse truque?", me perguntou você, com voz enfezada. E era um truque: essa foi a primeira frase durante aquela nossa conversa que não foi traduzida para o *nã-nã*.

"Franklin, ele estava começando a dar escândalo. As pessoas já estavam se virando."

E foi só então que Kevin começou a chorar. As lágrimas vieram um pouco tarde, na minha opinião. Não me comovi. Deixei que chorasse.

"Está todo mundo olhando porque você bateu nele", você disse baixinho, erguendo nosso filho para aninhá-lo em seu colo, enquanto o choro virava berreiro. "Não se usa mais isso, Eva. Não aqui. Acho que aprovaram uma lei a respeito, ou coisa parecida. Ou deveriam ter aprovado. É considerado como agressão física."

"Eu bato no meu filho e vou presa?"

"Há um consenso... que a violência não é a melhor forma de transmitir um ensinamento. E não resta dúvida que não é mesmo. Não quero que você torne a fazer isso, Eva. *Nunca mais*."

Ou seja: eu bato em Kevin. Você me bate. Entendi.

"Será que dá para irmos embora daqui?", sugeri com frieza. Kevin estava passando para a fase dos soluços claudicantes, mas poderia facilmente fazer aquele decrescendo render uns bons dez minutos mais. Meu Deus, tinha sido praticamente um tapinha de amor. Que grande ator, ele.

Você fez sinal, pedindo a conta. "Esta não é bem a situação em que eu gostaria de ter feito o *meu* pronunciamento", disse você, limpando o nariz de Kevin com um guardanapo. Eu comprei uma casa para nós."

Titubeei, antes de demonstrar meu espanto. "Você *comprou* uma casa para nós. Não encontrou uma casa para eu dar uma olhada. É negócio fechado."

"Se eu não fechasse, alguém mais acabaria passando na frente. Além do mais, você não estava interessada. Pensei que fosse ficar feliz, contente por estar tudo resolvido."

"Bem. Há um limite para o nível de satisfação por uma coisa que nunca foi minha idéia, para início de conversa."

"Então é isso, certo? Você não consegue apoiar nada que não seja projeto seu. Se não pode bolar você mesma um *Guia A Wing & a Prayer do Subúrbio* então não serve. Boa sorte com aquela história de delegar poderes na empresa. Não vai ser nada fácil."

Você deixou uma gorjeta generosa. Os três dólares a mais, presumi eu, eram para encobrir as piadinhas sobre o *rosto com cocô*. Seus movimentos eram mecânicos. Deu para perceber que estava magoado. Você tinha procurado muito por essa casa, estava ansioso para me dar a grande notícia e devia ter se animado com a propriedade, caso contrário, não a teria comprado.

"Sinto muito", cochichei ao sairmos, enquanto outros fregueses olhavam disfarçadamente para nós. "É o cansaço. E *estou* feliz. Não vejo a hora de ir ver a casa."

"Nã *nã*-nã-nã. Nã-nã nã-nã. Nã nã-nã..."

Pensei cá comigo: *Todo mundo nesse restaurante está aliviado de nos ver pelas costas.* Pensei: *Tornei-me uma daquelas pessoas de quem eu sentia pena*. Pensei: *E continuo sentindo.*

Mais que nunca.

*Eva*

## *1º de janeiro de 2001*

*Querido Franklin,*

Chame de resolução de Ano Novo, já que faz anos que tenho uma vontade enorme de lhe contar isso: eu odiei aquela casa. Desde o primeiro dia. Nunca aprendi a gostar dela. Todas as manhãs, eu acordava, olhava aquelas superfícies desatravancadas, aquele *design* elegante, aqueles refinados contornos horizontais e odiava tudo o que via.

Admito que a região de Nyack, toda arborizada, pegada ao Hudson, foi uma boa escolha. Muito gentilmente você optou pela Comarca de Rockland, em Nova York, e não por algo em Nova Jersey, um estado onde com certeza existem muitos lugares encantadores para se morar, mas cujas *ressonâncias* liquidariam comigo. Nyack, em si, é uma área racialmente integrada que, na superfície, pende para o despojado, com o leve desmazelo de Chatham — se bem que, ao contrário de Chatham, aquele aspecto modesto e surrado seja ilusório, já que quase todos os que se mudaram para lá, nas últimas décadas, eram podres de rico. Com sua rua principal eternamente coalhada de Audis e BMWs, *wine bars* sempre socados de gente, *fajitas* oferecidas a preços extorsivos e melancólicos sobradinhos de madeira à venda por até setecentos mil dólares, a única pretensão de Nyack é ser despretensiosa. O oposto de Gladstone, infelizmente, uma cidade-dormitório relativamente nova, um pouco mais ao norte, cujo minúsculo centro — com falsos lampiões de gás, cerquinhas brancas de madeira e estabelecimentos comerciais chamados "Ye Olde Sandwich Shoppe" — é epítome daquilo que os ingleses chamam de *twee*, chique e mimoso.

Na verdade, fiquei acabrunhada quando você, orgulhoso, embicou pela primeira vez a picape na entrada comprida e pomposa da Palisades Parade. Você não havia me contado nada sobre a propriedade para melhor me "surpreender". Bem. Eu fiquei surpresa. Vi uma imensidão térrea de vidro, tijolos cor de areia, telhado plano, e, de relance, aquilo me pareceu o quartel-general de alguma entidade humanitária com dinheiro sobrando, daquelas voltadas para a solução de conflitos internacionais, onde seriam conferidos "prêmios da paz" a gente como Mary Robinson e Nelson Mandela.

Será que nunca falamos sobre o que eu tinha em mente? Você devia fazer ao menos uma idéia. Minha casa ideal era antiga, vitoriana. Se tivesse de ser grande, seria alta, com três andares e um sótão, cheia de recantos e recessos com propósitos originais obsoletos há muito tempo — acomodação para os escravos e sala de arreios, despensas subterrâneas para a guarda de tubérculos, defumadouros, elevador para levar comida aos andares superiores e mirantes. Uma casa que estivesse caindo aos pedaços, que gotejasse história no mesmo ritmo em que perdia as telhas, que clamasse por difíceis consertos de sábado em balaustradas capengas, enquanto o cheiro gostoso de tortas esfriando subiria escada acima. Eu mobiliaria tudo com sofás de segunda mão estofados com tecidos de estampas floridas já meio desbotados e gastos, cortinas compradas em liquidações de garagem amarradas com borlas, aparadores de mogno com espelhos manchados. Ao lado do balanço no alpendre, gerânios esforçados brotariam de um velho latão de leite. Ninguém iria pôr nossos edredons esfrangalhados numa moldura, nem leiloá-los como peças raras do começo do *design* norte-americano, valendo milhares de dólares; nós os jogaríamos sobre as camas e usaríamos todos eles até virarem trapos. Como a lã que junta felpas, a casa daria a impressão de acumular bugigangas por livre e espontânea vontade: uma bicicleta com o freio quebrado e um pneu furado; cadeiras de espaldar reto com varetas precisando de cola; um velho armário de canto de boa madeira, só que pintado num tom horrível de azul, que eu vivo dizendo que vou descascar e pintar de novo, mas em que nunca nem ao menos encosto.

Não vou continuar porque você sabe *exatamente* do que estou falando. Sei que estas casas são difíceis de aquecer, sei que têm correntes de vento. Sei que a fossa iria vazar, que as contas de eletricidade seriam astronômicas. Sei que você ficaria aflito com o antigo poço no quintal; sei que, a seu ver, seria um chamariz perigoso para os moleques da vizinhança, porque consigo ver essa nossa casa de maneira tão vívida que dá até para caminhar de olhos fechados pelo quintal cheio de mato e cair dentro do poço.

Saindo do caminhão de mudança direto no semicírculo para manobras que havia na frente da nossa nova residência, pensei cá comigo, *residência*, eis aí a palavra exata. Minha casa ideal era aconchegante, fechada para o mundo; dando para o Hudson (reconheço que a vista era magnífica), aquelas amplas vidraças anunciavam uma casa sempre aberta. Um piso de lajotas ladeado por pedregulhos rosados contornavam-na como se fossem um único e enorme capacho de entrada. Enfileirados na fachada e ao longo da entrada principal, arbustos. Nenhuma nogueira, nenhuma profusão silvestre de virgáureas e musgos, e sim *arbustos*. Em volta deles? Um gramado. Nem mesmo do tipo macio e fresquinho, com aquelas lâminas compridas, brilhantes, convidando para uma espreguiçada com limonada e abelhas, e sim aquela grama dura que pinica, parecida com uma esponja abrasiva de lavar louça.

Você abriu a porta de entrada com um floreio. O saguão escorria para uma sala de estar do tamanho de uma quadra de basquete e, depois, galgando-se dois degraus baixos, havia a "sala" de jantar, parcialmente separada da cozinha por uma divisória por onde passava a comida — algum prato com *tomates secos*, sem dúvida. Eu ainda não vira uma única porta. Entrei em pânico, pensando: *Não há onde se esconder.*

"Diga se é ou não é comovente", você falou.

Eu disse, honestamente: "Estou sem fala."

Seria de imaginar que uma criança pequena, à solta numa vasta expansão de assoalho lustroso, sem mobília, reluzindo sob um sol pálido, sairia adoidada, escorregando de meias pelos corredores, rindo muito, sem dar a menor bola para aquele deserto antisséptico — *deserto*, Franklin — onde fora despejada. Em vez disso, Kevin amoleceu num peso morto em sua mão e teve de ser incentivado a "ir explorar". Ele se arrastou até o meio da sala e sentou. Eu já tinha vivido algumas outras experiências de distanciamento de nosso filho, mas naquele exato momento — diante daqueles olhos baços, mortiços, como se cobertos por uma camada de cera, mãos largadas nas tábuas do assoalho feito peixes no píer — eu não poderia ter me sentido mais próxima.

"Você precisa ver a suíte-máster", disse você, agarrando minha mão. "As clarabóias são espetaculares."

"Clarabóias!", repeti, animada.

Todos os ângulos de nosso vasto quarto eram tortos e o teto era oblíquo. O efeito era gritante e a óbvia desconfiança nas paralelas e perpendiculares assim como o desconforto da construção como um todo com o conceito de aposentos transmitiam insegurança.

"Coisa de louco, não é mesmo?"

"Coisa de louco!" Em algum momento indeterminado dos anos noventa do século passado, vastidões revestidas de teca cairiam de moda. Não estávamos nessa época, ainda, mas tive uma premonição da conjuntura crítica.

Você fez uma demonstração do cesto de roupa suja que dobrava espertamente transformando-se em um banco, com uma almofada no tampo de teca, estampada com uma carinha sorridente em tons de amarelo. Você correu as portas do armário nos rolamentos macios. As partes móveis da casa eram todas silenciosas, de superfícies acetinadas. As portas dos armários não tinham puxadores. Não havia ferragens nas madeiras. As gavetas possuíam chanfrados suaves. Os armários da cozinha abriam e fechavam com um clique. Franklin, a casa inteira estava tomando antidepressivos.

Você me levou pelas portas deslizantes de vidro até o deque. Pensei, eu tenho um *deque*. Jamais gritarei: "Estou na varanda!", e sim: "Estou no *deque*." Disse a mim mesma que era apenas uma palavra. De todo modo, a plataforma pedia churrascos ao lado de vizinhos de quem eu nem gostava muito. Os filés de peixe-espada, crus instantes atrás, teriam passado do ponto em segundos, e eu me importaria.

Querido, sei que pareço ingrata. Você deu duro e encarou a responsabilidade de encontrar um lar para nós com a mesma seriedade que empregava na busca de uma locação para a Gillette. Agora já estou mais familiarizada com a escassez imobiliária na região, de modo que deduzo que todos os outros imóveis que você viu não prestavam. O que não se poderia dizer daquele. Os construtores não haviam poupado despesas. (Ai daqueles que não *poupam despesas*, já que são esses os que comparam o conforto das viagens recomendadas pela AWAP a países "estrangeiros" com experiências de quase morte.) As madeiras eram preciosas — ainda que em mais de um sentido — e as torneiras, folheadas a ouro. Os antigos proprietários haviam projetado tudo nos mínimos detalhes. Você havia comprado para nós a Casa Ideal de uma outra família.

Eu já estava até vendo. Nosso diligente casal foi subindo na vida e passando de locatário de vários apartamentos capengas para proprietário de uma série de casas banais, até que, finalmente: uma herança, uma reviravolta no mercado, uma promoção. Por fim eles têm meios de construir do zero *a casa com que sempre sonharam*. O casal se debruça sobre plantas, ponderando sobre onde esconder cada armário, como prosseguir graciosamente da área de estar para o escritório ("Com uma PORTA!", tenho vontade de gritar, porém é tarde demais para meu enfadonho conselho.) Todos aqueles ângulos inovadores parecem tão dinâmicos no papel. Até os arbustos são adoráveis, quando têm seis milímetros de altura.

Mas eu possuo uma teoria a respeito de Casas Ideais. Não é por acaso que a palavra *folly* designa tanto um "erro insensato, uma loucura" como uma "construção dispendiosa e inútil". Porque nunca vi uma Casa Ideal que funcione. Algumas *quase* chegam a funcionar, a exemplo da nossa, embora certos desastres sejam igualmente comuns. Parte do problema é que, por mais dinheiro que você esbanje em vigas de carvalho, uma casa sem história é invariavelmente barata numa outra dimensão. Em certos casos, o problema parece enraizado na natureza do belo em si, uma qualidade surpreendentemente escorregadia, que muito dificilmente se pode comprar de cara; que foge diante do excesso de esforço; que premia a informalidade e, acima de tudo, que chega por capricho, por *acidente*. Nas minhas viagens, tornei-me devota da arte encontrada por acaso: um feixe de luz num galpão dilapidado de uma fábrica de canhões de 1914, um quadro para afixação de cartazes transformado numa divertida colagem de Coca-Cola, Chevrolet e Burma Shave, pensões baratas com pálidas almofadas que combinam à perfeição e de um jeito não planejado com esvoaçantes cortinas alvejadas de sol.

É de causar espanto, portanto, que, viga por viga, esse Xanadu em Gladstone tenha sido tão decepcionante. Os empreiteiros por acaso fizeram alguma economia, cortaram caminho? Algum arquiteto arrogante tomara liberdades com aquele projeto meticulosamente desenhado? Não, de jeito nenhum. Até nos armários aflitivamente lisos da cozinha, os planos foram seguidos à risca. Aquele mausoléu na Palisades Parade saiu exatamente como pretendiam seus criadores e foi por *isso* que ficou tão deprimente.

Para ser justa, entre a capacidade da maioria das pessoas de evocar o belo a partir do nada e a habilidade de reconhecê-lo, pura e simplesmente, existe uma distância da largura do Oceano Atlântico. De modo que, mesmo que pesem as evidências em contrário, os primeiros donos até podiam ter bom gosto; e, se tinham, foi pior ainda. Com certeza o fato de terem construído aquele horror não contraria minha teoria de que ambos sabiam que haviam construído um horror. E, o que é pior, estou convencida de que nem ele nem ela jamais admitiram um para o outro a grande mancada que essa insossa atrocidade acabou virando; é quase certo que continuaram levando com galhardia a fantasia de que aquela era a casa que queriam, ao mesmo tempo que planejaram, cada um por si e desde o dia em que entraram, uma forma de dar o fora o quanto antes.

Você mesmo disse que a casa tinha só três anos. *Três anos*? Deve ter levado esse tanto para construí-la! Quem é que tem essa trabalheira toda a troco de nada? É possível que o sr. Proprietário tenha sido transferido para Cincinnati e aceitou o trabalho. O que mais poderia tê-lo obrigado a sair por aquela sólida e pesada porta, a não ser repulsa por sua própria criação? Quem conseguiria viver dia após dia com a deficiência de sua própria imaginação solidificada em tijolos?

"Por que será", perguntei enquanto você me levava para conhecer o quintal escultural, "que quem construiu essa casa resolveu vender assim tão rápido? Depois de erguer uma casa tão claramente... ambiciosa?"

"Tive a impressão de que eles estavam tomando rumos diferentes."

"Estavam se divorciando."

"O que não torna o imóvel amaldiçoado nem nada parecido."

Olhei para você com uma certa curiosidade. "Não falei isso."

"Se as casas fossem assim tão contagiosas", você completou, "não haveria um único barracão seguro no país para um casamento harmonioso."

*Amaldiçoado?* Claro que você intuiu, ainda que fosse muito sensata aquela nossa volta aos subúrbios — parques enormes, ar puro, boas escolas —, que havíamos nos distanciado de forma alarmante. Entretanto o que me espanta agora não é a premonição que você teve, e sim sua capacidade de ignorá-la.

Quanto a mim, não tive presságio nenhum. Estava simplesmente atônita, sem compreender como, depois da Letônia e da Guiné Equatorial, eu aterrissara em Gladstone, Nova York. Como se me encontrasse parada na arrebentação em Far Rockaway, com uma onda de esgoto não tratado avançando em direção à praia, mal consegui manter o equilíbrio diante das baforadas de pura feiura física que nossa nova aquisição exalava. *Por que você não enxergou?*

Talvez porque sempre tenha tido uma forte tendência a *arredondar*. Nos restaurantes, se os quinze por cento da gorjeta dessem dezessete dólares, você deixava uma nota de vinte. Se por acaso tivéssemos passado uma noite enfadonha com conhecidos recentes, eu os eliminava de cara; você sempre queria dar uma segunda chance. Quando aquela moça italiana que eu mal conhecia, Marina, apareceu no *loft*, dormiu duas noites em nossa casa e seu relógio desapareceu, fiquei uma fera; você se convenceu de que o havia esquecido na academia. O almoço com Brian e Louise deveria ter sido divertido? Fora divertido. Você parecia ter capacidade para, num olhar de relance, desintegrar as asperezas. Enquanto me levava para fazer o grande giro pela nova propriedade, suas táticas agressivas de corretor brega contrastavam com a expressão eloqüente do seu olhar, um apelo para que eu entrasse no jogo. Você falou sem parar, como se tivesse tomado bolinha, e umas gotas de histeria fatalmente deixaram à mostra sua própria suspeita de que a casa 12 da Palisades Parade não era nenhum grande feito arquitetônico, e sim um fracasso exibicionista. Ainda assim, graças a uma complexa mistura de otimismo, desejo e bravata, você *arredondou tudo*. Embora um nome mais grosseiro para esse processo seja *mentir*, é possível dizer também que a ilusão é uma variante da generosidade. Afinal de contas, você aplicou seu *arredondamento* em Kevin desde o dia em que ele nasceu.

Já eu sou uma rigorista. Prefiro minhas fotos com foco. Sob pena de tautologia, gosto das pessoas na medida em que elas gostam de mim. Levo uma vida emocional de tamanha precisão aritmética, prolongada em dois ou três dígitos depois do decimal, que me sinto disposta até mesmo a conceder um certo grau de aprazibilidade a meu próprio filho. Em outras palavras, Franklin: eu deixo os dezessete dólares.

Espero tê-lo convencido de que achei a casa linda. Era a primeira decisão importante que você tomava sozinho em nosso nome e eu não queria estragar tudo só porque a perspectiva de ir morar lá me dava vontade de cortar os pulsos. No fundo, concluí que a explicação não estava tanto no seu senso estético, diferente do meu, ou na falta dele; era mais uma questão de você ser uma pessoa sugestionável. Eu não estivera do lado, cochichando no seu ouvido a respeito de elevadores de comida. Na minha ausência, você se convertera à estética dos seus pais.

Ou numa versão modernizada dela. Palisades Parade tentava de forma letal estar "na moda"; a casa que seus pais construíram em Gloucester, Massachusetts, no estilo "saleiro", com dois andares na frente e um atrás, seguiu a arquitetura típica da Nova Inglaterra. Entretanto, a execução que não poupa despesas, a fé inocente na "Boniteza" eram inconfundíveis.

Eu me divertia com o lema de seu pai, "Os materiais são tudo", e não era só por achá-lo um tanto ridículo. Até certo ponto, eu enxergava o valor das pessoas que fazem as coisas segundo os mais altos padrões: Herb e Gladys construíram a própria casa, defumaram o próprio salmão, fizeram a própria cerveja. Mas nunca conheci ninguém que vivesse de forma tão exclusiva em três dimensões quanto eles. As únicas vezes em que vi seu pai se emocionar foram com um aparador de bordo, de veios ondulados, e uma cerveja preta de colarinho cremoso; tenho a impressão de que era a perfeição física e estática que ele apreciava; sentar diante da lareira ou tomar a cerveja eram secundários. Sua mãe cozinhava com a precisão de um químico e nós passávamos bem quando íamos visitá-los. As tortas de framboesa cobertas de suspiro que ela fazia podiam muito bem ter saído direto de uma revista, se bem que, também aí, eu tinha a nítida impressão de que o alvo era a torta-enquanto-objeto, e comê-la, desfigurá-la, era uma espécie de vandalismo. (Que estranho sua mãe cadavericamente magra ser tão boa cozinheira e não sentir fome.) Se acaso essa linha de montagem soa mecânica, saiba que a sensação era bem essa — mecânica. Sempre me vi tomada por um certo alívio ao ir embora da casa de seus pais, e eles eram tão gentis comigo, ainda que materialmente gentis; eu me achava grosseira.

Seja como for, tudo na casa deles era polido até atingir um alto brilho inteiriço, e todo esse reflexo servia para ocultar o fato de não haver nada por baixo. Eles não liam; havia poucos livros na casa, algumas enciclopédias (as lombadas cor de vinho aqueciam a saleta), mas as únicas publicações bem manuseadas eram os manuais de instruções, os faça-você-mesmo, os livros de culinária e os volumes um e dois, desfigurados, de *Como as coisas funcionam*. Eles não tinham a mínima compreensão dos motivos que levavam alguém a ver um filme com final infeliz ou a comprar uma tela que não fosse bonita. Eles possuíam um aparelho de som com alto-falantes de mil dólares cada, mas na casa só havia um punhado de CDs de clássicos ligeiros e seleções com "o melhor de": *As melhores árias, Sucessos da música clássica*, essas coisas. Alguém até pode confundir isso com preguiça, mas acho que é pior: eles não sabem para que serve a música.

O mesmo se poderia dizer da própria vida, em se tratando da sua família: eles não sabem para que serve. Eles são ótimos com a mecânica da vida; sabem como encaixar as rodas dentadas, mas no fundo acham que estão fazendo a engenhoca pela engenhoca, como uma daquelas bugigangas que as pessoas põem na mesinha de centro, com bolas de metal prateado que oscilam sem propósito de um lado para o outro até a fricção fazer com que o movimento cesse. Seu pai ficou tremendamente insatisfeito quando a construção da casa terminou, não porque houvesse algo errado com ela, e sim porque não havia. A ducha de alta pressão e o boxe hermético de vidro tinham sido impecavelmente instalados, e da mesma forma como ele alimentava seu magistral aparelho de som com um CD qualquer das melhores não importa o quê, posso muito bem imaginá-lo saindo de casa para rolar na terra com o intuito de dar àquele chuveiro uma razão de ser diária. Por falar nisso, a casa deles é tão arrumada, tão lustrosa, tão impecável, tão equipada com badulaques que sovam, picam, descongelam e fatiam nossos *bagels* que ela não parece precisar dos ocupantes. Na verdade, os que vomitam, cagam e derrubam café na toalha são as únicas máculas de desordem numa biosfera de outro modo imaculada e auto-sustentável.

Conversamos sobre isso tudo durante nossas visitas, claro — exaustivamente, por sinal, já que empanturrados e a quarenta minutos do cinema mais próximo, recorríamos a uma dissecação de seus pais por brincadeira. A questão é, quando Kevin — a *quinta-feira* — bem, eles não estavam preparados. Não tinham comprado a máquina certa, como aquele descaroçador de framboesas alemão, que pudesse processar a ocasião e tirasse algum sentido dela. O que Kevin fez não foi racional. Seu ato não tornou um motor mais silencioso, uma polia mais eficiente; não fabricou cerveja nem defumou salmão. Não computou; foi *fisicamente imbecil.*

A ironia disso, ainda que seus pais sempre tivessem lamentado a ausência de diligência protestante no neto, é que os dois têm mais em comum com Kevin do que qualquer outra pessoa que eu conheça. Se eles não sabem para que serve a vida, o que fazer com ela, Kevin tampouco; é interessante ver que tanto seus pais como nosso primogênito abominam as *horas de lazer.* Seu filho sempre enfrentou essa antipatia de frente, o que envolve uma certa coragem, se a gente parar para pensar um pouco; ele nunca se deixou enganar e nunca achou que, simplesmente por preenchê-lo, estaria dando um uso produtivo a seu tempo. Ah, não — você há de se lembrar que ele ficava horas sentado, incomodado, enfezado, sem fazer nada, mas o tempo inteiro excomungava cada segundo de cada minuto do sábado à tarde.

Para seus pais, claro, a perspectiva de ficar sem ter o que fazer é assustadora. Eles não têm a personalidade certa, como Kevin, para encarar o vazio. Seu pai vivia mexendo nisso e naquilo, engraxando os mecanismos do cotidiano, embora aquela nova conveniência adicional, uma vez terminada, só fosse lhe proporcionar ainda mais odiosas *horas de lazer*. E, o que é pior, ao instalar um dispositivo para retirar sais da água, ou um sistema de irrigação automático, ele não fazia a menor idéia do que estava tentando melhorar. A água dura lhe oferecia a ditosa oportunidade de se entregar a uma limpeza regular e laboriosa para esfoliar os calcários da pedra da cozinha, e ele bem que gostava de regar o jardim ele mesmo. A diferença é que seu pai instalaria conscientemente o dispositivo para abrandar a água sem nenhum motivo específico, ao passo que Kevin, não. Falta de propósito nunca incomodou seu pai. A vida, para ele, é uma coleção de células e pulsos elétricos, ela *é* material, o que explica por que *os materiais são tudo*. E essa visão prosaica o satisfaz — ou pelo menos satisfazia. De modo que é aqui que está o contraste: Kevin também desconfia que os materiais são tudo. Só que ele não está nem aí para os materiais.

Nunca vou me esquecer da primeira visita que fiz a seus pais, depois da *quinta-feira*. Confesso que a adiei, e isso foi uma fraqueza minha. Tenho certeza de que teria sido imensamente difícil mesmo que você tivesse ido comigo, mas é claro que uma *separação irretratável* impediu isso. Sozinha, sem a cartilagem do filho deles, tive de enfrentar o duro fato de que não estávamos mais organicamente unidos e acho que ambos também se sentiram desmembrados. Quando sua mãe abriu a porta, o rosto dela ficou cor de cinza, mas, quando me disse para entrar, poderia muito bem estar recebendo educadamente o vendedor de aspiradores.

Chamar sua mãe de empertigada seria injusto, mas ela é muito boa de regras sociais. Gosta de saber o que precisa fazer agora e o que vem depois. É por isso que tem tamanho apreço por refeições elaboradas. Ela encontra repouso na seqüência de pratos, a sopa antes do peixe, e, ao contrário de mim, não se revolta com o fato estupidificante de que, para preparar e servir três refeições ao dia, e depois limpar tudo, a cozinheira pode ter de trabalhar durante o dia todo, da manhã até a noite. Ao contrário de mim, ela não luta contra as restrições da convenção; ela é uma pessoa sem imaginação, mas vagamente bem-intencionada, e se sente grata pelas regras. Infelizmente, parece que não há registro — ainda — de uma etiqueta para o chá da tarde com a ex-nora depois de o neto cometer assassinato em massa.

Ela me levou à sala de estar social, em vez de irmos para a saleta de hábito, o que foi um erro; a rigidez das poltronas de encosto alto serviu apenas para salientar, por contraste, que As Regras estavam em queda livre. As cores da belbutina, verde-mar e rosa-pálido, diferiam de tal forma do subtexto lívido e cintilante de minha visita que pareciam emboloradas, ou vagamente enjoativas; eram as cores do mofo. Sua mãe escapou para a cozinha. Eu estava prestes a gritar para ela não se incomodar, porque, na verdade, eu não conseguiria comer nada, quando me dei conta de que lhe negar esse atraso, pelo qual ela tanto agradecia, seria crueldade. Mais tarde, cheguei inclusive a me forçar a comer um de seus enroladinhos de Gruyère, embora tenha me dado um certo enjôo de estômago.

Gladys é uma mulher tão nervosa, tão ansiosa que sua fragilidade — e não estou dizendo que ela não fosse emotiva ou bondosa —, sua fragilidade física a manteve com o mesmo aspecto de sempre. Verdade que as linhas da testa haviam se encrespado numa expressão de eterna perplexidade; seus olhos dardejavam para todos os lados ainda mais freneticamente que de hábito e havia, sobretudo quando não se dava conta de que eu estava olhando, uma expressão confusa em seu rosto que me fazia pensar em como ela devia ter sido quando pequena. O efeito geral era o de uma mulher abalada, mas os elementos para formar esse efeito eram tão sutis que talvez uma câmera não conseguisse capturá-lo em filme.

Quando seu pai subiu do porão (escutei os passos na escada e lutei para afastar meus temores; embora estivesse com setenta e cinco anos, sempre fora um homem vigoroso, e aqueles passos estavam tão lentos, tão pesados), vi que a mudança não fora nem um pouco sutil. As roupas de trabalho de algodão caíam folgadas do corpo em grandes pregas bambas. Fazia apenas seis semanas e era chocante perceber o quanto de peso se pode perder num período tão curto. Toda a carne de seu rosto marcado se soltara; as pálpebras inferiores despencaram, deixando à mostra uma borda vermelha; as bochechas balançavam como as de um buldogue. Senti-me culpada, infectada pela certeza avassaladora de Mary Woolford de que alguém tinha de levar a culpa. Aliás, essa era a convicção do seu pai, também. Ele não é uma pessoa vingativa, mas um fabricante de ferramentas para maquinário eletrônico aposentado (é perfeito demais, o fato de ele ter produzido máquinas que faziam máquinas) que leva as questões de responsabilidade corporativa e boas práticas de negócios muito a sério. Kevin apresentara defeitos e eu era a fabricante.

Tilintando minha xícara de chá estriada de encontro ao pires dourado, senti-me desajeitada. Perguntei a seu pai como ia o jardim. Ele me pareceu meio confuso, como se tivesse esquecido que tinha um jardim. "Os vacínios", ele lembrou, tristonho, "estão começando a despontar." O verbo *despontar* permaneceu parado no ar. Os vacínios podiam despontar, mas seu pai estava absolutamente desapontado.

"E as ervilhas? O senhor sempre plantou umas ervilhas tortas tão boas."

Ele piscou. O relógio deu quatro horas. Seu pai nunca me explicou como estavam as ervilhas, e houve uma nudez horrível em nosso silêncio. Tínhamos acabado de revelar que, em todas as outras vezes em que eu perguntara das ervilhas, não havia o menor interesse de minha parte, e, em todas as outras vezes em que ele me respondera, não havia o menor interesse da parte dele.

Baixei os olhos. Pedi desculpas por não ter ido visitá-los antes. Eles não fizeram nenhum ruído para indicar que tudo bem, eles entendiam. Não fizeram ruído *nenhum*, como por exemplo *dizer* alguma coisa, de modo que continuei falando.

Disse que gostaria de ter ido a todos os enterros, se fosse bem-vinda. Seus pais não me pareceram espantados com a guinada; na verdade estávamos falando da *quinta-feira* desde o momento em que sua mãe abrira a porta. Falei que, como eu não queria causar perturbação nenhuma, eu havia ligado antes para os pais; dois deles simplesmente desligaram. Outros me imploraram para ficar longe; minha presença seria *indecente*, disse Mary Woolford.

Depois contei a eles sobre Thelma Corbitt — você deve se lembrar, o filho Denny era aquele ruivo comprido, magricela, poeta em formação —, e ela foi tão gentil que fiquei sem saber o que fazer. Sugeri para sua mãe que a tragédia parece despertar toda uma variedade de qualidades inesperadas no ser humano. Disse que era como se certas pessoas (estava pensando em Mary) fossem enfiadas num plástico e fechadas a vácuo, como refeições para viagem, e que, a partir daí, elas não conseguiam fazer mais nada, a não ser suar em seu inferno particular. E outras pareciam sofrer de um problema oposto, como se, com o desastre, tivessem mergulhado num ácido e perdido a camada mais superficial da pele que, antes, as protegia das ferroadas e golpes desfechados pela felicidade ultrajante dos outros. Para esse tipo, só o fato de descer uma rua na esteira dos maus ventos de qualquer estranho se tornava uma agonia, uma pancada doída pelo recente divórcio de fulano e pelo câncer terminal de beltrana. Elas também se achavam no inferno, mas era o inferno de todos, o enorme e infindo mar inquieto de dejetos tóxicos.

Duvido que tenha enfeitado tanto assim, mas sem dúvida falei que Thelma Corbitt era o tipo de mulher cujo sofrimento privado se tornara um conduíte para o de outras pessoas. Não regalei seus pais com o telefonema todo, claro, mas lembrei-me de tudo, palavra por palavra: Thelma admirando de imediato a "coragem" exigida para fazer aquele telefonema, imediatamente me convidando para o enterro de Denny, desde que não fosse muito doloroso, para mim, comparecer. Admiti que talvez isso ajudasse a expressar minha dor pelo falecimento de seu filho e, uma vez na vida, percebi que não estava apenas seguindo as convenções, dizendo aquilo que esperavam que eu dissesse. A propósito de coisa nenhuma, Thelma me explicou que Denny fora batizado com o nome de uma cadeia de restaurantes onde ela e o marido tinham começado a namorar. Quase a interrompi para que não continuasse, porque me parecia muito mais simples saber o menos possível sobre o filho dela, mas Thelma obviamente acreditava que nós duas nos sentiríamos melhor se eu soubesse exatamente quem meu filho havia matado. Ela me contou que Denny estava ensaiando uma peça de Woody Allen que a escola apresentaria na primavera, chamada *Don't Drink the Water*, e que ela o ajudava a decorar as falas. "Ele nos matava de rir", comentou a mãe. Falei que eu o vira em *Um bonde chamado desejo*, no ano anterior, e que (espichando um pouco a verdade) ele estava ótimo no papel. Ela me pareceu tão contente de ver que ao menos seu filho não era uma mera estatística para mim, um nome num jornal, ou uma tortura. Depois falou que às vezes achava que fora pior para mim que para todas as outras. Eu recuei. Disse que isso não podia ser justo; afinal de contas, eu ainda tinha meu filho, e o que ela disse em seguida me impressionou. "Tem? Tem mesmo?" Não respondi a isso, mas agradeci-lhe pela bondade e então nos enredamos num tumulto tal de gratidão mútua — uma gratidão quase impessoal pelo fato de que nem todas as pessoas nesse mundo eram simplesmente horríveis — que começamos ambas a chorar.

De modo que, como contei a seus pais, fui ao enterro de Denny. Sentei-me bem atrás. Vestida de preto, mesmo que, hoje em dia, isso esteja fora de moda. Depois, entrei na fila dos pêsames, estendi minha mão para Thelma e disse: "Sinto muito pela minha perda." Foi o que eu disse, um lapso, uma gafe, mas achei que iria ficar pior ainda se eu me corrigisse — "*sua* perda, melhor dizendo". Na opinião dos seus pais, eu estava tagarelando. Eles me olhavam fixo.

Por fim, refugiei-me na logística. O judiciário é em si mesmo uma máquina e eu poderia descrever seu funcionamento, assim como seu pai certa feita me explicou, com uma lucidez poética, o funcionamento de um catalisador. Expliquei que Kevin fora indiciado e detido sem fiança, e torci para que a terminologia tão divulgada pela televisão os confortasse; em vão. (Que fundamental, a interface de vidro rígido na tela. Os espectadores não querem ver aqueles programas invadindo sem mais nem menos suas casas, assim como também não querem que o esgoto alheio suba pelos canos de suas privadas.) Falei que havia contratado o melhor advogado que eu poderia ter encontrado — vale dizer, claro, o mais caro. Achei que seu pai fosse aprovar a medida; ele próprio sempre comprava o que havia de melhor. Eu estava errada.

Ele interveio, sombrio: "Para quê?"

Era a primeira vez que eu o ouvia fazer essa pergunta. Admirei o salto. Você e eu sempre os ridicularizamos pela aridez espiritual de ambos.

"Não tenho bem certeza, mas me pareceu que era o esperado... Para conseguir a menor pena possível para Kevin, imagino." Franzi o cenho.

"E é isso o que você quer?", perguntou sua mãe.

"Não... O que eu *quero* é voltar no tempo. O que eu *quero* é nunca ter nascido, se isso resolvesse alguma coisa. Mas não posso ter o que quero."

"Mas você gostaria de vê-lo punido?", seu pai insistiu, embora não me parecesse irado. Ele não tinha mais energia para isso.

Sinto dizer que soltei uma risada. Apenas um *huh!* desconsolado. Mesmo assim, não foi o mais adequado. "Desculpem", expliquei. "Mas tomara que eles tenham mais sorte que eu. Durante boa parte dos últimos dezesseis anos, tentei castigá-lo. Mas eu podia tirar o que quisesse dele; Kevin não se importava. O que o judiciário juvenil do estado de Nova York vai poder fazer? Mandá-lo para o quarto? Já tentei isso. Ele nunca quis saber de nada que estivesse fora do quarto dele, nem dentro, tampouco. E acho muito difícil que consigam fazê-lo se envergonhar. Você só consegue afetar quem tem consciência. Só pode punir quem tem esperanças para serem frustradas ou laços a serem cortados; quem se preocupa com a opinião dos outros. Você, na verdade, só consegue punir quem já é pelo menos um pouquinho bom."

"Ao menos se pode evitar que ele mate mais alguém", seu pai sugeriu.

Um produto defeituoso é retirado do mercado depois do *recall*. Eu disse, em desafio: "Bom, tem uma campanha em andamento, tentando julgá-lo como adulto e condená-lo à pena de morte."

"E como você se sente a respeito?", perguntou sua mãe. Minha nossa, seus pais já tinham me perguntado se a *A Wing & a Prayer* algum dia abriria seu capital; eles já tinham me perguntado se eu achava que aquelas engenhocas a vapor passavam calça comprida tão bem quanto um ferro. Eles nunca tinham me perguntado como eu me *sentia*.

"Kevin não é um adulto. Mas será que vai mudar, quando vier a sê-lo?" (Talvez sejam duas especialidades diferentes, em termos técnicos, mas Massacre no Local de Trabalho é apenas Matança na Escola Pós-Maioridade.) "Para ser franca, tem certos dias", lancei um olhar funesto para a janela panorâmica deles, "em que eu gostaria que lhe aplicassem a pena de morte. Para acabar logo com isso. Mas essa seria uma saída muito fácil para mim."

"Mas você não pode estar se culpando, minha querida!", sua mãe protestou, mas com um certo nervosismo; se fosse verdade, ela preferiria não tomar conhecimento.

"Nunca *gostei* muito dele, Gladys." E encarei-a de frente, mãe para mãe. "Sei que é muito comum que os pais digam aos filhos, com ar severo: 'Eu amo você, mas nem sempre *gosto* de você.' Mas que tipo de amor é esse? A meu ver, se resume no seguinte: 'Você não me é indiferente — quer dizer, você ainda pode ferir meus sentimentos — mas não suporto ter você por perto.' Quem quer ser *amado* desse jeito? Tendo a chance, eu abdicaria de bom grado dos profundos laços de sangue e me contentaria em ter alguém que gostasse de mim. Pergunto-me se não teria ficado mais emocionada se a minha mãe me tivesse tomado nos braços e dito: 'Eu *gosto* de você.' Pergunto-me se curtir a companhia dos filhos não seria mais importante."

Eu havia constrangido os dois. E, pior, eu tinha feito exatamente o que Harvey me dissera para não fazer. Mais tarde, ambos deram seu testemunho, e trechos desse pequeno e mortal discurso foram citados *ipsis litteris* no tribunal. Não creio que seus pais quisessem me prejudicar, mas eram honestos cidadãos da Nova Inglaterra, e eu não lhes dera o menor motivo para me proteger. Suponho que eu não queria isso.

Quando fiz as primeiras menções de ir embora, deixando de lado a xícara gelada de chá, pelo olhar que trocaram entre si, eles me pareceram aliviados e ao mesmo tempo transtornados. Devem ter percebido que aqueles nossos chás amistosos seriam dali em diante cada vez mais raros e, talvez, tarde da noite, sem conseguir dormir, tenham pensado em perguntas que deixaram de fazer. Eles foram cordiais, claro, e me convidaram a ir visitá-los a qualquer hora que eu quisesse. Sua mãe me garantiu que, apesar de tudo, eles ainda me consideravam *parte da família*. Essa inclusão me pareceu menos generosa do que teria sido seis semanas antes. Naquela época, a perspectiva de ser engolfada por qualquer *família* tinha, para mim, o mesmo sabor que ficar presa num elevador, entre dois andares.

"Uma última coisa." Seu pai tocou meu braço quando eu atravessava a porta e, de novo, fez o tipo de pergunta do qual fugira a vida inteira. "Você entende *por quê*?"

Receio que minha resposta só teria contribuído para curá-lo de tais curiosidades, porque as respostas quase nunca são satisfatórias.

*Feliz Ano Novo, meu querido*

*Eva*

## *6 de janeiro de 2001*

*Querido Franklin,*

O Colégio Eleitoral acaba de certificar um presidente republicano e você deve estar contente. Mas, apesar da pose de machista e de patriota retrógrado, como pai você foi um belo de um liberal, tão contrário a castigos corporais e brinquedos violentos quanto exigiam os tempos. Não digo isso zombando, estou apenas querendo saber se você, quando relembra todas aquelas precauções, também se pergunta onde foi que erramos.

De minha parte, contei com a assistência de mentes juridicamente treinadas para o reexame que fiz da educação de Kevin. Durante meu depoimento, Harvey me perguntou: "Senhora Khatchadourian, havia alguma regra em sua casa proibindo as crianças de brincar com armas de brinquedo?"

"Havia. Pelo tanto que valeu."

"E a senhora monitorava o que era assistido na televisão e em vídeo?"

"Nós tentávamos afastar Kevin de qualquer coisa que fosse violenta demais, ou sexualmente explícita, sobretudo durante os primeiros anos. Infelizmente, com isso meu marido também acabava ficando privado da maioria dos seus programas favoritos. E tivemos que abrir uma exceção."

"Que exceção foi essa?" Contrariedade de novo. Isso não estava nos planos.

"O History Channel." Uma risadinha abafada. Eu estava agradando à galera do fundão.

"Mas o fato", prosseguiu Harvey, entredentes, "é que a senhora fez o possível para garantir que seu filho não fosse rodeado por influências nocivas, não é verdade?"

"Dentro de casa", eu disse. "O equivalente a dois hectares e meio do planeta. Mas, mesmo ali, quem não tinha como se proteger da influência nociva de Kevin era eu."

Harvey parou de respirar. Pressenti que a técnica lhe fora ensinada por algum profissional de medicina alternativa. "Em outras palavras, a senhora não podia controlar o que Kevin via, nem com o que ele brincava quando ia à casa de outras crianças, confere?"

"Para ser sincera, as outras crianças raramente o convidavam uma segunda vez."

A juíza interveio. "Senhora Khatchadourian, por gentileza, responda apenas às perguntas feitas."

"Ah, bem, imagino que não", obedeci, com apatia. Estava começando a me entediar.

"E o que me diz da Internet?", continuou Harvey. "O seu filho tinha permissão de acessar qualquer *site* da rede, inclusive, digamos, os violentos ou pornográficos?"

"Nós tomávamos todas as precauções de praxe, mas Kevin sempre achava um jeito de driblar nossas providências e entrava na rede com a maior facilidade." Estalei os dedos no ar, desdenhosa. Harvey me avisara para não dar mostras em momento algum de estar levando o processo na troça e, ademais, o caso despertava meus instintos mais perversos. O grande problema, porém, era prestar atenção. De volta à mesa da defesa, minhas pálpebras caíam, minha cabeça balançava. Ao menos para me manter acordada, acrescentei o tipo de comentário gratuito que a juíza — uma mulher puritana e arguta que lembrava a dra. Rhinestein — me avisara para não fazer.

"Sabe o que é", continuei, "até Kevin completar onze anos, ou doze, isso tudo já não adiantava mais. As regras proibindo armas, os códigos para navegar na Internet... As crianças vivem no mesmo mundo que nós. Fingir que podemos protegê-las desse mundo, além de ingenuidade, é presunção. O que nós queremos é poder dizer a nós mesmos que somos ótimos pais, que estamos *fazendo o melhor possível*. Se me tivesse sido dado o poder de começar tudo de novo, eu teria deixado Kevin brincar com o que quisesse. Ele nunca gostou de nada mesmo. E teria posto de lado as regras que o proibiam de ver isso ou aquilo na televisão ou em vídeo. Elas só contribuíram para nos deixar com cara de bobos. Apenas enfatizaram a nossa impotência e provocaram o desprezo dele."

Embora com permissão para, em termos judiciais, fazer um solilóquio, eu o resumira na cabeça. Como não estou mais sofrendo as restrições da impaciência jurisprudencial, permita-me elaborar.

O que provocou o desprezo de Kevin não foi, como eu parecia estar sugerindo ali, a nossa óbvia incapacidade de protegê-lo do Grande Mundo Cruel. Não, para Kevin a piada era a substância e não a ineficácia dos nossos tabus. Sexo? Ah, ele passou a utilizá-lo, quando descobriu que eu tinha medo, ou medo do sexo nele, mas, do contrário? Era uma chatice. Não se ofenda, já que você e eu obtivemos muito prazer um do outro, mas sexo *é* uma chatice. Como as peças do jogo de encaixe que Kevin chutava quando pequeno, o pino redondo entra no buraco redondo. O segredo é que não existe segredo algum. Na verdade, as trepadas eram tão comuns e tão cotidianas na escola dele que duvido que se excitasse muito com elas. Diferentes buracos redondos forneciam uma novidade transitória, mas Kevin devia enxergar muito rápido a qualidade ilusória deles.

Quanto à violência, o segredo está num pequeno macete.

Lembra-se, uma vez em que resolvemos liberar a classificação dos filmes para poder ver alguma coisa que prestasse, de quando assistimos a *Coração Valente* em, não sei se ousaria dizer, *família*? Na cena final de tortura, Mel Gibson está estirado num potro de madeira, com os membros amarrados cada um numa ponta da rosa-dos-ventos. Cada vez que os ingleses retesavam um pouco mais a corda, o sisal rangia e eu também. Quando os carrascos enfiaram a faca farpada na barriga de Mel, de baixo para cima, comprimi as têmporas com as palmas da mão e gemi. Mas, quando espiei pelo vão do braço, Kevin olhava para a tela com ar *blasé*. O semi-esgar azedo do lábio era o mesmo de quando se encontrava em repouso. Kevin não estava exatamente fazendo as palavras cruzadas do *Times*, mas preenchia distraído todos os quadrados brancos com uma caneta de ponta de feltro.

As carnificinas cinematográficas só são difíceis de engolir se, em algum nível, a pessoa acreditar que as torturas estão sendo infligidas nela. Na verdade, é irônico que esses espetáculos tenham reputação tão ruim entre os fanáticos pela Bíblia, já que os horripilantes efeitos especiais dependem, para impactar, da compulsão decididamente cristã da platéia de se colocar no lugar de seu semelhante. Mas Kevin havia descoberto o segredo: não só que não era real, mas também que *não era ele*. Com os anos, vi Kevin assistindo a decapitações, estripações, desmembramentos, empalações, crucificações, escalpos e olhos sendo arrancados e nunca o vi piscar um olho. Porque ele tinha sacado o macete. Se você não se identifica, o horror e a sanguinolência são tão desconcertantes quanto ver sua mãe preparando um estrogonofe. Portanto, do que exatamente estávamos tentando protegê-lo? O lado prático da violência é geometria rudimentar, suas leis, as mesmas da gramática. Assim como a definição escolar do que é preposição, a violência é qualquer coisa que um avião pode fazer a uma nuvem. Nosso filho tinha um domínio acima da média tanto de geometria como de gramática. Havia muito pouco em *Coração Valente* — ou em *Cães de Aluguel*, ou em *Brinquedo Assassino* — que Kevin não era capaz de ter inventado ele mesmo.

No fim, foi isso que ele nunca perdoou em nós. Talvez não se ressinta de termos tentado baixar à força uma cortina entre ele e os terrores adultos pegando-o de surpresa pelas costas. Mas se ressentiu, e muito, de nós o termos iludido — de nós o termos seduzido com a possibilidade do exótico. (Porventura eu mesma não havia alimentado a fantasia de que acabaria aterrissando num país situado num outro lugar *qualquer*?) Quando ocultamos de Kevin nossos mistérios adultos, que ele ainda não tinha idade para entender, implicitamente lhe prometemos que, chegada a hora, o pano subiria para revelar — o quê? A exemplo do ambíguo universo emocional que eu imaginava haver do outro lado do parto, Kevin também não devia ter uma imagem muito bem formada do que estávamos escondendo dele. No entanto, a única coisa que nunca deve ter-lhe passado pela cabeça é que não estávamos escondendo *nada*. Que não havia *nada* do outro lado de nossas regrinhas idiotas, *nada*.

A verdade é que a vaidade dos pais protetores vai muito além do "olhe para nós, guardiães responsáveis", conforme aquele meu discurso no tribunal. As proibições que impomos também sustentam nossa empáfia. Fortalecem a idéia de que nós, adultos, somos todos iniciados. Por soberba, obtivemos acesso a um Talmude não escrito cujo tenebroso conteúdo nós juramos esconder dos "inocentes" para o próprio bem deles. Ao fazer tirar proveito do mito da ingenuidade, estamos a serviço de nossa própria lenda. Presumivelmente, já vimos *o horror* de frente, como se fitássemos o sol a olho nu, bolhas de corrupção e turbulência, enigmas até mesmo para nós. Saturados de revelações, se pudéssemos, voltaríamos no tempo, mas não há como não conhecer o cânone terrível, não há como voltar ao mundo abençoadamente insípido da infância, nenhuma escolha a não ser assumir essa árdua e tenebrosa sagacidade, cujo propósito é evitar que nossos avoados anões dêem uma espiada no abismo. O sacrifício é bajuladoramente trágico.

A última coisa que queremos admitir é que o fruto proibido que estamos mordiscando desde que chegamos aos mágicos vinte e um anos de idade é a mesma maçã farinhenta que enfiamos na lancheira de nossos filhos. A última coisa que queremos admitir é que as brigas no *playground* pressagiam perfeitamente as maquinações da sala da diretoria, que nossas hierarquias sociais são meros prolongamentos da escolha de quem será o primeiro a integrar o time e que os adultos também acabam divididos em valentões, gorduchos e chorões. O que há para uma criança descobrir? Supostamente, somos senhores absolutos do sexo, mas essa pretensão cai por terra de modo tão fantástico diante dos fatos que só pode ter surgido de uma amnésia em grupo e de caráter conspiratório. Até hoje, algumas das minhas lembranças sexuais mais intensas vêm de quando eu não tinha nem dez anos, como já confidenciei a você sob os lençóis em dias melhores. Não, eles também têm sexo. Na verdade, somos versões maiores e mais gananciosas do mesmo povinho que come, caga e entra no cio, firmemente resolvidos a disfarçar perante alguém, nem que seja uma criança de três anos de idade, que mais ou menos tudo o que fazemos é comer, cagar e entrar no cio. *O segredo é que não há segredo.* É essa, no fundo, a verdade que não queremos que nossos filhos saibam, e suprimi-la é a grande maquinação da idade adulta, o pacto que fizemos, o Talmude que protegemos.

Claro que, até ele fazer catorze anos, já havíamos desistido de controlar os vídeos a que ele assistia, a hora em que dormia, o pouco que lia. Mas, assistindo àqueles filmes idiotas, entrando naqueles *sites* idiotas, ingerindo aquelas bebidas idiotas, sugando aqueles cigarros idiotas, trepando com aquelas meninas idiotas da escola, Kevin deve ter se sentido totalmente enganado. E na *quinta-feira*? Aposto como continuou se sentindo enganado.

Enquanto isso, deu para perceber, pela expressão resignada no rosto de Harvey, que ele considerava minha minipalestra como mais uma das minhas autocondescendências destrutivas. Nosso caso — na verdade, o caso dele —

fora engastado na proposição de que eu havia sido uma mãe normal, com uma afetividade materna normal, que tomara precauções normais para garantir que criaria um filho normal. Se tínhamos sido vítimas do azar, dos maus genes ou de uma cultura defeituosa, essa era uma questão que cabia a xamãs, biólogos ou antropólogos decidirem, mas não a um tribunal. Harvey estava resolvido a evocar o medo latente de todo pai, de toda mãe, de que é possível fazer tudo absolutamente certo e, ainda assim, ouvir pelo noticiário um pesadelo do qual não se pode mais acordar. Era uma abordagem ultra-sólida, pensando bem. E, agora que já faz mais ou menos um ano, sinto-me um tanto arrependida de ter sido tão ranzinza naquela época.

Seja como for, a exemplo daquele carimbo despersonalizante de *depressão pós-parto*, a tática de "podia ser você" usada pela defesa não me agradou. Eu sentia ímpetos de me distanciar daquelas mamães tão certinhas, ainda que apenas como uma progenitora excepcionalmente mequetrefe, mesmo com um possível prejuízo de seis milhões e meio de dólares (os postulantes haviam pesquisado o valor da W&P). Eu já tinha perdido tudo, Franklin, tudo exceto a empresa, vale dizer, e continuar à frente dela, naquelas circunstâncias, me parecia grotesco. É verdade que, de lá para cá, sinto-me às vezes um pouco tristonha ao lembrar de minha prole corporativa, agora nas mãos de estranhos, mas, na época, não dei bola. Não dei bola para a possibilidade de perder a causa, contanto que, no processo, eu pudesse ao menos ficar acordada, não dei bola para a possibilidade de perder todo o meu dinheiro e rezei ativamente para ser forçada a vender aquela casa pavorosa. *Eu não dei bola para nada*. E há uma liberação na apatia, uma liberdade selvagem, estonteante, com a qual é quase possível se embriagar. Você consegue fazer qualquer coisa. Pergunte ao Kevin.

Como de hábito, eu havia me crucificado sozinha (os advogados da parte contrária me amaram. Teriam adorado me chamar como testemunha da acusação), de modo que fui solicitada a voltar a meu lugar. Mas eu parei, antes de descer da plataforma. "Perdão, meritíssima, mas acabei de me lembrar de uma coisa."

"A senhora deseja emendar seu testemunho?"

"Nós permitimos que Kevin tivesse uma arma." (Harvey suspirou.) "Um revólver de esguichar água, quando ele tinha quatro anos. Meu marido adorava revólveres de água quando menino, de modo que abrimos uma exceção."

Era uma exceção a uma regra que eu considerava inútil. Mantenha as crianças longe de uma réplica e elas apontam um pau para você, e não vejo nenhuma distinção entre empunhar um objeto de plástico que faz *rá-tá-tá*, movido a pilha, e apontar um pedaço de pau e gritar "pém-pém-pém!" Pelo menos Kevin gostou do seu revólver de água assim que percebeu o quanto aquele brinquedo poderia ser irritante.

Quando fomos embora de Tribeca, ele encharcou o zíper dos homens da mudança e depois os acusou de terem feito "xixi na calça". Achei a acusação uma piada, vindo de um garotinho que continuava se recusando a entender nossas tímidas dicas para "usar o peniquinho como a mamãe e o papai" dois anos depois que a maioria das crianças já tinha aprendido a puxar a descarga. Kevin estava com aquela máscara de madeira que eu trouxera do Quênia para ele, com uma cabeleira de sisal desgrenhada, os fios como que eletrificados, olhos minúsculos rodeados por dois enormes globos brancos e dentes ferozes de quase sete centímetros feitos com ossos de pássaros. Enorme em seu corpo magricela, a máscara lhe dava a aparência de um vodu de fralda. Não sei onde eu estava com a cabeça no dia em que comprei aquilo. O garoto de fato não precisava de máscara nenhuma, seu rosto já era impenetrável e a expressão de cólera retributiva daquele presente me dava arrepios.

Carregar caixas com a virilha molhada e coçando não deve ter sido uma tarefa fácil. Eles eram bons sujeitos, além do mais, cuidadosos, não estavam se queixando, de modo que, assim que notei um trejeito de contrariedade no rosto deles, mandei Kevin parar. Foi nesse momento que ele virou a máscara na minha direção, para confirmar se eu estava mesmo olhando, e, depois, disparou um jato de água no traseiro de um deles, um negro musculoso.

"Kevin, eu já não disse para parar com isso? Não espirre mais água nem uma vez nesses rapazes simpáticos que estão aqui só ajudando a gente, e *agora é sério*." Naturalmente que só consegui dar a entender que, da primeira vez, não era sério. Uma criança inteligente leva esse cálculo de "agora é sério, de modo que da outra vez não era" até o limite e conclui que todas as advertências da mãe são besteira.

E assim foi que pusemos à prova nossas habilidades. Esguicho-esguicho-esguicho. *Kevin, pare com isso agora mesmo.* Esguicho-esguicho-esguicho. *Kevin, eu não vou repetir de novo.* E depois (esguicho-esguicho-esguicho) o inevitável: *Kevin, se você espirrar água mais uma vez em alguém, eu vou tirar esse revólver de você*, o que me valeu um "NÃ-nã? Nã nã nã NÃÃÃ-nã-nã-nã *nã* nã nããã, nã NÃ-nã nã NÃ-nã nã-NÃÃÃÃÃÃ."

Franklin, de que serviram todos aqueles livros que você leu sobre crianças? Quando dei por mim, você estava debruçado sobre o nosso filho, pedindo emprestado aquele maldito brinquedo. Escuto risadinhas abafadas, algo a respeito da *mamãe* e momentos depois *você* está espirrando água em *mim*.

"Franklin, isso não tem graça. Eu disse a ele para parar. Assim você não ajuda."

"NÃ-NÃ? Nã *nãã nãã*. Nã *nã*-nã nã *nã*. Nã *nã nã*-nã!" Era incrível, mas esses *nã-nãs* foram pronunciados por você, ao fim dos quais fui atingida entre os olhos. Kevin grasnou (você sabe que até hoje ele ainda não aprendeu a dar risada). Quando você lhe devolveu o revólver, ele encharcou meu rosto com uma cascata.

Peguei o revólver dele.

"Ai!", você exclamou. "Eva, mudar é sacal. (*Sacal*, era assim que nós passamos a falar.) "Será que não podemos nos divertir um pouco?"

Quem estava com o brinquedo era eu, de modo que uma saída fácil seria dar uma mudada no tom: eu poderia ter esguichado água no seu nariz, feliz da vida, depois iríamos nos atracar numa turbulenta disputa familiar, você arrancaria o revólver da minha mão e o jogaria para Kevin... Daríamos muita risada, cairíamos uns por cima dos outros e, talvez, anos depois, fôssemos nos lembrar disso, daquela mítica disputa pelo revólver de esguichar água, no dia em que nos mudamos para Gladstone. E então um de nós devolveria o brinquedo para Kevin e ele continuaria molhando o pessoal da mudança e eu não teria moral para fazê-lo parar, porque também eu havia jogado água nos outros. Ou eu poderia ser a desmancha-prazeres da turma, o que fui, e colocar o revólver na bolsa, o que fiz.

"Os moços fizeram pipi na calça", você disse a Kevin, "e a mamãe não quer molhar o popô."

Claro que eu já tinha ouvido outros pais e mães falando sobre a divisão entre o policial bonzinho e o policial durão, e também que o bonzinho era sempre o predileto das crianças, ao passo que o durão fazia todo o serviço pesado, e pensei cá comigo, mas que merda de clichê, como foi que isso me aconteceu? Eu nem sequer me *interesso* por isso.

O alter-ego vodu de Kevin marcou o local onde o revólver estava, dentro da bolsa. A maioria dos meninos teria começado a chorar. Mas, em vez de abrir o berreiro, ele virou aquela boca imensa cheia de ossos de aves para mim, em silêncio. Desde a pré-escola, Kevin sempre foi um conspirador. Ele sabia aguardar o momento propício.

Como os sentimentos de uma criança são fáceis de machucar, seus privilégios são poucos e suas posses, escassas, mesmo que os pais estejam bem de vida, eu fora levada a acreditar que punir os filhos vinha a ser algo terrivelmente doloroso. No entanto, a bem da verdade, quando confisquei o revólver de esguichar água de Kevin, senti uma onda de alegria incontida. Enquanto seguíamos o caminhão de mudança até Gladstone na picape, ter em meu poder o tão amado brinquedo de Kevin foi me enchendo de um prazer tamanho que eu o tirei da bolsa, posicionei o indicador no gatilho e banquei o segurança. Amarrado no meio de nós dois, no banco da frente, Kevin ergueu os olhos do meu colo para o painel com uma despreocupação teatral. Sua pose era taciturna, o corpo calmo, mas a máscara o entregou: por dentro, estava uma fúria. Ele me odiou com todas as forças e eu fiquei feliz feito um passarinho.

Acho que ele pressentiu minha satisfação e resolveu me privar dela no futuro. Kevin já começara a intuir que o apego — ainda que apenas a um revólver de esguichar água — o tornava vulnerável. Como qualquer coisa que ele pudesse querer também era algo que eu poderia negar, o menor desejo significava uma desvantagem. Como se num tributo a essa epifania, Kevin jogou a máscara no chão da picape, chutou-a distraidamente com o tênis e quebrou alguns dentes. Mas ele não era assim tão precoce — tamanho monstro — para conseguir dominar todos os seus apetites terrenos aos quatro anos e meio. Ele continuava querendo de volta o revólver de esguichar água. Mas a indiferença acabaria se mostrando uma arma devastadora.

Quando chegamos, a casa parecia ainda mais pavorosa que a lembrança que eu guardara e me perguntei o que teria de fazer para conseguir atravessar a noite sem desatar no choro. Saltei do carro. Kevin já conseguia se desvencilhar sozinho do cinto de segurança e desprezava ajuda. Ele parou de pé no estribo, me impedindo de fechar a porta.

"Me devolva o revólver já." Esse não era um choramingo para "esgotar a paciência da mamãe". Era um ultimato. Eu não teria uma segunda chance.

"Você foi um boboca, Kevin", disse eu, despreocupada, erguendo-o pelas axilas para colocá-lo no chão. "E bobocas não ganham brinquedos." Na hora, pensei, ei, quem sabe eu até acabe gostando de ser mãe. Isso é divertido.

O revólver de esguichar pingava, de modo que não quis guardá-lo de novo na bolsa. Enquanto os homens descarregavam o caminhão, Kevin me seguiu até a cozinha. Eu subi no balcão e enfiei o brinquedo com as pontas dos dedos no alto de um dos armários.

Eu estava ocupada, explicando o que ia aonde e talvez tenha demorado uns vinte minutos para voltar à cozinha.

"Pode parar onde está, rapazinho", disse eu. "*Alto lá.*"

Kevin havia empurrado uma caixa para perto de outras duas, empilhadas, a fim de criar uma escada até o balcão, sobre o qual um dos homens da mudança havia posto um caixote de pratos, criando mais um degrau. Mas ele tinha esperado até ouvir o ruído dos meus passos, para subir nas prateleiras. (No código de Kevin, desobediência sem testemunhas é desperdício.) Quando entrei na cozinha, seus tênis estavam sobre a terceira prateleira. A mão esquerda, grudada no alto da porta oscilante do armário, ao passo que a direita tateava a cinco centímetros do revólver de esguichar. Eu não precisaria ter dito *Alto lá!* Ele já estava posando como se para uma foto.

"Franklin!", berrei eu, com urgência na voz. "Venha até aqui, por favor! Agora!" Eu não era alta o suficiente para pegá-lo e trazê-lo até o chão. Quando me pus bem embaixo de onde ele estava, para apanhá-lo caso caísse, nossos olhares se cruzaram. As pupilas dele se mexeram com o que pode ter sido orgulho, satisfação ou dó. Meu Deus, pensei cá comigo. Ele só tem quatro anos e já está vencendo.

"E aí, campeão!" Você riu e o pôs no chão, não sem que antes ele agarrasse o brinquedo. Franklin, você tinha uns braços tão lindos. "Meio cedo para aprender a voar!"

"O Kevin foi muito, muito mau!", explodi, irritada. "E agora nós vamos ter que tirar esse revólver dele por muito e muito tempo!"

"Ah, mas depois desse trabalho todo, ele bem que merece, é ou não é, garotão? Cara, é preciso peito para fazer uma escalada dessas. Você é um perfeito macaquinho, não é mesmo?"

Uma sombra toldou o rosto de Kevin. Ele talvez tenha achado que você estava sendo condescendente, mas isso vinha a calhar aos propósitos que tinha em mente. "Eu sou o macaquinho", disse ele, com a maior impessoalidade. E saiu da cozinha, o revólver de esguichar na cintura, com a despreocupação arrogante que associo com seqüestradores de avião.

"Você só me humilhou."

"Eva, mudar já é difícil o suficiente para nós, mas para um garoto é traumático. Vê se dá uma folga para ele. Escute, tenho más notícias sobre aquela sua cadeira de balanço..."

Para o jantar de batismo de nossa casa nova, na noite seguinte, compramos filés e eu pus meu *caftan* preferido, o de brocado branco, comprado em Tel Aviv. Na mesma noite, Kevin aprendeu a abastecer o revólver com suco de uva Concord. Você achou engraçado.

Aquela casa me repeliu na mesma medida em que eu a repeli. Nada se encaixou. Eram tão poucos os ângulos retos que até mesmo uma simples cômoda enfiada num canto deixava um triângulo desajeitado de espaço não preenchido. A minha mobília estava bem surrada, é verdade, se bem que no *loft* de Tribeca a velha caixa de brinquedos feita à mão, o desafinado piano de um quarto de cauda, o sofá confortavelmente coberto de almofadas que soltavam penas de galinha, tudo condizia com a informalidade do ambiente. De repente, em nossa elegante casa nova, o que para mim era luxo virou lixo. Senti pena daquelas peças, tanto quanto teria sentido de colegas generosos mas simplórios de escola do meu tempo em Racine, tendo de se misturar com modernosos de língua afiada como Eileen e Belmont, numa festa qualquer.

A mesma coisa aconteceu na cozinha: atravancando os belos balcões de mármore verde, meu liqüidificador dos anos 1940 passou de mimoso a refugo. Mais tarde, você apareceu em casa com um KichenAid em formato de bala e, como se sob a mira de um revólver, levei meu arcaico aparelho para o Exército da Salvação. Quando desempacotei minhas panelas todas amassadas, o fundo de alumínio coberto por uma crosta, os cabos colados com fita adesiva, a impressão que deu foi que algum sem-teto invadira uma casa de grã-finos que estivessem passando férias no Rio. Também as panelas se foram; você comprou uma bateria que estava na moda, esmaltada de vermelho, na

Macy's. Eu nunca havia reparado o quão imundas tinham ficado aquelas velhas panelas, embora gostasse, de certa forma, de não ter notado.

No geral, talvez me encontrasse no limiar de ser uma pessoa rica, mas nunca tive muitas posses, e, à exceção dos panôs de seda do sudeste asiático, de algumas esculturas da África Ocidental e dos tapetes armênios do meu tio, nós nos livramos de boa parte dos detritos de minha antiga vida em Tribeca com uma rapidez assustadora. Até mesmo minha coleção "internacional" se revestiu de uma aura de inautenticidade, como se tivesse sido comprada inteirinha em uma loja de importados. E já que a nossa reinvenção estética coincidiu com minhas férias sabáticas da AWAP, minha sensação foi a de estar evaporando.

Daí a importância daquele meu projeto para o escritório. Sei que, para você, o incidente simbolizou minha intolerância, minha rigidez, minha recusa em abrir exceções às crianças. Mas não foi isso que significou para mim.

Eu havia escolhido, para ser meu escritório, o único aposento daquela casa que não tinha nenhuma árvore crescendo no meio, que só tinha uma clarabóia e era *quase* retangular — sem dúvida projetado por último, quando, misericordiosamente, nosso casal de idealizadores da Casa Ideal já havia esgotado todas as suas idéias brilhantes. A maioria das pessoas acharia um pecado cobrir qualquer madeira com papel de parede, mas nós estávamos nos afogando em teca e eu tive uma idéia que talvez pudesse me fazer sentir em casa ao menos num lugar daquela casa: eu empapelaria o escritório com mapas. Eu tinha caixas e caixas deles: mapas do Porto e de Barcelona com todos os albergues e pensões que eu planejara incluir no guia da Península Ibérica assinalados em vermelho; mapas topográficos do Vale do Ródano com o preguiçoso bordado de minha viagem de trem ressaltado em amarelo; continentes inteiros recortados pelos ambiciosos itinerários aéreos riscados a esferográfica.

Como você sabe, sempre tive paixão por mapas. Já cheguei a supor, algumas vezes, que diante de um ataque nuclear iminente, ou de uma invasão estrangeira, as pessoas com mais poder de fogo não serão os representantes da supremacia branca, munidos de armas, nem tampouco os mórmons com suas sardinhas em lata, e sim os cartograficamente informados, que sabem qual estrada leva às montanhas. Por isso, a primeira coisa que faço, ao chegar a um lugar, é comprar um mapa — isso quando já não tomo um avião munida de um Rand McNally. Sem um mapa, eu me sinto vitimada, perdida. Assim que me vejo com um nas mãos, tenho um controle bem maior da cidade que a maioria de seus moradores, muitos dos quais não fazem a menor idéia de onde estão quando saem da órbita restrita da padaria, do açougue e da casa de Luisa. Faz muito tempo que me orgulho de meus poderes de navegação porque, na verdade, sou fantástica na hora de traduzir duas dimensões para três e sei usar os rios, as ferrovias e o sol para me situar. (Desculpe, mas sobre o que mais posso me vangloriar agora? Estou ficando velha, e aparento a idade. Trabalho numa agência de viagem e meu filho é um assassino.)

O fato é que eu associava mapas à maestria e talvez esperasse, através do senso de direção literal que eles fornecem, poder, figurativamente falando, me orientar na vida estrangeira de mãe suburbana em tempo integral. Eu precisava muito de algum emblema físico do meu eu anterior, ainda que tão somente para me fazer lembrar que desertara daquela vida por livre e espontânea vontade e que poderia retornar quando quisesse. Eu acalentava uma esperança longínqua de que, ao ficar mais velho, Kevin fosse se tornar um menino curioso que apontaria para Maiorca no canto e perguntaria como era lá. Eu me envaidecia da vida que possuía e, embora dissesse a mim mesma que, através de sua mãe realizada, Kevin talvez viesse a se orgulhar de si mesmo, é provável que eu só quisesse ver nosso filho sentir orgulho de mim. Eu não fazia idéia, ainda, de que muitas vezes isso é querer demais.

Fisicamente, o projeto era delicado. Os mapas eram todos de tamanhos diferentes e tive de desenhar um padrão que não fosse simétrico ou sistemático, mas que ainda assim formasse uma colcha de retalhos agradável à vista, com equilíbrio nas cores e uma mistura judiciosa de centros de cidade e continentes. Tive de aprender a lidar com cola para papel de parede, que fazia uma sujeira danada, e os mapas mais antigos e amarfanhados precisaram ser passados a ferro, e papel queima tão fácil. Com tanta coisa para cuidar na casa nova e consultas práticas freqüentes com Louis Role, meu novo editor-chefe na AWAP, levei vários meses empapelando o escritório.

E foi isso que eu quis dizer quando falei em aguardar o momento propício. Kevin acompanhou a colocação dos mapas nas paredes daquele escritório e sabia o trabalhão que havia dado. Ele havia contribuído bastante para tornar o serviço ainda mais trabalhoso espalhando cola pela casa inteira. Talvez não tenha entendido quais países os mapas representavam, mas entendeu muito bem que eles representavam algo para mim.

Quando terminei de colar o último retângulo junto à janela, um mapa topográfico da Noruega, pontilhado de fiordes, desci da escada e conferi o resultado dando um giro completo. Tinha ficado bárbaro! Dinâmico, excêntrico, tremendamente sentimental. Nos interstícios, bilhetes usados de trem, guias de museus e recibos de contas de hotel acrescentavam mais um toque pessoal. Eu havia forçado um pedacinho daquela casa nua e sem graça a ter algum significado. Pus *Big World,* de Joe Jackson no aparelho de som, tampei a lata de cola, enrolei a lona que cobria minha escrivaninha de um metro e oitenta, abri o tampo, tirei as coisas da minha última caixa e dispus minha coleção de canetas antigas, os vidros de tinta vermelha e preta, o durex, o grampeador e alguns outros badulaques — o cincerro suíço em miniatura, o penitente de terracota da Espanha.

Enquanto isso, eu tagarelava com Kevin algo muito *à la* Virginia Woolf, coisas como: "Todo mundo precisa de um quarto só seu. Você tem o seu quarto, não tem? Pois então, este é o quarto da mamãe. E todo mundo gosta de tornar o próprio quarto especial. A mamãe já esteve num monte de lugares diferentes e todos esses mapas me lembram das viagens que fiz. Você vai ver, um dia você talvez também queira fazer o seu quarto ficar especial, e eu ajudo você, se você quiser..."

"Como assim, *especial*?", disse ele, abraçado a um cotovelo. Na mão livre, largada, o revólver de esguichar água, vazando cada vez mais. Embora fosse pequeno para sua idade, poucas vezes conheci alguém que ocupasse mais espaço metafísico. Uma seriedade enfezada jamais me deixava esquecer de sua presença; e, se falava pouco, observava um bocado.

"Para ficar parecido com a personalidade da gente."

"Que personalidade?"

Eu tinha certeza de já ter explicado o significado da palavra. Eu o abastecia sem parar de vocabulário, ou quem era Shakespeare; tagarelices educativas preenchiam o vazio. Eu tinha a nítida impressão de que ele gostaria de que eu calasse a boca. Parecia não ter fim a quantidade de informações que ele não desejava.

"Como o seu revólver de esguichar, isso é parte da sua personalidade." Contive-me para não acrescentar: como o jeito com que você arruinou meu *caftan* predileto, isso é parte da sua personalidade. Ou o fato de você continuar cagando na fralda, com quase cinco anos de idade, *isso* é parte da sua personalidade, também. "De todo modo, Kevin, você está sendo teimoso. Eu acho que você entendeu o que eu quis dizer."

"Eu tenho que botar porcarias na parede?" Ele não parecia estar gostando.

"A menos que prefira não pôr."

"*Prefiro não pôr.*"

"Ótimo, descobrimos mais uma coisa que você não quer fazer", disse eu. "Você não gosta de ir ao parque, não gosta de ouvir música, não gosta de comer e não gosta de brincar com seu Lego. Aposto como você não conseguiria pensar numa outra coisa da qual não gosta, mesmo se esforçando."

"Esses quadradinhos aí", respondeu ele prontamente. "São bestas." Depois de "não gosto disso", *besta* era sua palavra predileta.

"Essa é a vantagem de ter um quarto só nosso, Kevin. Não é da conta de ninguém. Você pode achar os meus mapas bestas, mas eu não me importo com isso." Lembro-me de ter aberto um guarda-chuva de rebeldia: ele não iria chover no meu desfile. Meu escritório estava fantástico, era todo meu, eu me sentaria à escrivaninha e bancaria a adulta e mal podia esperar para instalar a cereja do bolo, uma fechadura na porta. Sim, eu tinha chamado um carpinteiro e acrescentara uma *porta*.

Mas Kevin queria continuar batendo naquela tecla. Havia algo que desejava me dizer. "Não entendo. Antes estava tudo melecado. Levou um século. E ficou tudo besta. Que diferença faz? Por que você se incomoda?" Ele bateu o pé. "É *besta*!"

Kevin pulara a fase dos porquês que em geral aparece lá pelos três anos de idade — nessa época, ele mal falava. Embora a fase dos porquês possa parecer um desejo insaciável de compreender causa e efeito, eu já tinha escutado o suficiente nos parquinhos (Está na hora de fazer o jantar, meu amor! *Por quê?* Porque nós vamos ficar com fome! *Por quê?* Porque o nosso organismo está nos dizendo para comer! *Por quê?*) para saber que a história não era bem assim. Crianças de três anos não estão interessadas na química da digestão; elas simplesmente topam com a palavra mágica que sempre provoca uma resposta. *Kevin, no entanto, teve uma verdadeira fase de porquês.* Ele achava o meu papel de parede uma perda incompreensível de tempo. Quase tudo que os adultos faziam lhe parecia absurdo. O que não o deixava apenas perplexo, como enfurecido. Aliás, a fase dos *porquês* dele não foi uma etapa passageira em seu desenvolvimento e tem sido uma condição permanente.

Ajoelhei-me. Olhei bem para aquele rosto tempestuoso, franzido, pus a mão em seu ombro. "Porque eu gosto do meu novo escritório. Eu gosto dos mapas. Gosto muito deles."

Eu poderia estar falando em urdu. "Eles são bestas", repetiu Kevin, impassível. Levantei-me. Deixei cair a mão. O telefone estava tocando.

A linha particular que eu teria no escritório não fora instalada ainda, de modo que saí para atender na cozinha. Era Louis, com mais outra crise relativa à edição do guia do Japão, cuja solução tomou um bom tempo. E eu *chamei* Kevin, mais de uma vez, para ficar num lugar onde pudesse ser visto. O problema é que eu ainda tinha uma empresa para cuidar e será que você faz idéia de como é cansativo ficar de olho numa criança pequena todo santo momento de todo santo dia? Entendo perfeitamente e me solidarizo com aquele tipo diligente de mãe que vira as costas por um instante — que larga a criança na banheira para atender à porta e assinar o canhoto de uma entrega e, quando volta correndo, descobre que sua filhinha bateu a cabeça na torneira e se afogou em cinco centímetros de água. Cinco centímetros. Por acaso alguém lhe dá crédito pelas vinte e quatro horas menos três minutos ao dia em que vigiou a criança feito um falcão? Pelos meses, pelos *anos* de "não ponha isso na boca que é caca" e de "opa, quase que a gente caiu"? Ah, não. Nós processamos essas pessoas, alegamos "negligência criminosa" e as arrastamos ao tribunal, elas e seus infortúnios. Porque três minutos apenas contam, aqueles três desgraçados minutos que foram o suficiente.

Por fim, desliguei o telefone. No final do corredor, Kevin descobrira os prazeres de um lugar com porta. O escritório estava fechado. "Ei, você", chamei, girando a maçaneta, "quando você fica assim quieto, eu me preocupo..."

Meu papel de parede estava coberto por uma teia vermelha e preta. Os papéis mais absorventes tinham começado a manchar. Até o teto estava riscado, já que eu empapelara ali também. Ficar de cabeça virada, em cima da escada, fizera um estrago nas minhas costas. Gotas vindas lá de cima manchavam um dos tapetes armênios mais valiosos, o que meu tio nos dera de presente de casamento. A sala estava tão detonada e molhada que era como se houvesse soado um alarme contra incêndio ligando um sistema de aspersão, só que dos esguichos não saíra água e sim óleo de motor, refrigerante de cereja e sorvete de amora.

Pelos rabiscos que iam adquirindo um tom nauseabundo de roxo, eu poderia ter deduzido, mais tarde, que Kevin começara pelo nanquim preto e só então passara ao carmim, mas nosso filho não deixou nada para eu deduzir. Ainda estava despejando o que sobrara da tinta vermelha no cano do revólver. Da mesma forma como havia feito pose, quando subiu no armário para recuperar o brinquedo, parecia ter guardado aquela última colherada para quando eu chegasse. De pé, sobre a minha cadeira, o corpo curvado, concentrado, nem sequer ergueu os olhos. O buraco por onde o líquido entrava era pequeno e, embora Kevin estivesse prestando toda a atenção, o tampo lustroso da minha escrivaninha de carvalho estava salpicado de manchas de tinta. A mão dele, toda lambuzada.

"Agora ficou especial." O anúncio foi feito em voz baixa.

Arranquei o revólver da mão dele, joguei-o no chão e moí o brinquedo com os pés. Eu estava usando as minhas sapatilhas italianas, amarelas. A tinta arruinou meus lindos sapatos.

*Eva*

## *13 de janeiro de 2001*

*Querido Franklin,*

Sim, segundo sábado do mês e vim novamente fazer minha devassa no Bagel Café. Não consigo tirar da cabeça a imagem daquele guarda com o rosto todo coberto de verrugas que sempre me olha com uma mistura de pena e de nojo. Sinto mais ou menos a mesma coisa a respeito do rosto dele. As verrugas são grandes e gordas, como carrapatos bem alimentados, mosqueadas, gelatinosas como cogumelos se alargando a partir de uma base mais estreita, de modo que algumas estão meio bambas, caídas. Já me perguntei se ele vive obcecado por essas lesões, fazendo hora extra em Claverack para poder pagar a cirurgia de remoção, ou se desenvolveu um apego perverso por elas. As pessoas parecem capazes de se acostumar com qualquer coisa e a distância é muito curta entre adaptação e apego.

Na verdade, li faz pouco tempo que já existe uma cirurgia capaz de praticamente curar os pacientes que sofrem de Parkinson. Foi tamanho o sucesso que mais de uma pessoa operada acabou se matando. Sim, você leu certo: se matando. Adeus aos tremores, adeus às oscilações espasmódicas do braço que derrubam o vinho no restaurante. Mas também adeus aos doces olhares de simpática comiseração vindos de pessoas estranhas, adeus às explosões espontâneas de ternura por parte de cônjuges psicoticamente magnânimos. Os recuperados ficam deprimidos, se fecham em casa. Não conseguem lidar com isso: ser igual a todo mundo.

Cá entre nós, já comecei a me preocupar com a possibilidade de ter me apegado, de um jeito meio ambíguo, à desfiguração da minha própria vida. Hoje em dia, é apenas através da notoriedade que entendo quem sou e que papel desempenho nos dramas dos outros. Eu sou a mãe de "um daqueles garotos Columbine" (e como Kevin se ressente com o fato de Littleton ter passado à frente de Gladstone como rótulo geral). Nada do que eu faça ou diga jamais vai sobrepujar o fato. É tentador parar de lutar e desistir. Talvez seja por isso que certas mães do mesmo gênero que eu abandonam toda e qualquer tentativa de voltar à vida que levavam antes, como diretoras de *marketing* ou arquitetas, e passam ao circuito de palestras ou então a liderar a Marcha de Um Milhão de Mães. Talvez tenha sido isso que Siobhan quis dizer com "vocação".

Na verdade, adquiri um respeito saudável pelo fato em si, pela terrível supremacia que exerce sobre a sua expressão. Interpretação nenhuma que eu possa vir a aplicar aos acontecimentos, neste meu apelo a você, conseguiria sobrepujar a pura realidade da *quinta-feira*; e talvez tenha sido o milagre do próprio fato o que Kevin descobriu naquela tarde. Posso comentar o assunto até a exaustão, mas o que aconteceu continua simplesmente ali, tão triunfante como três dimensões sobre duas. Não importa quanto esmalte aqueles vândalos tenham atirado contra nossas vidraças, a casa continuou sendo uma casa e a *quinta-feira* mantém essa mesma característica imutável, como um objeto que eu posso pintar, mas cuja enormidade física persistirá no formato, independente das tonalidades.

Franklin, eu receio ter *sucumbido* hoje, na sala de espera de Claverack. Por falar nisso, eu seria a última pessoa a me queixar das instalações do local. Recém-construído para suprir a demanda de um setor crescente do mercado, a instituição ainda não está superlotada. Seus telhados não têm goteiras, as descargas funcionam. *A Wing & A Prayer Detenção Juvenil* daria nota dez ao lugar. É possível até que as salas de aula de Claverack forneçam uma educação básica mais sólida que os colégios chiques dos subúrbios, com seus currículos recheados de cursos de Literatura Inuíte e Treinamento para Conscientização do Assédio Sexual. Mas, tirando as incongruentes cores primárias da Sala de Recreação da área de visita, Claverack é esteticamente de uma severidade atroz — pondo a nu, uma vez tirados os berloques todos da vida, tenebrosamente resta muito pouco. Blocos de concreto pintados de um branco austero, linóleo verde sem desenho algum, a sala de espera carece de toda e qualquer distração — um cartaz inofensivo anunciando viagens a Belize, um único exemplar da *Glamour* — como se a intenção fosse esmagar, deliberadamente, qualquer auto-ilusão. É uma sala que não quer ser confundida com nada tão antálgico como uma agência de viagem ou uma sala de espera de dentista. Não se pode chamar o solitário cartaz sobre prevenção da AIDS de decoração. Soa mais como uma acusação.

Hoje, uma negra esbelta e serena sentou-se a meu lado, uma geração mais nova que eu, mas, sem dúvida, também uma mãe. Eu não parava de lançar olhares fascinados para seu cabelo, trançado numa espiral muito complexa que desaparecia rumo ao infinito no alto da cabeça, minha admiração lutando contra um cálculo burguês e afetado de quanto tempo aquelas tranças ficavam sem ser lavadas. Sua resignação tranqüila é característica dos negros que freqüentam aquela sala. Fiz um estudo do assunto.

Mães de delinqüentes brancos, uma raça mais rara, em termos estatísticos, costumam se agitar, ou, então, se permanecem imóveis, rígidas feito pau, os maxilares cerrados com força, as cabeças fixas num ponto, como se fossem fazer uma tomografia. Caso o baixo comparecimento permita, as mamães brancas pegam uma cadeira com pelo menos dois assentos plásticos vazios de cada lado. Em geral levam jornais. Desencorajam qualquer conversa. A implicação é óbvia: algo violou o contínuo espaço-tempo. Elas não pertencem àquele lugar. Muitas vezes, percebo nessas mães um tipo de indignação à Mary Woolford, como se estivessem buscando furiosamente ao redor alguém para processar. Ou então faço uma clara leitura de uma fisionomia que diz "isso não pode estar acontecendo comigo" — uma incredulidade tão beligerante que pode até gerar, na sala de espera, a presença holográfica de um universo paralelo em que Johnny ou Billy voltam para casa no mesmo horário de sempre, depois da escola, em mais uma tarde normal em que tomam seu copo de leite, comem seus biscoitos e fazem o dever de casa. Nós, os brancos, nos apegamos a um sentido tão permanente de direitos adquiridos que, quando algo dá errado, não conseguimos abrir mão desse espectro ensolarado e idioticamente feliz do mundo que mereceríamos, onde a vida é o máximo.

Ao contrário de nós, as mães negras sentam-se ao lado umas das outras, mesmo que a sala esteja quase vazia. Nem sempre conversam entre si, mas a proximidade pressupõe companheirismo, uma solidariedade que faz pensar num clube do livro cujas sócias estivessem todas debruçadas sobre um longuíssimo e árduo clássico. Elas nunca parecem bravas, ressentidas nem tampouco surpresas de se verem ali. Encontram-se no mesmo universo em que sempre se encontraram. E os negros parecem ter uma compreensão muito mais sofisticada da natureza dos acontecimentos no tempo. Universos paralelos são coisa de ficção científica, e o Johnny — ou o Jamille — não voltou para casa aquela tarde, certo? Fim de papo.

Mesmo assim, existe um entendimento tácito entre todo o nosso círculo de que não se deve tentar obter detalhes dos motivos que levaram o garoto da companheira ao lado até ali. Ainda que o delito em questão seja em muitos casos a manifestação mais pública da família, naquela sala somos todas da mesma e decorosa opinião de que as notícias que aparecem no caderno "Metrópole" do *Times* e na primeira página do *Post* são questões particulares. Ah, sim, algumas poucas mães de vez em quando azucrinam uma vizinha de banco, dizendo que Tyrone nunca roubou aquele som ou que estava apenas guardando um quilo para um amigo, mas, então, as outras mães se entreolham com sorrisos enviesados e não demora para que a Dona Injustiçada Mas Nós Vamos Apelar cale o bico. (Kevin me informa que, lá dentro, ninguém se diz inocente. Em vez disso, relatam crimes hediondos pelos quais nunca foram pegos. "Se metade desses bostas estivesse falando a verdade", ele me disse no mês passado, como se toda aquela conversa fosse um grande desgaste, "grande parte do país estaria morta." Na verdade, Kevin mais de uma vez reivindicou a autoria da *quinta-feira* e os novatos não acreditaram nele. "E eu sou o Sidney *Poitier*, cara", respondem alguns. Consta que Kevin arrastou um desses céticos pelos cabelos até a biblioteca para lhe mostrar um número antigo da *Newsweek*.)

Mas, como eu ia dizendo, fiquei impressionada com a calma daquela jovem. Em vez de se pôr a limpar as unhas ou remover velhas notas fiscais dos bolsos, sentou-se ereta com as mãos pousadas no colo. Olhava direto para a frente, lendo o cartaz de prevenção da AIDS quem sabe pela centésima vez. Espero que isso não soe racista — nos tempos que correm, nunca sei o que pode ofender — mas os negros parecem muito bons de espera, é como se tivessem herdado um gene para a paciência junto com o da anemia falciforme. Reparei nisso na África também: dezenas de africanos sentados, ou de pé, na beira da estrada, à espera do ônibus ou, o que é ainda mais difícil de entender, sem esperar nada em especial, e não pareciam inquietos ou aborrecidos. Não ficavam puxando brotos de grama e mastigando a pontinha macia com os dentes da frente, sem nem ao menos desenhar rabiscos sem sentido com a ponta de suas sandálias de plástico no barro vermelho e seco. Eram quietos e presentes. É uma capacidade existencial, essa habilidade de apenas ser, com uma profundidade que já vi escapar à gente muito bem instruída.

A certa altura, a jovem foi até a máquina automática de chocolates e balas. A luzinha avisando que a máquina estava sem troco devia estar acesa, porque ela voltou e me perguntou se eu poderia trocar um dólar. Eu me desdobrei para conferir todos os bolsos do casaco, cada fresta da minha bolsa, de modo que, até eu arrebanhar moedas suficientes para perfazer a quantia, ela talvez estivesse desejando nunca ter me pedido o favor. Tenho tão pouco contato com estranhos, agora — ainda prefiro fazer as reservas de vôo na saleta de trás da agência —, que entro em pânico durante a mais superficial das transações. Talvez eu estivesse desesperada para exercer um efeito positivo na vida de alguém, ainda que fosse só para lhe propiciar acesso a um chocolate. Ao menos o constrangimento serviu para quebrar o gelo e, talvez para retribuir o que pode ter parecido um esforço tremendo, ela falou comigo, quando voltou a sentar.

"Eu devia trazer fruta para ele, acho." Ela deu uma olhada meio culpada para o chocolate em seu colo. "Mas Deus sabe que ele nunca iria comer."

Trocamos um olhar de compreensão, maravilhadas as duas com a predileção infantil por doces de garotos capazes de cometer crimes de adulto.

"Meu filho diz que a comida aqui é 'lavagem pra porco'", respondi.

"Ah, o meu Marlon também só se queixa. Diz que não é comida 'para ser consumida por seres humanos'. E já ouviu um boato que eles botam salitre na massa, antes de assar os pãezinhos?" (Esse velho boato de acampamento de férias é sem dúvida baseado na vaidade dos adolescentes: os vastos impulsos libidinosos de um jovem são tão sediciosos que exigem ser abafados por métodos escusos.)

"Não, 'lavagem para porco' foi tudo que consegui arrancar dele", falei. "Mas Kevin nunca se interessou muito por comida. Quando era pequeno, eu tinha medo que acabasse morrendo de fome, até que percebi que ele comia, desde que eu não estivesse olhando. Ele não gostava de ser visto precisando do alimento... como se a fome fosse um sinal de fraqueza. De modo que eu deixava um sanduíche onde tinha certeza de que ele iria encontrá-lo e saía de perto. Era como dar de comer a um cão. De um canto qualquer, eu o via enfiar a comida na boca em duas ou três mordidas, olhando em volta, certificando-se de que não havia ninguém vendo. Ele me pegou espiando uma vez e cuspiu tudo. Pegou o pão com queijo semimastigado e esmagou contra a porta de vidro. Ficou grudado. Deixei aquilo ali por um tempão. Não sei direito por quê."

Os olhos de minha companheira, até então alertas, estavam enevoados. Ela não tinha motivo para se interessar pelas preferências alimentares de meu filho e me pareceu arrependida de ter começado uma conversa. Eu sinto muito, Franklin... mas é que eu passo dias sem dizer quase nada e, então, quando começo a falar, a coisa sai em jorros, feito vômito.

"De todo modo", continuei, medindo um pouco mais as palavras, "já avisei ao Kevin que, assim que ele for transferido para uma instituição para adultos, a comida vai ficar ainda pior."

Os olhos da mulher se estreitaram. "O seu garoto não vai sair aos dezoito anos? Mas que pena." Contornando o assunto tabu da sala de espera, ela quis dizer o seguinte: ele deve ter feito algo muito ruim.

"Nova York é bem leniente com os menores de dezesseis anos", falei. "Mas mesmo neste estado os garotos têm de cumprir um mínimo de cinco anos por assassinato... sobretudo quando são sete colegas de escola e uma professora de inglês." Quando a fisionomia dela se rearrumou, acrescentei: "Ah, sim, e um funcionário da cantina. Talvez o Kevin seja mais apegado à comida do que eu pensei."

Ela sussurrou: "*KK*."

Deu até para escutar os rolos de filme voltando, enquanto ela reavaliava mentalmente tudo quanto eu tinha dito e que até então mal escutara. *Agora* ela tinha motivos para se interessar pelo apetite secreto de meu filho — e por sua preferência "musical" pela cacofonia dissonante gerada ao acaso pelo computador, naquele engenhoso joguinho que ele usava para compor trabalhos inteiros de escola só com palavras de três letras. Eu acabara de lançar mão de um macete típico de festas. De repente, ela não sabia o que dizer, não porque estivesse entediada, e sim porque se sentia acanhada. Se conseguisse arrebanhar um bom punhado dos pálidos detalhes machucados dos meus tira-gostos conversacionais, ela os apresentaria à irmã no dia seguinte, por telefone, numa bela bandeja de natal.

"Ele mesmo", falei. "Engraçado como antes 'KK' eram os *donuts* 'Krispy Kreme'."

"Mas isso deve ser..." E ela não soube como continuar. Lembrei-me da ocasião em que tive um *upgrade* para a primeira classe e me sentei ao lado de Sean Connery. Sem fala, não consegui pensar em nada melhor para dizer, além de: "Você é o Sean Connery", coisa que presumivelmente ele já sabia.

"Isso deve ser uma cruz e tanto para carregar", gaguejou ela.

"É", falei. Eu não estava mais preocupada em obter sua atenção; isso eu já conseguira. As ânsias de tagarelice que haviam me constrangido momentos antes estavam controladas. A sensação era a de estar acomodada — o que se traduzia no improvável conforto físico que senti em minha cadeira de plástico laranja. Qualquer obrigação de expressar meu interesse pela sorte do filho dessa jovem dissolveu-se no ar. Agora era eu a parte serena, a que merecia ser cortejada. Senti-me quase régia.

"O seu garoto", disse ela, tateando o terreno, "está lidando bem com isso aqui?"

"Ah, o Kevin adora isso aqui."

"Não me diga. O Marlon não pára de amaldiçoar esse lugar."

"O Kevin tem poucos interesses", falei, dando a nosso filho o benefício da dúvida ao sugerir que podia ter algum. "Ele nunca soube o que fazer de si mesmo. As horas de folga e os fins de semana pendiam dele em grandes dobras pregueadas, como se fossem um enorme casacão. Agora, o dia dele é todo regulamentado, da hora que acorda até as luzes se apagarem. Agora ele vive num mundo onde estar de saco cheio o dia inteiro é absolutamente normal. Acho até que ele sente um certo senso de comunidade." Essa era uma concessão da minha parte. "Talvez não exatamente com os companheiros, mas com os estados de espírito dominantes — aversão, hostilidade, escárnio são como velhos amigos para ele."

Havia algumas outras mães obviamente na escuta, já que dardejavam olhares disfarçados para nossas cadeiras com os movimentos rápidos e vorazes da língua de um lagarto. Eu podia ter baixado minha voz, mas estava gostando da platéia.

"Quando ele pensa no que fez, sente algum, tem algum..."

"Remorso?", completei secamente. "Mas do que ele haveria de se arrepender? Agora ele é *alguém*, não é mesmo? Ele *se encontrou*, como costumávamos dizer no meu tempo. Agora não precisa mais se preocupar em saber a que tribo pertence, se é *freak*, *geek*, skatista, *nerd* ou esportista. Não precisa mais se preocupar se é *gay*. Ele é um assassino. Isso é maravilhosamente cristalino. E o melhor de tudo", tomei fôlego, "ele se livrou de mim."

"Então parece que tem um lado bom, aí." Ela se mantinha a uns três ou quatro centímetros mais longe que mulheres numa conversa animada costumam ficar e me olhava de um ângulo que fugia da reta em cerca de trinta graus. Esses sutis distanciamentos pareciam quase científicos: eu era um espécime. "Porque você também se livrou dele."

Fiz um gesto resignado, encampando toda a sala de espera. "Não exatamente."

Dando uma olhada em seu Swatch, ela mostrou uma noção muito clara de que, antes que fosse tarde demais, e naquela que poderia ser uma oportunidade única na vida, tinha de fazer a pergunta que sempre tivera vontade de dirigir à mãe de *KK*. Eu sabia o que viria: "Você já entendeu o que foi que o levou... já conseguiu entender *por quê*?"

É o que todos querem perguntar — meu irmão, seus pais, meus colegas, os produtores dos documentários, o consultor psiquiátrico de Kevin, o pessoal que fez o *site gladstone-carnage.com*, mas não, curiosamente, a minha própria mãe. Quando aceitei o gentil convite de Thelma Corbitt para ir tomar um café com ela, uma semana após o enterro do filho (ainda que não tenha chegado a fazer a pergunta em voz alta, passou o tempo todo lendo os poemas que o filho escrevera e me mostrando o que me pareceram centenas de fotos de Denny em peças da escola), a questão se desprendeu dela em vibrações e se agarrou ao meu vestido: uma necessidade de compreender que beirava a histeria. Assim como todos os outros pais e mães, ela fora perseguida pelo medo de que toda a carnificina, cujos pedaços grudentos nós continuaríamos a recolher pelo resto de nossas vidas, fora *desnecessária*. De fato. A *quinta-feira* foi uma matéria optativa, como espanhol ou estamparia. Mas esse aborrecimento incessante, esse refrão insistente de *por quê*, *por quê*, *por quê* — é tão absurdamente injusto. Por que, depois de tudo que tive de suportar, eles ainda acham que posso pôr ordem no caos? Já não basta eu ter passado o que passei, será que preciso arcar com a responsabilidade de saber seu significado também? Aquela jovem em Claverack não teve intenção de me magoar, mas aquela sua pergunta tão familiar me irritou.

"Imagino que seja culpa minha", falei, em tom de desafio. "Não fui uma boa mãe... fui fria, severa, egoísta. Se bem que ninguém possa dizer que não paguei um alto preço por isso."

"Pois então", disse ela, fechando aqueles quatro centímetros e girando o olhar em trinta graus para me olhar bem de frente, "você pode culpar a sua mãe, e ela pode culpar a dela. Quando a gente perceber, vai ser culpa de alguém que já morreu."

Impassível junto à minha culpa, agarrada a ela como uma menina a seu coelhinho de pelúcia, não entendi o que ela me disse.

"Greenleaf?", gritou o guarda. Minha companheira enfiou o chocolate na bolsa, depois se levantou. Deu para perceber que ela hesitava entre fazer mais uma pergunta rápida e me dizer algumas palavras de despedida. Com Sean Connery, é sempre essa a dúvida: espremer alguma informação ou dá-la. De certa forma me impressionou o fato de ela ter optado pela segunda.

"É sempre culpa da mãe, não é verdade?", disse ela, bem baixinho, pegando o casaco. "Aquele menino deu errado porque a mãe dele bebia, ou se drogava. Ela deixava o garoto solto na rua; ela não ensinou a ele o que é certo e o que é errado. Nunca estava em casa quando ele voltava da escola. Ninguém nunca diz que o pai era um bêbado, ou que o pai nunca estava em casa quando o garoto voltava da escola. E ninguém jamais diz que alguns desses garotos não prestam e pronto. Não vá você acreditar nessa balela. Não deixe que eles ponham nas suas costas essa matança toda."

"*Loretta Greenleaf!*"

"É duro ser mãe. Ninguém nunca aprovou uma lei que diz que para alguém ficar grávida tem que ser perfeita. Tenho certeza de que você tentou ao máximo. Você não está aqui, nesse fim de mundo, numa bela tarde de sábado? Você continua tentando. Se cuide, meu bem. E não diga mais essas bobagens."

Loretta Greenleaf segurou minha mão e apertou-a. Meus olhos marejaram. Apertei a mão dela de volta, tanto e por tanto tempo que ela deve ter ficado com medo que eu nunca mais fosse soltar.

Olha só, o café esfriou.

*Eva*

(21:00)

Já de volta ao meu dúplex, estou envergonhada de mim mesma. Eu não precisava ter-me identificado como mãe de Kevin. Loretta Greenleaf e eu poderíamos ter falado apenas do serviço de alimentação de Claverack: *Quem foi que disse que salitre suprime os impulsos sexuais?* Ou até mesmo: *O que vem a ser esse raio de "salitre", afinal?*

Eu estava prestes a escrever "Não sei o que me deu", mas receio que não seja bem assim, Franklin. Eu estava sedenta por um pouco de companhia e senti que o interesse dela por esta branca tagarela estava esmorecendo. Eu tinha como intrigá-la se quisesse, e lancei mão desse recurso.

Claro que, logo depois da *quinta-feira*, tudo o que eu queria era me enfiar dentro de um bueiro e puxar a tampa. Eu ansiava por ficar de fora, como meu irmão, queria o esquecimento, se é que isso não é um mero sinônimo para desejar estar morta. Eu não me preocupava em sobressair. Entretanto, a maleabilidade do espírito é espantosa. Como já disse, agora sinto fome, e de muitas outras coisas além de frango. Quanto eu não daria para voltar aos tempos em que me sentava ao lado de estranhos e causava uma impressão memorável neles por ter fundado uma empresa de sucesso ou ter viajado por todo o Laos. Lembro-me com nostalgia da época em que Siobhan batia palmas e exclamava, admirada, que usara um *A Wing & a Prayer* para viajar pela Europa. Essa foi a eminência que escolhi para mim. Mas somos todos pessoas habilidosas e usamos o que temos à mão. Desprovida de companhia, fortuna e marido bonito, curvei-me para pegar o atalho mais garantido para ser *alguém*.

Mãe do ignóbil Kevin Khatchadourian é quem eu sou agora, uma identidade que significa mais uma das pequenas vitórias de nosso filho. A AWAP e nosso casamento não são mais que notas de rodapé agora, interessantes apenas na medida em que iluminam meu papel como mãe de um garoto que todos amam odiar. No nível mais privado, esse assalto filial a quem eu era é talvez o que mais me fere. Durante a primeira metade da minha vida, fui minha própria criação. A partir de uma infância melancólica e isolada, moldei uma adulta vibrante e expansiva, com domínio superficial de uma dúzia de outras línguas, capaz de se aventurar pelas ruas desconhecidas de qualquer cidade estrangeira. Essa noção de que somos nossa própria obra de arte é muito norte-americana, como você se apressaria em ressaltar. Agora, minha perspectiva é européia: sou um rol de histórias de outras pessoas, uma criatura das circunstâncias. E Kevin assumiu a tarefa otimista, agressiva, ianque de se criar.

Talvez eu esteja me sentindo perseguida por aquele *por quê*, mas me pergunto se de fato me esforcei para responder à questão. Não tenho muita certeza se quero mesmo entender Kevin, descobrir em mim um poço tão escuro que de suas profundezas os atos dele façam sentido. No entanto, pouco a pouco, aos trancos e barrancos, aprendo a racionalidade da *quinta-feira*. Mark David Chapman agora recebe de fãs cartas que John Lennon não pode mais receber; Richard Ramirez, apelidado de "rastejador da noite", pode ter arrasado com a possibilidade de felicidade conjugal de uma dúzia de mulheres, mas continua recebendo inúmeras propostas de casamento no presídio. Num país que não sabe diferir fama de infâmia, obviamente a primeira parece mais fácil de ser atingida. Daí não me espantar mais com a freqüência da violência armada, e sim com o fato de não ver todos os cidadãos ambiciosos dos Estados Unidos empoleirados no telhado de um *shopping center*, cercados de munição sobressalente. O que Kevin fez na *quinta-feira* e o que fiz hoje, na sala de espera de Claverack, distanciam-se apenas em escala. Desejosa de me sentir *especial*, estava decidida a captar a atenção de alguém, mesmo que para tanto fosse preciso usar o assassinato de nove pessoas.

Não há nenhum mistério no porquê de Kevin se sentir em casa em Claverack. Se no colégio ele se sentia descontente, a competição era grande. Dezenas de outros garotos batalhavam pelo papel do moleque intratável afundado na última carteira da classe. Agora ele abriu um nicho para si.

E tem colegas em Littleton, Jonesboro, Springfield. Como na maioria das disciplinas, a rivalidade disputa lugar com um sentido mais colegial de propósitos comuns. Assim como ocorre com tantos outros luminares, Kevin é severo com seus contemporâneos, exigindo deles padrões rigorosos. Zomba de chorões como Michael Carneal, de Paducah, que se retratam, que conspurcam a pureza do gesto com um remorso covarde. Ele gosta de estilo — como por exemplo a piada de Evan Ramsey ao fazer mira no colega da aula de matemática em Bethyl, Alasca: "Isso é bem melhor que álgebra, você não acha?" Ele aprecia um bom planejamento: Carneal colocou plugues de orelha, antes de apontar sua Luger calibre 22. Barry Loukaitis, de Moses Lake, fez a mãe levá-lo a sete lojas diferentes, até que encontrou o casaco preto do comprimento certo para esconder seu rifle de caça, calibre 30. Kevin também tem um senso refinado de ironia, e adora o fato de o professor que Loukaitis matou ter escrito na ficha do aluno exemplar, pouco antes de ser baleado, que "era um prazer tê-lo em classe". Assim como todo profissional, Kevin despreza a rematada incompetência de alguém como John Sirola, o garoto de catorze anos de Redlands, Califórnia, que estourou a cabeça do diretor da escola, em 1995, e, ao fugir do local, tropeçou e disparou contra si mesmo. E, a exemplo da maioria dos especialistas de renome, Kevin suspeita de alpinistas que abrem caminho à força até suas especialidades com o mínimo de qualificações

— veja o ressentimento dele contra o estripador de treze anos de idade. Não é fácil impressioná-lo.

Da mesma maneira como John Updike considera Tom Wolfe um mero escrivinhador, Kevin sente um desdém especial por Luke Woodham, o "chorão", de Pearl, Mississippi. Kevin aprova o foco ideológico, mas, como acontece com os moralismos pomposos, despreza qualquer aspirante à Matança na Escola que não consiga guardar um segredo — e consta que, antes de liqüidar sua suposta namorada com uma espingarda de caça calibre 30, Woodham não se conteve e mandou um bilhete a um colega de classe que dizia (e você devia ver o seu filho interpretando-o): "Eu matei porque gente como eu é maltratada todos os dias. Fiz isso para mostrar que, quando a sociedade nos empurra, a gente empurra de volta." Kevin classificou as lamúrias de Woodham enquanto o ranho pingava em seu macacão cor de laranja, no *Prime Time Live*, como *absolutamente caretas*: "Eu sou dono do meu nariz! Não sou um tirano. Não sou mau, sou piedoso, tenho sentimentos!" Woodham admitiu ter feito o aquecimento com uma paulada em seu cachorro, Sparky, depois do que embrulhou o totó num saco plástico, botou fogo com fluido de isqueiro e ficou do lado, escutando os ganidos do animal, antes de jogá-lo num lago. Kevin, entretanto, após sérias ponderações, chegou à conclusão de que tortura de animais é clichê. Por fim, ele condena sobretudo a forma como essa criatura chorosa tentou se safar da responsabilidade, culpando uma seita satânica por seus atos. A história, em si mesma, mostrou uma certa fanfarronice, mas Kevin vê a recusa de responder pela própria obra não só como uma indignidade como também como uma traição à tribo.

Conheço você, meu querido, e sei que não tem muita paciência. Que se danem as preliminares, você quer saber da visita em si — como estava o humor dele, como ele está, o que disse. Muito bem. Mas foi você quem pediu.

Ele está com um aspecto razoável. Embora o tom da pele continue um pouco azulado demais, veias muito finas em suas têmporas transmitem um indício promissor de vulnerabilidade. Se ele resolveu tosar o cabelo num corte desigual, tomo isso como sinal de uma preocupação saudável com a aparência. O eterno semi-esgar no canto direito da boca está começando a entalhar uma aspa na bochecha e, mesmo quando ele fecha a cara e franze a boca, ela continua lá, vincada. Não há aspas do lado esquerdo e a assimetria é desconcertante.

Em Claverack, eles não usam mais aqueles tão difundidos macacões cor de laranja. De modo que Kevin está livre para persistir com o estranhíssimo estilo de vestir que adotou aos catorze anos, discutivelmente pensado para fazer um contraponto à moda dominante de roupas tamanho GG — tão ao gosto dos delinqüentes do Harlem, que perambulam pelas ruas com as cuecas *boxer* expostas enquanto os cós de calças *jeans* que poderiam conter um pequeno veleiro oscilam em volta dos joelhos. Se o modelinho alternativo de Kevin tem um motivo, eu não sei, e só me resta especular.

Quando ele se saiu com essa moda, na oitava série, eu presumi que as camisetas que pegavam na cava e pregueavam no peito eram velhas favoritas que ele não queria pôr de lado e fiz o que pude para encontrar duplicatas em tamanho maior. Ele nunca vestiu nenhuma sequer. Agora entendo que as jardineiras de brim cujos zíperes mal se fechavam foram escolhidas com todo o cuidado; assim como os blusões cujas mangas terminavam antes do pulso, as gravatas que ficavam penduradas a oito centímetros do cinto quando o forçávamos a se vestir "direito" e as camisas arreganhadas, de botões estourando nas casas.

Uma coisa eu lhe digo, aquela história de roupas apertadas comunicava um bocado. À primeira vista, Kevin parecia um miserável e, em mais de uma ocasião, tive de me controlar para não dizer que "as pessoas vão pensar" que não ganhamos o suficiente para comprar uma calça *jeans* nova para nosso garoto. Adolescentes são ávidos por sinais de obsessão pelo *status* social demonstrados por seus pais. Além do mais, uma inspeção mais demorada revelou que ali era tudo de grife, o que conferia à pretensão de pobreza uma pitada de gozação. A sugestão de roupas jogadas na máquina de secar a temperaturas equivocadamente altas apontava para uma inaptidão cômica e as restrições de uma jaqueta infantil lhe cerceando os ombros levavam os braços, às vezes, a movimentos espasmódicos que lembravam os de um macaco. (Isso é o mais próximo que ele chega de se encaixar aos moldes de um palhaço convencional. Ninguém com quem conversei jamais me disse que o achava engraçado.) A maneira como a barra das calças *jeans* terminava muito acima das meias sempre lhe conferiu um aspecto jeca, endossando sua predileção em bancar o idiota. Há mais que apenas uma sugestão de Peter Pan no estilo dele — uma recusa em crescer — embora eu não entenda direito por que Kevin haveria de se apegar tanto assim à infância, quando, durante toda essa fase, ele me pareceu perdido, zanzando de um lado para o outro naquele casarão enorme, mais ou menos do mesmo jeito como eu fazia.

A medida experimental instituída em Claverack, que permite aos internos usar roupas comuns, deu a Kevin a possibilidade de reiterar seu estilo lá dentro. Se a garotada nova-iorquina que veste aquelas roupas imensas lembra uns bebezões à distância, o modo contraído de Kevin se vestir tem o efeito contrário e o faz parecer maior — mais adulto, estourando. Um de seus consultores psiquiátricos me acusou de achar o estilo enervante por sua sexualidade agressiva: as entrepernas da calça ressaltando os testículos, as camisetas pintadas com tinta *spray* fazendo sobressair os mamilos. Talvez; sem dúvida que as mangas estreitas, os colarinhos tesos e a cinturinha apertada amarravam o corpo todo de Kevin e me faziam pensar em sadomasoquismo.

A impressão que ele dá é de que não está confortável e, sob esse aspecto, a roupa é perfeita. Kevin se *sente* desconfortável. As roupas minúsculas repetem a mesma restrição que ele sente na própria pele. Compreender esses trajes sufocantes como um equivalente do cilício pode ser um pouco de exagero, mas os cós esfolam, as golas lhe arranham o pescoço. Desconforto chama desconforto nos outros, lógico, e também isso deve fazer parte do plano. Muitas vezes, quando estou com ele, me pego ajeitando minhas próprias roupas, soltando uma prega de pano de modo discreto do meio das nádegas, abrindo um botão a mais na minha blusa.

Lançando olhadas lacônicas para as outras mesas, reparo que alguns internos começaram a imitar o excêntrico estilo de vestir do nosso filho. Imagino que camisetas de tamanho pequeno tornaram-se posses preciosas e o próprio Kevin mencionou, todo orgulhoso, que os armários dos tampinhas estavam começando a ser assaltados. Ele pode até ridicularizar os imitadores, mas parece muito satisfeito de ter iniciado a própria tendência. Caso dois anos antes ele se preocupasse, na mesma medida, com a originalidade, os sete estudantes que usou como prática de tiro estariam preparando seus pedidos para ingressar na faculdade, agora.

Mas voltemos ao assunto de hoje. Ele entrou na sala das visitas usando o que um dia deve ter sido a calça de moletom de um dos nanicos, já que não reconheci como uma das que eu comprara. A minúscula camisa xadrez estava fechada pelos dois botões do meio, deixando à mostra as costelas. Agora até os tênis são de tamanho menor e ele anda com os calcanhares esmagados sob os pés. Talvez Kevin não goste de me ouvir dizendo isso, mas é um rapaz gracioso. Há uma certa languidez nos seus gestos, assim como no jeito como fala. E sempre tem aquele viés: ele anda de lado, feito um caranguejo. Impelir o corpo com o quadril esquerdo lhe dá aquele trote sutil de uma supermodelo na passarela. Se percebesse que vejo traços efeminados nele, duvido que se ofendesse. Kevin preza a ambigüidade; adora ver as pessoas tentando adivinhar algo a seu respeito.

"Mas que surpresa", disse ele, suave, puxando a cadeira. As pernas de trás tinham perdido os protetores de plástico e o alumínio sem proteção rangeu no cimento, um som de unha no quadro-negro, foi exatamente esse o som que Kevin produziu. Ele escorregou o cotovelo pela mesa, pousou a têmpora no punho e assumiu aquele arrebite característico, sardônico, com o corpo inteiro. Tentei não fazer nada, mas, sempre que ele se senta na minha frente, eu recuo.

Irrita-me o fato de ter sempre de ser eu a achar um assunto para conversar. Ele já tem idade suficiente para entabular uma conversa. E como ele me aprisionou, tanto quanto aprisionou a si mesmo, sofremos ambos de uma pobreza similar de assuntos novos. Em geral, repetimos o mesmo roteiro: "Como vai você?", pergunto com simplicidade brutal. "Você quer que eu diga que vou *bem*?" "Quero que diga alguma coisa", devolvo para ele. "Você é que vem aqui me ver", ele me lembra. Aliás, Kevin consegue, muitas vezes, passar uma hora inteira sentado ali, sem abrir a boca. Quanto a saber qual de nós dois tem maior tolerância para a nulidade, não há competição possível. Ele costumava passar os sábados assistindo ao Canal do Tempo.

De forma que hoje pulei até mesmo os *como vai* de praxe, trabalhando com a teoria de que a pessoa que evita os preâmbulos de conversa continua dependente de suas transições tranqüilas, mas aprendeu a deixar que os outros se dêem a esse trabalho. Além do mais, eu ainda estava perturbada por causa da conversa com Loretta Greenleaf. Quem sabe levar a própria mãe a se vangloriar das ligações com a atrocidade imunda que ele cometeu fosse lhe proporcionar alguma satisfação. Mas, pelo visto, meu impulso messiânico de assumir responsabilidade pela *quinta-feira* se afigura como roubo, aos olhos de Kevin.

"Muito bem", disse eu, vamos ao ponto. "Preciso saber. Você me culpa? Tudo bem você dizer que sim, se é o que você acha. É isso que você diz aos seus consultores psiquiátricos, ou eles dizem a você? Que tudo desemboca na sua mãe?"

Ele não teve dúvidas: "*Por que você haveria de ficar com todos os créditos?*"

A conversa que eu esperava que fosse consumir nossa hora inteira havia se encerrado em noventa segundos. Continuamos sentados.

"Você se lembra bem dos seus primeiros anos de infância, Kevin?" Eu tinha lido não sei onde que pessoas com memórias penosas de infância em geral bloqueiam essas recordações.

"O que tem pra lembrar?"

"Bem, por exemplo, que você usou fralda até os seis anos."

"E daí?" Se a minha idéia era constrangê-lo, eu podia tirar o cavalinho da chuva.

"Não deve ter sido agradável."

"Pra você."

"Para você também não."

"Por quê?", perguntou ele, de manso. "Eu me mantinha quente."

"Não por muito tempo."

"Não ficava ali muito tempo. Você era uma *mãemãe* muito boa."

"Seus coleguinhas no jardim-de-infância não zombavam de você? Eu me preocupava com isso, na época."

"Ah, aposto como você nem conseguia dormir."

"Eu me preocupava, sim", insisti.

Ele encolheu um único ombro. "E por que eles zombariam de mim? Eu estava me safando de algo e eles, não."

"É que eu me pergunto, agora, depois de todo esse tempo, se você conseguiria me explicar um pouco melhor por que esse atraso tão grande. Olhe que seu pai fez demonstrações suficientes."

"*Kevin-ziinho!*", arrulhou ele, em voz de falsete. "*Querido, benzinho? Olha só o papi! Viu como ele faz pi-piii no vaso? Será que você não gostaria de fazer igual, Kevin-zão? Não seria engraçado fazer que nem o paizão e pôr o pirulito lá no peniquinho?* Só me apoiei no seu próprio retardo."

Achei interessante que tivesse se permitido ser verbalmente esperto. Em geral Kevin toma todo o cuidado para não deixar transparecer que tem um cérebro. "Muito bem", disse eu. "Você não usava a privada pelo seu próprio bem, e você e eu... você não faria isso por mim. Mas por que não pelo seu pai?

"*Você já é um rapagão, agora!*", Kevin imitou. "*Você é o meu filhão! Você é meu homenzinho!* Jesus. Que babaca."

Levantei-me. "*Nunca* mais diga uma coisa *dessas. Nunca mais repita isso.* Nem uma única vez, nunca mais, nem mais uma única vez!"

"Se não o quê?", ele disse baixinho, os olhos dançando.

Sentei-me de novo. Eu não devia deixar que ele me irritasse desse jeito. Em geral não deixo. Ainda assim, qualquer alfinetada em você...

Ah, é verdade, talvez eu devesse me considerar felizarda por ele não apertar esse botão mais vezes. Por outro lado, nos últimos tempos, está sempre com o dedo em cima da ferida, de certa forma. Quer dizer, durante boa parte da infância de Kevin, aquelas feições estreitas, angulosas, me torturaram com meu próprio reflexo. Mas, neste último ano, seu rosto começou a se encher e, à medida que vai se alargando, reconheço a sua ossatura mais larga, Franklin. Embora seja verdade que, no passado, busquei faminta na fisionomia de Kevin alguma semelhança com o pai, agora vivo brigando com essa impressão maluca de que ele faz de propósito, para eu sofrer. Não quero ver a semelhança. Não quero detectar os mesmos maneirismos, aquela palmada característica, de cima para baixo, quando você descartava algo porque era insignificante, como, por exemplo, a ínfima questão de nossos vizinhos, um atrás do outro, proibirem as crianças de brincar com o nosso filho. Ver seu queixo forte retesado num ângulo belicoso, seu largo sorriso ingênuo retorcido num esgar malicioso, é como considerar meu marido possuído.

"E você teria feito o quê, então?", perguntei. "Com um menino que insistiu em fazer as necessidades na calça até ter idade suficiente para entrar na primeira série?"

Kevin se debruçou mais ainda sobre o cotovelo, o bíceps rente à mesa. "Sabe como se ensina gato, não sabe? Quando eles fazem dentro de casa, você enfia o focinho deles na merda. Eles não gostam. E começam a usar a caixinha." Ele endireitou o corpo, satisfeito.

"Isso não está muito distante do que eu fiz, não é verdade?", falei em tom sombrio. "Você se lembra? O que você me fez fazer? Como finalmente consegui que você começasse a usar o banheiro?"

Ele passou a ponta do dedo numa cicatriz já meio apagada no braço, perto do cotovelo, com um quê de terna possessividade, como se acariciasse uma minhoca de estimação. "Claro." Havia uma qualidade diferente nessa afirmação. Senti como se ele se lembrasse de fato disso, ao passo que outras memórias lhe vinham como que depois dos eventos propriamente ditos.

"Tive orgulho de você", ele ronronou.

"Você teve orgulho de você mesmo. Como de hábito."

"Ei", disse ele, debruçando-se para a frente. "Foi a coisa mais honesta que você já fez."

Remexi-me na cadeira, recolhendo a bolsa. Eu talvez tenha sentido vontade, um dia, de ser admirada por ele, mas não por aquilo; por tudo, menos aquilo.

"Espere um pouco", Kevin me interrompeu. "Eu respondi a sua pergunta. Agora tenho uma pra você."

Isso era novidade. "Certo. Fala."

"Aqueles mapas."

"O que têm os mapas?"

"*Por que você manteve aqueles mapas na parede?*"

Kevin só "se lembra" desse incidente porque, durante anos e anos, eu me recusei a tirar os mapas manchados das paredes do escritório e também não deixei que você passasse tinta por cima deles. Ele era, como você observou diversas vezes, tremendamente criança na época.

"Mantive todos lá para minha própria sanidade. Eu precisava ver algo que você tinha feito comigo, precisava tocar, pegar. Para provar que sua maldade não existia só na minha cabeça."

"Pois é", disse ele, afagando de novo a cicatriz. "Eu sei como é."

Prometo explicar, Franklin, mas no momento está impossível.

*Eva*

## *17 de janeiro de 2001*

*Querido Franklin,*

Desculpe deixar você no escuro. Tenho andado aflita com a perspectiva de ter de lhe dar uma explicação. Na verdade, indo para o trabalho, esta manhã, me vieram mais algumas lembranças do julgamento. Tecnicamente, cometi perjúrio. Eu simplesmente não achava que devia àquela juíza de olhinhos redondos tão pequeninos (uma doença congênita que eu nunca tinha visto antes, em que as pupilas ficam minúsculas, dando à pessoa a aparência atordoada, estúpida, de personagem de desenho animado que acabou de ser atingido por uma frigideira) a confissão de algo que, durante uma década, eu havia escondido do meu próprio marido.

"Senhora Khatchadourian, alguma vez a senhora ou seu marido bateram em seu filho?" O advogado de Mary debruçou-se ameaçador na plataforma onde eu prestava depoimento.

"Tudo o que a violência faz é ensinar à criança que a força física é um método aceitável de obter o que se quer", recitei.

"O tribunal só pode concordar com isso, senhora Khatchadourian, mas é muito importante esclarecermos o assunto, para que fique registrado nos autos. A senhora ou seu marido alguma vez abusaram fisicamente de Kevin enquanto ele esteve sob os cuidados de vocês?"

"Claro que não", falei com toda a firmeza e, depois, resmunguei mais baixo, para que não restassem dúvidas: "Claro que não". Arrependi-me da repetição. Há algo de suspeito em qualquer afirmação que precise ser dita duas vezes.

Ao descer da plataforma, meu pé enroscou num prego no assoalho, e com isso arranquei o salto preto de borracha do meu sapato. Claudicando de volta a meu lugar, refleti que era melhor um salto quebrado que um enorme nariz de pau.

No entanto, guardar segredo é uma disciplina. Nunca me considerei boa mentirosa, mas, depois de certa prática, adotei o credo dos safados, segundo o qual mais que fabricar uma mentira a grande questão é se casar com ela. Uma mentira bem-sucedida não pode ser trazida ao mundo e, depois, abandonada por um capricho qualquer. Assim como todo relacionamento em que há compromisso de ambas as partes, a mentira tem de ser mantida, e com muito mais empenho que o dedicado à verdade, que continua sendo uma mera verdade descuidada sem ajuda de ninguém. Já a minha mentira precisava de mim tanto quanto eu precisava dela e, portanto, exigia a constância de um voto matrimonial: até que a morte nos separe.

Percebi que as fraldas de Kevin o deixavam constrangido, ainda que, desgraçadamente, o fato não incomodasse nem um pouco o garoto. Já estávamos usando as extragrandes; um pouco mais e teríamos de começar a encomendar pelo correio aquele tipo que serve para incontinência. Apesar de todos os manuais infantis que você devorou, havia uma masculinidade antiquada em você que eu achava espantosamente atraente. Você não queria que nosso filho fosse efeminado, que se apresentasse como alvo fácil para a zombaria dos coleguinhas, ou que se apegasse a um talismã infantil tão publicamente óbvio, já que o volume debaixo da calça era inconfundível. "Jesus", você resmungava, depois que Kevin ia para a cama, "por que ele não resolveu chupar o dedo?"

No entanto, você próprio travara uma longa batalha com sua mãe, sempre tão neurótica com limpeza, a respeito da descarga, porque a privada havia entupido uma vez e sempre que você ia puxar a corrente, dali em diante, ficava aterrorizado com a possibilidade de que pedaços de excremento começassem a escorrer sem parar para o chão do banheiro, como se numa versão escatológica de *O Aprendiz de Feiticeiro*. E eu concordara que era trágica a maneira como as crianças se emaranhavam em nós neuróticos por causa de xixi e cocô, e que desperdício de angústia era isso tudo, de modo que concordei com essa nova teoria sobre deixar as crianças pequenas escolherem por si mesmas a hora em que se consideravam "prontas" para largar a fralda. De todo modo, estávamos ambos ficando desesperados. Você começou a me perguntar insistentemente se eu deixava que Kevin visse quando eu ia ao banheiro, durante o dia (não tínhamos certeza se ele deveria ou não ver), ou se eu havia dito algo para afastá-lo desse trono da vida civilizada, junto ao qual amenidades como *por favor* e *obrigado* eram firulas dispensáveis. Uma hora você me acusava de dar atenção demais ao assunto, outra hora, de dar atenção de menos.

Era impossível dar atenção de menos, já que essa fase do desenvolvimento que o nosso filho parecia ter saltado estava tiranizando a minha vida. Você há de lembrar que, graças ao novo etos educacional de uma neutralidade patológica (não existe nem o melhor nem o pior, apenas o diferente), assim como ao medo paralisante de ser processado (em virtude do qual os norte-americanos relutam cada vez mais em fazer qualquer coisa, desde dar respiração boca-a-boca a afogados até despedir incompetentes descarados do emprego), Kevin não foi recusado por aquele caríssimo jardim-de-infância de Nyack. Mesmo assim, em hipótese alguma a professora trocaria um menino de cinco anos, porque poderia se ver sujeita a acusações de abuso sexual. (A bem da verdade, quando informei calmamente a professora Carol Fabricant da pequena excentricidade de Kevin, ela me deu uma olhada de esguelha e declarou, de modo fulminante, que esse tipo de *comportamento não conformista* era muitas vezes um *grito pedindo socorro*. Ela não disse com todas as letras, mas passei a semana seguinte inteira temendo uma batida na porta e luzes azuis piscando em nossas janelas.) De modo que, por volta das onze e meia, ou seja, não muito tempo depois de tê-lo deixado na Amar e Aprender, às nove da manhã, eu era obrigada a voltar, eu e a minha já agora encardida sacola de fraldas.

Se estivesse seco, eu arranjava um pretexto qualquer e perguntava o que tinha desenhado, se bem que, com um número suficiente de "trabalhos de arte" grudados na geladeira, eu já fizesse uma boa idéia. (Enquanto as outras crianças iam passando para figuras de cabeças gordas e paisagens com uma faixinha azul de céu por cima, Kevin continuava com os rabiscos sem forma, sempre em preto e roxo.) Quase sempre, entretanto, uma moratória ao meio-dia significava outro telefonema: a professora Fabricant, informando que Kevin estava encharcado e que as demais crianças reclamavam do cheiro. Será que daria para a senhora...? Eu não tinha como dizer não. Assim, depois de ir pegá-lo às duas da tarde, eu teria feito quatro viagens até a Amar e Aprender num único dia. E eu que alardeara tanto que iria ter tempo livre para mim, depois que Kevin começasse a freqüentar o jardim-de-infância, sem falar na fantasia que eu acalentava, ainda que fosse quase impossível, de um dia voltar a assumir a diretoria da AWAP.

Se acaso Kevin fosse um menino dócil, prestativo, vítima de um único problema desagradável, talvez a professora houvesse tido pena dele. Mas seu relacionamento com o nosso filho não ia adiante por outros motivos.

Talvez tenhamos cometido um erro ao enviá-lo para um jardim-de-infância montessoriano, com uma filosofia da natureza humana no mínimo otimista. A educação supervisionada, mas desestruturada — as crianças eram postas num ambiente "estimulante", pontilhado de brinquedos que incluíam blocos com as letras do alfabeto, tábuas com contas de calcular e pezinhos de ervilha —, presumia que toda criança é um autodidata nato. No entanto, pela minha experiência, sempre que deixadas a seu bel-prazer, as pessoas acabam fazendo das duas, uma: ou nada, ou nada de aproveitável.

Um boletim inicial sobre o "progresso" de Kevin naquele novembro mencionava que ele era um "tanto subsocializado" e que "podia precisar de ajuda para iniciar um comportamento". Carol Fabricant não gostava de criticar seus alunos, de modo que foi um custo conseguir que traduzisse e explicasse que Kevin havia passado seus primeiros dois meses com o corpo largado num banquinho, no meio da sala, imóvel, fitando com olhar apático os colegas em atividade. Eu conhecia aquela expressão baça, precocemente geriátrica, animada apenas por um brilho esporádico de incredulidade zombeteira. Quando instigado a brincar com os outros meninos e meninas, qualquer que fosse a atividade, dizia que era "besta" naquela voz enfastiada que, durante o ensino fundamental, levara seu professor de história a acusá-lo de embriaguez. Como foi que a professora conseguiu motivá-lo a rabiscar aqueles desenhos sombrios e furiosos, eu jamais saberei.

Para mim, era uma dificuldade constante ter de admirar aquelas deformações a lápis de cera. Muito depressa, esgotei todos os elogios (*Isso tem uma energia imensa, Kevin!*) e interpretações criativas (*Isso é uma tempestade, meu bem? Ou quem sabe um retrato da mistura de cabelos com sabão que a gente tira do ralo da banheira!*). Pressionada a continuar elogiando sua emocionante escolha de cores quando ele desenhava apenas em preto, marrom e roxo, eu não podia fazer outra coisa senão sugerir, timidamente, que o expressionismo abstrato entrara num beco sem saída na década de cinqüenta e que talvez fosse melhor tentar uma aproximação de uma ave ou de uma árvore. Mas, para a professora, os ralos entupidos das naturezas-mortas produzidas por nosso filho eram uma prova positiva de que o método montessoriano podia operar maravilhas, mesmo com uma porta.

De todo modo, nem Kevin, dono de tamanho dom para a coisa, conseguia sustentar a estase por muito tempo sem fazer algo para tentar tornar a vida um pouco mais interessante, como ficou demonstrado de forma cabal pela *quinta-feira*. Até o término do ano escolar, Carol Fabricant já devia estar morrendo de saudades dos tempos em que Kevin Khatchadourian não fazia absolutamente nada.

Talvez não seja preciso dizer que o pé de ervilha morreu, assim como o broto de abacateiro que substituiu a plantinha inicial, mais ou menos na mesma época em que notei, em vão, que faltava um vidro de água sanitária na despensa. Houve alguns mistérios. Logo depois de um determinado dia de janeiro, assim que entrei na classe levando Kevin pela mão, uma garotinha com cachos de Shirley Temple começou a chorar e a gritaria piorou até que, em certo momento de fevereiro, ela não voltou mais. Um outro garoto, agressivo e barulhento em setembro, um daqueles tipos carnudos que vive chutando você na perna e empurrando as outras crianças no quadrado de areia, de repente ficou calado, introvertido, além de desenvolver um quadro severo de asma e um terror inexplicável do armário dos agasalhos, do qual não podia se aproximar mais que um metro e meio sem começar a espirrar. O que isso teve a ver com Kevin? Eu não saberia dizer. Talvez nada. E alguns incidentes foram bem inofensivos, como o dia em que o pequeno Jason, ao enfiar os pés nas suas brilhantes galochas vermelhas, descobriu que estavam recheadas com os restos de bolo de maçã que haviam sobrado da hora do lanche. Com brincadeiras de criança — caso fossem brincadeiras de uma criança *de verdade* — nós concordávamos.

O que mais contrariou a professora Fabricant, claro, foi o fato de que seus alunos, um após outro, começaram a regredir no quesito banheiro. No início do ano, ela e eu havíamos discutido, esperançosas, que Kevin talvez se inspirasse no exemplo dos coleguinhas durante as idas à privada, mas receio que ocorreu justamente o contrário e, até ele terminar o jardim-de-infância, a escola tinha não apenas um, mas três ou quatro garotos de fralda aos seis anos de idade.

Fiquei mais abalada com alguns outros incidentes.

Uma bela manhã, uma menina muito delicadinha, apelidada de Muffet, levou um serviço de chá para a classe. Não era um serviço comum de chá, e sim um negócio todo decorado, de muitas xícaras, em que todas as peças se encaixavam nos respectivos espaços da caixa de mogno forrada de veludo. Mais tarde, a mãe dela reclamou, dizendo que aquilo era uma herança de família que Muffet só tinha permissão de levar para a escola em ocasiões muito especiais. Sem dúvida que o aparelho jamais deveria ter sido levado a um jardim-de-infância, mas a menina tinha um orgulho danado daquele jogo todo elaborado e aprendera a lidar muito bem com as peças, tanto que dispôs certinho as xícaras sobre seus pires, com colherinhas de porcelana do lado, para uma dúzia de colegas de classe, todos sentados junto a suas mesinhas baixas. Depois de ela ter servido uma rodada de "chá" (o suco de abacaxi e *grapefruit* de sempre), Kevin ergueu a xícara dele pela asa minúscula, num brinde de saudação — e jogou-a no chão.

Em rápida sucessão, todos os seus onze companheiros na degustação do chá fizeram o mesmo. Antes que a professora Fabricant pudesse assumir as rédeas, os pires e colherinhas já tinham tido a mesma sorte tilintante. Em resumo, quando a mãe de Muffet foi buscar sua chorosa filha naquela tarde, não sobrara nada do precioso jogo de chá, a não ser o bule.

Mesmo que algum dia eu houvesse nutrido esperança de ver meu filho exibindo qualidades de liderança, não era bem coisas desse tipo que eu esperava. Entretanto, quando disse isso à professora, em tom de brincadeira, ela não achou muito graça. Tive a impressão de que, de maneira geral, a intenção juvenil de Carol Fabricant de moldar todas aquelas fofuras, transformando-as em vegetarianos conscientes do multiculturalismo e ambientalmente responsáveis, impelidos a corrigir as desigualdades do Terceiro Mundo, começava a esmorecer. Ela ainda estava em seu primeiro ano de flocos de tinta se soltando das sobrancelhas, de se deitar com o gosto salgado de cola nas gengivas e de mandar tanta gente "dar um tempo" que no fim não havia mais atividade da qual dar um tempo. Afinal, ela havia me dito, no início do ano letivo, que "simplesmente *adorava* crianças", uma declaração que sempre me deixou um tanto duvidosa. Vinda de jovens mocinhas como Carol Fabricant, com nariz de batata e quadris do tamanho de um estádio, a afirmação impraticável parece ser código para "eu quero me casar". De minha parte, depois que tive não *um* filho qualquer, e sim esse, em especial, não vejo como alguém pode dizer que *ama crianças* de forma genérica, assim como ninguém vai acreditar em quem diz que *ama todas as pessoas*, englobando aí Pol Pot, Don Rickles e o vizinho de cima, que faz dois mil polichinelos às três da manhã.

Ao me relatar a história tenebrosa com voz ofegante e dramática, era óbvio que Carol Fabricant esperava que eu cobrisse o prejuízo. Em termos financeiros, claro que eu tinha condições de fazê-lo, fosse qual fosse o valor do jogo de chá, mas não podia arcar com a presunção de culpa total que acompanharia esse gesto. Convenhamos, Franklin — você teria um ataque. Você ficava irritado toda vez que achava que o seu filho estava sendo, como você costumava dizer, *perseguido*. Tecnicamente, ele havia quebrado apenas uma xícara e um pires, e ressarcir um doze avos da perda era o máximo que eu estava disposta a aceitar. Também me ofereci para falar com Kevin sobre "respeito à propriedade dos outros", embora a professora Fabricant não tenha se comovido muito com isso. Talvez intuísse que esses meus sermões já tivessem começado a murchar ao sabor da cadência animada e irônica das rimas de *rei, capitão, soldado, ladrão* usadas pelas meninas ao pular corda.

"Hoje você não foi muito bonzinho, Kevin", falei, já no carro. "Por que você quebrou a xícara de chá da Muffet?" Não tenho a menor idéia por que nós, os pais, insistimos em acreditar que nossos filhos querem muito ser considerados *bonzinhos*, uma vez que, quando nós elogiamos conhecidos dizendo que são *muito bonzinhos*, em geral o que estamos querendo dizer é que são uns chatos.

"Ela tem um nome idiota."

"O que não significa que ela merece..."

"Escorregou da minha mão", disse ele, de modo muito pouco convincente.

"Não foi o que a professora falou."

"E como é que ela vai saber?", Kevin bocejou.

"Como é que *você* iria se sentir, mocinho, se tivesse alguma coisa da qual gostasse muito, mas muito mesmo, e alguém da sua classe resolvesse espatifá-la?"

"Como o quê?", perguntou ele, com uma inocência tingida de autocongratulação.

Vasculhei o cérebro atrás de um exemplo, mas não vi nada pelo qual Kevin tivesse um apego especial. Buscando mais atentamente, senti o mesmo espanto de quem revira todos os bolsos do terno ao descobrir que aquele em que a carteira sempre ficava guardada está vazio. Não era natural. Na minha parcimoniosa infância, por exemplo, fui a guardiã fetichista de lembranças as mais humildes, desde um burrico chamado Cloppity, de três pernas, a um pacote de quatro frasquinhos vazios de corante de comida.

Não que Kevin não tivesse tudo em abundância, já que você o enchia de brinquedos. Eu me sentiria mal de dizer que ele ignorava todos aqueles Game Boys e caminhões da Tonka que você lhe dava se o próprio excesso desses presentes não fosse um sinal de que você tinha consciência de que os anteriores não haviam agradado. Talvez a sua generosidade tenha saído pela culatra ao forrar o salão de jogos com o que devia parecer um mar de plástico; e talvez ele soubesse que presentes comprados em lojas eram fáceis para nós, que éramos ricos, e, portanto, por mais caras que essas tranqueiras fossem, continuavam sendo baratas.

Mas eu às vezes passava semanas a fio fazendo objetos caseiros, personalizados, que hipoteticamente deveriam *significar algo*, para o nosso filho brincar. Também fazia questão de que Kevin me visse confeccionando aquilo tudo, para saber que eram obras de amor. O máximo de curiosidade que ele demonstrou foi me perguntar, irritado, por que eu simplesmente não *comprava* um livro de histórias. Assim que meu livro infantil desenhado à mão foi prensado entre duas capas pintadas de papelão, as folhas furadas e presas por um cordão colorido, ele acompanhou a leitura com olhares desatentos para a janela. Admito que o enredo era banal, eu inventei um garotinho que perde seu amado cachorro, Snippy, fica muito chateado, procura por toda parte e, claro, no fim Snippy aparece — é muito provável que a inspiração viesse da *Lassie*. Nunca me considerei uma escritora de talento e as aquarelas tinham borrado. Eu estava sendo vítima de uma ilusão, achava que a intenção é que conta. Mas, não obstante as mil e uma menções feitas a um garotinho de cabelos escuros e olhos penetrantes, não consegui que ele se identificasse com o menino inconsolável com a perda de seu cãozinho. (Lembra-se de quando você quis comprar um cachorro para Kevin? Implorei para não fazer isso. Fiquei feliz por você nunca ter me forçado a dar uma explicação, já que nunca expliquei nem a mim mesma. Só sei que sempre que eu imaginava um labrador preto todo saltitante, ou um leal *irish setter*, eu me enchia de pavor.) O único momento de interesse pelo livro foi quando deixei Kevin sozinho por alguns minutos, para preparar o jantar. Quando voltei, ele já havia rabiscado todas as páginas com um marcador preto, criando umas das primeiras *obras interativas* do mercado editorial, pelo visto. Mais tarde, afogou um ursinho de pelúcia, recheado de meias e com olhos feitos de botão, no Lago do Urso, o que veio bem a calhar; e atirou várias peças do meu quebra-cabeça de madeira (era a imagem de uma zebra) na valeta de escoamento na entrada de casa.

Apelei para uma história antiga. "Lembra-se do seu revólver de esguichar?"

Ele deu de ombros.

"Lembra-se do dia em que a *mãemãe* perdeu a paciência, pisoteou seu brinquedo e o revólver quebrou?" Eu tinha adquirido o estranho hábito de me referir a mim mesma na terceira pessoa. Talvez eu estivesse começando a me dissociar e *mãemãe* passou a ser meu alter-ego virtuoso, um agradável e gorducho ícone materno, de mãos enfarinhadas, o fogo crepitando sob o tacho, que solucionava as disputas entre os moleques da vizinhança com fábulas fascinantes e biscoitos quentinhos saídos do forno. Quanto a Kevin, ele já havia deixado de lado o *mãemãe*, rebaixando o termo de neologismo a um mero nome idiota para mim. No carro, fiquei preocupada com o fato de ele ter parado de me chamar e ponto. Isso parecia impossível, porque os filhos em geral usam o nome da gente quando querem algo, nem que seja só atenção, mas Kevin não queria me pedir nada, nem mesmo para eu virar a cabeça. "Você não gostou, gostou?"

"Eu nem liguei."

Minhas mãos escorregaram no volante — de dez para as duas passaram a um tristonho sete e vinte e cinco. A memória dele era boa. Como, na sua opinião, ao arruinar meus mapas Kevin *tinha apenas tentado ajudar*, você substituíra o revólver por um outro, que foi jogado no meio da montanha de outros brinquedos e esquecido. O revólver de esguichar havia servido aos seus propósitos. De fato, tive um pressentimento sombrio quando terminei de espatifá-lo: como ele *tinha* apego ao brinquedo, ficaria feliz que desaparecesse.

Quando lhe contei sobre o jogo de chá, você estava prestes a descartar o assunto, mas pensou melhor depois que lhe lancei um olhar de advertência; havíamos conversado sobre a necessidade de apresentar uma fachada unida. "Ei, Kev", disse você, de mansinho. "Eu sei que xícara de chá é coisa de menina e meio frescura demais, mas não saia por aí quebrando tudo, certo? Não é *legal*. E agora o que me diz se a gente for jogar um pouco de *frisbee* lá fora? Ainda dá tempo de treinarmos um pouco mais aquele seu arremesso livre, antes do jantar."

"Claro, papai!" Lembro-me de ter ficado observando o nosso filho ir até o armário, para buscar o disco, intrigada. Punhos fechados, cotovelos para tudo quanto é lado, ele parecia, sob todos os aspectos, um garoto normal, turbulento, contentíssimo de ir brincar no quintal com o pai. Exceto que era parecido *demais* com um garoto normal, como se seus movimentos fossem estudados. Até mesmo naquele *Claro, papai!* havia uma nota meio ensaiada, um *nã-nã-nã* que eu não conseguia precisar. Eu tinha a mesma sensação incômoda nos fins de semana em que Kevin exclamava — sim, *exclamava* — "Puxa, papai, hoje é sábado! Será que a gente pode ir ver mais um *campo de batalha*?" Você ficava tão encantado que eu não tinha coragem de levantar a hipótese de que aqueles convites fossem uma gozação. Assim como, olhando pela janela da sala de jantar, eu também não acreditava que o nosso filho pudesse continuar sendo tão ruim de *frisbee* depois de tanto tempo. Kevin ainda jogava o disco de lado, prendendo a beirada com o dedo médio, que espiralava e caía a três metros de seus pés. Você era paciente, e isso me preocupava, porque Kevin poderia se sentir tentado a ver até onde ia essa sua paciência.

Ah, não me lembro de todos os incidentes daquele ano, a não ser o fato de terem sido vários, todos rotulados de tolice por você. "Eva, todo menino puxa um ou dois rabos-de-cavalo." Poupei-o de uma série de queixas, porque, para mim, relatar as má-criações do nosso filho parecia *delatá-lo*. E, no fim, isso acabava ficando mal para mim, mais do que para ele. Se eu fosse irmã, até daria para entender, mas será que uma mãe podia ser dedo-duro? Pelo visto, sim.

Entretanto, a imagem que nunca me saiu da cabeça — acho que foi em março, bem, não sei direito por que me marcou tanto, mas não consegui guardar aquilo só para mim. Eu havia ido buscar Kevin na hora de sempre e ninguém parecia saber onde ele estava. A fisionomia de Carol Fabricant foi ficando mais tensa, ainda que, àquela altura, caso Kevin tivesse sido seqüestrado pelos pedófilos assassinos que, na época, rondavam todas as moitas, conforme fomos levados a crer, eu teria achado normal que os criminosos tivessem sido contratados por ela mesma. Como a criança desaparecida era o nosso filho, levou um tempo até alguém pensar em ir dar uma olhada nos banheiros, um esconderijo pouco provável, em se tratando de Kevin.

"Aqui está ele!", entoou a professora, na porta do banheiro das meninas. E depois soltou um grito abafado.

Duvido que sua lembrança dessas histórias enferrujadas seja muito nítida, de modo que permita que eu lhe refresque a memória. Naquele jardim-de-infância, havia uma menina franzina, de cabelos escuros, chamada Violetta, sobre quem eu já devia ter feito algum comentário com você, já que ela me comovia muito. Era quieta, retraída; escondia-se atrás da saia da professora Fabricant e levei um tempão para conseguir que me dissesse seu nome. Muito bonita, aliás, mas você tinha de olhar com todo o cuidado para perceber isso, coisa que poucos faziam. As pessoas não conseguiam ir além do eczema.

Era um horror. Ela tinha o corpo coberto de eczemas, manchas enormes, vermelhas, que descascavam, rachando às vezes, criando crostas. Pelos braços inteiros, pelas perninhas finas e, pior, por todo o rosto. A textura áspera era reptiliana. Eu escutara dizerem que problemas de pele em geral estão associados com desordens emocionais; talvez também eu fosse suscetível às pressuposições em voga no momento, já que não pude evitar de me perguntar se Violetta não estaria sendo maltratada, de alguma forma, ou se os pais não estariam passando por um divórcio litigioso. De qualquer modo, toda vez que punha os olhos nela, algo dentro de mim desmoronava e eu tinha de combater o ímpeto de pegá-la nos braços. Nunca desejei imperfeições monstruosas em nosso filho, não por si mesmas, mas eram exatamente esses distúrbios devastadores que eu havia tentado extrair do dr. Foulke: alguma desgraça temporária que fosse sarar, mas que, naquele ínterim, provocasse em mim, quando diante do meu próprio filho, a mesma compaixão infinita que eu sentia toda vez que Violetta — filha de uma estranha — aparecia na minha frente.

Só tive eczema uma vez na vida, no queixo, de modo que sei que aquilo coça feito o diabo. Já tinha ouvido a mãe dela cochichando, pedindo para ela não coçar, e presumia que o tubo de creme que Violetta carregava o tempo todo consigo, no bolso do agasalho, era uma pomada anticoceira, um paliativo, apenas, não um remédio: nunca vi o eczema de Violetta melhorar. Mas esses antipruriginosos são eficazes só até certo ponto e o autocontrole da menina era de impressionar. Ela passava a unha, promissoramente, pelo braço, depois pegava a mão infratora com a outra, como se a estivesse pondo numa coleira.

Mas, como eu ia dizendo, quando Carol Fabricant deu um grito abafado, fui ter com ela na soleira do banheiro. Kevin estava de costas para nós, cochichando. Quando abri um pouco mais a porta, ele parou e recuou. Diante de nós, na frente das pias, estava Violetta. Com o rosto erguido numa expressão que só posso qualificar de beatífica. De olhos fechados, os braços cruzados sepucralmente, com as mãos nos ombros opostos, o corpo, penso eu, como numa espécie de desmaio. Estou certa de que jamais teríamos privado aquela abençoada menininha do êxtase que ela tanto merecia, não fosse o fato de que estava coberta de sangue.

Não é minha intenção ser melodramática. Logo ficou muito claro, assim que a professora berrou e empurrou Kevin de lado, para poder pegar toalhas de papel, que as escoriações de Violetta não eram tão sérias quanto aparentavam. Imobilizei as mãos dela, enquanto Carol Fabricant passava o papel úmido nas pernas, no rosto e nos braços, numa tentativa desesperada de limpá-la um pouco, antes que a mãe chegasse. Tentei tirar os flocos brancos de seu agasalho azul-marinho, mas as escamas de pele haviam grudado no tecido como se fossem Velcro. Não haveria tempo suficiente, pelo visto, para tirar os respingos de sangue de suas meias soquetes e dos punhos das manguinhas bufantes da blusa branca. A maior parte das esfoladuras era superficial, mas estavam espalhadas pelo corpo todo, e tão logo Carol Fabricant enxugava um eczema — em tons inflamados que haviam passado de um malva emburrado para um magenta incandescente —, ele voltava a pingar.

Escute: não quero entrar nessa discussão de novo. Aceito plenamente que Kevin pode não ter encostado um dedo nela. Até onde sei, ela se dilacerou sozinha, sem ajuda nenhuma. Aquilo coçava e a garotinha havia cedido. Eu diria até que poder enfim enfiar as unhas naquela horrenda crosta vermelha deve ter sido delicioso. Cheguei a pressentir um vestígio de vingança na extensão dos danos, ou talvez uma convicção médica equivocada de que, com suficiente diligência cirúrgica, talvez ela conseguisse esfoliar aquela maldição purulenta de sua existência de uma vez por todas.

Seja como for, jamais poderei me esquecer do rosto dela quando a encontramos, porque sua expressão falava não só de satisfação pura e simples como também de uma liberação mais selvagem, primitiva, quase pagã. Ela *sabia* que iria doer mais tarde, *sabia* que estava apenas piorando o estado da pele, *sabia* que a mãe iria ficar em pânico, e era justamente essa compreensão que sua fisionomia estampava e que lhe dava, mesmo aos cinco anos, um quê de obscenidade. Ela se sacrificaria por esse glorioso festim e que se danassem as conseqüências — o sangue, o ardume, o descabelamento na volta para casa, as cascas pretas pavorosas nas semanas seguintes — que pareciam esperá-la no mesmo âmago de seu prazer.

Naquela noite, você ficou furioso.

"*Quer dizer então* que uma menina se coçou. E o que isso tem a ver com o meu filho?"

"Ele estava lá! Aquela coitadinha se esfolando viva e ele não fez *nada*."

"Ele não é o guardião dela, Eva, ele é uma criança também!"

"Ele poderia ter ido chamar alguém, não poderia? Antes que ela fosse tão longe?"

"*Talvez*, mas ele nem seis anos completou ainda. Só no mês que vem. Você não pode esperar que ele seja assim tão sagaz, ou que reconheça o que significa ir 'tão longe' quando tudo o que a menina estava fazendo era se coçar. O que aliás não explica, em hipótese alguma, por que você deixou o Kevin a tarde toda lambuzado na merda!" Um raro lapso. Você se esqueceu de dizer *cocô*.

"É graças a *Kevin* que as fraldas de Kevin fedem, porque é graças a *Kevin* que Kevin continua usando fralda." Depois de banhado pelo pai indignado, ele fora para o quarto, mas eu tinha plena consciência de que me ouviria. "Franklin, não estou agüentando mais! Comprei uma montanha de livros de 'não tem nada de sujo no cocô da gente', e agora ele acha que são bobos porque foram escritos para crianças de dois anos de idade. Nós deveríamos esperar até ele se *interessar*, mas ele não se interessa nunca, Franklin! Por que haveria, se tem sempre a mãe ali do lado para limpar tudo? Até quando nós vamos permitir que isso continue? Até ele entrar na faculdade?"

"Certo, admito que estamos num jogo de empurra, aqui. Ele ganha atenção..."

"Nós não estamos num jogo de empurra, e sim numa *guerra*, Franklin. Nossos soldados foram dizimados. Falta-nos munição. Nossas fronteiras foram invadidas."

"Vamos esclarecer uma coisa antes? Então essa é sua nova teoria para ele largar a fralda, deixar que ele passe o dia inteiro convivendo com a própria sujeira, espalhando tudo no nosso sofá branco? Isso é instrutivo, é? Ou é um castigo? Porque, de algum modo, essa sua última terapia me parece toda misturada com sua indignação porque uma menina qualquer teve coceira."

"*Ele a instigou.*"

"Ah, tenha a santa paciência."

"Até hoje ela sempre foi muito, muito boazinha e nunca mexeu nos eczemas. De repente, nós a encontramos no banheiro, junto com seu novo amiguinho, e ele está em volta dela, falando com ela... Meu Deus, Franklin, você devia ter visto o estado da garota! Ela me fez lembrar daquela velha história de horror que circulava nos anos sessenta, sobre um cara tão chapado de ácido que arrancou a pele dos dois braços porque achou que estava infestada de insetos."

"E por acaso já lhe ocorreu que, se essa cena foi assim tão tenebrosa, quem sabe Kevin esteja meio traumatizado também? Que talvez ele precise de um pouco de consolo, de alguém que o tranqüilize, com quem ele possa conversar, e não de ser expulso para seu próprio esgoto pessoal? Meu Deus, eles põem crianças sob a custódia de estranhos por muito menos."

"Quem me dera", resmunguei.

"Eva!"

"Foi brincadeira!"

"Qual é o *problema* com você?"

"Ele não está 'traumatizado' coisa nenhuma, está é muito cheio de si. Na volta para casa, os olhos dele estavam brilhantes. Eu não o via assim tão satisfeito consigo mesmo desde o dia em que estripou o bolo de aniversário."

Você se aboletou numa ponta do nosso muito pouco prático sofá branco, com a cabeça nas mãos. Não pude lhe fazer companhia porque a outra ponta ainda estava manchada de marrom. "Eu também já não estou agüentando mais, Eva." Você massageou as têmporas. "E não é por causa do Kevin."

"Isso é uma ameaça?"

"Não é uma ameaça."

"Do que você está falando?"

"Eva, por favor, acalme-se. Eu nunca vou desfazer a nossa família." Houve um tempo em que você diria: *eu nunca vou deixar você*. Sua declaração honrosa tinha uma certa solidez, ao passo que promessas de amor duradouro entre amantes são notoriamente frágeis. De modo que não entendi muito bem por que seu compromisso inabalável com a *nossa família* me entristeceu.

"Eu o visto", disse eu. "Eu lhe dou de comer, quando ele permite, eu o levo a toda parte. Eu asso os biscoitos que leva para o lanche da escola. Estou a serviço dele de manhã até a noite. Troco as fraldas dele seis vezes ao dia e tudo que você sabe é reclamar de uma única tarde em que ele me deixou tão perturbada, até mesmo com medo, que não consegui nem chegar perto dele. Eu não estava tentando exatamente puni-lo. Mas, naquele banheiro, ele me pareceu tão..." Descartei uns três ou quatro adjetivos, por serem inflamados demais, depois acabei entregando os pontos. "Trocá-lo me pareceu algo muito íntimo."

"Olha só isso. Eu não faço idéia de sobre quem você está falando. Nós temos um garoto feliz, saudável. E estou começando a achar que ele é extremamente inteligente." (Contive-me a tempo, antes de retrucar: *É justamente disso que eu tenho medo.*) "Se às vezes ele se retrai, é porque é um garoto pensativo, introvertido. Mas ele brinca comigo, me abraça antes de dormir, eu leio histórias para ele. Quando estamos só nós dois, ele me conta tudo..."

"Significando que ele conta o quê?"

Você ergueu as palmas das mãos. "O que ele andou desenhando, o que eles comeram no lanche..."

"E você acha que isso é *contar tudo*."

"Você enlouqueceu, por acaso? Ele tem cinco anos, Eva. O que mais haveria para contar?"

"Para início de conversa? O que aconteceu no ano passado, naquele grupo que formamos para que as crianças brincassem depois da escola? Uma após a outra, todas as mães tiraram os filhos do grupo. Ah, havia sempre uma boa desculpa: 'o Jordan vive se resfriando', 'a Tiffany não se sente confortável sendo a mais novinha'. Até que ficamos só eu e os filhos da Lorna e então ela resmungou que não era mais bem um grupo e saiu. Algumas semanas depois, dou uma passada na casa dela, sem avisar antes, para deixar um presente de Natal e o que vejo? Todo o antigo grupo reagrupado na sala de estar. Lorna ficou sem graça, mas não tocamos no assunto e, já que o Kevin *lhe conta tudo*, por que não fazer com que ele explique o que levou todas aquelas mães a saírem de fininho para, depois, reagrupar as crianças em segredo, todas elas, salvo o nosso 'filho saudável e feliz'?"

"Eu jamais perguntaria a ele porque essa é uma história muito desagradável que o deixaria muito magoado. E não vejo onde está o mistério — fofocas, panelinhas e desavenças de um lugar pequeno. Típico de mães que ficam em casa com tempo demais a seu dispor."

"Eu sou uma dessas *mães que ficam em casa*, sob um sacrifício considerável, permita-me acrescentar, e a última coisa que temos é tempo demais a nosso dispor."

"E daí que ele levou um fora? Por que isso não faz você ficar brava com elas? Por que presumir que foi algo que o nosso filho fez, e não obra de uma neurótica qualquer, de ovo virado?"

"Porque eu sei perfeitamente bem que o Kevin *não me conta tudo*. Ah, e você também podia perguntar a ele por que babá nenhuma volta uma segunda noite."

"Eu não preciso perguntar. A maioria dos adolescentes da região tem uma semanada de cem dólares. *Só* doze dólares a hora não tenta ninguém."

"Então pelo menos você deveria fazer com que o seu anjinho lhe contasse *exatamente o que foi que ele disse para a Violetta.*"

Não que brigássemos o tempo todo. Ao contrário, se bem que é das brigas que eu mais me lembro. Engraçado como a lembrança de um dia normal é a primeira que some. Não gosto de turbulências, não sou do tipo quanto pior, melhor. Ainda assim, talvez tenha me sentido contente quando arranhei a casca ressecada de nossa pacificidade cotidiana da mesma forma como Violetta se alegrou ao enterrar as unhas nas crostas ressequidas do corpo, qualquer coisa para que algo vívido e líquido fluísse de novo, à mostra, escorregadio entre nossos dedos. Dito isso, eu temia o que poderia haver por baixo. Temia, no fundo, odiar minha vida, odiar ser mãe e, em alguns momentos, odiar até ser sua mulher, já que você tinha feito isso comigo, transformado meus dias num interminável fluxo de merda, mijo e biscoitos dos quais Kevin nem sequer gostava.

Enquanto isso, não havia grito que conseguisse encerrar a crise das fraldas. Numa rara inversão de papéis, você costumava considerar o problema internamente complicado demais e eu achava tudo muito simples: nós queríamos que ele usasse o banheiro, por isso ele não usava. Uma vez que não iríamos parar de querer que ele usasse o banheiro, eu não sabia mais o que fazer.

Sem sombra de dúvida você achou minha escolha da palavra *guerra* absurda. Mas, ao colocar Kevin no trocador que já se tornava pequeno demais para esse fim, as pernas dele ficavam dependuradas por cima das bordas salientes da mesa — muitas vezes fui levada a pensar em guerras sanguinárias de guerrilha em que forças rebeldes maltrapilhas conseguem infligir perdas surpreendentemente sérias em formidáveis exércitos nacionais. Sem poder contar com o vasto, ainda que pesado, arsenal oficial, os rebeldes recorrem a artimanhas. Seus ataques, embora normalmente leves, são freqüentes e, com o tempo, os constantes agravos podem ser mais desmoralizantes que algumas poucas investidas espetaculares com um altíssimo número de baixas. Diante de tamanha desvantagem em termos bélicos, os guerrilheiros usam o que houver à mão, encontrando às vezes nos materiais do dia-a-dia uma finalidade devastadora. Se não me engano, é possível fabricar bombas, por exemplo, com o metano produzido pelo esterco. Kevin não era nenhum bunda-mole, ele também aprendera a fazer da merda uma arma.

Sim, ele se submetia às trocas sem fazer muito escândalo. Ele parecia adorar o ritual e talvez tenha inferido, diante da minha crescente rapidez, um constrangimento para ele gratificante, porque passar algodão nos seus tesos testículos quando já estava com quase seis anos começava a me parecer ligeiramente indecente.

Se por acaso Kevin gostava dos nossos encontros, eu detestava. Nunca me convenci de que os efluentes de uma criança pequena tenham um cheiro exatamente "doce"; agora, as fezes de uma criança já no jardim-de-infância nem essa reputação têm. As de Kevin tinham se tornado mais firmes e grudentas, e o lugar onde eu o trocava agora exalava o bafo azedo dos túneis do metrô colonizados pelos sem-teto. Eu me envergonhava da montanha de Pampers não biodegradáveis que enviávamos ao aterro local. Pior de tudo, havia certos dias em que Kevin parecia segurar de propósito seus intestinos para um segundo ataque. Se não era nenhum Leonardo do mundo dos lápis, possuía um controle magistral do esfíncter.

Olha só, estou preparando o terreno aqui, mas em hipótese alguma me desculpando pelo que houve naquele mês de julho. E sei que você só poderá ficar horrorizado. Não estou nem mesmo pedindo o seu perdão. É muito tarde para isso. Mas preciso muito da sua compreensão.

Kevin terminou o jardim-de-infância em junho e lá estávamos nós, presos um ao outro o verão todo. (Escute, eu irritava Kevin tanto quanto ele me irritava.) Apesar do modesto sucesso de Carol Fabricant com os desenhos à Diabo Verde, o método Montessori não estava operando maravilhas em casa. Kevin ainda não aprendera a brincar. Deixado à própria sorte, ele se largava no chão, com um distanciamento sorumbático que tornava o clima da casa inteira opressivo. De modo que tentei envolvê-lo em projetos, juntei barbante, botões, cola e retalhos coloridos, e levei tudo para o salão de jogos com a intenção de fazer bonecos de meias. Eu me sentava junto com ele no carpete e na verdade me divertia à beça, a não ser pelo fato de, no fim, eu ter nas mãos um coelhinho de boca de feltro vermelho, enormes orelhas azuis e bigodes de canudinho, enquanto o braço de Kevin exibia uma meia três-quartos lisa, empastada de cola. Eu não esperava que nosso filho fosse um grande astro do artesanato, mas ele podia pelo menos fazer um esforço.

Outra coisa que eu queria era que ingressasse na primeira série à frente dos colegas, por isso tentei lhe ensinar o básico. "Vamos ver os números!", propunha eu.

"Pra quê?"

"Para você ser o melhor da classe em aritmética, quando entrar na escola."

"Pra que serve aritmética?"

"Bem, você se lembra de ontem, quando a *mãemãe* pagou as contas? Você tem que saber somar e subtrair, para pagar as contas e saber quanto dinheiro ainda tem no banco."

"Você usou uma calculadora."

"Bom, mas você precisa saber aritmética para ter certeza de que a calculadora está certa."

"Então pra que usar, se nem sempre funciona?"

"Sempre funciona", concedi a contragosto.

"Então não precisa de aritmética."

"Para usar uma calculadora", falei, atrapalhada, "você precisa saber que cara tem o número cinco, correto? Agora vamos praticar a nossa contagem. O que vem depois do três?"

"Sete."

E assim nós continuávamos até que um dia, depois de mais um desses diálogos aleatórios ("O que vem depois do nove?" "Cinqüenta e três."), ele me lançou um olhar de peixe-morto e entoou, em ritmo acelerado, monocórdio: "Umdoistrêsquatrocincoseisseteoitonovedezonzedoze...", parando duas ou três vezes para recobrar o fôlego, mas sem um tropeço, até cem. "Agora podemos largar disso?". Eu realmente me senti uma idiota.

Tampouco consegui despertar qualquer entusiasmo pela alfabetização. "Não me venha com perguntinhas bobas", falei, antes de trazer à baila a perspectiva de leitura. "*Pra que serve? De que adianta*? Bem, eu vou lhe dizer. Haverá momentos em que você vai se sentir muito entediado, sem nada para fazer, e nessas ocasiões poderá ler um livro. Até mesmo num trem ou num ponto de ônibus."

"E se o livro for chato?"

"Você pega outro. Há mais livros no mundo do que tempo para ler todos eles, de modo que nunca vai faltar o que ler."

"E se todos forem chatos?"

"Acho que isso não seria possível, Kevin", falei já irritada.

"Pois eu acho que é", ele discordou.

"Além disso, quando você crescer, precisará ter um emprego, e então terá de saber ler e escrever muito bem, caso contrário ninguém irá contratá-lo."

Claro que pensei, cá com meus botões, que, se isso fosse verdade, a maior parte do país estaria desempregada.

"O papai não escreve. Ele anda de caminhonete e tira fotos."

"Há outros empregos..."

"E se eu não quiser ter um emprego?"

"Você teria de depender da *ajuda* do governo. E ele lhe daria só um pouquinho de dinheiro, só o suficiente para não morrer de fome, mas não o bastante para se divertir."

"E se eu não quiser fazer nada?"

"Aposto como você vai querer. Se você ganhar seu próprio dinheiro, pode ir ao cinema, a restaurantes e até mesmo a outros países, como a *mãemãe* fazia." Ao dizer *fazia*, minha fisionomia se crispou.

"Acho que quero depender da ajuda do governo." Era o tipo de frase que eu ouvira outros pais e mães repetirem em meio a risadas durante jantares festivos e lutei para achá-la encantadora.

Não entendo como essas famílias que ensinam os filhos em casa conseguem. Kevin nunca me parecia estar prestando atenção, como se escutar fosse uma indignidade. Entretanto, sei lá como, ele aprendia pelas costas o que precisava saber. Aprendia da mesma maneira como comia — furtivamente, de fininho, devorando informação como se fosse um sanduíche de queijo engolido quando não havia ninguém olhando. Ele detestava admitir que não sabia algo e aquele hábito de bancar o bobo servia como um cobertor muito bem tramado para encobrir as falhas genuínas de sua educação. Na cabeça de Kevin, falsa ignorância não era vergonha e nunca consegui distinguir entre a estupidez fingida e a verdadeira. Vai daí que, se à mesa do jantar eu recriminasse a atuação de Robin Williams em *Sociedade dos Poetas Mortos*, dizendo que fora *banal*, eu me sentia na obrigação de explicar a Kevin que a palavra significava "como o que tantas outras pessoas já fizeram antes". Mas ele recebia a definição com um *ahã* precoce. Será que já tinha aprendido o significado de *banal* aos três anos, quando fingia que não sabia falar? Me diga você.

De todo modo, depois de desfigurar com tamanha beligerância o alfabeto todo durante várias semanas ("O que vem depois do R?" *Eleemeene*), Kevin interrompeu uma das minhas diatribes — sobre como é que ele podia ficar ali sentado, esperando aprender por osmose — e entoou o alfabeto do começo ao fim de forma impecável, ainda que revestido de uma agressividade desafinada que, mesmo para alguém sem o menor ouvido, pareceria improvável, mesclado a um tom sombrio que fez daquela récita infantil tão alegre algo muito parecido a um *kaddish*. Suponho que tivessem lhe ensinado o alfabeto na escolinha. Ao terminar com uma zombaria, *agora que eu disse o meu ABC, me diga o que pensa de mim*, retruquei, furiosa: "Eu acho que você é um menino muito ruim, que gosta de fazer a sua mãe perder tempo!" E Kevin sorriu, extravagantemente, com os dois cantos da boca.

Ele não era desobediente e nisso quase todos os artigos publicados nas revistas dominicais erraram. Na verdade, ele às vezes seguia as suas tarefas à risca e com uma precisão assustadora. Após o período obrigatório de imitação de incompetência — os *pês* aleijados, abertos e murchos abaixo da linha, como se baleados — ele se sentou um dia e, quando mandei, escreveu perfeitamente entre as linhas do caderno o seguinte: "Olhe, Sally, olhe. Vai. Vai. Vai. Corre. Corre. Corre. Corre, Sally, Corre." Não tenho como explicar por que achei isso tão horrível, exceto pelo fato de ter me revelado o niilismo insidioso da cartilha. Até mesmo a maneira como ele escreveu aquelas palavras me deixou perturbada. A escrita não tinha caráter nenhum. Quer dizer, ele não desenvolveu uma *letra*, como nós a entendemos, nosso selo pessoal, em termos conotativos, numa escrita padrão. Do momento em que admitiu que sabia escrever, sua escrita reproduziu, sem um erro sequer, as letras impressas no livro, sem rabichos ou rabiscos supérfluos. Seus *tês* eram cortados, os *is* tinham pingos e nunca antes o interior inflado dos *bês*, dos *os* e dos *dês* me pareceu conter tanto espaço vazio.

Meu ponto é que, por mais que ele fosse dócil, no sentido técnico, era uma criança dificílima de ensinar. Você podia saborear seu progresso notável quando chegava em casa, mas nunca teve de passar por aqueles momentos *eureca!* de súbito avanço que recompensavam as muitas e muitas horas de repetição enervante e incentivos pacientes. É tão pouco satisfatório ensinar uma criança que se recusa a aprender na sua frente quanto alimentar uma outra com um prato deixado num canto da cozinha. Era óbvio que ele estava me negando toda e qualquer satisfação de propósito. Ele estava decidido a fazer com que eu me sentisse inútil e desnecessária. Embora talvez não estivesse tão convencida quanto você de que nosso filho era um gênio, ele era — bem, suponho que continue sendo, se é que se pode dizer uma coisa dessas de um garoto que se apega a um ato de tamanha imbecilidade — muito inteligente. Mas, como tutora, minha experiência cotidiana era a de ensinar uma *criança excepcional* apenas dentro da tradição eufemística que, todo ano, inventa um nome ainda mais desonesto para *idiota*. Eu repeti "quanto é dois mais três" *muitas e muitas* vezes, até que um dia, quando de novo ele se recusou a dizer *cinco*, com teimosia, com malícia, eu o obriguei a sentar, rabisquei

12.387<br>
6.945<br>
138.964<br>
3.987.234

fiz um risco embaixo dos algarismos e disse: "Pronto! Então some isso! E multiplique por vinte e cinco quando acabar, já que se acha tão esperto!"

Eu sentia sua falta durante o dia, assim como sentia falta da minha vida antiga quando estava ocupada demais para sentir sua falta durante o dia. Se antes eu era versada em História de Portugal, sabia a ordem de sucessão dos monarcas e quantos judeus haviam sido mortos durante a Inquisição, agora, recitava o alfabeto. Não o alfabeto cirílico, não o hebraico, e sim o *alfabeto*. Mesmo que Kevin tivesse se mostrado um ardente discípulo, ainda assim essa dieta teria significado um rebaixamento do tipo precipitoso, em geral circunscrito aos sonhos: de repente, lá estou eu, sentada nos fundos da classe, fazendo uma prova, com um lápis quebrado e sem calça. De todo modo, eu talvez tivesse aceitado esse papel modesto, não fosse a humilhação adicional de ter de viver, por mais de seis anos, mergulhada até os cotovelos na merda.

Muito bem — vamos logo ao que interessa.

Houve uma tarde de julho em que, conforme a tradição, Kevin sujara as fraldas uma vez e fora limpo com a mesma rotina de sempre do creme e do talquinho para, vinte minutos depois, não mais que isso, terminar o serviço da evacuação. Ou era o que eu pensava. E, dessa vez, ele se superou. Isso foi na mesma tarde em que, depois de eu insistir muito para que escrevesse uma frase significativa a respeito da própria vida e não mais uma sentença sarcasticamente oca sobre Sally, ele escrevera no caderno: "No *jardin* de infância todo mundo *dis* que a minha mãe tem cara de velha." Fiquei da cor de uma beterraba e foi então que senti aquele cheiro revelador. Depois de eu tê-lo trocado *duas vezes*. Kevin estava sentado de pernas cruzadas no chão e eu o ergui pela cintura, puxando a Pampers para me certificar. Perdi a cabeça. "Como é que você *consegue*?", berrei. "Você não *come* quase nada, de onde é que *vem* tudo isso?"

Senti uma onda de calor me invadir o corpo e mal reparei que Kevin estava pendurado no ar, com os pés fora do carpete. Ele não parecia pesar grande coisa, como se aquele corpo estreito, denso, com estoques inesgotáveis de merda, fosse recheado de bolinhas de isopor. Não há outra forma de dizer isso. Eu o atirei longe. Ele aterrissou, com um baque surdo, de encontro à beirada de aço do trocador. A cabeça torcida numa posição curiosa, como se estivesse finalmente *interessado* em alguma coisa, ele escorregou, como se em câmera lenta, para o chão.

*Eva*

## *19 de janeiro de 2001*

*Querido Franklin,*

Portanto agora você já sabe.

Corri para ele com esperanças precipitadas de que estivesse bem — à primeira vista não tinha nenhuma escoriação —, mas, assim que o virei, vi o braço em cima do qual ele caíra. O antebraço devia ter batido na beirada da mesa na hora em que, conforme você comentaria mais tarde, brincando, Kevin resolvera voar. Estava sangrando, meio torcido, abaulado, com algo branco, no meio, tentando sair fora; senti ânsia. *Desculpe, desculpe, desculpe!*, sussurrei. No entanto, por mais que estivesse roída de remorsos, também me sentia intoxicada com aquele momento, o que talvez desminta minha pernóstica incompreensão da *quinta-feira*. Exteriormente, eu estava desolada. Mas bem no meu cerne o momento fora abençoado. Ao jogar o nosso filhinho longe, e pouco me importava onde, além do mais, eu havia inadvertidamente cedido, como Violetta, e esfolara uma coceira crônica e aflitiva.

Antes de me condenar por completo, eu lhe peço que compreenda o quanto eu estava tentando ser uma boa mãe. Porém, tentar ser uma boa mãe pode estar tão distante de sê-lo quanto tentar se divertir está de se divertir de fato. Desconfiada de todos os meus impulsos, do momento em que ele me foi posto no peito, segui um regime zeloso de uma média de três abraços ao dia, ao menos dois comentários elogiosos a algo que ele tivesse feito ou dito e declarações de *eu te amo, mocinho* ou então *você sabe que o papai e eu amamos muito você* com a uniformidade previsível de profissões de fé religiosas. Só que, quando observados muito ao pé da letra, os sacramentos em geral se esvaziam. Além do mais, durante seis anos inteiros eu tinha posto cada palavra minha naquele retardo de cinco segundos usado em programas ao vivo de rádio, só para ter certeza de não transmitir nada obsceno, difamatório ou contrário à política da empresa. Essa vigilância teve seu custo. Tornei-me remota, hesitante e desajeitada.

Ao erguer o corpo de Kevin naquele ímpeto de adrenalina, senti-me enfim graciosa, porque finalmente houve uma confluência sem mediação do que fiz com o que senti. É desagradável admitir, mas a violência doméstica tem suas utilidades. De tal sorte que, quando desencadeada em estado bruto, rasga o véu de civilização, que tanto se interpõe entre nós quanto torna nossa vida possível. Um mau substituto para o tipo de paixão que gostamos de exaltar, talvez, mas o amor verdadeiro possui mais em comum com o ódio e a raiva que com a cordialidade ou a polidez. Por dois segundos, senti-me completa e também a verdadeira mãe de Kevin Khatchadourian. Senti que estava próxima dele. Senti-me eu mesma — meu verdadeiro eu, sem expurgos — e senti também que estávamos finalmente nos comunicando.

Enquanto eu tirava uma mecha de cabelo da testa úmida, vi os músculos da face de Kevin trabalhando furiosamente; os olhos se franziram e a boca se retorceu num quase-sorriso. Mesmo quando corri para pegar o *New York Times* daquela manhã e enfiei o jornal sob o braço dele, Kevin não chorou. Segurando o jornal sob seu braço — até hoje ainda me lembro da manchete junto ao cotovelo dele, "Maior autonomia dos países bálticos provoca desconforto em Moscou" — ajudei-o a se levantar, perguntando se alguma coisa doía, e ele abanou a cabeça. Fui pegá-lo no colo e Kevin abanou a cabeça de novo; ele andaria. Juntos, fomos até o telefone. É possível que tenha enxugado uma ou duas lágrimas, quando eu não estava olhando, mas, assim como aprender a contar, Kevin não se dispunha a sofrer em público.

Nosso pediatra, o dr. Goldblatt, foi nos encontrar no minúsculo prontosocorro, de uma intimidade opressiva, do hospital de Nyack, onde a minha certeza absoluta era de que todos em volta sabiam o que eu havia feito. O aviso dando o número da "Linha direta para o xerife de Nova York", pregado ao lado do guichê de internação parecia ter sido posto ali especialmente para

Kevin. Eu falei demais e disse muito pouco. Balbuciei para as enfermeiras da triagem o que tinha acontecido mas não como. Enquanto isso, o incrível autocontrole de Kevin transmudou-se em atitude militar: corpo ereto, queixo erguido, cabeça virada em ângulos retos. Depois de assumir a responsabilidade por manter o braço no jornal, permitiu que o dr. Goldblatt segurasse seu ombro, enquanto avançava pelo corredor, mas se afastou da minha mão. Quando entrou na sala de exames da ortopedia, virou-se na soleira da porta e anunciou secamente: "Eu entro sozinho."

"Não quer que eu vá com você, para o caso de começar a doer?"

"Você pode esperar aqui", ele ordenou. Os músculos em movimento no maxilar cerrado eram a única indicação de que já tinha começado a doer.

"Mas que homenzinho mais valente esse seu filho, Eva", disse o dr. Goldblatt. "Você ouviu as ordens dele." E, para meu horror, o médico fechou a porta.

Eu queria, queria de fato, estar lá por causa de Kevin. Estava desesperada para me reafirmar como alguém em quem ele pudesse confiar, para lhe mostrar que sua mãe não era um monstro que iria atirá-lo longe, sem mais nem menos, como uma aparição vingativa de *Poltergeist*. Mas claro que havia também o receio de que Kevin contasse ao cirurgião ou a Benjamin Goldblatt o que eu havia feito. Eles têm leis para coisas assim. Eu poderia ser presa; meu caso poderia acabar sendo uma atônita matéria na primeira página do *Rockland County Times*. E eles poderiam tirar Kevin de mim, transformando em realidade aquela minha brincadeira de mau gosto. No mínimo, talvez tivesse de me submeter a humilhantes visitas de assistentes sociais de espírito crítico para verificações mensais de possíveis hematomas em meu filho. Por mais que eu merecesse censura, continuava preferindo o fogo lento da auto-abrasão privada às vergastadas iradas da reprovação pública.

De modo que, enquanto espiava com olhos vidrados o quadro em que ficavam expostas as eloqüentes cartas enviadas ao corpo de enfermagem por clientes satisfeitos, eu buscava loucamente encontrar versões mais atenuadas para a minha história. *Ah, doutor, o senhor sabe como os meninos exageram. Eu não atirei ninguém longe. Ele estava correndo feito um louco pelo corredor e, quando fui sair do quarto, dei um encontrão nele, por acaso... E aí então ele, ah, claro que ele caiu, bateu forte no... no pé do abajur...!* Eu sentia nojo de mim mesma e todas as desculpas esfarrapadas que inventei me pareciam absurdas. Aliás, tive tempo de sobra para pensar no que eu tinha feito, sentada numa daquelas cadeiras duras de metal verde-mar da sala de espera; uma enfermeira me informou que nosso filho teria de ser submetido a uma cirurgia para "limpar os ossos", um procedimento que, ainda bem, continuou opaco para mim.

Mas quando Kevin saiu, três horas depois, com aquele gesso ofuscantemente branco, o dr. Goldblatt deu um tapinha no ombro do nosso filho e admirou o jovem corajoso que eu tinha, enquanto o cirurgião ortopedista detalhou de forma impessoal a natureza da fratura, os perigos de infecção, a importância de manter o gesso seco e a data em que Kevin deveria voltar. Ambos os médicos foram bondosos o bastante em não mencionar o fato de que o hospital fora obrigado a trocar a fralda de nosso filho; Kevin não estava mais cheirando mal. Balançando a cabeça para cima e para baixo, feito uma idiota, dei uma olhada rápida para Kevin, que recebeu meus olhos com um olhar límpido e cintilante de cumplicidade perfeita.

Eu lhe devia uma. Ele sabia que eu lhe devia uma. E eu lhe deveria uma durante um bom tempo.

Voltei para casa tagalerando (*O que a* mãemãe *fez foi muito, muito errado, e ela sente muito, muito mesmo* — embora o distanciamento da terceira pessoa deva ter lançado uma luz dúbia sobre o meu remorso, como se já estivesse pondo a culpa pelo incidente em minha amiga imaginária). Kevin não disse nada. Com uma fisionomia arredia, quase altiva, os dedos do braço engessado enfiados napoleonicamente na camisa, seguia ereto no banco da frente, examinando as luzes da Ponte Tappan Zee pela janela lateral, em tudo e por tudo idêntico a um general vitorioso, ferido nobremente em combate e agora aquecido pelos aplausos da multidão.

Eu, por outro lado, não tinha um contrapeso para isso. Eu podia ter escapado da polícia e dos serviços sociais, mas estava condenada a ter de enfrentar mais um duelo. Ainda que, quando encostada na parede, tivesse sido capaz de inventar, para o dr. Goldblatt, uma história do arco-da-velha sobre ter *dado um encontrão* com Kevin, não conseguia me imaginar olhando você de frente e lhe atirando tamanho absurdo.

"Oi! Onde vocês andaram, os dois?", gritou você, quando entramos na cozinha, ainda de costas para nós, terminando de espalhar pasta de amendoim num biscoito Ritz.

Meu coração batia furioso; eu não tinha idéia do que iria lhe contar. Até então, nunca fizera nada que colocasse em perigo o nosso casamento — e a *nossa família* —, mas, se havia alguma coisa capaz de nos empurrar até o abismo, era aquele meu ato.

"Nossa, Kev!", exclamou você, com a boca cheia de migalhas, engolindo sem mastigar. Arrepiei-me inteira, como se alguém houvesse aumentado a voltagem e eu estivesse numa cerca elétrica. Tinha a nítida sensação de que restavam mais um ou dois segundos, depois dos quais as coisas nunca mais seriam as mesmas, aquela frouxa percepção de ter visto um carro em sentido contrário, na mesma pista, quando já era tarde demais para desviar.

No entanto a colisão de frente foi evitada no último minuto. Já habituado a confiar mais na versão do seu filho que na de sua mulher para o esclarecimento de quase todos os eventos, você se virou direto para Kevin. Dessa vez, se enganou. Se tivesse perguntado para mim, juro — ou pelo menos é o que eu gostaria de acreditar — que, de cabeça baixa, eu teria lhe contado a verdade.

"Quebrei o braço."

"Isso eu estou vendo. Como foi que aconteceu?"

"Eu caí."

"Caiu onde?"

"Eu estava com cocô na fralda. A *mãemãe* foi buscar mais lenços umedecidos de papel. Eu caí do trocador. No... no meu caminhão Tonka. A *mãemãe* me levou ao doutor Goldpum."

O desempenho dele foi bom. Foi muito, muito bom; talvez você não tenha a medida de como foi bom. Ele foi perfeito — a história estava pronta. Nenhum dos detalhes foi inconsistente ou gratuito; ele enjeitara as fantasias exageradas com as quais a maioria das crianças da idade dele teria disfarçado uma bebida derramada ou um espelho quebrado. Kevin já tinha aprendido o que todo mentiroso hábil sabe quando quer fazer carreira: sempre se aproprie do máximo possível de verdade. Uma mentira bem construída é montada em grande parte com os blocos dos fatos, que podem erguer tanto uma pirâmide quanto uma plataforma. Ele estava com a fralda suja. Ele se lembrava, corretamente, de que na segunda vez em que foi trocado, naquela tarde, a caixa de Wet Wipes acabara. Ele tinha, mais ou menos, caído do trocador. Seu caminhãozinho Tonka estava realmente — fui conferir depois — no chão na hora da queda. Além disso, o que mais me deixou maravilhada foi ele ter intuído que apenas cair de um metro de altura provavelmente não seria o bastante para quebrar o braço; ele precisaria ter aterrissado, por infelicidade, em algum objeto duro de metal. E, embora curto, seu relato foi pontilhado de toques elegantes: usar *mãemãe*, depois de ter evitado o apelido engraçadinho durante meses, emprestou à história um tom afetivo, carinhoso, que desmentia de modo fantástico o caso real; *doutor Goldpum* era brincalhonamente escatológico, o que deixou você à vontade — seu *garoto feliz e saudável* estava de volta ao normal. Talvez o mais impressionante de tudo é que, ao contrário do que ele havia feito no pronto-socorro, Kevin não deu uma olhada sequer na minha direção, o que poderia ter aberto o jogo.

"Nossa", você exclamou. "Isso deve ter doído!"

"Diz o ortopedista que, para uma fratura exposta...", respondi eu, "rompeu a pele... está bem limpa e deve solidificar bem." Nesse instante, Kevin e eu trocamos um olhar, só o tempo suficiente para selar o pacto. Eu havia empenhado minha alma a uma criança de seis anos de idade.

"Vai me deixar assinar o seu gesso?", você perguntou. "É costume, isso, sabia? Seus amigos e a família, todo mundo assina o nome e deseja que você se recupere bem depressa."

"Claro, papai! Mas primeiro preciso ir ao banheiro." E lá se foi ele, a mão livre balançando.

"Será que ouvi certo?", você perguntou baixinho.

"Suponho que sim." Rígida havia horas — o medo é um exercício de isometria — eu estava exausta e, uma vez na vida, a última coisa que me preocupava eram os hábitos de higiene de nosso filho.

Você me pegou pelos ombros. "Nossa, que susto que você deve ter levado."

"Foi tudo culpa minha", eu disse, me contraindo.

"Mãe nenhuma consegue vigiar um garoto o tempo inteiro."

Gostaria que você não tivesse sido tão compreensivo. "É, mas eu deveria ter..."

"*Psssiu!*" Você ergueu o indicador e, do banheiro do corredor, vinha um jorro delicado: música para os ouvidos dos pais. "O que você acha que foi, o choque?", você cochichou. "Talvez ele tenha ficado com medo de voltar para aquele trocador."

Dei de ombros. Apesar das aparências, eu não acreditava que um acesso de raiva diante de mais uma fralda suja tivesse aterrorizado e convencido nosso filho a usar a privada. Ah, claro que tinha tudo a ver com o nosso enfrentamento no quarto dele. *Eu estava sendo recompensada.*

"Isto pede uma celebração. Vou até lá, dar os parabéns a esse garoto..."

Pus a mão no seu braço. "Melhor não abusar da sorte. Deixe ele sossegado, não faça escândalo. Kevin prefere efetuar suas reversões longe das câmeras."

Dito isso, eu sabia que não deveria tomar o "pipi no penico" como admissão de derrota. Ele vencera a batalha maior; ascender à privada era o tipo de concessão banal que um vitorioso magnânimo, um pouco condescendente, talvez, pode-se dar ao luxo de atirar aos pés de um adversário vencido. Aos seis anos de idade, nosso garoto tinha conseguido me fazer violar minhas próprias regras de combate. Eu havia cometido um crime de guerra — pelo qual, não fosse o silêncio clemente de meu filho, meu próprio marido teria me extraditado para Haia.

Quando Kevin voltou do banheiro, ajeitando a calça com uma só mão, propus que jantássemos uma grande tigela de pipoca, acrescentando, muito obsequiosa, *com montes e montes de sal!* Embebida na música da vida normal que poucos minutos antes eu dera por perdida — sua barulheira com as panelas, o clangor de clarim de nossa tigela de aço inoxidável, o pipocar alegre dos grãos — tive um presságio de que o modo "rastejar de barriga no chão feito um réptil" poderia persistir por tempo indefinido, contanto que Kevin ficasse de bico calado.

Por que ele não me dedurou? Tudo leva a crer que estivesse protegendo a mãe. Tudo bem. Digamos que tenha sido esse o caso. Ainda assim, houve alguns cálculos nesse balancete. Antes do vencimento em uma data futura, um segredo acumula juros pelo simples fato de ter sido guardado; acrescido da mentira. *Sabe como foi mesmo que eu quebrei o braço, papai?* Os juros compostos podem ter um impacto ainda mais explosivo em trinta dias. Além do mais, desde que mantivesse o principal na conta, poderia continuar tomando empréstimos oferecendo o golpe de sorte como garantia, ao passo que, se detonasse a ventura de uma vez só, retrocederia aos cinco dólares por semana típicos de uma criança de seis anos de idade.

Para completar, depois de tantos sermões carolas (*Como é que você iria se sentir...?*), eu havia fornecido a ele uma rara oportunidade de se apropriar dos píncaros morais — de onde descortinar alguns novos panoramas, ainda que, no fim das contas, aquele não fosse um território que se enquadrasse nas preferências de Kevin. O mestre do Dividir para Conquistar talvez também tenha intuído que segredos unem e separam em rígida conformidade com quem está por dentro deles. Minha conversa com você sobre a necessidade de Kevin optar por banhos de banheira, em vez do chuveiro, para manter o gesso seco, foi artificialmente alegre e bombástica; quando perguntei a Kevin se ele queria queijo parmesão na pipoca, a pergunta saiu besuntada de apelo, terror e gratidão abjeta.

Sim, porque, sob um aspecto, eu me comovi e continuo comovida: acho que, naquele momento, Kevin experimentou uma proximidade comigo da qual relutou em abrir mão. Além de estarmos juntos, no disfarce, durante o embate que queríamos ambos ocultar, talvez também ele tenha se sentido inteiro, arrancado para a vida por aquela força extraordinária das amarras do laço umbilical. Uma vez na vida, eu me reconhecera como mãe dele. De modo que talvez, enquanto voava atônito feito Peter Pan, Kevin também tenha se reconhecido como meu filho.

O resto daquele verão desafia todos os meus instintos narrativos. Caso eu estivesse escrevendo o roteiro de um filme para televisão a respeito de uma violenta megera sujeita a acessos de fúria cega, durante os quais se vê dotada de força sobre-humana, eu teria colocado o filhinho dela andando na ponta dos pés pela casa, lançando-lhe sorrisinhos trêmulos, gestos desesperados de apaziguamento e, de modo geral, esquivando-se, acovardando-se, rastejando, enfim, fazendo qualquer coisa que o mantivesse livre de viagens improvisadas por aposentos inteiros com os pés fora do chão.

Mas isso é cinema. *Eu* é que andava pé ante pé. *Meus* sorrisos é que eram vacilantes. *Eu* é que me esquivava e me acovardava, como se estivesse fazendo um teste para participar de um show de menestréis.

Falemos um pouco sobre o poder. Na constituição política de uma casa, diz o mito que os pais têm uma quantidade desproporcional dele. Eu já não tenho tanta certeza. Os filhos? Eles podem nos dar muitos desgostos, para começo de conversa. Eles podem nos envergonhar, podem nos levar à falência e eu posso dar meu testemunho pessoal de que são capazes de nos fazer desejar nunca termos nascido. Que medidas tomar? Impedi-los de ir ao cinema. Mas como? Com o que sustentamos nossas proibições, se o jovem continuar, belicoso, a caminho da porta? A dura verdade é que os pais são como os governos: mantemos nossa autoridade através da ameaça, explícita ou implícita, de força física. Uma criança faz o que nós lhe dizemos para fazer porque — para ir direto ao ponto — podemos lhe quebrar o braço.

Entretanto, o gesso branco de Kevin tornou-se um emblema resplandecente não do que eu podia fazer com ele, mas do que eu não podia. Ao recorrer ao poder máximo, eu o tirara de mim. Como não se podia confiar num uso moderado da força, de minha parte, vi-me atolada num arsenal impotente, com uma capacidade de destruição inútil, qual um estoque de armas nucleares. Kevin sabia muito bem que eu nunca mais poria as mãos nele.

De modo que não se preocupe, porque não me converti, em 1989, à brutalidade neandertalense e toda a inteireza, a realidade e a proximidade que descobri quando usei Kevin para fazer lançamento de peso evaporaram-se rapidíssimo. Lembro-me de ter-me sentido fisicamente mais baixa. Minha postura deteriorou-se. Minha voz virou um fiapo. Para Kevin, eu revestia todos os pedidos como uma sugestão opcional: *Meu bem, você não gostaria de entrar no carro? Você se incomoda se a gente for fazer umas compras? Quem sabe fosse uma boa idéia você não arrancar a massa de cima da torta que a* mãemãe *acabou de tirar do forno.* Quanto às aulas que ele considerava tamanho insulto, retornei ao método montessoriano.

De início, ele me pôs à prova de várias formas, como se estivesse treinando um urso de circo. Ele pedia algo elaborado para o almoço, como por exemplo pizza feita em casa, e depois de eu ter passado a manhã toda preparando a massa e cozinhando o molho, ele pegava duas rodelas de lingüiça *peperoni* de suas fatias e amassava o restante numa bola glutinosa de beisebol para atirar na pia. Mas acabou se cansando da mãe, tão rápido quanto se cansava dos outros brinquedos, o que, imagino, foi sorte minha.

Na verdade, à medida que eu entupia o garoto com os mesmos petiscos carregados de sal que anteriormente eram oferecidos em rações de trinta gramas, essa minha solicitude foi lhe dando nos nervos. Eu tinha uma tendência a superproteger e Kevin me lançava os mesmos olhares fuzilantes que atiramos a estranhos que vêm sentar do lado em um trem quando o vagão está praticamente vazio. Eu estava me saindo uma adversária indigna e quaisquer outras vitórias sobre uma guardiã já reduzida à submissão aviltante iriam parecer ordinárias.

Apesar da tipóia, ele passou a tomar banho sozinho e se eu me curvava para embrulhá-lo numa toalha seca, ele recuava, depois se cobria sozinho. Na verdade, imediatamente depois de ter-se submetido com tanta docilidade a mudanças de fralda e asseios dos testículos, desenvolveu um rígido pudor e, por volta de agosto, fui banida do banheiro. Ele se vestia sozinho. À exceção daquelas duas semanas extraordinárias em que esteve muito doente, aos dez anos de idade, só voltou a me deixar vê-lo sem roupa aos catorze anos — época em que eu teria de bom grado dispensado o privilégio.

Quanto ao meu derramamento incontinente de ternura, ele vinha tingido de um pedido de desculpas que Kevin se recusava a aceitar. Quando eu lhe dava um beijo na testa, ele limpava com a mão. Quando penteava seu cabelo, ele me empurrava e despenteava de novo. Quando eu o abraçava, retrucava com frieza que estava machucando seu braço. E quando eu declarava: "Eu amo você, mocinho" — não mais com a solenidade do Credo dos Apóstolos, e sim no tom de súplica febril de uma ave-maria — ele assumia uma expressão cáustica da qual surgiria, estoicamente, aquele semi-esgar permanente do lado direito da boca. Um dia, quando repeti uma vez mais: *Eu amo você, mocinho,* Kevin me retrucou de volta: *nã NÃÃÃ nããã, nã-nã-nããããã!* Desisti, depois disso.

Kevin obviamente acreditava ter descoberto meu segredo. Ele tinha dado uma espiada atrás da cortina e, por mais que eu o paparicasse, por mais que o entupisse de salgadinhos, jamais conseguiria apagar uma visão pelo menos tão indelével quanto a primeira vez em que pegamos os pais fazendo sexo. Entretanto, o que me espantava era o quanto essa revelação do íntimo verdadeiro de sua mãe — sua maldade, sua violência — parecia ter-lhe agradado. Ele achava que me conhecia bem e, antes do "acidente", isso o intrigava muito mais que todas aquelas nossas chatíssimas lições. A partir de então, Kevin me olhava com um novo tipo — eu não diria exatamente de respeito — de *interesse.* Isso mesmo.

Quanto a você, até aquele verão, eu estava acostumada a esconder de você certas coisas, mas quase todas crimes da mente — meu vazio atroz no nascimento de Kevin, minha aversão a nossa casa. Embora até certo ponto todos nós tenhamos a tendência de nos proteger mutuamente da cacofonia de horrores que atravessam nossas mentes, até mesmo esses não-ditos intangíveis me deixavam triste. Mas uma coisa era guardar comigo o receio que me invadia sempre que chegava a hora de ir buscar nosso filho na escolinha, outra bem diferente era deixar de lhe contar, por exemplo, que eu havia quebrado o braço dele. Por mais maldosos que fossem, os pensamentos não ocupavam espaço em meu corpo, ao passo que guardar um segredo tridimensional era o mesmo que ter engolido uma bala de canhão.

Você me parecia tão distante. Eu ficava olhando você se despir, à noite, com uma nostalgia espectral, quase na expectativa de que, ao passar para escovar os dentes, você pisasse em mim com a mesma facilidade com que pisaria no luar. Na janela, vendo você no quintal, ensinando Kevin a apanhar uma bola de beisebol na luva acolchoada — se bem que, para falar a verdade, ele me parecesse mais talentoso comendo pizza —, eu comprimia a palma da mão no vidro quente de sol, como se de encontro a uma barreira espiritual, esfaqueada pelo mesmo vertiginoso, bem-intencionado e doído senso de exclusão que teria me torturado, caso eu estivesse morta. Até quando eu punha a mão em seu peito, me parecia difícil tocá-lo, como se, da mesma forma como acontecia com os chapéus do Bartholomew daquela história infantil, cada vez que você tirasse a roupa houvesse mais uma camisa de brim L.L. Bean por baixo.

Nós não saíamos mais só nós dois — para assistir a *Crimes e Pecados*, comer alguma coisa no River Club de Nyack, muito menos dar um pulo até o Union Square Café, na cidade. É verdade que tínhamos dificuldade em arrumar babás, mas você se ajustou a essas noites de confinamento doméstico com muita facilidade, aproveitando as longas tardes de verão para ensinar Kevin a respeito do quarto *down*, da cesta de três pontos e da regra do *infield-fly*. Sua cegueira diante do fato de Kevin não demonstrar nem interesse nem aptidão para esportes me amolava um pouco, mas eu me desapontava mais ainda com você não manifestar a menor vontade de ter aquelas mesmas *horas de lazer* com sua mulher.

Não faz sentido ficar rodeando o assunto. Eu tinha ciúme. E me sentia só.

Foi lá pelo final de agosto que nosso vizinho do lado apertou a campainha de casa com insistência de censura. Da cozinha, ouvi você abrir a porta.

"Diga ao seu filho que não tem a menor graça!", exclamou Roger Corley.

"Ei, calma lá, Rog!", disse você. "Se vai criticar o senso de humor de alguém, tem que contar a piada antes." Apesar da cadência brincalhona da voz, você não o convidou a entrar e, quando espiei para o saguão, vi que você tinha aberto a porta só até a metade.

"O Trent saiu para dar uma volta de bicicleta pelo monte de Palisades Parade, perdeu o controle na ladeira e foi parar direto em cima das moitas! Levou um baita de um tombo!"

Eu tentava manter a amizade com os Corleys, cujo filho era um ou dois anos mais velho que Kevin. Embora o entusiasmo inicial de Moira Corley para combinar brincadeiras em conjunto tivesse se esvanecido sem explicação, ela manifestara um interesse simpático por minha ascendência armênia e eu havia ido à casa dela no dia anterior, para lhe dar um filão de *katah* que eu tinha acabado de assar — você não sente saudade? — aquele pão folheado, levemente adocicado e indecentemente amanteigado, que minha mãe me ensinou a fazer. Viver em bons termos com os vizinhos era um dos poucos atrativos da vida nos subúrbios e eu temia que aquela sua atitude na porta da frente começasse a parecer hostil.

"Roger", falei atrás de você, enxugando as mãos num pano de prato, "por que você não entra e fala sobre isso? Você parece aborrecido."

Quando fomos todos para a sala de estar, reparei que o traje de Roger não era dos mais felizes; ele tinha barriga demais para usar aquele *short* de *lycra* de ciclista, e, dentro daquelas sapatilhas, andava com os pés para dentro. Você se entrincheirou atrás de uma poltrona, como se houvesse uma fortificação militar entre os dois. "Sinto muito que o Trent tenha sofrido um acidente. Talvez seja uma boa oportunidade para rever as regras básicas de segurança."

"Ele *sabe* o básico", disse Roger. "Como por exemplo que nunca se deve deixar a blocagem rápida de uma das rodas em posição *aberta*."

"E é isso que você acha que aconteceu?"

"Trent falou que a roda da frente começou a oscilar. Nós examinamos a bicicleta, e a blocagem não estava só em posição aberta; ela foi desatarraxada com o intuito de soltar o garfo. Não precisa ser nenhum Sherlock Homes para concluir que foi o *Kevin* que fez isso!"

"Espera aí, vamos com calma!", você disse. "Essa é uma acusação e tanto..."

"Trent andou com aquela bicicleta ontem de manhã e não tinha problema nenhum com ela. Ninguém esteve em casa desde então, a não ser você e Eva, junto com o Kevin. E eu queria agradecê-la por aquele pão que você levou", acrescentou ele, baixando o volume da voz. "Estava muito bom mesmo e nós gostamos muito da sua atenção. Só não gostamos do Kevin ter mexido na bicicleta do Trent. Se estivesse indo um pouco mais rápido, ou no meio do trânsito, meu filho poderia ter morrido."

"Você está tirando conclusões muito precipitadas", você rosnou. "Aquela blocagem se abriu com a queda."

"De jeito nenhum. Eu também sou ciclista e já tive minha dose de tombos. A blocagem nunca abre totalmente... e muito menos gira sozinha para afrouxar a mola."

"Mesmo que Kevin tenha feito isso", falei (você me olhou feio), "talvez ele não soubesse para que serve essa tal blocagem. Que deixá-la aberta é perigoso."

"É uma teoria", resmungou Roger. "Caso o seu filho fosse burro. Mas não é assim que Trent o descreve."

"Escuta aqui", disse você. "Pode ser que o Trent tenha resolvido mexer com aquela blocagem e agora não quer levar a culpa. O que não significa que ela tenha que cair em cima do meu filho. Agora, se nos dá licença, temos um trabalhinho para fazer no quintal."

Depois que Roger se foi, tive o triste pressentimento de que aquele pão irlandês que Moira tinha prometido assar para nós, em retribuição, jamais se materializaria.

"Às vezes eu até lhe dou uma certa razão", disse você, andando de um lado a outro. "Uma criança não pode mais arranhar o joelho sem que seja culpa de alguém. O país perdeu por completo a noção do que seja *acidente*. Quando Kevin quebrou o braço, por acaso eu fiz algum escândalo com você? Por acaso tinha que ser *culpa* de alguém? Não. Acidentes acontecem."

"Você quer falar com o Kevin sobre a bicicleta do Trent?", perguntei. "Ou prefere que eu fale?"

"Para quê? Eu não acho que ele tenha feito algo errado."

Falei entredentes: "Você nunca acha."

"E você acha sempre." Era uma resposta direta.

Esse foi um diálogo padrão — nem mesmo azedo demais — de modo que não sei bem por que desatarraxou algo dentro de mim, como a blocagem rápida de Trent Corley. Talvez porque tivesse *virado* padrão, quando antes não era. Fechei os olhos, com as mãos nas costas da poltrona que escudara as absurdas acusações de Roger Corley. Honestamente, eu não fazia idéia do que iria dizer, até que as palavras saíram da minha boca.

"Franklin, eu quero ter outro filho."

Abri os olhos e pisquei. Tinha surpreendido a mim mesma. Talvez fosse minha primeira experiência de espontaneidade em seis ou sete anos.

Você me encarou. E também reagiu de forma espontânea. "Não *pode* estar falando *sério*."

O momento não era propício para lembrá-lo de que você sempre criticara a falta de espírito esportivo de John McEnroe. "Eu gostaria de começar a tentar engravidar já."

Foi a coisa mais estranha. Eu tinha certeza, mas não no espírito feroz de quem se agarra às últimas esperanças — não era um capricho louco, muito menos uma tentativa frenética de recorrer a oportunas panacéias conjugais.

Eu me senti controlada e simples. Essa era a decisão sem reservas pela qual eu havia rezado durante nosso prolongado debate sobre ter ou não filhos, e cuja ausência nos levara a seguir por avenidas tortuosamente abstratas como "virar a página" e "responder à Grande Questão". Eu nunca tivera tamanha certeza na vida, tanto que não consegui entender por que você parecia achar que havia algo a ser conversado.

"Eva, esqueça. Você está com quarenta e um anos. Acabaria tendo um sapinho de três cabeças ou algo parecido."

"Tem uma porção de mulheres, hoje em dia, que têm filhos depois dos quarenta."

"Não vem com essa! Eu achei que agora que o Kevin vai começar a estudar em tempo integral você estivesse planejando voltar para a AWAP! E aqueles planos todos de entrar na Europa Oriental pós-glasnost? Chegar primeiro, passar na frente do *The Lonely Planet*?"

"Já pensei em voltar. Talvez até volte. Mas eu posso trabalhar pelo resto da vida. E, como você observou com tamanha sensibilidade, há uma coisa que só vai dar para eu fazer alguns anos mais."

"Não acredito no que estou ouvindo. Você fala sério! Você está seriamente... séria!"

"*Eu gostaria de engravidar* não é uma frase que mereça grandes risadas, Franklin. Você não gostaria que o Kevin tivesse alguém com quem brincar?" A bem da verdade, eu também queria alguém para brincar.

"Esses a gente costuma chamar de *colegas de classe*. Dois irmãos sempre acabam se odiando."

"Só se forem muito próximos um do outro. E ela seria pelo menos sete anos mais jovem que o Kevin."

"Ela, é?" O pronome irritou você.

Sacudi as sobrancelhas. "Hipoteticamente."

"Tudo isso porque você quer uma *menina*? Para enfeitar com roupas bonitinhas? Eva, essa não é você."

"Não, enfeitar uma menina com *roupas bonitinhas* não sou eu, de fato. Portanto, não precisava dizer uma bobagem dessas. Escute, estou vendo que você tem algumas reservas, mas não entendo por que a perspectiva de eu engravidar de novo o deixa tão bravo."

"Não é óbvio?"

"Tudo menos óbvio. Pensei que você gostasse de ser pai."

"*Eu* gosto, sim! Eva, o que a leva a pensar que, mesmo que tenha essa filha que você imagina, as coisas seriam diferentes?"

"Não entendi", sustive, tendo aprendido com meu filho os méritos de me fazer de tapada. "Por que razão neste mundo eu iria querer que as coisas fossem diferentes?"

"O que pode ter acontecido com você, depois de as coisas terem tomado o rumo que tomaram, para querer fazer de novo?"

"Tomaram que rumo?", perguntei de modo neutro.

Você deu uma olhada rápida pela janela, para se certificar de que Kevin continuava batendo, sozinho, a bola do *swingball* para um lado, depois para o outro da estaca; ele gostava da monotonia.

"Você nunca demonstra interesse em que ele saia conosco, é ou não é? Está sempre querendo empurrá-lo para ficar com alguém e nós podermos sair farreando só nós dois, como antes, como no que você obviamente considera os bons velhos tempos."

"Não me lembro de algum dia ter dito algo parecido", falei, imperturbável.

"E nem precisava. Dá para ver como fica decepcionada toda vez que eu sugiro fazer algo onde nosso filho também possa ser incluído."

"Isso talvez explique por que você e eu vivemos em restaurantes caros, enchendo a cara, enquanto nosso filho fenece na mão de estranhos."

"Viu só? Você se ressente. E o que me diz desse verão? Você queria ir ao Peru. Certo, eu topei. Mas presumi que tiraríamos férias em família. Então me ponho a imaginar quantos quilômetros um garoto de seis anos de idade conseguiria fazer de bicicleta num único dia e precisava ver a expressão que você fez, Eva. Sua fisionomia caiu como se fosse um balão de chumbo. Assim que o Peru passou a envolver o nosso filho, você perdeu o interesse. Bem, eu sinto muito. Mas, de minha parte, não tive um filho para poder fugir dele sempre que possível.

Eu estava ciente de onde isso iria nos levar. Sabia que teríamos de acabar discutindo tudo que ficara sem ser dito, mas não estava pronta. Eu precisava de lastro. Precisava de provas de apoio, que levariam um mínimo de nove meses para juntar.

"Eu fico o dia todo com ele", falei. "Faz mais sentido eu querer tirar uma folga que você..."

"E nunca paro de escutar sobre o tremendo sacrifício que você tem feito."

"Que pena que significa tão pouco para você."

"Pouco importa o que significa para mim. Deveria significar algo para ele."

"Franklin, não entendo de onde..."

"E isso também é bem típico, não é não? Você fica em casa para cuidar *dele* para *me impressionar*. Ele nunca entra nos cálculos, não é mesmo?"

"De *onde* está saindo isso tudo? Eu só queria lhe dizer que gostaria que tivéssemos outro bebê, e que você ficasse feliz com a novidade, ou que pelo menos começasse a se acostumar com a idéia."

"Você implica com ele." Mais uma olhada cautelar para a quadra de *swing-ball*, no alto do morro, você parecia estar com a corda toda. "Você o culpa por tudo que dá errado nessa casa. *E* na escolinha dele. Você se queixou do coitado do garoto em todas as fases do jogo. Primeiro, ele chorava demais, depois, era muito quieto. Ele cria uma língua própria e você se irrita. Ele não brinca direito — quer dizer, não do jeito que *você* brincava. Ele não trata os brinquedos que você faz para ele como peças de museu. Ele não dá os parabéns a *você* toda vez que aprende a soletrar uma palavra nova e, como a vizinhança inteira não simpatiza muito com ele, você resolveu pintá-lo como um pária. Ele desenvolve um problema psicológico sério, isso eu reconheço, e custa a largar a fralda — não é tão incomum assim, Eva, mas pode ser muito doloroso para a criança —, mas você insiste em interpretar isso como um combate maldoso e pessoal entre vocês. Ainda bem que ele superou essa fase, mas, com a sua atitude, não sei como não durou mais tempo. Faço o que posso para compensar a sua — e sinto muito se isso magoa seus sentimentos, mas é que não sei que outro nome dar — frieza. Só que não existe substituto para o amor materno e nem a pau eu vou deixar você botar outro filho meu na geladeira."

Eu estava pasma. "Franklin..."

"Esta discussão está *acabada*. Não senti o menor prazer em dizer isso tudo e continuo tendo esperança de que as coisas melhorem. Sei que você acha que se esforça — bem, talvez a seu ver seja um esforço, isso que você faz —, mas, por enquanto, não foi o bastante. Vamos todos continuar tentando. — Ei, campeão!" Você pegou Kevin assim que ele surgiu, vindo do deque, e ergueu-o no alto da cabeça, como se posando para um anúncio de Dia dos Pais. "Cansou?"

Quando você o pôs no chão de novo, ele disse: "Eu bati a bola umas 843 vezes."

"Isso é fantástico! Aposto que da próxima vez você vai ser capaz de bater 844!"

Você estava tentando fazer uma transição difícil, depois de uma discussão que havia me deixado com a sensação de ter sido atropelada por um caminhão, mas, ainda assim, não digo que sentisse grande apreço pelo bilu-bilu típico dos filmes de Hollywood que se espera dos pais modernos. A própria fisionomia de Kevin faiscou com uma sugestão de "ai, mané".

"Se eu fizer um grande esforço", ele retrucou sem piscar. "Não é maravilhoso ter um objetivo?"

"Kevin." Chamei-o e curvei-me. "Receio que seu amigo Trent tenha tido um acidente. Não foi nada grave e ele vai ficar bom. Mas quem sabe você e eu pudéssemos fazer um cartão desejando que ele se recupere logo, como o que a vovó Sonya fez para você, quando machucou o braço."

"É, tá", ele disse, se afastando. "Ele se acha o cara mais legal do mundo, naquela bicicleta."

O ar-condicionado devia estar no máximo; endireitei o corpo e esfreguei os braços. Não me lembrava de ter dito nada a respeito de bicicletas.

*Eva*

## *1º de fevereiro de 2001*

*Querido Franklin,*

Não sei bem por quê, mas acho que vai ficar mais tranqüilo ao saber que continuo assinando o *Times*. Só que, pelo visto, perdi aquela grade seletiva que eu costumava pôr sobre as páginas para ver quais valiam a pena ser lidas. Epidemias de fome e divórcios entre os astros de Hollywood me parecem igualmente vitais e igualmente banais. Arbitrariamente, ou devoro o jornal todo, de cabo a rabo, ou largo o calhamaço inteiro, sem abrir, na pilha ao lado da porta. Eu tinha toda a razão, naquele tempo: os Estados Unidos podem se virar muito bem sem mim.

Durante as duas últimas semanas, o *Times* foi para a pilha sem ter sido aberto porque, se não me falha a memória, nunca me comovi com a pompa zelosa das posses presidenciais, nem mesmo nos tempos em que nutria nítidos entusiasmos e aversões. Por um capricho, esta manhã li tudo, inclusive um artigo sobre o excesso de horas extras do trabalhador americano — e talvez *seja* interessante, não sei, o fato de a Terra dos Livres preferir trabalhar a brincar. Li uma reportagem sobre um jovem eletricitário que iria se casar em breve e que, na ânsia de rechear o pé-de-meia para prover sua futura família, tinha dormido apenas cinco horas em dois dias e meio. Ele subira e descera de postes durante vinte e quatro horas consecutivas:

> Tirando uma folga para tomar o café-da-manhã no domingo, recebeu mais uma ligação.
>
> Por volta do meio-dia, subiu num poste de quase dez metros, enganchado nas correias de segurança e pôs a mão num cabo de 7.200 volts sem antes calçar as luvas isolantes. Houve um clarão e o sr. Churchill ficou pendurado pelas correias. O pai dele, tendo chegado antes dos bombeiros, e achando que o filho ainda podia estar vivo, ficou parado ao pé do poste durante mais de uma hora, implorando para que alguém tirasse o jovem de lá de cima.

Não tenho nada contra horas extras; não conheço nenhum eletricitário. Só sei que essa imagem — de um pai implorando a pessoas tão impotentes quanto ele, enquanto o filho trabalhador rangia sob a brisa feito um enforcado — me fez chorar. Pais e filhos? Dor e empenho mal empregados? Há alguns elos. Mas também chorei pelo pai de verdade daquele rapaz.

Olha só, desde que me conheço por gente que me martelam na cabeça que um milhão e meio de armênios foram trucidados pelos turcos; meu próprio pai foi morto numa guerra contra o pior de nós mesmos, e no mês em que nasci, fomos levados a usar o pior de nós mesmos para derrotá-los. Como a *quinta-feira* constituiu o acompanhamento viscoso desse festim de víboras, não seria de surpreender se eu tivesse me tornado insensível. Porém, ao contrário, é muito fácil eu me comover, tornar-me até sentimental. Talvez as expectativas a respeito de meus pares tenham se reduzido a um nível tão básico que a mínima gentileza me esmaga por ser, como a própria *quinta-feira*, tão desnecessária. Holocaustos não me assombram. Estupros e trabalho escravo infantil não me assombram. Franklin, sei que você pensa o contrário, mas Kevin também não me assombra. Fico assombrada quando deixo cair uma luva na rua e um adolescente corre dois quarteirões para devolvê-la. Fico assombrada quando a moça do caixa me lança um amplo sorriso, junto com o troco, quando a minha fisionomia era apenas uma máscara apressada. Carteiras perdidas enviadas aos respectivos donos pelo correio, estranhos que fornecem indicações precisas de uma rua, vizinhos que regam as plantas uns dos outros — essas coisas me assombram. Celia me assombrava.

Conforme você me instruiu, nunca mais voltei a tocar no assunto. E não obtive nenhum prazer em enganá-lo. Entretanto, a estranha certeza que me invadira em agosto não foi embora e você não me deixou escolha.

O gesso de Kevin fora tirado duas semanas antes, mas foi a partir do acidente sofrido por Trent Corley, na bicicleta, que parei de me sentir culpada. Assim, sem mais nem menos. Não havia equivalência nenhuma entre o que eu tinha feito e o que eu faria — fui totalmente irracional —, mas ainda assim parecia que tinha topado com o antídoto perfeito, ou com a penitência correta. Eu faria um teste comigo mesma. Sem ter a menor certeza se conseguiria passar numa segunda prova.

Você reparou no meu "tremendo tesão" e parecia contente em ver reanimado um desejo que, embora nunca tenhamos citado seu declínio de forma direta, estava infelizmente diminuindo. Com um de nós dois bocejando de modo teatral, "um tanto exausto", na hora de irmos para a cama, havíamos passado de sexo quase todas as noites para a média norte-americana de uma vez por semana. Minha paixão reacesa não era fingimento. Eu queria você, e com mais urgência que em muitos anos, e quanto mais amor fazíamos, mais insaciável eu me sentia durante o dia, incapaz de ficar quieta, esfregando as coxas com um lápis, sentada à escrivaninha. Assim como você, eu também me sentia feliz de ver que ainda não havíamos nos afundado de maneira irrecuperável na rotina mecânica da cama, que leva tantos cônjuges aos braços de estranhos na hora do almoço.

A partir do instante em que nos vimos com um menino pequeno dormindo um pouco mais adiante, você diminuíra de tal forma seu volume na cama que muitas vezes eu tinha de interromper: "O quê?... Não escutei direito." Trocar obscenidades por meio de sinais era trabalhoso demais e, com o tempo, recuamos ambos para apoteóticas fantasias sexuais particulares. Sem a beleza de suas improvisações — e você tinha tamanho dom para a depravação que era um verdadeiro pecado deixar tal talento inexplorado —, minhas fantasias tomaram conta; entreguei-me então a imagens flutuantes, raramente eróticas no sentido literal da palavra, sempre dominadas por determinadas texturas e tonalidades. Entretanto, com o correr do tempo, as visões foram ficando corrosivas, como se fossem planos fechados de uma casca de ferida ou ilustrações geológicas de magma seco. Havia noites em que eu me via afligida por lampejos de fraldas imundas e testículos que não desciam, de modo que não será difícil entender por que talvez eu tenha contribuído para reduzir nossa programação a uma vez por semana. Mas o pior de tudo foi que os escarlates e cerúleos vibrantes que antes permeavam minha cabeça quando fazíamos amor em nossos tempos sem filhos tinham se emporcalhado aos poucos e perdido o lustro, até que o miasma no interior das minhas pálpebras passou a espumar os breus e castanhos dos desenhos pregados na porta da nossa geladeira.

Assim que passei a deixar o meu diafragma em seu estojo azul-pálido, o panorama que tomava conta de minha mente durante o sexo se clareou. Nos lugares onde antes meu perímetro visual se fechava, eu agora via grandes distâncias, como se fitasse o Monte Ararat ou sobrevoasse o Pacífico num planador. Eu espiava corredores longuíssimos reluzindo intermináveis até o ponto de fuga, o piso de mármore em brasa, a luz do sol entrando por janelas dos dois lados. Tudo que eu via era brilhante: vestidos de noiva, nuvens, campos de edelvais. Por favor, não ria de mim — sei que o que descrevo mais parece um comercial de absorvente interno. Mas era bonito. Eu me sentia, finalmente, transportada. Minha mente se abriu, ao passo que antes dava a impressão de estar entrando num buraco cavernoso cada vez mais estreito e mal iluminado. Essas projeções em tela grande não eram borrões fora de foco, tampouco, e sim paisagens nítidas, vívidas, que me ficavam na memória, depois que terminávamos. Eu dormia feito um bebê. Ou, melhor dizendo, feito *alguns* bebês, como eu iria descobrir logo mais.

Obviamente eu não estava lá muito fértil, e levei um ano. Mas quando finalmente a menstruação falhou, no outono seguinte, comecei a cantar. Dessa vez, não eram melodias de musicais, mas canções folclóricas armênias que minha mãe cantava para Giles e para mim, quando nos punha na cama, à noite — como "Soode Soode" (É mentira, é mentira, é mentira, tudo é mentira; nesse mundo, tudo é mentira!"). Quando percebi que tinha esquecido algumas palavras, liguei para ela e perguntei se poderia me passar a letra toda. Mamãe ficou encantada com o pedido, uma vez que, até onde ela soubesse, eu continuava sendo a menina voluntariosa que rejeitara as aulas de armênio por constituírem um acúmulo extra e trabalhoso de deveres de casa, e escreveu as minhas prediletas — "Kele Kele", "Kujn Ara" e "Gna Gna", de Komitas Vardapet — em cartões de felicitações desenhados com cenas de povoados montanhosos e motivos de tapetes armênios.

Kevin reparou na transformação e, ainda que talvez não tivesse grande apreço pela mãe rastejando ao seu redor feito uma lagarta, não se alegrou quando a viu sair do casulo como borboleta. Ele se distanciava, trombudo, e se queixava: "Você desafina"; ou então comandava, aproveitando uma fala que aprendera em sua escola primária multiétnica: "Por que você não fala *inglês*." Eu lhe disse, alegrinha, que as canções folclóricas armênias eram *polifônicas* e, quando ele fingiu ter entendido, perguntei-lhe se sabia o que a palavra significava. "Quer dizer besta." Eu me ofereci para ensiná-lo uma ou duas músicas, lembrando-o: "Você também é armênio, você sabe." Kevin, no entanto, discordou. "Eu sou *americano*", afirmou, usando o tom zombeteiro de quem declara o óbvio, como por exemplo: "Eu sou uma pessoa" e não um porco selvagem.

Alguma coisa estava acontecendo. A *mãemãe* havia parado de se curvar, de andar pé ante pé, de falar aos sussurros, mas a *mãemãe* pré-braço-quebrado não reaparecera: a mulher veloz, um tanto formal, que marchava pela casa ao ritmo da maternidade como um soldado em um desfile sumira. A nova *mãemãe* murmurejava em torno das tarefas como um regato borbulhante, e quantas pedras fossem atiradas em sua contracorrente, tantas afundariam com um estrépito inofensivo em seu leito. Informada de que seu filho achava que todos os colegas de classe eram "retardados" e que tudo que estudavam ele "já sabia", essa *mãemãe* não retrucou que *ele logo descobriria que não sabia tudo*; ela não o censurou por ter dito *retardado*. Apenas riu.

Embora alarmista por natureza, nem sequer dei bola para as crescentes ameaças do Departamento de Estado sobre a invasão do Kuwait pelo Iraque. "Você em geral é tão dramática a respeito desses assuntos", foi seu comentário, em novembro. "Não está *preocupada*?" Não, eu não estava preocupada. Com nada.

Foi no terceiro mês sem ficar menstruada, que Kevin começou a me acusar de estar engordando. Ele cutucava minha barriga e fazia troça: "Você está um *gigante*!" Em geral vaidosa com o meu corpo, eu concordava satisfeita: "Isso mesmo, a *mãemãe* está uma porca."

"Sabe de uma coisa, acho que andou engordando um pouco em volta da cintura", por fim você comentou, numa noite de dezembro. "Quem sabe não seria melhor pegar leve nas batatas, hein? Eu não acharia má idéia perder uns quilos, também."

"Mmm", cantarolei, quase tendo que pôr o punho inteiro na boca para não dar risada. "Eu não me importo em ficar com uns quilos a mais. É melhor para arcar com o peso da responsabilidade."

"Meu Deus do céu, o que será isso, *maturidade*? Geralmente você fica possessa quando sugiro que engordou um grama!" Você escovou os dentes e depois veio para a cama. Pegou seu romance policial, mas só batucou na capa, passando a mão num seio inchado. "Talvez tenha razão", murmurou você.

"Um pouco mais de Eva é bem gostoso." Escorregando o livro para o chão, você se virou para mim e ergueu a sobrancelha. "Está com ele?"

"Mmm", cantarolei de novo, em tom afirmativo.

"Seus mamilos estão grandes", você observou, se aninhando. "Está na hora da menstruação? Parece que não vem faz um tempo."

Sua cabeça continuava entre os meus seios. Você recuou. Olhou-me nos olhos com a mais sóbria das expressões. E depois empalideceu.

Perdi as esperanças. Percebi que seria bem pior do que eu havia imaginado.

"Quando planejava me contar?" Havia frieza na sua voz.

"Logo. Semanas atrás, na verdade. Mas só que nunca me parecia ser a hora certa."

"Dá para entender por que não. A intenção era dizer que foi algum tipo de acidente?"

"Não. Não foi um acidente."

"Pensei que tínhamos discutido o assunto."

"Isso foi justamente o que nós não fizemos, discutir o assunto. Você teve um ataque. Não quis me ouvir."

"E aí então você simplesmente foi em frente e pronto, está feito, mais ou menos como um assalto. Como se não tivesse nada a ver comigo."

"Tem tudo a ver com você. Mas eu estava certa e você não." Enfrentei-o de frente. Como você mesmo diria, eram dois contra um.

"Esta é a coisa mais presunçosa... mais arrogante que você já fez."

"É. Suponho que sim."

"Agora que não *importa mais* o que eu penso, quer me explicar por quê? Sou todo ouvidos." Você não estava com cara de quem ouvia.

"Preciso descobrir uma coisa."

"Que coisa é essa? Até onde você acha que pode me empurrar até eu resolver empurrar de volta?"

"É sobre...", resolvi não pedir desculpas pela palavra, "sobre a minha alma."

"Existe alguém mais nesse seu universo?"

Curvei a cabeça. "Eu gostaria que sim."

"E o que você me diz do Kevin?"

"O que tem ele?"

"Vai ser duro para ele."

"Li não sei onde que outras crianças têm irmãos e irmãs."

"Não seja cínica, Eva. Ele está acostumado a receber atenção exclusiva."

"Uma outra maneira de dizer que ele é mimado. Ou que talvez fique mimado. Essa é a melhor coisa que poderia acontecer àquele menino."

"Um passarinho me diz que não é assim que ele vai encarar a coisa."

Tirei alguns momentos para refletir que, em cinco minutos, já estávamos de novo falando do nosso filho. "Talvez seja bom também para você. Para nós todos."

"Isso parece até conselho de coluna de revista. A coisa mais cretina que alguém pode fazer para consertar um casamento em perigo é ter um filho."

"E o nosso casamento está em perigo?"

"Você acabou de colocá-lo", você disparou de volta, virando as costas para mim, na cama.

Apaguei a luz e escorreguei pelo travesseiro. Não estávamos nos tocando. Comecei a chorar. Sentir seus braços me abraçando foi tamanho alívio que chorei mais ainda.

"Ei", você disse. "Você pensou mesmo...? Você esperou tanto tempo assim para me dizer porque aí seria muito tarde? Você achou mesmo que eu lhe pediria pra fazer uma coisa dessas? Com o nosso próprio filho?"

"Claro que não", funguei.

Mas, depois que me acalmei, você ficou mais severo. "Olha só, eu vou aceitar isso porque não tenho alternativa. Mas você está com quarenta e cinco anos, Eva. Prometa para mim que vai fazer aquele teste."

Haveria propósito em fazer "aquele teste" apenas se estivéssemos preparados para agir, no caso de um resultado desencorajante. Com o *nosso próprio filho*. Não é de espantar que eu tenha adiado contar pelo máximo de tempo possível.

Eu não fiz o teste. Claro, eu disse a você que havia feito e minha nova ginecologista — adorável — sugeriu que eu fizesse, mas, ao contrário da dra. Rhinestein, não parecia considerar todas as grávidas do mundo como propriedade pública e não insistiu indevidamente. Falou, sim, que esperava que eu estivesse preparada para amar e cuidar de quem quer que saísse de dentro de mim. Respondi que não via nada de romântico em criar uma criança com problemas. Mas que talvez fosse rígida demais quanto ao que — e a quem — eu escolhia amar. De modo que queria confiar. Uma vez na vida, eu falei.

Ter uma fé cega — optei por não dizer na *vida*, no *destino* ou em *Deus* — em mim mesma.

Nunca restou a menor dúvida de que nossa filha era minha. Tanto assim que você nunca exibiu aquele patrulhamento de dono com que tiranizou a gravidez de Kevin. Eu carregava os mantimentos. Não suscitei nenhuma carranca por causa de uma ou outra taça de vinho tinto, que continuei bebendo em pequenas quantidades sensatas. Na verdade, até intensifiquei um pouco meus exercícios, incluí corrida, ginástica rítmica e até mesmo um pouco de *squash*. Nem por isso, por ser tácita, nossa compreensão era menos clara: o que eu fazia com aquela protuberância era assunto meu. Gostei.

Kevin já pressentira a presença da perfídia. Ele se mantinha afastado de mim mais que nunca, olhando feio dos cantos, tomando pequenos goles de suco como se estivesse experimentando arsênico e cutucando com toda a cautela qualquer coisa que eu deixasse para ele comer, quase sempre dissecando o alimento em suas partes constituintes e espalhando-as de forma eqüidistante em volta do prato; parecia até que ele estava examinando tudo para ver se encontrava algum vidro moído. Ele fazia segredo dos deveres de casa, protegia os cadernos qual um prisioneiro que estivesse escrevendo em código as torturas sofridas nas mãos de seus captores em cartas que faria chegar às mãos da Anistia Internacional.

Alguém teria de contar a ele, e rápido; a barriga estava começando a aparecer. De modo que sugeri que nós aproveitássemos a oportunidade para dar uma explicação geral sobre sexo. Você relutou. Diga apenas que está grávida, foi a sua sugestão. Ele não precisa saber como foi que o bebê entrou. Ele só tem sete anos. Será que não deveríamos preservar a inocência dele um pouco mais? Essa é uma definição bem retrógrada de inocência, objetei, que iguala ignorância sexual a ausência de pecado. E subestimar a inteligência sexual de um filho é um dos erros mais velhos do mundo.

De fato. Eu mal tinha introduzido o assunto, enquanto preparava o jantar, quando Kevin me interrompeu, impaciente: "Isso tem a ver com trepar?"

Era verdade, então: não faziam mais alunos do ensino fundamental como antigamente. "Melhor chamar de *sexo*, Kevin. Aquela outra palavra pode ofender algumas pessoas."

"É assim que todo mundo fala."

"Você sabe o que significa?"

Girando os olhos, Kevin recitou: "O menino põe o pipi dele na periquita da menina."

Continuei com aquela bobagem pomposa sobre "sementes" e "ovos" que, quando eu era criança, me convenceu de que fazer amor era algo que ficava entre plantar batatas e criar galinhas. Kevin foi no máximo tolerante.

"Eu já sabia disso tudo."

"Mas que surpresa", resmunguei. "Tem alguma pergunta?"

"Não."

"Nenhuma, nenhuma mesmo? Porque sempre pode perguntar para mim ou para o papai qualquer coisa sobre meninos, meninas, sobre sexo ou sobre o seu corpo, coisas que você não esteja entendendo."

"Pensei que você fosse me contar alguma coisa *nova*", disse ele, sombrio, antes de sair da cozinha.

Senti-me curiosamente envergonhada. Eu havia provocado as expectativas dele, depois arruinara tudo. Quando você me perguntou como havia sido a conversa, eu disse que achava que tinha ido bem; e você então me perguntou se ele parecera assustado, desconfortável ou confuso, e eu falei que na verdade ele *não* parecia *impressionado*. Você riu, enquanto eu dizia, com uma certa melancolia, o que vai conseguir impressionar esse menino, se isso não consegue?

Entretanto, a segunda fase dos Fatos da Vida seria sem dúvida bem mais difícil de explicar.

"Kevin", comecei eu, no dia seguinte. "Lembra-se do que nós conversamos ontem? Sobre sexo? Bom, a *mãemãe* e o papai às vezes também fazem isso."

"Para quê?"

"Entre outras coisas, para que você viesse nos fazer companhia. Mas talvez fosse bom você também ter companhia. Você nunca desejou ter alguém por perto, para brincar?"

"Não."

Curvei-me sobre a mesa onde Kevin ia sistematicamente quebrando cada um dos lápis de cera de sua caixa Crayola com 64 cores. "Bom, mas você *vai* ter companhia. Um irmãozinho ou uma irmãzinha. E pode ser que você goste muito disso."

Ele me fitou com um olhar comprido, sombrio, embora não especialmente surpreso. "E se eu não gostar?"

"Então você vai acabar se acostumando."

"Só porque você se acostuma com uma coisa não quer dizer que você goste." E acrescentou, quebrando o magenta: "Você está acostumada comigo."

"Exato! E daqui a algumas semanas, nós vamos nos acostumar com alguém novo!"

À medida que um lápis vai ficando menor, é mais difícil quebrá-lo, e os dedos de Kevin estavam agora se digladiando com um toco obstinado. "Você vai se arrepender."

Por fim, o lápis quebrou.

Tentei interessar você numa discussão sobre nomes, mas sua reação foi de indiferença; àquela altura, a Guerra do Golfo havia começado e era impossível distrair sua atenção da CNN. Quando Kevin se instalava ao seu lado, na saleta, eu reparava que aquela coisa masculina de generais e pilotos de caça seduziam nosso filho tão pouco quanto a cartilha, embora ele mostrasse um apreço precoce pela natureza da "bomba nuclear". Impaciente com o ritmo lento de um combate feito para a televisão, ele resmungou: "Não entendo por que o Cone Power fica aí com essa lixarada toda, papai. Joga uma bomba nuclear neles. E mostra pros iracanos quem é que manda." Você achou uma graça.

Querendo jogar limpo, lembrei-o do nosso antigo pacto, oferecendo-me para pôr no nosso segundo filho o sobrenome Plaskett. Não seja ridícula, você me falou, sem tirar os olhos de um míssil Patriot. Dois filhos, dois sobrenomes diferentes? As pessoas iriam pensar que um deles foi adotado. Quanto aos nomes de batismo, você se mostrou igualmente apático. O que achar melhor, Eva, você falou, com um abanar de mão, está bom para mim.

De modo que, se fosse menino, propus *Frank*. Se fosse menina, rejeitei deliberadamente nomes como *Karru* ou *Sophia*, tirados do clã materno das vencidas, e fui buscar pelas vencidas no seu.

A morte de sua tia Celia, irmã caçula de sua mãe, quando você tinha doze anos, deixou-o muito abalado. Visita freqüente, a amalucada tia Celia tinha um gosto brincalhão pelo oculto; ela lhe deu aquela bola mágica que dizia a sorte e levava você e sua irmã para participar de sessões espíritas na penumbra, cujo sabor era mais delicioso ainda graças à desaprovação parental. Eu tinha visto uma foto dela, uma moça não exata, mas comovedoramente bonita, com uma boca larga, de lábios finos, e olhos de uma clarividência penetrante, ao mesmo tempo corajosa e um tanto assustada. Como eu, ela era uma aventureira, e morreu jovem, solteira, depois de ter escalado o Monte Washington com um belo alpinista promissor e sucumbido à hipotermia quando o grupo foi atingido por uma nevasca fora de hora. Mas você deu de ombros para esse meu pequeno tributo, meio irritado, como se eu estivesse tentando seduzi-lo com os mesmos métodos sobrenaturais de sua tia Celia.

Minha segunda gestação foi infinitamente menos restritiva que a primeira e, com Kevin no ensino fundamental, pude me envolver de forma mais completa na AWAP. Entretanto, *com um filho na barriga*, também me sentia menos solitária, e quando falava em voz alta, estando você no trabalho e Kevin na escola, não me sentia como alguém falando sozinha.

Claro que a segunda vez é sempre mais fácil. Eu já tinha experiência suficiente para optar por uma anestesia, se bem que, quando chegou a hora, Celia era tão pequenina que muito provavelmente eu tivesse me virado sem nada. Também já sabia que era melhor não esperar uma ofuscante fusão vulcânea de mentes quando ela nascesse. Um bebê é um bebê, cada qual milagroso a seu próprio modo, mas exigir transformações no exato momento do parto era colocar um fardo pesado demais sobre uma trouxinha confusa tanto quanto sobre uma mãe de meia-idade e exausta. Mesmo assim, quando ela implorou para chegar com duas semanas de antecedência, em 14 de junho, não houve como não inferir uma certa ansiedade por parte dela, assim como antes eu havia inferido relutância na forma como Kevin fez corpo mole durante catorze dias.

Os bebês têm sentimentos, mesmo na hora zero? Pelo meu modesto estudo de dois deles, acho que sim. Eles não possuem nomes para os sentimentos, não ainda, e, sem etiquetas que separem uns dos outros, é provável que experimentem as emoções num caldo que consegue facilmente acomodar os opostos; enquanto eu com certeza vou me classificar como *ansiosa*, um recém-nascido talvez não tenha o menor problema de se sentir, ao mesmo tempo, apreensivo e relaxado. Seja como for, no nascimento dos meus dois filhos, deu para divisar de imediato uma tonalidade emocional dominante, como a nota mais alta de um acorde ou a cor em primeiro plano de uma tela. Com Kevin, a nota era o tom agudo e ardido de um apito contra estupro, a cor era um vermelho pulsante, aórtico, e a sensação era de fúria. A estridência e o latejo de toda aquela ira eram insustentáveis, de modo que, à medida que ele foi crescendo, a nota foi baixando para um clangor uniforme de buzina disparada; as tintas do primeiro plano iriam se adensando aos poucos, os tons se coagulariam no negro-arroxeado apático do fígado e sua emoção predominante passaria da ira intermitente a um ressentimento constante e inflexível.

No entanto, quando Celia veio ao mundo, visualmente talvez estivesse roxa e ensangüentada, mas a cor de sua aura era azul-claro. Fui assaltada pelo mesmo límpido anil que me visitava quando fazíamos amor. Ela não chorou quando nasceu, e, se emitiu algum som figurativo, foi a melodia serena e sinuosa cantada por alguém fazendo uma longa caminhada, feliz com o passeio, que não imagina que haja outras pessoas ouvindo. Quanto à emoção predominante exalada por aquela criatura cega — mãos que não se agarravam ao ar, e sim vagavam, vagavam por ele, a boca, tão logo levada ao seio, sugando meu leite — era de *gratidão*.

Não sei ao certo se você viu a diferença logo, embora pouco depois de Celia lhe ter sido entregue, já alimentada, limpa e com o cordão umbilical amarrado, você a devolveu para mim. Talvez ainda estivesse contrariado com a minha arrogância, e talvez a perfeição de sua nova filha, como prova viva de que minha manobra fora justificada, o deixasse ainda mais espantado. De todo modo, os anos iriam acabar confirmando minha intuição inicial: você percebeu a diferença e a diferença o deixou bravo. Imagino que teria se armado de uma resistência parecida caso, após morar anos e anos naquela nossa Casa Ideal, tão fatidicamente ostensiva, entrasse numa casa vitoriana, com uma cadeira de balanço no alpendre, elevador para pratos, corrimão de mogno, e fosse informado de que a casa se achava à venda. Você iria querer jamais tê-la visto e algo lá dentro chegaria até a odiá-la um pouco. Ao botar os pés de novo em nosso banal templo de teca, de repente seus olhos se abririam, você a veria pelo que era, uma droga de uma construção pretensiosa, e toda a sua corajosa capacidade de *arredondar* viria por água abaixo.

Essa é a única explicação que tenho para sua frieza, já que você me pareceu tão avesso a pegá-la, tão ansioso para não fitá-la com aqueles longos olhares emotivos durante os quais, segundo Brian, os pais *se apaixonam*. Acho que ela o assustava. Acho que você considerava a atração que sentia por sua filha como uma traição.

O parto foi tão simples que só passei uma noite internada e você levou Kevin junto para nos buscar no Hospital de Nyack. Eu estava nervosa, plenamente consciente de como deveria ser enfurecedor, para o filho mais velho, ver seu terreno invadido por um fracote que nem sabia falar ainda. Porém, quando Kevin entrou no quarto, atrás de você, não saltou exatamente sobre a cama para sufocar minha recém-nascida com um travesseiro. Usando uma camiseta inscrita com a frase "Eu sou o Irmão Mais Velho", com um rostinho sorridente em um dos "os' — marcas das dobras à mostra, bem como a etiqueta com o preço no pescoço, sugerindo a compra de um acessório cênico de última hora na lojinha de presentes do saguão — ele rondou em volta do pé da cama, foi para o outro lado, arrancou uma zínia do buquê que você me dera, e se pôs a arrancar as pétalas. Talvez o melhor mesmo fosse a irmã dele simplesmente ajudá-lo.

"Kevin", falei. "Você não quer conhecer a sua irmã?"

"Por que eu iria querer *conhecer*?", disse ele, irritado. "Ela vai voltar conosco, não vai? O que significa que eu vou *conhecer* ela todos os dias."

"Mas devia pelo menos ficar sabendo como ela se chama, não acha?" Com delicadeza, tirei a bebezinha do seio pelo qual o próprio Kevin já demonstrara tanto desinteresse, embora ela tivesse apenas começado. Numa situação dessas, a maioria das crianças abriria o berreiro, mas desde o começo ela tomou a privação como algo normal; qualquer bobagem que lhe oferecessem, ela recebia de olhos arregalados, desconcertada.

"Esta é a Celia, Kevin. Sei que por enquanto ela não parece nem um pouco divertida, mas, quando ficar um pouco maior, aposto como vai ser a sua melhor amiga." Eu não tinha muita certeza se Kevin sabia o que era isso. Ainda não trouxera um colega da escola para brincar em casa.

"O que você está dizendo é que ela vai ficar atrás de mim o tempo todo, essas coisas. Já vi. É um saco."

Você espalmou as mãos nos ombros de Kevin, por trás, e balançou-o, num gesto camarada. O rosto de Kevin se contraiu. "É, bom, tudo isso faz parte das funções de um irmão mais velho!", você disse. "Eu sei bem como é, porque também tive uma irmãzinha. Elas não deixam a gente em paz um segundo! Você quer brincar de caminhão e elas ficam amolando, querendo que você brinque de boneca com elas!"

"Eu brincava de caminhão", objetei, dando uma olhada significativa para você; teríamos de conversar a respeito desse negócio retrógrado de papéis estereotipados. Foi uma pena que, nascidos tão próximos um do outro, você e sua irmã Valerie — uma menina afetada logo transformada em mulher zelosa, engolfada pelo corte das roupas, e em nossas rápidas visitas à Filadélfia decidida a organizar "passeios" a mansões históricas — nunca tenham sido amigos.

"Não dá para dizer agora o que Celia vai querer fazer, assim como também não podemos afirmar que o Kevin não vá querer brincar com bonecas."

"Pois sim!", você gritou, fraternalmente.

"Tartarugas Ninjas? Homem-Aranha? Figurinhas de ação são *bonecas*."

"Ótimo, Eva", resmungou você. "Dê ao garoto aqui um complexo."

Nesse meio-tempo, Kevin havia se aproximado um pouco mais da cama e enfiado a mão no copo de água na mesinha de cabeceira. Olhando de esguelha para o bebê, ele suspendeu a mão molhada por cima do rosto dela e deixou que a água pingasse em cima. Celia se retorceu, desconcertada, mas o batismo não parecia tê-la incomodado muito, se bem que, mais tarde, eu aprenderia a ver o fato de minha filha não se queixar ou chorar como sem sentido. Com a fisionomia exibindo uma rara, ainda que clínica, curiosidade, Kevin molhou a mão de novo e respingou no nariz e na boca da irmã. Eu não sabia bem o que fazer. O batismo de Kevin me fazia pensar nos contos de fada em que um parente ofendido aparece para amaldiçoar a princesa no berço. Entretanto ele não estava machucando a irmã e eu não queria macular o momento com censuras. Por isso, quando Kevin mergulhou pela terceira vez a mão no copo, acomodei o corpo nos travesseiros de novo e, enxugando o rosto da bebê com o lençol, tirei-a do alcance do irmão.

"Ei, Kev!" Você esfregou as mãos. "Sua mãe precisa se vestir, então vamos achar algo *bem gorduroso* e *bem salgado* naquelas máquinas no fim do corredor!"

Deixamos o hospital e você então me disse que eu devia estar esgotada, depois de passar a noite toda levantando a todo momento, por causa da bebê, e se ofereceu para cuidar dela enquanto eu dormia um pouco.

"Não, é muito estranho mesmo", cochichei. "Levantei umas duas vezes para dar de mamar, mas tive que pôr o despertador para tocar. Franklin... ela não chora."

"Hum. Bom, não pense que isso vai durar muito tempo."

"Nunca se sabe... eles são todos diferentes."

"Os bebês têm de chorar", você disse, com vigor na voz. "Bebês que ficam deitadinhos na cama e dormem o dia todo são sinal de que você está criando um maria-vai-com-as-outras."

Quando chegamos em casa, reparei que uma foto minha, antes dos trinta e tantos anos, que mantínhamos sobre a mesinha da entrada, tinha sumido e perguntei se você mudara o porta-retratos de lugar. Você disse que não e eu não quis levar o assunto adiante, presumindo que a fotografia acabaria aparecendo. Não apareceu. Fiquei amolada; eu não era mais tão bonita e as constatações de que um dia fomos adoráveis e sem rugas tornam-se preciosas. A foto tinha sido tirada numa casa-barco de Amsterdã, com cujo capitão tive um caso rápido e descomplicado. Eu amava a expressão que ele havia capturado — expansiva, relaxada, calorosa; a foto fixava uma glorificação simples de tudo que, na época, eu exigia da vida: luz na água, vinho branco e um homem bonito. O retrato suavizava a severidade que marcava a maioria das minhas fotos, com aquela minha testa protuberante e meus olhos fundos na sombra. O capitão da casa-barco havia me enviado a foto pelo correio e eu não tinha o negativo. Ah, bem. Era muito provável que, enquanto estive no hospital, Kevin tivesse tirado a cópia da moldura para lhe enfiar alfinetes.

De todo modo, eu não estava a fim de me aborrecer com um retrato tolo. Na verdade, apesar do receio de que minha metáfora marcial possa parecer provocativa, quando transpus a soleira, com Celia nos braços, tive a sensação estimulante de ter restabelecido o equilíbrio entre nossas forças. Mal sabia eu que, como aliada militar, uma garotinha crédula é pior que nada, é um flanco a descoberto.

*Eva*

## *18 de fevereiro de 2001*

*Querido Franklin,*

Eu estava justamente pensando que teria conseguido enfrentar tudo — a *quinta-feira*, os julgamentos, até mesmo a nossa separação — se tivessem ao menos me deixado ficar com Celia. Seja como for (e isso talvez o surpreenda), gosto de imaginar vocês dois juntos, lado a lado. Você foi um bom pai para ela — e não é minha intenção criticá-lo —, mas estava sempre tão preocupado em não magoar Kevin que pode ter tomado o partido dele vezes demais. Você costumava manter nossa filha a uma certa distância. E à medida que ela foi crescendo, foi ficando tão bonita, não é mesmo? De um jeito hesitante, tímido, com aquele cabelo louro fininho sempre esvoaçando no rosto. Acho que você se ressentia em nome de Kevin — todo mundo achava Celia tão encantadora, ao passo que, com ele, as pessoas em geral ficavam de sobreaviso, ou então eram receptivas demais, falsas, até, e, às vezes, se sentiam visivelmente aliviadas quando aparecíamos sem ele. Não era justo, você pensava. Suponho que, em termos universais, não fosse mesmo.

Talvez meu amor por Celia tenha vindo muito fácil. Pode ser que, segundo minha própria cartilha, ela fosse uma espécie de fraude: afinal, lutei a vida toda para superar as dificuldades, para vencer os terrores. Celia era simplesmente um encanto. Não consigo pensar numa única pessoa que não a achasse uma menina adorável, embora me pergunte se, depois, alguém se lembrava dela. De Kevin, por outro lado, era muito difícil alguém gostar, mesmo que, por educação, os vizinhos não dissessem isso abertamente; só que ninguém se esquecia dele. Nossas famílias tinham posturas semelhantes. Sua irmã Valerie ficava nervosa só de pensar em deixar Kevin sozinho em algum lugar daquela casa tão fastidiosamente decorada e, para poder ficar de olho nele, não parava de levar sanduíches que nosso filho não queria; toda vez que ele pegava na *bombonière* ou mexia numa borla do cordão da cortina, ela corria para tirar o que fosse da mão dele. Muito antes das deficiências de Kevin se transformarem em notícia nacional, sempre que Giles perguntava como ia o nosso filho, parecia estar atrás de alguma historiazinha malévola que confirmasse seu preconceito contra o menino. Nunca foi fácil gostar de Kevin, menos ainda amá-lo, mas, sendo assim, ele deveria ser o garoto perfeito para gente como eu. Era difícil amar Kevin da mesma forma como era difícil comer bem em Moscou, achar acomodação barata em Londres ou encontrar uma lavanderia automática em Bangcoc. Eu, porém, tinha me mudado novamente para os Estados Unidos e me tornado complacente. Da mesma forma como às vezes eu cedia à conveniência e pedia um *curry* com uma porção extra de pão *naan*, em vez de passar horas cozinhando galinha com açafrão-da-índia, optei pelo conforto fácil de uma criança dócil, já pronta, em vez de amolecer as fibras rígidas de um garoto difícil em fogo brando. Eu havia enfrentado desafios durante a vida quase toda. Estava cansada e, nos últimos tempos, flácida; no sentido espiritual, eu estava fora de forma.

Mas é natural que o fluxo das emoções siga o caminho que menor resistência ofereça. Para meu espanto, quando punha Celia para dormir, ela dormia; suponho que estávamos, de fato, criando um "maria-vai-com-as-outras". Ao passo que Kevin guinchava, com todas as necessidades concebíveis atendidas, Celia se submetia a todas as formas de privação, sem choramingar nem fazer escândalos, e era capaz de ficar horas com a fralda molhada, a menos que eu me lembrasse de ir conferir. Nunca chorou de fome, entretanto sempre pegou o peito, de modo que fui obrigada a alimentá-la segundo um horário fixo. Talvez eu tenha sido a primeira mãe na história a se desesperar porque sua bebê não chorava o suficiente.

A infância desconsolada de Kevin prosseguira para se transformar em tédio absoluto; Celia se encantava por tudo e por nada. Tão deliciada com um pedaço de papel de seda colorido como com o móbile dispendioso de madrepérola sobre o berço, exibia um fascínio indiscriminado pelo universo tátil que levaria seus patrões da Avenida Madison à loucura, Franklin. Ironicamente, para uma menina tão fácil de satisfazer, era cada vez mais difícil presenteá-la, tamanha a paixão que tinha pelos brinquedos antigos. Quando foi ficando mais velha, firmou pactos de lealdade total com bichos de pelúcia em frangalhos, e qualquer criatura de pêlo sedoso e limpo que nós lhe déssemos causava um turbilhão em sua cabeça — como se, a exemplo do pai de segunda viagem, temesse que, aumentando sua pequena família, fosse pôr em perigo compromissos anteriores, mais primitivos. Os novos bichinhos só tinham permissão de acompanhá-la na cama depois de passarem por algum teste, perdendo uma orelha, por exemplo, ou se juntando ao mundo falível dos meros mortais com uma mancha batismal de caldo de brócolis. Assim que começou a falar, me contou que fazia questão de brincar com todos os seus brinquedos todos os dias, para que nenhum se sentisse negligenciado ou com ciúme. Seus favoritos, e mais fervorosamente defendidos, eram os que (graças a Kevin) estavam quebrados.

É possível que ela fosse feminina demais para você e, também para mim, aquela timidez e delicadeza eram novidade. Você talvez preferisse uma menina ruidosa, destemida, que o deixasse orgulhoso por conquistar os cumes dos trepa-trepas dos parquinhos, por disputar queda-de-braço com os meninos, por declarar às visitas que iria ser astronauta quando crescesse — uma menina travessa, indisciplinada, correndo pela casa de calças reforçadas de brim sujas de óleo de motor. Talvez eu também quisesse esse tipo de menina, mas não foi essa a filha que tivemos.

Ao contrário, Celia gostava de vestidos cheios de rendinhas, de brincar com o batom que eu pouco usava. Entretanto essa feminilidade não se limitava ao deslumbramento com as jóias sobre a minha cômoda ou a passeios hesitantes em cima dos meus saltos altos; manifestava-se numa fragilidade, dependência e confiança mais amplas. Celia tinha tantas boas qualidades, mas não tinha peito. Era cheia de terrores, e não apenas do escuro, mas do aspirador de pó, do porão e dos ralos. Louca para agradar, largou a fralda muito antes dos dois anos de idade, mas no jardim-de-infância tinha pavor de se aventurar sozinha até o banheiro. Uma vez, me viu jogar fora um copo de Columbo que havia embolorado e, durante várias semanas, depois disso, não quis saber de se aproximar da geladeira, e muito menos de qualquer substância, como pudim de baunilha ou mesmo tinta branca, que se assemelhasse a iogurte. Assim como tantas outras crianças, era hipersensível a texturas; embora tolerasse o barro, tinha asco do que ela chamava de "sujeirasseca", pronunciada como uma palavra só: poeira de rua, pó sobre o linóleo, até mesmo farinha. A primeira vez em que fui ensiná-la a fazer massa de torta, ela parou, chocada, no meio da cozinha, com as mãos enfarinhadas estendidas dos lados, dedos retesados, olhos arregalados. Celia sempre expressou seu horror em silêncio.

Quanto à comida, levei um tempo para descobrir por quais substâncias ela tinha verdadeira ojeriza. Avessa a parecer exigente, ela se forçava a engolir tudo o que lhe ofereciam, a menos que eu prestasse atenção aos ombros encolhidos e às tossinhas de engasgo. Ela tinha horror a tudo que tivesse "bolinhas" (tapioca, pão integral com uva-passa), "visgo" (quiabo, tomate, molhos engrossados com maisena) ou "pele" (o finzinho de uma gelatina, a superfície fria de um chocolate quente, até mesmo um pêssego com casca). Embora aliviada de ter ao menos uma filha com algum paladar — eu poderia ter preparado as refeições de Kevin com cera colorida — diante dessas comidas, trêmula, ela empalidecia e suava tanto que parecia até que eram os alimentos que iriam devorá-la. Para Celia, tudo que a cercava era animado e cada colherada de pudim de tapioca possuía uma alminha densa e nauseabunda.

Sei que era desagradável ter que lembrar sempre de deixar a luz do *hall* acesa, ou ter de levantar no meio da noite para acompanhá-la ao banheiro. Mais de uma vez, você me acusou de estar estragando nossa filha, uma vez que satisfazer um medo era o mesmo que alimentá-lo. Mas o que mais eu poderia ter feito, ao descobrir uma menina de quatro anos de idade tremendo de frio no corredor, às três da manhã, de camisola, com as mãozinhas entre as pernas, senão implorar-lhe para sempre, sempre, acordar um de nós se precisasse fazer xixi? Além do mais, Celia tinha medo de tantas coisas diferentes que é possível que fosse, em seus próprios termos, corajosa. Que variedade enorme de texturas horrendas e cantos escuros apavorantes ela não terá enfrentado sozinha, em silêncio?

Mas me recusei a concordar quando você disse que Celia era excessivamente "agarrada". Eis aí uma palavra feia que descreve o mel do coração como uma substância pegajosa, irritante, que não desgruda. E quando não é apenas um nome desagradável para a coisa mais preciosa do mundo, envolve uma exigência inaceitavelmente incessante por atenção, aprovação e ardor em troca. Celia contudo não nos implorava nada. Ela não nos atormentava para irmos ver o que havia construído no salão de jogos, não nos infernizava quando estávamos tentando ler. Sempre que eu a abraçava de forma espontânea, ela me abraçava de volta com uma ferocidade agradecida que parecia dizer "eu não mereço". Quando voltei a trabalhar fora, ela não se queixou de minha ausência, embora seu rosto ficasse cinza de tanta tristeza, quando eu a deixava na pré-escola, e se iluminasse feito o Natal, quando eu chegava em casa.

Celia não era *agarrada*. Era apenas carinhosa. Ela às vezes abraçava minha perna, na cozinha, apertava o rosto em meu joelho e exclamava, muito surpresa: "Você é minha amiga!" A bem da verdade, por mais dificuldades que você possa ter tido com a chegada de nossa filha, nunca foi insensível a ponto de não achar essas demonstrações comoventes. De fato, a confirmação de que éramos *amigos* dela parecia encantá-la bem mais que nossas amplas, ainda que abstratas, declarações de amor. Embora eu saiba que você achava Kevin muito mais inteligente que Celia, o nosso filho já nasceu naturalmente confuso sobre o que era o mundo e o que fazer com ele, ao passo que Celia chegou com a certeza inabalável do que queria e do que fazia a vida valer a pena ser vivida: aquele visgo que não desgruda. Certamente que isso constitui algum tipo de inteligência.

Concordo, ela não ia bem na escola. Mas só porque se esforçava demais. Celia estava de tal modo enredada na vontade de fazer tudo certo, tão preocupada com a possibilidade de não corresponder aos pais e professores, que não conseguia se concentrar nos estudos, propriamente ditos. Mas ao menos não desdenhava de tudo que tentavam lhe ensinar.

Procurei lhe dar algumas diretrizes: você simplesmente decora que a capital da Flórida é Tallahassee e ponto final. No entanto, assim como sua tia Celia, nossa filha acreditava em mistérios e não conseguia imaginar que as coisas fossem assim tão simples; para ela, sempre havia algum truque mágico, de modo que, ao fazer uma prova, duvidava de si e de "Tallahassee" justamente porque essa era a resposta que lhe viera à cabeça. Kevin nunca teve o menor problema com mistérios. Ele atribuía ao mundo inteiro a mesma uniformidade aterradora e a questão nunca foi saber se era capaz de aprender algo, mas se valia o esforço. A fé de Celia nos outros, tão enfática quanto era deficiente em relação a si mesma, lhe garantia que ninguém jamais insistiria para que estudasse o obviamente inútil. Já o cinismo de Kevin lhe garantia que uma pedagogia maligna e sádica o obrigaria a estudar só tolices.

Não vou dizer que Celia não me tirasse do sério também. Assim como Kevin, era impossível castigá-la, se bem que houvesse poucos motivos para puni-la, exceto por algo que, como acabava vindo à tona, ela não tinha feito. Seja como for, toda censura a deixava aflitíssima, de modo que era como matar uma mosca com um machado. À menor sugestão de que havia nos decepcionado, ficava inconsolável, despejando pedidos de desculpas antes mesmo de ter certeza da falta que cometera. Uma única palavra mais brusca a deixava em pânico, e admito que teria sido um alívio se, de vez em quando, eu tivesse tido a chance de berrar: "Celia, eu já não disse para você pôr a mesa!" (era muito raro que desobedecesse, mas era distraída), sem precisar ver minha filha derretida numa poça de remorsos.

No entanto, minha irritação principal era de outra ordem. Aplicado com sabedoria, o medo é uma ferramenta útil de autoproteção. Embora o ralo dificilmente fosse saltar e mordê-la, Celia tinha medos suficientes dentro dela para cobrir perigos que, de fato, poderiam feri-la. Havia uma coisa em nossa casa da qual ela teria plena razão de sentir medo, mas ela o adorava.

Sobre esse ponto, não admito discussão, e pretendo tirar vantagem impiedosa do fato de que este é o meu relato e você não tem escolha senão aceitar minhas opiniões. Não vou fingir que conheço a história inteira, porque não creio que essa seja uma história da qual possamos ter certeza absoluta. Lembro-me, inquieta, de que em minha própria infância, na Avenida Enderby, onde a aliança entre meu irmão Giles e eu era bem mais instável, nós conduzíamos o grosso das nossas vidas longe das vistas maternas. Um de nós podia correr até ela para defender o seu lado (algo considerado fraudulento), mas, no geral, nossos conluios, nossas batalhas e as torturas que nos infligíamos mutuamente ocorriam, se não fora do campo de visão dos outros, ao menos em código. Tal era a minha imersão no mundo mirim que minhas lembranças de antes dos doze anos são em grande medida despovoadas de adultos. Talvez fosse diferente para você e Valerie, uma vez que não se gostavam muito. Mas muitos, talvez a maioria dos irmãos, partilham de um universo privado, farto em concessões, traições, vendetas, reconciliações e no uso e no abuso de poder, do qual os pais nada sabem.

De todo modo, eu não era cega, e, até certo ponto, a inocência dos pais é puro desinteresse. Se eu entrasse no salão de jogos e encontrasse minha filha deitada de lado, toda enroscada, os tornozelos amarrados com meias três-quartos, as mãos atadas nas costas com sua fita de cabelo, a boca vedada por fita adesiva, sem que meu filho estivesse à vista, eu podia deduzir por mim mesma o que significava a explicação gemida de "brincando de seqüestro". Eu podia não saber qual era a senha maçônica da seita secreta dos meus filhos, mas conhecia Celia o bastante para saber que ela jamais manteria a cabeça de seu cavalinho de plástico favorito sobre a chama do fogão. E se era alarmantemente submissa ao se entuchar de comidas que eu não sabia que conseguiria engolir, ao menos não era masoquista. De modo que, quando a encontrei amarrada a seu cadeirão, à mesa de jantar, coberta de vômito, pude presumir com razoável segurança que o prato na frente dela, contendo maionese, geléia de morango, pasta de *curry* tailandês, vaselina e imensas bolas de pão, não seguira uma receita de sua lavra.

Você poderia afirmar, claro — como aliás fez, na época — que, por tradição, os irmãos mais velhos atormentam os mais novos, e que as tolas perseguições de Kevin continuavam dentro do terreno do *perfeitamente normal*. Você poderia objetar, agora, que eu só considero tenebrosos esses incidentes típicos da crueldade infantil porque sei o que aconteceu. Enquanto isso, milhões de crianças sobrevivem a famílias em que a intimidação e a violência são abundantes, e em geral acabam mais atentas para a ordem darwiniana que terão de enfrentar na idade adulta. Muitos dos outrora tiranos mirins tornam-se maridos sensíveis, que se lembram da data dos aniversários de casamento, ao passo que as antigas vítimas transformam-se em mulheres confiantes, com carreiras de sucesso e opiniões firmes sobre o direito de escolha. Entretanto, minha posição atual oferece pouquíssimos bônus, Franklin, e eu *tenho* o benefício de poder olhar em retrospecto para o que houve, se é que *benefício* é a palavra certa.

A caminho de Chatham, na semana passada, achei que talvez pudesse me beneficiar com o exemplo cristão dado por nossa frágil e tímida filha. No entanto a incompreensível capacidade de Celia de não guardar rancor de ninguém desde que veio ao mundo parece sugerir que perdoar é um dom de temperamento e não um truque a ser aprendido. Além do mais, não sei ao certo o que "perdoar" Kevin acarretaria. Sem dúvida, varrer artificialmente a *quinta-feira* para baixo do tapete está fora de questão, assim como deixar de considerá-lo responsável por seus atos, algo que não há de servir seus mais altos interesses morais. Não posso imaginar que esperem que eu *supere* isso, como se estivesse pulando uma mureta; se a *quinta-feira* é uma barreira, ela foi feita de arame cortante, e não saltei por cima dela, atravessei-a, o que me deixou retalhada e do outro lado de algo apenas num sentido temporal. Não posso fingir que Kevin não fez o que fez, não posso fingir que tudo o que eu mais queria é que não tivesse feito o que fez, e se abri mão daquele bem-aventurado universo paralelo ao qual minhas companheiras brancas na sala de espera de Claverack costumam se aferrar, esse abandono dos meus "se" é fruto mais de uma imaginação esgotada que de alguma reconciliação saudável que eu possa ter feito com o conceito do "que está feito, está feito". Para ser sincera, quando Carol Reeves "perdoou" formalmente o nosso filho na CNN, por ter assassinado seu filho Jeffrey, precoce o suficiente na guitarra para ter sido cortejado pela Juilliard, eu não fazia idéia do que ela falava. Teria ela encaixotado Kevin num compartimento à parte, ciente de que apenas o ódio entraria ali? Teria o nosso filho se transformado num lugar onde a mente dela se recusava a entrar? Na melhor das hipóteses, Carol devia ter conseguido despersonalizá-lo e transformá-lo num lamentável fenômeno natural que despencara sobre sua família, como um furacão, ou que, como um terremoto, abrira uma ferida em sua sala de estar, e concluído que não se ganha nada reclamando de coisas como o clima ou o deslocamento de placas tectônicas. Aliás, não se ganha nada seja qual for a situação, o que não impede a maioria de nós de reclamar.

No entanto, não Celia. Não consigo imaginar que Celia tenha, de fato, encaixotado ou rebaixado a uma simples tempestade o dia em que Kevin, com a delicadeza de um entomologista em formação, removeu casulos do carvalho que tínhamos no quintal e deixou-os na mochila dela, para que nascessem lagartas. Subseqüentemente, ela foi pegar a cartilha, na classe, e o livro saiu estriado de lagartas verdes — do tipo que Kevin esmagava formando uma gosma em nosso deque —, várias das quais começaram a rastejar por sua mão e seu braço rígido. Infelizmente, Celia não era dada a berros, que talvez levassem socorro mais depressa. Em vez disso, imagino que tenha ficado paralisada — respiração ofegante, narinas infladas, pupilas dilatadas — e a professora lá, continuando a explicar o "C" de *casa* na lousa. Por fim, as meninas nas carteiras ao lado começaram a berrar e estava criado o pandemônio.

No entanto, por mais frescas que estivessem na memória aquelas lagartas, a lembrança simplesmente não entrou em ação duas semanas depois, quando Kevin lhe ofereceu "carona" nas costas, para subir no carvalho, e ela agarrou seu pescoço. Sem dúvida, deve ter ficado surpresa quando Kevin insistiu para que se pendurasse, trêmula, num galho lá do alto, e depois desceu com toda a calma até o chão. Na verdade, quando choramingou e chamou o irmão, porque não conseguia descer, deve ter acreditado de coração que ele, depois de abandoná-la a seis metros do chão e entrar para pegar um sanduíche, iria voltar e ajudá-la a sair da árvore. Seria isso, o perdão? Assim como Charlie Brown, dando mais uma chance a Lucy, por mais bichinhos de pelúcia que Kevin estripasse, por mais catedrais de blocos Tinkertoy que derrubasse, Celia nunca perdeu a fé de que, lá no fundo, seu irmão mais velho era um bom sujeito.

Você pode chamar de inocência, ou pode chamar de credulidade, mas Celia cometeu o erro mais comum das pessoas de bom coração: presumiu que todos os demais eram iguais a ela. Qualquer prova em contrário não achou onde se instalar, feito um livro sobre a teoria do caos numa biblioteca que não tenha uma seção de física. Além disso, ela nunca contava as coisas e, sem um testemunho, era muitas vezes impossível atribuir seus infortúnios ao irmão. Em conseqüência disso, a partir do momento em que Celia nasceu, Kevin Khatchadourian, ao menos figurativamente falando, passou a escapar impune.

Confesso que, durante os primeiros anos da infância de Celia, Kevin sumiu um pouco de cena, recuou dois passos gigantes, como na brincadeira de Faça o Que Seu Mestre Mandar. Crianças pequenas nos absorvem e, nesse meio-tempo, Kevin assumiu uma independência militante. Além do mais, tinha um ótimo pai, que o levava a jogos e museus, no seu tempo livre; talvez por isso eu o tenha deixado um pouco de lado. Portanto, eu lhe devo essa, e é por isso que me sinto ainda pior de lhe revelar o que, daqueles dois passos gigantes de distância, se tornava ainda mais espantoso.

Franklin, nosso filho tinha duas caras, como aqueles biscoitos. Isso começou no jardim-de-infância, quem sabe antes, mas foi piorando. É um tanto irritante, mas só podemos saber como os outros são na desconcertante e permanente presença de nós mesmos. O que explica por que vislumbrar por acaso alguém que se ama andando pela rua é um momento tão precioso. De modo que vai ter de acreditar quando eu lhe disser, Franklin — sei que você não vai —, que, quando você não estava em casa, Kevin era insolente, hipócrita e sarcástico. Não uma vez ou outra, num mau dia. Todos os dias eram um mau dia. Aquela *persona* lacônica, desdenhosa, fechada dele me parecia bem real. Talvez não fosse a única, mas tampouco fora totalmente fabricada.

Ao contrário — Franklin, eu me sinto péssima de ter de tocar no assunto, é como se eu estivesse lhe tirando algo muito querido — de como ele se comportava quando você estava por perto. Quando você entrava em casa, a cara dele mudava. As sobrancelhas subiam, a cabeça virava para o lado, ele se impunha um largo sorriso de boca fechada, os lábios chegavam até a gengiva de cima. No conjunto, a expressão dele assumia aquela felicidade atordoada que vemos nas atrizes de segundo time quando estão ficando velhas e já fizeram plásticas demais. *Oi, papai!*, ele exclamava. *Como foi o trabalho hoje, papai? Tirou foto de alguma coisa bem legal? Mais alguma vaca, papai? Mais algum prado, prédios enormes ou a casa de alguém podre de rico?* Você se animava e embarcava numa descrição entusiasmada do trecho de estrada que havia fotografado, e Kevin interrompia, entusiasmado: *Puxa, papai, mas que bárbaro! Mais um anúncio de carro! Vou contar pra todo mundo na escola que meu pai tira fotos pra Oldsmobile!* Uma noite você trouxe para casa um número da nova *Atlantic Monthly* e folheou orgulhosamente a revista até o anúncio da Colgate no qual figurava a banheira de mármore rosa da nossa própria suíte-máster. *Puxa, papai!*, Kevin exclamou. *Se o nosso banheiro está num anúncio de pasta de dente, nós ficamos famosos?*" "Só um pouquinho famosos", você concedeu, e juro que me lembro de ter feito uma gracinha: "Para ser realmente famoso nesse país, você precisa matar alguém."

Verdade que você não foi o único a acreditar nele; Kevin enganou os professores durante anos a fio. Ainda tenho, graças a você, pilhas de cadernos. Um diletante da História norte-americana, você era o cronista da família, o fotógrafo, o que armava os álbuns de recortes, ao passo que eu costumava considerar a própria experiência em si como meu suvenir. De maneira que não sei o que me deu na cabeça ao resgatar, em meio aos equipamentos de ginástica e cortadores de ovos que abandonei em massa quando me mudei, as pastas com os trabalhos de escola de Kevin.

Será que guardei as pastas só por causa daquela letra tombada, bem-feita, em que "ensino fundamental" foi escrito? Pela primeira vez, acho que não. Eu já tinha passado por dois julgamentos, e aprendera a pensar em termos de provas. Acabei de tal forma acostumada a abdicar de ter vida própria — em favor de jornalistas, juízes, criadores de *sites* na Internet, pais das crianças mortas e do próprio Kevin —, que mesmo agora reluto em dobrar ou rasgar os deveres do meu filho por medo de ter que responder por adulteração.

De qualquer modo, é domingo à tarde e forcei-me a ler alguns. (Você se dá conta de que eu poderia vendê-los? E não por uma bagatela qualquer. Pelo visto, isso é o tipo de memento que acaba leiloado por milhares de dólares na Internet, junto com as paisagens até que razoáveis pintadas por Adolph Hitler.) A manifestação física de inocência, nesses trabalhos de escola, é de desarmar qualquer um: as letras gordas de forma, o papel amarelado, fragilizado. Que coisa mais prosaica, pensei de início; não ficarei sabendo de mais nada com eles, a não ser que Kevin era um bom menino e fazia as lições. Mas, à medida que fui lendo, fui ficando mais interessada, atraída pelo fascínio nervoso que leva alguém a cutucar e espremer um cisto ou um pêlo encravado.

Cheguei à conclusão de que Kevin ludibriava também os professores, não tanto com aquela exuberância de um membro arrumadinho da Família Dó-Ré-Mi com que ele o recebia, quando você chegava do trabalho, e mais com uma falta estranhíssima de emoção. As dissertações de Kevin sempre seguiam excessivamente à risca o que fora pedido; ele não acrescentava nada e, sempre que há alguma anotação do professor, é por ele ter sido breve demais. Não há nada de errado com as lições. Em termos factuais, estão corretas. A ortografia está certa. Nas raras ocasiões em que os professores comentam, de modo vago, que ele talvez pudesse "adotar uma abordagem mais pessoal do assunto", não são capazes de apontar nada que esteja faltando:

> Abraham Lincoln era presidente. Abraham Lincoln tinha barba. Abraham Lincoln libertou os escravos afro-americanos. Na escola, estudamos os grandes norte-americanos afro-americanos durante um mês. Existem muitos grandes norte-americanos afro-americanos. No ano passado, nós estudamos os mesmos norte-americanos afro-americanos durante o Mês da História Afro-Americana. No ano que vem, vamos estudar os mesmos norte-americanos afro-americanos durante o Mês da História Afro-Americana. Abraham Lincoln morreu baleado.

Se você me permite, vou tomar o partido de Kevin, uma vez na vida; você e os professores dele achavam, durante todo o ensino fundamental, que ele precisava de ajuda para melhorar a capacidade organizacional, mas decidi que a capacidade organizacional dele era impecável. Da primeira série em diante, as lições mostram uma valorização intuitiva pelo arbitrário, pelos poderes anestesiantes da repetição e pelas possibilidades absurdas do *non sequitur*. E, o pior, suas declarações robóticas não mostram uma incapacidade de dominar os refinamentos da prosa; elas *são* seu estilo de prosa, refinado com todo o cuidado de um H. L. Mencken. Ao contrário das insinuações encabuladas que os professores nos faziam, nas reuniões de pais e mestres, de que Kevin "não se empenhava de coração nos deveres escolares", o nosso filho se empenhava e *muito* ao fazer suas lições de casa, de coração e de alma. Veja, por exemplo, o que ele escreveu na quarta série, na redação "Conheça minha Mãe":

> Minha mãe vai a outros lugares. Minha mãe dorme numa cama diferente. Minha mãe come comida diferente. Minha mãe volta para casa. Minha mãe dorme em casa. Minha mãe come em casa.
>
> Minha mãe diz aos outros para irem a outros lugares. Os outros dormem numa cama diferente. Os outros comem comida diferente. Os outros voltam para casa. Os outros dormem em casa. Os outros comem em casa. Minha mãe é rica.

Sei o que você está pensando, ou o que pensava na época. Que a atitude falsa era aquela postura enfezada e remota que Kevin assumia comigo, ao passo que, com você, ele podia ser o menino animado, relaxado e feliz de sempre. Que a rigidez artificial que dominava seus trabalhos escritos revelava um distanciamento muito comum entre os pensamentos e os poderes de expressão. Estou disposta a admitir que a condescendência contida dele, em relação a mim, era um artifício, ainda que a capacidade para *ganhar tempo*, que vinha desde os tempos em que me apossei de seu revólver de esguichar, parecesse verdadeira. Mas nenhuma das imagens que ele apresentava era a verdadeira. Kevin era como aquele jogo da concha, só que com os três recipientes vazios.

Acabei de dar uma lida no que escrevi até agora e me dei conta de que resumi tremendamente sete bons anos de nossa vida em comum; além disso, de que boa parte desse resumo girou em torno de Celia. É uma pena, isso, pena mesmo, mas, embora eu consiga me lembrar de como passamos cada um dos aniversários de Celia, durante aqueles anos, minhas lembranças de Kevin, dos oito até mais ou menos os catorze anos, são um borrão.

Claro que um ou outro episódio sobressai, sobretudo minha desastrosa tentativa de partilhar dos entusiasmos de minha vida profissional, levando você e Kevin, então com treze anos de idade (se você bem se lembra, Celia, jovem demais, ficou com minha mãe), para o Vietnã. Escolhi o país de propósito por ser um lugar que, para qualquer norte-americano, ao menos da nossa geração, inescapavelmente significa algo, o que o livra da sensação de ser Só Mais Outro Lugar e Daí que países estrangeiros costumam provocar quando você os visita pela primeira vez, e da qual Kevin se tornaria presa fácil. Além disso, o Vietnã se abrira fazia pouco tempo ao turismo, de modo que não resisti à oportunidade em meu próprio benefício, também. Mas admito que o sentimento de ligação, de intimidade culpada com arrozais e velhinhas enrugadas de chapéu cônico de palha, pertenceria quase que só a você e a mim. Eu havia feito passeata em Washington, nos meus vinte anos, ao passo que você tinha implorado ao Conselho de Recrutamento, em vão, diga-se de passagem, para não rejeitá-lo por causa dos pés chatos. Quando nos conhecemos, Saigon fora vencida havia três anos e tínhamos brigas feias por causa da guerra. Kevin não tinha associação nenhuma com o Vietnã, de forma que, apesar de minhas intenções, talvez eu o tivesse arrastado a Só Mais Outro Lugar e Daí. De qualquer modo, jamais hei de esquecer minha profunda humilhação quando o nosso filho — sempre tão atento às sensibilidades alheias — saiu desembestado pelo mar de lambretas numa rua de Hanói dizendo aos "chinas" para saírem do caminho dele.

Entretanto, uma outra lembrança se ergue acima do borrão, de forma muito vívida, e não se trata, Franklin, de mais um exemplo ignóbil, difamante, de como nosso filho já nasceu desalmado.

Refiro-me àquelas duas semanas em que ele ficou doente. Tinha dez anos, na época. Por uns tempos, o dr. Goldblatt temeu que pudesse ser meningite, embora uma doloridíssima punção lombar tenha provado que aquele não era um diagnóstico possível. Apesar da inapetência, Kevin era um menino saudável, no geral, e nunca mais ficou de cama tanto tempo.

Quando a doença começou, reparei que o espírito com que ele franzia o nariz para as minhas refeições não era mais o de zombaria; ele olhava para o prato e desmoronava, como se vencido. Na verdade, como estava acostumado — como a mãe dele — a lutar contra os próprios impulsos, tanto quanto contra forças exteriores, ele lutou para engolir um dos meus *sarma* de carneiro antes de desistir. Ele não se escondeu entre as sombras nem marchou feito um sargento pelo corredor, mas começou a titubear e a se afundar contra a mobília. A fisionomia sempre tão rígida afrouxou e perdeu aquele viés zombeteiro da boca. Eventualmente, fui encontrá-lo caído no chão, sobre o tapete armênio sujo de tinta do meu escritório, e espantei-me ao constatar que ele não ofereceu resistência, quando o peguei do chão e o levei até a cama. Franklin, ele *pôs os braços em volta do meu pescoço.*

No quarto, ele me deixou tirar sua roupa e, quando lhe perguntei que pijama queria usar, em vez de girar os olhos e dizer *tanto faz*, ele pensou uns instantes e, depois, sussurrou baixinho: "O que tem os astronautas. Eu gosto do macaco no foguete." Era a primeira vez que Kevin dizia que *gostava* de alguma peça de roupa do seu armário, e quando vi que esse era justamente o pijama que estava no cesto de roupa suja, fiquei doida, peguei o pijama, sacudi e prometi que, no dia seguinte, eu o lavaria para ficar cheiroso e gostoso de novo. Eu esperava ouvir um "não *precisa*", mas, em vez disso, obtive — outro ato inédito — um "obrigado". Depois que eu o cobri, ele se enroscou feliz da vida na cama, com o cobertor até o queixo, e quando pus o termômetro entre os lábios corados — o rosto inteiro estava com um aspecto febril, avermelhado — ele chupou o vidro com contrações rítmicas delicadas, como se, finalmente, aos dez anos de idade, tivesse aprendido a mamar. A febre estava alta, para uma criança — mais de 38º —, e quando passei uma toalha molhada na testa dele, Kevin aprovou com um murmúrio.

Eu não saberia dizer se somos menos nós mesmos quando ficamos doentes ou se somos mais. O fato é que achei aquelas duas extraordinárias semanas um período revelador. Quando me sentei na beira da cama, Kevin aninhou a cabeça em minha coxa; assim que me convenci de que não iria estragar tudo, puxei a cabeça dele para o meu colo e ele agarrou minha malha. Algumas vezes, não conseguiu chegar até o banheiro para vomitar, e quando eu limpava a sujeira e lhe dizia para não se preocupar, Kevin não mostrava nada daquela complacência auto-satisfeita da fase de fraldas; ao contrário, choramingava que sentia muito e parecia, apesar da minha insistência, de fato envergonhado. Sei que todos nós nos transformamos quando estamos doentes, mas Kevin não estava apenas rabugento ou cansado, ele era uma pessoa totalmente diferente. E foi assim que consegui apreciar o tanto de energia e comprometimento investido por ele no resto do tempo para gerar o outro menino (ou meninos). Até você já havia admitido que Kevin era um "pouco antagonístico" em relação à irmã, mas quando a nossa filha, então com dois anos, entrou pé ante pé no quarto dele, ele deixou que ela lhe afagasse a testa com tapinhas úmidos.

Quando ela lhe ofereceu um desenho, desejando melhoras ao irmão, ele não descartou o gesto como algo besta, nem aproveitou o fato de estar se sentindo mal para dizer a ela, como aliás era seu direito, que o deixasse em paz, e, em vez disso, fez um esforço para falar, com voz fraca: "É um belo desenho, Celia. Por que não faz outro pra mim?" E eu que achava que aquele tom emocional dominante dele, tão extravagante desde o nascimento, fosse imutável. Chame-o de irado ou ressentido, é apenas uma questão de graus. Mas, por baixo dos níveis de fúria, espantei-me, quando descobri, havia um tapete de desespero. Ele não era louco. Era triste.

Outra coisa que me surpreendeu foi a curiosa aversão de Kevin por sua companhia. Talvez tenha se esquecido, já que, depois que ele o rejeitou umas duas vezes — implorando-lhe para que o deixasse dormir, ou largando no chão, cansado e em silêncio, um presente seu, um raro exemplar de gibi antigo —, você ficou magoado o suficiente e não o visitou mais. Talvez Kevin não se sentisse capaz de reproduzir a vivacidade do *puxa, papai* das tardes de sábado, durante as sessões de *frisbee*, mas, nesse caso, isso significa que ele considerava esse modo contente de ser como obrigatório com o pai. Eu o consolei, dizendo que as crianças sempre preferem a mãe quando estão doentes, mas ainda assim você ficou com ciúme. Kevin estava violando as regras, arruinando o equilíbrio. Celia era minha, e Kevin era seu. Você e Kevin eram *chegados*, ele podia *confiar em você*, podia *se escorar em você* quando tivesse problemas. Mas acho que foi por isso mesmo que ele se retraiu: por causa da sua insistência, sua solicitude, sua necessidade, sua adulação, seu jeitão camarada de paizão. Era demais. Kevin não tinha energia — para lhe recusar a intimidade que você exigia. Ele se inventou para você, Franklin, e devia haver, na própria profusão de sua invenção, um profundo desejo de agradar. Mas será que alguma vez você já parou para pensar como ele deve ter se decepcionado ao ver você aceitar o engodo como verdadeiro?

A segunda fabricação que ele não podia mais levar adiante era a apatia — embora fosse de se imaginar que a apatia vem naturalmente, quando a pessoa está doente. Mas o fato é que começaram a aparecer ilhotas de tímido desejo, feito trechos de terra seca e ensolarada num mar gelado em recuo. Assim que começou a aceitar comida, perguntei-lhe o que gostaria de comer, e ele confessou que gostava do meu ensopado de mariscos, chegando a afirmar que preferia o com leite ao de tomate. Pediu até mesmo uma fatia torrada de *katah*, quando, até então, fizera o possível para desdenhar de qualquer coisa que fosse da Armênia. Confessou uma predileção por um dos bichinhos de pelúcia esfarrapados de Celia (o gorila), que ela depositou solenemente no travesseiro do irmão como se aquele seu humilde primata tivesse sido escolhido para uma honraria rara — como de fato fora. Quando lhe perguntei o que deveria ler para ele naquelas longas tardes — eu não estava indo trabalhar, claro —, ele não soube direito o que responder, mas acho que só porque quando um de nós lia histórias para ele, antes, ele se recusava a escutar. De modo que, no palpite — me parecia uma história cativante para um menino —, escolhi *Robin Hood e seus companheiros*.

Ele adorou. Implorou para que eu lesse a história de Robin Hood várias e várias vezes, deve ter até decorado uns bons trechos. Até hoje não sei se aquela história em particular o encantou tanto porque foi lida no ponto químico certo para ele — em que se sentia forte o bastante para prestar atenção, mas ainda fraco demais para gerar aquela campo magnético de indiferença —, ou se por alguma característica da história que cativou sua imaginação. Assim como tantas outras crianças lançadas na marcha incansável da civilização quando esta já se encontrava bem adiantada no caminho, talvez ele tenha encontrado consolo num mundo cujo funcionamento era capaz de compreender: carroças puxadas a cavalo, junto com arcos e flechas, são coisas agradavelmente compreensíveis para um menino de dez anos. Talvez tenha gostado da idéia de roubar dos ricos para dar aos pobres porque sempre teve um apreço instintivo pelo anti-herói. (Ou, como você brincou, na época, talvez ele fosse apenas um democrata em formação, daqueles que adoram impostos e gastos.)

Se nunca vou conseguir me esquecer daquelas duas semanas, também trago guardada a lembrança indelével da manhã em que ele se sentiu bem o suficiente para sair da cama e me informou que iria se vestir e se eu poderia sair do quarto dele. Obedeci, tentando ocultar minha decepção, e quando voltei mais tarde para lhe perguntar o que queria para o almoço, talvez ensopado de mariscos novamente, ele sacudiu a cabeça, irritado: "O que for", disse ele, repetindo o lema de sua geração. Um queijo quente? "Estou *cagando e andando*", veio a resposta — e essa expressão, digam o que quiserem sobre as crianças que crescem cada vez mais rápido hoje em dia, ainda me deixava assustada, vinda de um menino de dez anos. Retirei-me, não sem antes notar que a boca de Kevin voltara a adquirir aquele eterno viés. Disse comigo mesma que deveria ficar contente: ele estava melhor. *Melhor*? Bem, não para mim.

Entretanto a febre nunca foi alta o suficiente para transformar em cinzas as sementes de um minúsculo *interesse* incipiente. Peguei-o, na semana seguinte, lendo *Robin Hood* sozinho. Mais tarde, ajudei vocês dois a comprar o primeiro conjunto de arco-e-flecha na loja de artigos esportivos do shopping e a montar o alvo no alto do nosso quintal em declive, rezando o tempo todo para que esse pequeno desabrochar de arroubo por parte do nosso primogênito durasse ao menos até o término do projeto. Eu estava plenamente a favor.

*Eva*

## *24 de fevereiro de 2001*

*Querido Franklin,*

Na visita de hoje, Kevin tinha um hematoma no lado esquerdo do rosto, o lábio inferior inchado e os nós dos dedos ralados. Perguntei se ele estava bem e ele disse que tinha se cortado ao fazer a barba. Vai ver que esses comentários cretinos passam por pilhérias quando a pessoa está presa. Foi palpável a satisfação de Kevin ao me negar acesso a suas atribulações de detento, e quem sou eu para interferir nas poucas diversões dele? Não insisti mais. Eu até poderia ter me queixado com as autoridades do presídio na saída, poderia ter dito que eles não conseguem proteger nosso filho, mas, considerando o que o próprio Kevin infligiu a seus pares, objetar por causa de alguns arranhões me pareceu pior que petulância.

Abandonei as preliminares. Visto que a única coisa que interessa a ele, quando vou lá, é me deixar transtornada, também me preocupo cada vez menos em deixá-lo à vontade.

"Tem uma pergunta que está me incomodando", eu disse de cara. "Quase posso entender que uma pessoa entre num frenesi indiscriminado e dê vazão a suas frustrações em cima de quem estiver no caminho. Como aquele havaiano calado, sem a menor pretensão, que um ou dois anos atrás perdeu a cabeça..."

"Bryan Uyesugi", Kevin informou na hora. "Ele tinha uma coleção de peixes."

"Sete colegas?"

Kevin juntou as palmas, num aplauso zombeteiro. "Dois mil peixes. Da Xerox. Ele era assistente técnico da Xerox. Uma Glock nove milímetros."

"Fico tão contente", falei, "que a experiência dele tenha lhe proporcionado uma especialização."

"Ele tinha uma vidinha confortável", Kevin comentou. "Era um beco sem saída."

"O que eu quero dizer é que esse Uyugui..."

"Yu-SU-gui", Kevin me corrigiu.

"Para ele obviamente não importava quem eram os funcionários..."

"O cara era sócio do Clube Carpas do Havaí. Vai ver, achou que por isso tinha o dever de se lamuriar."

Kevin estava se mostrando; esperei até ter certeza de que o pequeno recital acabara.

"Mas para a reuniãozinha no ginásio de esportes", retomei, "os convites foram nominais."

"Nem todos os *colegas* são indiscriminados. Veja Michael McDermott, em dezembro passado. Wakefield, Massachusetts, Escola Técnica Edgewater — fuzil AK, calibre doze. Alvos específicos. Contadores. Qualquer um que tivesse alguma coisa a ver com tirar dois paus do salário dele..."

"Eu não quero conversar sobre Michael McDermott, Kevin..."

"Ele era gordo."

"...*Ou* sobre Eric Harris e Dylan Klebold..."

"Uns trouxas. Esse pessoal acaba com a reputação dos massacres."

Eu já lhe disse, não foi, Franklin, que ele está obcecado com aqueles garotos da Columbine. Acha que apagaram todo o seu brilho com seis vítimas a mais, e só doze dias depois; estou certa de que mencionei o nome deles só para irritar nosso filho.

"Pelo menos Harris e Klebold tiveram a decência de economizar o dinheiro do contribuinte e acabaram logo com a coisa", observei com frieza.

"Uns veados, tentando inflar o número de baixas."

"Por que você não fez igual?"

Ele não me pareceu ofendido. "Para que facilitar para todo mundo."

"Todo mundo quer dizer eu."

"Você inclusive", ele disse, sereno. "Claro."

"Mas por que Dana Rocco e não uma outra professora qualquer, por que aqueles garotos e não outros? Porque eles eram especiais?"

"*Porra*, maluco. Eu não gostava dos caras."

"Você não gosta de ninguém", ressaltei. "Por quê, porque eles eram melhores que você no jogo? Ou porque você não gostava muito da quinta-feira?"

No contexto da nova especialidade de Kevin, minha referência oblíqua a Brenda Spencer tinha o caráter de alusão clássica. Brenda matou dois adultos e feriu nove alunos de sua escola de ensino médio em San Carlos, Califórnia, apenas porque, como a canção de grande sucesso do Boomtown Rats atestou logo depois, ela "não gostava das segundas-feiras". O fato de essa atrocidade seminal ter sido cometida em 1979 destaca essa menina de dezesseis anos como alguém à frente do seu tempo. O fato de eu ter reconhecido seu panteão pueril me valeu o que em outras crianças poderia ter sido um sorriso.

"Deve ter dado uma trabalheira", continuei, "reduzir a lista."

"Foi fogo", ele concordou, muito afável. "Começou com tipo assim cinqüenta, sessenta candidatos, todos sérios. Muito ambicioso", ele disse, antes de sacudir a cabeça. "Mas pouco prático."

"Certo, nós ainda temos quarenta e cinco minutos. Por que Denny Corbitt?"

"... o canastrão!", disse ele, com a mesma tranqüilidade de quem confere uma lista de supermercado antes de entrar na fila do caixa.

"Você se lembra de um assistente técnico de copiadoras no Havaí, mas não tem certeza dos nomes das pessoas que você matou."

"Uyesugi na verdade fez algo. Corbitt, se não me falha a memória, ficava o tempo todo sentado, de olho esbugalhado, perto da parede, como se estivesse esperando que o diretor cortasse a cena."

"Muito bem, digamos que Denny fosse um canastrão. E daí?"

"Você viu aquele imbecil fazendo o Stanley em *Um bonde chamado desejo*? Eu podia fazer um sotaque sulino melhor até *debaixo d'água*."

"Que papel você está interpretando agora? A grosseria, a bazófia. De onde veio isso tudo? Brad Pitt, será? Sabe que você está até falando com um pouco do sotaque sulista? Mas não é dos melhores, não."

Os internos são em sua grande maioria negros e a locução de Kevin já começou a mudar. Ele sempre falou com uma lentidão muito peculiar, um esforço enorme, como se tivesse que içar as palavras da boca com uma pá, de modo que aquela fala mole do gueto urbano, econômica tanto em consoantes como em verbos, era naturalmente infecciosa. De qualquer forma, eu estava contente comigo mesma; pelo visto, tinha conseguido aborrecê-lo.

"Não estou fazendo papel nenhum. Eu sou o papel", ele disse, enfezado. "O Brad Pitt é que devia *me* interpretar."

(Quer dizer então que ele já tinha ouvido falar; havia um filme em começo de produção na Miramax.)

"Não seja ridículo", falei. "Brad Pitt já está velho demais para fazer o papel de um pirralho no início do ensino médio. Mesmo que tivesse a idade certa, espectador nenhum iria acreditar que um cara com aquela aparência faria algo tão cretino. Li que eles estão tendo dificuldade para achar um ator, sabia? Não tem ninguém em Hollywood disposto a fazer o papel sujo de interpretar você."

"Contanto que não seja o DiCaprio", Kevin resmungou. "Ele é um pateta."

"Vamos voltar ao que interessa." Recostei-me na cadeira. "Qual era o problema com Ziggy Randolph? Não dá para você sair por aí dizendo que ele não correspondeu aos seus altos padrões artísticos, como aconteceu com o Denny. Dizem que ele tinha futuro no balé."

"O que tinha *futuro*", disse Kevin, "era o cu dele."

"Ele foi muito aplaudido quando fez aquele discurso, explicando que era *gay* e que tinha orgulho disso. Você não conseguiu suportar, certo? O colégio inteiro admirando a *coragem* do rapaz."

"Imagine só", Kevin comentou em tom admirado. "Aplaudido de pé por tomar no rabo."

"Mas eu de fato não consegui entender por que Greer Ulanov", disse eu. "A menina de cabelinho crespo, baixinha, de dentes grandes."

"Dentuça", ele me corrigiu. "Feito um cavalo."

"Você sempre teve uma queda pelas mais bonitinhas."

"Qualquer coisa para fazer ela parar de falar na 'vasta conspiração da direita'."

"Ah, então foi ela", deduzi. "A petição." (Não sei se você se lembra, mas circulou na escola de Kevin uma petição indignada, dirigida aos deputados de Nova York, na época em que Clinton foi ameaçado por um processo de *impeachment*.)

"Reconheça, *mãemãe*, que se apaixonar pelo presidente é coisa de vagabunda."

"O que *eu* acho", arrisquei, "é que você não gosta de quem se apaixona e ponto final."

"Mais teorias, é? Porque o que *eu* acho", ele devolveu, "é que você devia ir cuidar da sua vida."

"A que eu tinha, você me tirou."

Desviamos o rosto. "Agora minha vida é você", acrescentei. "Tudo o que me sobrou."

"Isso", disse ele, "é patético."

"Mas não era esse o plano? Só você e eu, finalmente nos conhecendo?"

"Mais *teorias*! Eu sou mesmo fascinante."

"Soweto Washington." Eu tinha uma longa lista para rever e precisava dar andamento ao programa. "Li que ele vai conseguir andar de novo. Está decepcionado?"

"E por que eu haveria de me importar?"

"Então por que se importou antes? O suficiente para tentar matá-lo?"

"Eu não tentei matá-lo", Kevin sustentou, teimoso.

"Ah, entendo. Você o deixou com dois buracos nas coxas e isso foi de propósito. Deus nos livre da possibilidade de que o Psicopata Perfeito erre o alvo."

Kevin ergueu as mãos. "Ei, ei! Eu cometi alguns erros. Deixar que aquele cinefilozinho de araque saísse ileso era a última coisa que eu tinha em mente."

"Joshua Lukronsky", lembrei, embora estivéssemos nos adiantando demais. "Você sabia que o seu amigo Joshua está trabalhando para a Miramax, como consultor de roteiro? Eles querem ser historicamente precisos. Para um 'cinefilozinho de araque', não daria para pedir mais."

Os olhos de Kevin estreitaram-se. Ele não gosta quando personagens tangenciais se beneficiam com seu cachê. Ficou igualmente amolado quando Leonard Pugh colocou na Internet a sua página de "melhor amigo de KK" — KK's_best_friend.com —, que já teve milhares de acessos e que supostamente expõe os segredos mais sinistros do nosso filho pelo preço de um clique duplo. *Melhor amigo uma porra!* Kevin rosnou, quando o *site* entrou no ar. *O Lenny estava mais pra hamster de estimação.*

"Talvez então esta notícia o anime", acrescentei, azeda. "A carreira no basquete não é mais uma certeza para Soweto."

"Bom, para falar a verdade, isso me deixa, sim, mais animado. A última coisa que o mundo precisa é de outro escurinho querendo encestar na NBA. Aliás, por falar em assunto batido..."

"Por falar em assunto batido! Mais uma turbulência escolar, quem sabe?"

Kevin limpava as unhas. "Prefiro pensar em *tradição*."

"Os meios de comunicação presumiram que você escolheu Soweto porque ele era negro."

"Isso faz sentido", zombou Kevin. "Nove alunos trancados no ginásio de esportes. Só um deles é de ascendência *negra*... não teria como dar em uma parada diferente, sempre vira 'crime de ódio' racial."

"Ah, mas foi um crime de ódio, quanto a isso não resta dúvida", falei baixinho.

Kevin deu um meio sorriso. "Totalmente."

"Eles disseram a mesma coisa a respeito de Miguel Espinoza. Que você o pegou porque ele era latino."

"O cucaracho? Se eu deixo de fora *as comunidades de cor*, vão dizer que eu discriminei."

"Mas o verdadeiro motivo foi que ele era brilhante, academicamente falando, confere? Pulou até uma série. Todas aquelas notas altíssimas nos testes de aptidão e desempenho."

"Toda vez que ele falava com alguém, no fim era só para usar a palavra 'escalão'."

"Mas você sabe o que 'escalão' significa. Você sabe um monte de palavras complicadas. Era por isso que achava tão engraçado escrever dissertações inteiras usando só palavras de três sílabas."

"Ótimo. De modo que não era porque eu sentia *ciúme*. E é aí, se estou entendendo bem para onde caminha este interrogatório *chatésimo*, que você quer chegar."

Fiquei alguns instantes calada. Na verdade, Franklin, o nosso filho *parecia* de fato entediado. Documentaristas como Jack Marlin, criminologistas revisando depressa seus sucessos de venda, diretores, professores e reverendos entrevistados nos noticiários; seus pais, Thelma Corbitt, Loretta Greenleaf — toda essa gente obcecada para saber *por que KK fez o que fez*, com a extraordinária exceção do nosso filho. Esse era mais um assunto no qual Kevin não tinha o menor interesse: ele próprio.

"O funcionário da cantina", falei. "Ele não se encaixa ao padrão." (Sempre me sinto mal por não conseguir lembrar o nome dele.) "Ele não estava na lista, estava?"

"Dano colateral", foi a resposta sonolenta de Kevin.

"*E*", continuei, decidida a provocá-lo até ele dar alguma mostra de estar vivo, "eu sei qual é o segredo de Laura Woolford. Ela era bonita, não era?"

"Só livrei essa garota de encrencas", falou Kevin, com voz arrastada. "No primeiro sinal de rugas e ela de qualquer jeito acabaria se matando."

"Muito, muito bonita."

"Exato. Aposto como o espelho dessa menina estava exausto."

"*E você bem que gostava dela.*"

Se eu tinha algum resquício de dúvida, esta acabou com a gargalhada teatral de Kevin. Não é muito freqüente, mas ele me despedaçou um pouco, ali. Adolescentes são tão óbvios. "Vê se me dá um crédito", zombou ele. "Eu tenho um gosto melhor. Aquela boneca Barbie era só acessórios."

"Você ficava meio constrangido, não ficava?" cutuquei. "O delineador, a etiqueta Calvin Klein, os cortes de cabelo da moda. Os náilons e os tênis opalescentes. Não era o estilo gelado, misantropo, de KK."

"Ela não estava mais tão legal, quando eu terminei."

"Essa é a história mais antiga do mundo", provoquei. "*Depois de ter confidenciado sinistramente aos amigos que 'se eu não posso ficar com ela, ninguém mais vai ficar...', Fulaninho abriu fogo...* Era isso que essa desgraçada dessa tragédia visava esconder? Mais um adolescente espinhento perdido de amor pela garota mais popular da escola enlouquece?"

"Você deve estar sonhando. Se quer transformar tudo num romance carnavalesco, o problema é seu, e a imaginação também. Não me meta nisso."

"Luke Woodham estava apaixonado, não estava? O de Pearl? Você sabe, o 'Chorão'."

"Ele só tinha saído com a Christy Menefee *três vezes*, e estavam brigados há um ano!"

"*A Laura deu um chega pra lá em você, não deu?*"

"Eu nunca cheguei nem perto daquela vaca. E sobre aquele porra do Woodham, você sabia que a *mãe* dele ia junto em todos os encontros do gordo? Não é à toa que ele cortou ela com uma faca de cozinha."

"O que houve, afinal? Você conseguiu encurralar a menina num canto, de encontro a um armário, na hora do almoço? Ela lhe deu um tapa? Riu da sua cara?"

"Essa é a história que você quer contar para si mesma", ele disse, coçando as costelas. "E eu não posso impedi-la."

"Contar aos outros também. Não faz muito tempo me ligou um cineasta interessado em fazer um documentário. Tremendamente ansioso em ouvir o 'meu lado'. Talvez eu devesse ligar de volta para ele. Poderia explicar que foi amor não correspondido o motivo de tudo. Meu filho estava de quatro por causa de uma garota fantástica que não queria vê-lo nem pintado. Afinal, como é que foi que Laura morreu? Kevin pode ter feito um estrago nos outros, mas atingiu essa menina *direto no coração*, o nosso próprio cupido da Gladstone High. Todos aqueles outros pobres infelizes foram apenas mera camuflagem — como foi mesmo que ele disse? *Danos colaterais*."

Kevin inclinou-se para a frente e abaixou a voz, em tom confidencial. "Você por acaso dava a mínima bola para as garotas de quem eu gostava ou deixava de gostar, antes de eu ter acabado com duas? Por acaso dava bola para o que se passava dentro da minha cabeça, até que veio tudo pra fora?"

Receio que, nessa altura, perdi um pouco o pé. "*Quer que eu sinta pena de você?*", falei, quase berrando; o guarda das verrugas me olhou. "Muito bem, mas primeiro vou sentir pena de Thelma Corbitt e de Mary Woolford. Pena dos Fergusons, dos Randolphs, dos Ulanovs e dos Espinozas. Vou sentir dó de uma professora que fez de tudo para entrar dentro dessa sua preciosa cabeça, de um jogador de basquete que mal pode andar e até mesmo de um funcionário de cantina a quem nunca conheci, e, *então*, vamos ver se sobrou alguma pena para sentir de você. Talvez haja algum resto, mas é só isso a que você tem direito, às migalhas da minha mesa, e olhe que isso já é uma sorte."

"Nã nã *nã* nã-nã *nã-nã*."

Depois ele riu. Ah, Franklin. Sempre que eu mando ver, ele me parece tão satisfeito.

Reconheço que fiz o possível para deixá-lo bravo, hoje. Estava resolvida a fazê-lo sentir-se pequeno, não quero que ele se torne o profundo, sinistro e impenetrável enigma de Nossa Sociedade Contemporânea, e sim alvo de piada, aquele que foi *pelos ares com o petardo com que ele mesmo ateou fogo*. Sim, porque, cada vez que Kevin se curva e agradece ao público no papel da Encarnação do Mal, ele incha um pouco mais. Cada injúria atirada na direção dele — *niilista, moralmente destituído, depravado, degenerado* ou *torpe* — avoluma sua estrutura magrela muito mais que os meus sanduíches de queijo jamais conseguiram. Não espanta que esteja encorpando. Ele come as denúncias do mundo no café-da-manhã. Bem, eu não quero que ele se sinta insondável, uma grande alegoria carnuda da Geração Insatisfeita; não quero que esconda os detalhes sórdidos de seu feito nojento, detestável, espalhafatoso, derivativo, sob o grande manto da Juventude Sem Leme dos dias de hoje. Quero que ele se sinta apenas mais um desgraçado exemplo de um simples, imbecil e compreensibilíssimo garoto. Quero que ele se sinta burro, choroso e sem a menor importância, e a última coisa que quero que ele perceba é o quanto do meu dia, de todos os dias, eu gasto tentando decifrar o que faz aquele menino ser o que é.

Minhas alfinetadas sobre ele ter cismado com Laura foram apenas palpite. Claro que qualquer sugestão de que sua grandiosa atrocidade foi apenas fruto de um pobre coraçãozinho magoado iria ofendê-lo, mas não tenho certeza do quanto essa paixonite dele por Laura Woolford contribuiu de fato para os eventos da *quinta-feira*. Por tudo que sei, ele estava tentando impressioná-la.

Eu, porém, fiz um estudo das vítimas, ainda que Kevin não se disponha a examinar a lista ele próprio. À primeira vista, era um grupo disparatado, tão variado que os nomes poderiam ter sido sorteados: um jogador de basquete, um hispânico estudioso, um fã de cinema, um violonista clássico, um ator emotivo, um *hacker*, um *gay* que estudava balé, uma ativista política feiosa, uma beldade cheia de si, um funcionário de meio período que trabalhava na cantina da escola e uma professora de inglês dedicada. Uma fatia da vida; um ajuntamento arbitrário de onze personagens colhidos ao acaso entre os cinqüenta e poucos dos quais nosso filho não gostava.

No entanto, contar com a desaprovação de Kevin não era a única coisa que as vítimas tinham em comum. Certo, eliminemos o funcionário da cantina, obviamente ali por engano: Kevin tem uma mente muito racional e teria preferido um grupo uniforme de dez. Os outros todos tinham *gosto* por algo. Pouco importa que não houvesse muito brilho nessa paixão; digam o que disserem os pais, suponho que Soweto Washington nunca teve a menor chance de se tornar um profissional; Denny era (perdão, Thelma) um ator atroz, e a petição de Greer Ulanov aos congressistas de Nova York, que iriam votar com Clinton de todo modo, foi uma perda de tempo. Ninguém está disposto a admitir isso agora, mas a obsessão de Joshua Lukronsky com o cinema pelo visto irritava muitos outros estudantes, além do nosso filho; ele vivia citando seqüências inteiras de diálogos escritos por Quentin Tarantino e fazendo competições na hora do almoço, quando todos os demais preferiam estar negociando um sanduíche de *roast beef* por uma fatia de bolo, para ver quem conseguiria enumerar dez filmes de Robert DeNiro em ordem cronológica. Seja como for, o fato é que Joshua amava o cinema e nem mesmo o fato de ele ser um chato impediu que Kevin cobiçasse a paixão que ele sentia. Parece que não importava pelo que fosse essa paixão. Soweto Washington adorava esportes e ao menos a ilusão de um futuro com o Knicks; Miguel Espinoza adorava aprender (ou, pelo menos, entrar em Harvard); Jeff Reeves, Telemann; Denny Corbitt, Tennessee Williams; Mouse Ferguson amava com todas as forças os processadores Pentium; Ziggy Randolph tinha *Amor, Sublime Amor*, sem contar os outros homens; Laura Woolford amava a si própria; e Dana Rocco — o supra-sumo do imperdoável — amava Kevin.

Entendo que Kevin não vê suas aversões como inveja. Para ele, todas as suas dez vítimas eram ridículas. Cada uma delas se emocionava com banalidades e seus entusiasmos eram cômicos. Mas, assim como meu papel de parede de mapas, as paixões impenetráveis nunca o fizeram rir. Desde a infância, elas só o deixavam enraivecido.

Claro que a maioria das crianças sente um certo prazer na destruição. Rasgar as coisas é muito mais fácil que fazê-las; por mais estafantes que tenham sido os preparativos para a execução da *quinta-feira*, não podem ter exigido tanto dele quanto tentar ficar amigo daquelas pessoas. De modo que a aniquilação é uma espécie de preguiça. Mas, ainda assim, fornece as satisfações do agir: eu destruo, portanto eu sou. Além do mais, para a maior parte das pessoas, construir é um ato tenso, concentrado, compacto, ao passo que o vandalismo oferece liberação; é preciso ser um excelente artista para dar expressão positiva ao abandono. A destruição, além da intimidade, tem dono; é uma apropriação. Sob esse aspecto, Kevin prendeu Denny Corbitt e Laura Woolford em seu peito e inalou, inteiros, os corações e passatempos deles. A destrutividade pode não ser motivada por nada mais complicado que a aquisitividade, uma espécie de cobiça canhestra, equivocada.

Vi Kevin roubar os prazeres dos outros durante quase toda a sua vida. Não daria para contar o número de vezes que peguei a palavra *favorito* no meio de alguma enfezada reprimenda materna — as galochas vermelhas recheadas com as migalhas do bolo da hora do lanche eram o calçado *favorito* de Jason. Kevin pode muito bem ter ouvido eu dizer que o *caftan* branco que ele manchou com suco de uva era o meu vestido comprido *favorito*. Falando nisso, cada um dos alvos adolescentes naquele ginásio de esportes era o *favorito* de algum professor.

Em especial, Kevin parecia ultrajado com divertimentos que eu só posso chamar de inocentes. Por exemplo, ele tinha o hábito de se enfiar de propósito na frente das lentes de qualquer pessoa pronta para tirar uma foto. Tanto que comecei a ter horror de nossas visitas a monumentos nacionais, pelo menos em nome dos japoneses e de todos os filmes que desperdiçaram. Afinal, espalhadas por todo o globo, há dezenas de fotos borradas colecionáveis do notório KK, de perfil.

Os exemplos são inúmeros; cito apenas um em detalhe.

Logo depois de Kevin ter completado catorze anos, fui convidada, durante uma reunião de pais e mestres, para integrar o grupo de monitores que tomaria conta do baile de formatura da oitava série. Lembro-me de ter ficado um tanto surpresa de ver que Kevin pretendia comparecer à festa, uma vez que a norma era boicotar quase todas as atividades extracurriculares. (Em retrospecto, talvez a isca tenha sido Laura Woolford, que compareceu com um curtíssimo vestido cintilante que deve ter aberto um rombo de várias centenas de dólares na conta bancária de Mary). A festa era o ponto alto do calendário social da escola, marcava a conclusão do ensino fundamental, e a maior parte dos colegas de Kevin não devia ver a hora de poder participar desse rito de passagem ao mundo exclusivo dos garotos mais velhos. A idéia era dar àqueles meninos um pouco de prática de como ser Adolescente de Verdade, era deixar que se pavoneassem um pouco como reis da montanha, antes do ingresso no colégio de ensino médio vizinho, onde seriam os peões desajeitados, os calouros na base da pirâmide hierárquica.

De todo modo, eu disse que aceitava, sem estar especialmente ansiosa pelo momento de confiscar meias garrafas de Southern Comfort; eu guardava com muito carinho minhas próprias investidas sub-reptícias e calorentas a garrafinhas de bolso, atrás das cortinas do palco da escola William Horlick, em Racine. Nunca fui muito chegada em ficar com o papel de Desmancha-Prazeres-Mor e me perguntava se não seria melhor olhar para o outro lado, desde que os garotos fossem discretos e não se embebedassem além da conta.

Claro que eu estava sendo ingênua e Southern Comfort era a menor das preocupações da administração. Durante nossa reunião preliminar, uma semana antes, a primeira coisa que eles ensinaram aos monitores foi como reconhecer *crack*. Mais grave ainda, a diretoria estava muito aflita devido a dois incidentes de âmbito nacional, logo no início do ano. Os jovens que saem da oitava série podem ter *apenas* catorze anos, mas o fato é que Tronneal Mangum tinha *apenas* treze quando, naquele janeiro, em West Palm Beach, matou a tiros um colega de classe, na frente da escola, porque o garoto lhe devia quarenta dólares. Três semanas depois, em Bethel, Alasca (é constrangedor, Franklin, mas eu me lembro disso tudo porque, quando a conversa esmorece em Claverack, Kevin muitas vezes volta a falar de suas histórias prediletas), Evan Ramsey passou a mão na espingarda da família, calibre doze, assassinou um dos melhores atletas do colégio na própria carteira, disparou contra o prédio da escola e, em seguida, perseguiu e matou o diretor da escola.

Em termos estatísticos, claro, num país com cinqüenta milhões de escolares, essas mortes eram insignificantes e lembro-me de ter ido para casa, depois da reunião, e reclamado com você sobre a reação exagerada da diretoria da escola. Reclamando que não havia sobrado verba suficiente no orçamento para comprar detetores de metal, eles nos ensinaram a revistar cada criança que entrasse no baile. E cheguei até mesmo a me permitir um pouco de indignação liberal (que você tanto criticava).

"Claro que faz séculos que garotos *negros* e *hispânicos* se matam uns aos outros em colégios vagabundos de Detroit", opinei eu, durante um jantar tardio, aquela noite, "e até aí é tudo aceitável. Agora, quando um punhado de garotos *brancos*, de *classe média*, com sua linha particular de telefone, seu próprio aparelho de televisão, moradores protegidos dos *subúrbios*, resolvem dar uns tiros, é emergência nacional. Além disso, Franklin, você devia ver a avidez com que aqueles pais e professores engoliram tudo." Meu peito de frango recheado estava esfriando. "Nunca tinha visto tanta gente pomposa; fiz uma pilhéria qualquer e todos se viraram para mim com aquela expressão de quem não está *achando a menor graça*, idênticos aos guardas de segurança de aeroporto, quando alguém faz piadinha com bombas. Acho que estavam adorando a idéia de se colocar na linha de frente, de fazer algo perigoso, de estar na ribalta e não monitorando um baileco de criança, e, com isso, participar da política habitual de histeria. Juro que, em algum nível obscuro, eles se sentem todos enciumados porque Moses Lake, Palm Beach e Bethel tiveram o seu franco-atirador, então qual é o problema com Gladstone, por que não podemos ter o nosso também? Como se pensassem, lá com seus botões (desde que o Júnior ou a Baby Jane escapem sem um arranhão), que poderia ser um barato se o baile da oitava série terminasse em balbúrdia e pudessem aparecer na televisão antes que todo esse assunto grotesco se tornasse notícia velha..."

Sinto até um pouco de nojo de mim mesma, mas receio que despejei isso tudo e, sim, era muito provável que Kevin estivesse escutando. Mas duvido que houvesse uma família nos Estados Unidos que não estivesse falando daquelas mortes, de um jeito ou de outro. Por mais que eu me revoltasse com a "política da histeria", ela tocava num ponto sensível.

Tenho certeza de que esse baile me veio à mente com tanta nitidez devido ao local onde aconteceu. Afinal, foi coisa pequena; para o possível desapontamento de certos pais, o evento transcorreu sem o menor problema e, quanto àquela única aluna que com certeza tem lembranças calamitosas da ocasião, não sei nem sequer qual é o nome dela.

O ginásio de esportes. O baile foi naquele ginásio.

Como as escolas de ensino básico e médio tivessem sido construídas no mesmo *campus*, compartilhavam várias instalações. Ótimas instalações, por sinal, um dos motivos que o levaram a comprar uma casa nas redondezas. Como, para desespero seu, Kevin fugia de todos os esportes, nunca comparecemos a nenhum jogo de basquete e essa minha tarefa de monitora de baile foi minha única oportunidade de ver a estrutura por dentro. Sobre pilotis, era uma construção enorme, com mais de dois andares de altura, imponente e cara — acho até que podia ser convertida em rinque de hóquei. (Que desperdício a Diretoria de Ensino de Nyack ter decidido, pelo que li outro dia, derrubar o ginásio inteiro; consta que os alunos estão fugindo das aulas de educação física sob a alegação de que o lugar é assombrado.) Naquela noite, a arena se comportava como uma retumbante câmara de eco para o *disc-jockey*. Todos os equipamentos esportivos haviam sido removidos e, ainda que minha expectativa de encontrar balões e bandeirolas fosse obviamente ressaca do meu próprio baile de formatura, dançando o *twist*, em 1961, eles tinham pendurado um globo de discoteca no teto.

Eu posso ter sido uma péssima mãe — não diga nada, é verdade —, mas não era assim tão deplorável a ponto de ficar grudada no meu filho de catorze anos no baile de formatura dele. De modo que fui para o lado oposto do ginásio, de onde tinha uma bela visão dele encostado na parede cinzenta de blocos de concreto. Eu estava curiosa; poucas vezes o vira em sociedade. O único outro aluno com ele era o perseverante Leonard Pugh, com sua cara debochada de fuinha; mesmo a cem metros de distância, o menino exalava a qualidade gosmenta do puxa-saco, uma obsequiosidade escorregadia que se encaixava muito bem com o vago cheiro de peixe velho que vinha dele.

Lenny tinha feito um *piercing* no nariz fazia pouco tempo, e a região em volta infeccionara — uma das narinas estava avermelhada e bem maior que a outra; o antibiótico que ele havia passado por cima captava a luz e brilhava. Algo naquele garoto sempre me fazia imaginar manchas escuras em cuecas.

Fazia pouco tempo que Kevin concebera seu estilo de roupas apertadas, que (lógico) Lenny havia imitado. O *jeans* preto de Kevin poderia ter servido para ele aos onze anos. As pernas da calça paravam no meio das canelas, revelando uma profusão de pêlos pretos; a braguilha, cujo zíper não fechava até em cima, era boa publicidade para o equipamento dele. A calça meio ocre de Lenny, mesmo que fosse do tamanho certo, seria horrível. Estavam ambos com camisetas brancas da Fruit of the Loom, que deixavam os seis centímetros habituais de costela à mostra.

Pode ser que fosse imaginação minha, mas quem passava por perto parecia guardar uma certa distância. Talvez eu devesse me alarmar ao ver o nosso filho esnobado — e me alarmei, se bem que ninguém fizesse troça, ninguém o tratasse como se fosse um rejeitado social. A bem da verdade, se estivessem rindo, os colegas paravam de rir. Aliás, ao passar na frente daquela dupla, os outros estudantes paravam até de falar e só retomavam o papo depois de se afastar o suficiente. As meninas mantinham-se artificialmente eretas, como se estivessem prendendo o fôlego. Em vez de franzir a vista e olhar de esguelha para a brigada das roupas justas, até mesmo os tipos esportivos passavam reto e só ousavam virar para trás e olhar de rabo de olho para Kevin e seu *hamster de estimação* quando se encontravam a uma boa distância. Os formandos da oitava série, ainda com receio da pista de dança, enfeitavam as paredes do ginásio esportivo, mas, de ambos os lados do nosso filho e seu cúmplice, havia um espaço vazio de bem uns três metros. Não houve um colega que acenasse a cabeça, sorrisse ou até mesmo se aventurasse a um inócuo oi, como se hesitassem todos em arriscar... o quê?

Eu havia imaginado que a música me faria sentir velha — tocada por grupos dos quais eu nunca tinha ouvido falar e cujo apelo barulhento fugiria à compreensão dos decrépitos. Mas, quando o sistema de som começou a funcionar, fiquei espantada de reconhecer, entre as seleções de melodias atemporais, alguns dos "artistas", como nós pretensiosamente os chamávamos na época, que embalavam os nossos saracoteios aos vinte anos: os Stones, Credence, The Who; Hendrix, Joplin e The Band; Franklin, tinha até Pink Floyd! Com pouca coisa para fazer e sem coragem de experimentar o ponche doce e vermelho (que bradava por algumas doses de vodca), comecei a me perguntar se o fato de a geração de Kevin continuar dançando ao som de Crosby, Stills, Nash & Young, do The Grateful Dead e até mesmo dos Beatles fazia da nossa era algo de destaque ou a dele especialmente desfalcada. Quando começou a tocar "Stairway to Heaven" — aquele velho carro-chefe — tive de sufocar uma risada.

Nunca esperei que Kevin fosse dançar; dançar seria *besta* e, sob certos aspectos, aquele garoto não havia mudado muita coisa desde os quatro anos. A relutância do resto da turma de ir para a pista era apenas *pro forma*; nós éramos iguais, ninguém queria ser o primeiro a atrair uma atenção excessiva e pouco generosa sobre si. No meu tempo, fazíamos apostas intermináveis, tomávamos uns golinhos de coragem atrás da cortina do palco e, por fim, quando o *quorum* de segurança atingia o número mínimo de dez, largávamos as nossas paredes e íamos para a pista. De modo que fiquei impressionada quando vi entrando naquele chão pontilhado apenas pelos salpicos de luz da bola de discoteca uma alma solitária. E não foi para se isolar num canto de sombras, tampouco; ela foi direto para o centro.

Com uma pele pálida, translúcida, a menina não tinha apenas os cabelos louros, mas os cílios e as sobrancelhas também, e esses traços hesitantes faziam com que suas feições parecessem desbotadas. Havia também um quê de fraqueza no queixo — pequeno e inclinado para dentro — e em grande parte por causa desse único traço pouco clássico ela nunca seria considerada bonita (como é preciso pouco para nos derrubar). O outro problema eram as roupas que usava. A maioria das moças resolvera não se arriscar e fora ao baile de calça *jeans*; os poucos vestidos eram de couro preto ou então elegantes, cintilantes e fantásticos, como o de Laura Woolford. Mas essa menina — vamos chamá-la de Alice — usava um vestido que ia até a altura dos joelhos, amarrado com um laço nas costas. Numa padronagem xadrez em tons de amarelo. De mangas bufantes. Ela tinha uma fita no cabelo e sapatos de verniz nos pés. Era óbvio que fora vestida por uma mãe tomada pela noção deploravelmente genérica daquilo que uma jovem deve usar para "uma festa", pouco importa em que ano.

Até eu reconheci de imediato que o jeito de Alice se vestir não era *legal* — um termo cuja improvável aceitação de uma geração a outra é testemunho da atemporalidade do conceito. O que é legal muda; mas que haja coisas que são legais é imutável. E nos nossos tempos áureos, de qualquer modo, quem era quadrado tinha ao menos a decência de se mostrar obsoleto e olhar para os sapatos, como se pedindo desculpas. Mas receio que aquela pobre menina sem queixo não tinha inteligência social suficiente para se arrepender do vestido de xadrez amarelo, manguinhas bufantes e laço nas costas. Quando sua mãe apareceu com ele em casa, ela sem dúvida foi correndo abraçá-la, num gesto de gratidão idiota.

Tinha sido "Stairway to Heaven" o que a levara para a pista. No entanto, por mais que guardemos um cantinho aconchegante em nossos corações para esse antigo sucesso do Led Zeppelin, é uma música tremendamente lenta e, na minha opinião, impossível de ser dançada. Não que isso tenha impedido Alice. De braços estendidos, avançava em círculos cada vez maiores, de olhos fechados. Não havia a menor dúvida de que se entregara à música e nem se dava conta de que, a cada giro, a calcinha aparecia. Ao se ver cativa dos lamentos da guitarra, seus movimentos perderam qualquer semelhança com o balanço do *rock*, oscilando entre balé improvisado e dança sufi.

Caso meu comentário tenha soado maldoso, é preciso dizer que fiquei encantada. Nossa pequena aprendiz de Isadora Duncan foi tão desinibida, tão exuberante! Talvez eu a tenha até invejado um pouco. Lembrei-me, com certa melancolia, de mim saltitando no nosso *loft* em Tribeca, ao som do Talking Heads, quando estava grávida de Kevin, e me entristeceu perceber que não fazia mais isso. E embora Alice fosse bem uns oito anos mais velha que Celia, algo naquela menina, enquanto ela deslizava e girava de uma ponta a outra do ginásio esportivo, me fez pensar em nossa filha. Uma exibicionista implausível, ela parecia ter resolvido dançar apenas porque aquela era uma de suas músicas *favoritas* — de novo essa palavra — e também porque, naquele vasto espaço vazio, ficava mais fácil rodopiar em êxtase. Era muito provável que fizesse aquilo em sua própria sala de estar, com aquela mesma música, e não via motivo para não dançar exatamente da mesma maneira espalhafatosa simplesmente por causa dos olhares de esguelha de duzentos adolescentes maliciosos, nas laterais da pista.

"Stairway to Heaven" sempre me parece interminável, mas estava quase no fim; ele poderia ter se agüentado mais dois minutos. Mas não. Senti uma pontada peculiar de medo na hora em que Kevin se desgrudou languidamente dos tijolos de concreto e foi em linha reta na direção de Alice, mais ou menos como um míssel Patriot atrás de um Scud. Já na pista, parou bem debaixo do globo de discoteca, tendo calculado, corretamente, que a próxima pirueta de Alice a poria com a orelha esquerda bem na linha de sua boca. Lá estava ela. O contato. Ele se debruçou, coisa pouca, e cochichou.

Não vou fingir que sei o que ele disse. Mas essa imagem serviu de guia para todas as minhas reconstruções mentais subseqüentes da *quinta-feira.* Alice estancou, paralisada. No rosto, exibia todo o constrangimento que, momentos antes, estivera ausente de forma tão conspícua. Os olhos procuraram à direita e à esquerda um lugar que pudesse oferecer refúgio. Súbito, ela se deu conta da platéia e deu a impressão de registrar as obrigações implícitas na loucura que havia começado; a música não tinha terminado ainda e ela se sentiu obrigada a manter as aparências saçaricando mais alguns acordes. Durante os quarenta segundos restantes, patinou em câmera lenta, para frente e para trás, numa dança da morte macabra que fazia pensar em Faye Dunaway no final de *Bonnie e Clyde.*

Como logo depois, numa seqüência apta, o DJ colocou "White Rabbit" de Jefferson Airplane, ela arrebanhou a saia de xadrez amarelado, prendeu-a entre as pernas e saiu, com passo incerto, rumo a um canto escuro, comprimindo os cotovelos com força na cintura, enquanto as mãos tentavam se esconder uma na outra. Pressenti que, de uma forma revoltante, no decorrer do minuto anterior, Alice amadurecera. Agora sabia que parecia um palhaço e que seu queixo era fraco. Que sua mãe a traíra. Que ela não era *legal*; que jamais seria bonita. E, acima de tudo, aprendera a nunca mais entrar numa pista de dança vazia — possivelmente qualquer pista de dança — pelo resto da vida.

Eu não estava lá, na *quinta-feira.* Mas, dois anos antes, eu havia testemunhado seu arauto naquele mesmo ginásio de esportes, quando vi uma formanda solitária da Gladstone ser assassinada.

*Eva*

## *2 de março de 2001*

*Querido Franklin,*

Meu colega Ricky veio falar comigo hoje, no fim do expediente, e me fez uma proposta que foi o mais perto que jamais chegou de reconhecer o impronunciável: convidou-me para ir à sua igreja. Estava constrangido, eu agradeci, mas disse, de modo vago: "Acho que não." Ricky não aceitou a recusa e me perguntou por quê. Dizer "porque é um monte de baboseira" não daria certo. Sempre me sinto um tanto condescendente, em relação a pessoas religiosas, assim como elas se sentem condescendentes em relação a mim. De modo que disse, bem que eu gostaria de acreditar, e às vezes me esforço para ver se consigo acreditar, mas não há nada, no que passei nesses últimos anos, capaz de sugerir que existe alguma entidade com um pouco de bondade zelando por mim. A resposta de Ricky, a respeito de *caminhos misteriosos*, não impressionou nem a mim nem a ele. Misteriosos, disse eu. Eis aí uma grande verdade.

Sempre retorno a um comentário que você fez em Riverside Park, antes de nos tornarmos pais. "Pelo menos uma criança é uma resposta à Grande Questão." Na época, fiquei meio aflita de que sua vida estivesse lhe propondo essa Grande Questão com tanta insistência. Devemos ter passado por alguns percalços, durante o nosso período sem filhos, mas lembro-me de ter dito, nessa mesma conversa, que talvez fôssemos "felizes demais" — o que vem a ser um excesso nitidamente mais agradável que um vazio lancinante. Talvez eu seja meio rasa, mas você era suficiente para mim. Eu adorava sair do outro lado da Alfândega procurando seu rosto, depois das longas viagens tão mais difíceis para você que para mim, e de dormir até tarde na manhã seguinte aninhada no casulo quente do seu peito. Era o suficiente. Mas esse nosso duo, pelo visto, não bastava para você. E isso me magoou, ainda que talvez o tornasse mais espiritualmente avançado que eu.

No entanto, se não existe razão para viver sem ter um filho, como poderia haver razão para viver tendo um? Responder uma vida com uma vida sucessiva é apenas transferir o ônus do propósito para a geração seguinte: esse deslocamento nada mais é que um atraso covarde e potencialmente infinito. A resposta dos seus filhos, presume-se, será procriar também, e, ao fazê-lo, empurrar a própria falta de propósito para a prole seguinte.

Trago esse assunto à baila porque acho que você esperava que Kevin respondesse à sua Grande Questão, assim como também acho que ele sentia, desde a mais tenra idade, essa sua expectativa fantástica. Como? Nas pequenas coisas. A cordialidade agressiva da sua voz, sob a qual arfava um desespero tímido. A ferocidade dos seus abraços, que ele talvez tenha achado sufocantes. O empenho com que você livrava o meio de campo todos os fins de semana, para ficar à disposição dele — e isso porque desconfio que os filhos querem que os pais estejam sempre ocupados: eles não querem ter de preencher a programação com necessidades insignificantes. Os filhos querem ter certeza de que há outras coisas a fazer, coisas importantes; mais importantes, em certos momentos, que eles.

Não que eu esteja recomendando negligência. Mas ele era só um garotinho, e ele sozinho tinha a tarefa de responder à Grande Questão que incomodava seu pai. Que fardo mais pesado para impor aos recém-chegados! O que é pior, as crianças, assim como os adultos, variam de modo drástico no que só posso chamar de apetites religiosos. Celia era mais como eu: um abraço, um lápis e um biscoito, e ela estava saciada. Embora Kevin desse a impressão de não querer praticamente nada, agora percebo que ele tinha o espírito faminto.

Nenhum de nós dois seguia uma religião, de modo que fazia sentido criar nossos filhos longe tanto dos ortodoxos armênios quanto dos presbiterianos. Embora eu relute em proclamar que falta à Juventude Atual uma boa dose de Velho Testamento, modero o tom ao pensar que, graças a nós, Kevin talvez nunca veja o interior de uma igreja. Nós, por exemplo, fomos criados com algo do qual pudemos fugir e, quem sabe, isso tenha sido uma vantagem, já que tomamos consciência do que havíamos deixado para trás e do que não éramos. Por isso me pergunto se Kevin também não estaria em melhores condições se tivéssemos despejado em cima dele toda aquela bobageira carregada de incenso que ele, então, poderia cuspir de volta para nós — aquelas fantasias extravagantes a respeito de nascimentos de virgens e mandamentos no topo da montanha que de fato grudam na garganta de um garoto. Não estou sendo prática; duvido que conseguíssemos fingir uma fé pelo bem das crianças, e eles saberiam que estávamos fingindo. De qualquer modo, repudiar apenas dejetos tão óbvios quanto guias de viagem e anúncios de Oldsmobiles deve ter sido insatisfatório.

Foi essa fome de Kevin que seus professores — à exceção de Dana Rocco — nunca perceberam, preferindo diagnosticar a atuação medíocre do nosso filho como resultado de algo bem mais na moda: transtorno de *deficit* de atenção. Eles estavam decididos a encontrar alguma falha mecânica nele, porque máquinas com defeito podem ser consertadas. Era mais fácil atender às necessidades da incapacidade passiva do que enfrentar a questão bem mais espinhosa de um desinteresse feroz e zombeteiro. Estava óbvio que a capacidade de atenção do nosso filho era mais que razoável — que o digam os meticulosos preparativos para a *quinta-feira* ou seu impecável comando atual do Rol de Honra dos malévolos em seus mínimos detalhes, como por exemplo a população de peixes de Uyesugi. Ele deixava tarefas sem terminar não porque não conseguisse acabá-las, e sim porque conseguia.

Essa voracidade possivelmente explique em parte a crueldade que, entre outras coisas, talvez seja uma tentativa inepta de participar. Não tendo nunca entendido o significado — de nada — ele deve se sentir deixado de lado de forma brutal. As Spice Girls são *bestas*, os Playstations da Sony são *bestas*, o *Titanic* é *besta*, ir ao shopping é *besta*, e como poderíamos discordar dele? Da mesma forma, tirar fotos no The Cloisters é *besta* e dançar ao som de "Stairway to Heaven" no final da década de noventa é *besta*. Ao se aproximar dos dezesseis anos, essas convicções foram ficando violentas.

Ele não queria ter que responder à sua Grande Questão, Franklin. Ele queria ter uma resposta sua. Desde o berço que essa vagabundagem glorificada que se faz passar por existência frutífera deve parecer tão vazia, aos olhos de Kevin, que sua afirmação, sábado passado, de que estava fazendo "um favor" a Laura Woolford talvez tenha sido genuína.

Eu, contudo, sou superficial. Até mesmo depois de desgastado o brilho daquelas viagens, era provável que eu tivesse continuado a experimentar as mesmas velhas comidas estrangeiras e o mesmo velho clima estrangeiro pelo resto da vida se, na volta, pudesse voar para os seus braços no aeroporto Kennedy. Eu não queria muito mais. Foi Kevin que me pôs frente a frente com a Grande Questão. Antes de ele vir ao mundo, eu estava ocupada demais cuidando de um próspero negócio e de um casamento maravilhoso para me preocupar com significado. Só quando me vi encerrada durante dias a fio numa casa feia com uma criança entediada é que me perguntei para que servia aquilo tudo.

E desde a *quinta-feira*? Ele roubou minha resposta fácil, meu embuste, meu símbolo desmazelado para o que é a vida.

Em minha última carta, deixamos Kevin com catorze anos de idade, mas acho que estou ficando ansiosa. Talvez tenha me demorado tanto nos primeiros anos dele só para não ser obrigada a trazer à baila incidentes mais recentes que nos puseram a ambos em terrenos tão antagônicos. Sem sombra de dúvida que receamos ter de chapinhar de novo por entre acontecimentos cuja única característica redentora é terem acabado. Só que eles não acabaram. Não para mim.

Durante o primeiro semestre de 1997, quando Kevin já estava no ensino médio, houve mais duas Matanças em Escolas: uma em Pearl, no Mississippi, e outra em Paducah, no Kentucky, ambas cidades pequenas, das quais eu nunca tinha ouvido falar, e ambas, agora, permanentemente marcadas no vocabulário norte-americano como sinônimos de violência adolescente. O fato de Luke Woodham, de Pearl, além de ter baleado dez jovens e matado três, também ter assassinado a mãe — esfaqueando-a sete vezes e esmagando seu maxilar com um taco de beisebol feito de alumínio — me deu mais um motivo extra para parar e pensar. (De fato, até comentei, quando as notícias começaram a tomar conta dos noticiários: "Olha só, tudo que eles fazem é falar de como ele atirou naquelas crianças. E só depois, ah, é, por falar nisso, ele também assassinou a mãe. *Por falar nisso*? É óbvio que a coisa toda tinha a ver com a mãe dele." Isso, no seu devido tempo, se transformou numa observação qualificada, em termos legais, como *admissão contra os próprios interesses.*) Seja como for, não sou tão pretensiosa a ponto de me imputar, durante aquele período, grandes presságios pessoais, como se visse naquelas repetidas tragédias no noticiário uma contagem regressiva inexorável para o infortúnio da nossa família. De jeito nenhum. Como todas as demais notícias, para mim aquilo era algo que não tinha nada a ver comigo. Entretanto, gostando ou não, eu tinha me transformado de ousada *globe-trotter* em mais uma mãe branca e bem de vida dos subúrbios, e não podia evitar de me preocupar com surtos fatídicos de loucura por parte de jovens de minha própria espécie. Lutas entre gangues de Detroit ou Los Angeles aconteciam num outro planeta; Pearl e Paducah aconteciam no meu.

De fato, eu não nutria a menor simpatia por aqueles meninos que não tinham sido capazes de aceitar uma namoradinha infiel, um colega necessitado ou uma dose de desatenção por parte de um chefe de família atarefado — que não conseguiram cumprir a maldita sentença na maldita da escola como fizemos nós todos — sem esculpir seus probleminhas tão corriqueiros de forma indelével na vida de outras famílias. Era a mesma tola vaidade que levava contemporâneos pouca coisa mais equilibrados a rabiscar seus nominhos infelizes nos monumentos nacionais. E a autopiedade! O míope do Woodham pelo visto entregou um bilhete a um de seus amigos, antes de criar o caos com o rifle de caça do pai: "Durante a vida toda, fui ridicularizado. Espancado, odiado. Será que a sociedade pode me culpar pelo que faço?" E, cá comigo, pensei: *Claro que sim, seu merdinha! Sem nem ao menos piscar!*

Michael Carneal, de Paducah, foi um tipo parecido — gordo, perseguido, espojando-se em seu minúsculo sofrimento como se tentasse tomar banho numa poça. Porém esse garoto nunca dera dor de cabeça no campo disciplinar; a pior coisa que tinha feito até então era ter assistido ao canal de vídeos da Playboy. Carneal se distinguiu por ter disparado, por incrível que pareça, contra um grupo de orações. Conseguiu matar três estudantes e ferir cinco, mas, a se julgar pelo espírito de dar a outra face que prevaleceu nos serviços fúnebres e nas faixas misericordiosas nas janelas das salas de aula — uma das quais com fotos não só das vítimas, mas do próprio Carneal ao lado de um coração — os crentes se vingaram perdoando o garoto até a morte.

Na noite de outubro em que ouvimos as notícias de Pearl no *Jim Lehrer Newshour*, não me contive. "Meu Deus, um menino qualquer o chama de *veado* ou lhe dá um empurrão no corredor e, de repente, *ah, não, eu vou acabar com a raça de todo mundo nessa escola, eu vou estourar com toda essa pressão tremenda!* Desde quando os garotos norte-americanos ficaram tão molóides?

"Pois é, eu até me pergunto", você concordou, "onde foi parar aquele *te pego lá fora depois da aula*."

"Vai ver, têm medo de sujar as mãos." Apelei para o nosso filho, que deslizava a caminho da cozinha; até então, Kevin estivera escutando a nossa conversa, coisa que, de hábito, ele preferia fazer a ter de participar nos papos familiares. "Kevin, na sua escola, os meninos não acertam as suas diferenças com uma boa briga de socos?"

Kevin parou para me olhar; ele sempre pesava os prós e os contras de responder a qualquer coisa que eu perguntasse. "A escolha das armas", disse ele, por fim, "é metade da briga."

"E o que isso significa?"

"Woodham é fraco, flácido e ninguém gosta dele. Numa luta de socos, tem poucas chances. O gordo tinha muito mais possibilidades com uma trinta milímetros. Escolha inteligente."

"Não tão inteligente assim", disse eu, zangada. "Ele só tem dezesseis anos. Essa é a idade-limite na maioria dos estados para ser julgado como adulto. Eles vão jogar a chave da cela dele fora." (De fato, Luke Woodham recebeu três sentenças à prisão perpétua e mais cento e quarenta anos extras, só por garantia.)

"E daí?", Kevin disse, com um sorriso distante. "A vida do cara já está mesmo acabada. E ele se divertiu muito mais que a maioria de nós enquanto durou a festa. Fez bem."

"Calma, Eva", você interveio, enquanto eu espumava. "O seu filho está só brincando com você."

Durante boa parte da vida, os problemas de Kevin também foram em pequena escala. Ele era inteligente mas detestava a escola; tinha poucos amigos e o que conhecíamos era um puxa-saco; e houve toda uma gama de incidentes ambíguos, desde o caso de Violetta até o da assim chamada Alice, que dispararam alarmes num volume que só eu pelo visto parecia capaz de escutar. Entretanto o caráter se expressa com uma uniformidade extraordinária, seja num campo de batalha, seja num supermercado. A meu ver, tudo em Kevin era consistente. Para não correr o risco de ver minhas teorias sobre a índole do nosso filho serem tachadas de bombásticas, vamos reduzir a cola aglutinadora a uma única palavra: *despeito*. De modo que quando dois policiais de Orangetown apareceram na nossa porta, naquela noite de dezembro de 1997, levando Kevin e o detestável Leonard Pugh a tiracolo, você se chocou, ao passo que eu achei que a polícia demorara a chegar.

"Qual é o problema, seu guarda?", ouvi de longe.

"Senhor Khadourian?

"Plaskett", corrigiu você, e não pela primeira vez. "Mas eu sou o pai de Kevin."

Eu estava ajudando Celia a fazer as lições, de modo que me aproximei por trás, no *hall* de entrada, fervilhando de emoção voyeurística.

"Recebemos o telefonema de um motorista se queixando e infelizmente encontramos seu filho e o amigo dele aqui naquela passagem para pedestres sobre a 9W. Tivemos de perseguir os dois, mas ficou muito claro que só podiam ser eles os garotos que estavam jogando detritos na avenida."

"Em cima dos carros?", perguntou você. "Ou nas pistas vazias?"

"Não teria muita graça jogar nas *pistas vazias*", rosnou o segundo policial.

"Foi quase que só água, papai!", Kevin disse, por trás do policial. Eu sei que a voz dele estava mudando nessa fase, mas toda vez que ele falava com você, Franklin, o tom subia uma oitava.

"Não foi por causa de bexigas de água que esse motorista ligou para nós", disse o segundo policial, mais robusto e o que parecia estar mais cansado. "Eram *pedras*. E nós vistoriamos a estrada, de ambos os lados da passagem elevada... está cheia de pedaços de tijolo."

Intrometi-me, apressada. "Alguém se feriu?"

"Ainda bem que não atingiram ninguém diretamente", respondeu o primeiro policial. "O que faz deles dois garotos muito, mas muito sortudos."

"Não sei se isso é ser sortudo", choramingou Lenny, "ser preso pela polícia."

"Tem que ter sorte para abusar dela, garoto", disse o policial de cabeça mais quente. "Ron, eu ainda acho que a gente devia..."

"Olha só, senhor Plástico", interrompeu o companheiro. "Nós checamos o nome do seu filho no computador e a ficha dele está limpa. Até onde sei, ele vem de uma boa família." (*Boa*, claro, querendo dizer rica.) "De modo que vamos deixar o garoto livre e lhe dar só uma advertência. Mas nós levamos esse tipo de coisa muito a sério..."

"E quer saber mais", o segundo interrompeu, "alguns anos atrás, um idiota qualquer jogou uma moeda na frente de uma mulher que vinha a cento e vinte por hora e sabe o que aconteceu? A moeda espatifou o pára-brisa e entrou direto na cabeça dela!"

Ron lançou uma olhada para o parceiro que os levaria mais depressa ao Dunkin' Donuts. "Espero que o senhor passe um belo sabão no jovem aqui."

"E como", disse eu.

"Imagino que ele não tivesse a menor idéia dos riscos que estava correndo", você tentou pôr panos quentes na situação.

"Pois é", falou o "Polícia Número 2", com azedume. "É justamente esse o encanto de ficar atirando tijolos de uma passarela. Parece bastante inofensivo."

"Agradeço muito a complacência, senhor", Kevin recitou para o primeiro. "Aprendi a lição, senhor. Não vai mais acontecer, senhor."

A polícia deve ouvir um bocado desse troço de *senhor*; nenhum dos dois parecia lá muito impressionado. "A *complacência* não vai se repetir, amigo", disse o segundo policial. "Quanto a isso, pode ter certeza."

Kevin virou-se para o mais enfezadinho e encarou-o com um brilho no olhar; entre eles, parecia haver um entendimento dos fatos. Embora preso pela (até onde eu sabia) primeira vez na vida, Kevin não se abalou. "E agradeço muito a carona até em casa. Sempre quis andar numa viatura policial — *senhor*."

"O prazer foi todo meu", o policial retrucou com elegância, como se estivesse fazendo barulho com o chiclete. "Mas algo me diz que essa não vai ser a última vez que você dará uma volta conosco... *amigo*."

Depois de mais algumas manifestações de gratidão penhorada de nossa parte, eles viraram as costas e, quando iam saindo da varanda, escutei Lenny se lamuriar: "Nós quase vencemos vocês na corrida, sabia?, porque, cara, vocês estão totalmente fora de forma...!"

Você parecia tão calmo e cortês, durante a conversa com os policiais, que quando se afastou da porta fiquei surpresa ao ver que estava com o rosto lívido de raiva. Agarrando nosso filho pelo braço, você gritou: "Você podia ter provocado um puta de um acidente, uma catástrofe!"

Revigorada por uma satisfação mórbida, afastei-me e deixei você cuidar do assunto. *Xingando*, ainda por cima! Admito que, se por acaso algum daqueles tijolos tivesse atingido o pára-brisa de alguém, eu teria trocado na hora essa alegria ínfima pela angústia plena da qual tive tanta prática, mais tarde. No entanto, poupada da calamidade, estava livre para repetir, como aquela musiquinha infantil, *Você vai se meter em a-pu-ros*. Sim, porque eu me sentia tão irritada! A interminável esteira de desgraças que acompanhava os movimentos de Kevin a seu ver jamais parecia ter qualquer relação com o nosso filho. Mas enfim alguém, além de mim — no caso a própria polícia, em quem o Republicano Pró-Reagan tinha por obrigação confiar —, conseguira pegar o nosso perseguido inocente com a boca na botija e eu não iria perder esse espetáculo. Além do mais, eu achava bom que você também estivesse experimentando a impotência bizarra de ser supostamente o pai poderoso e, ao mesmo tempo, de se ver tão completamente bestificado sobre qual a melhor maneira de impor um castigo que tivesse um mínimo de poder de dissuasão. Eu queria que você compreendesse, por si só, a ineficácia de botar um jovem de catorze anos de idade de "castigo", a surrada previsibilidade de suspender a "saída" de alguém quando, além do mais, não havia lugar nenhum aonde ele quisesse ir, e o horror de perceber que, se por acaso ele se dirigisse para o alvo no quintal, desafiando a proibição de praticar a única atividade — a de arqueiro — que parecia curtir, você teria de decidir entre não fazer nada e enfrentá-lo fisicamente ali no gramado. Bem-vindo à minha vida, Franklin, foi o que pensei. *Divirta-se.*

Celia não estava acostumava a ver o pai maltratar o irmão e começou a berrar. Tratei de tirá-la da sala; voltamos à lição de casa, na mesa de jantar, e acalmei-a dizendo que os policiais eram amigos nossos, que só queriam ver se estávamos bem, enquanto você marchava com o nosso estóico filho para o quarto.

No estado em que eu estava, foi difícil me concentrar e convencer Celia a retomar suas tarefas sobre animais de criação. O berreiro cessou com uma rapidez surpreendente; você nunca esgotava seus argumentos assim tão depressa quando a briga era comigo. Presumivelmente, havia mudado de tom e passado para a voz de decepção sombria que, no entender de muitas crianças, é mais devastadora que um escarcéu explosivo, se bem que eu já tivesse tentado severidade sisuda com o nosso primogênito sem o menor resultado; senti uma certa satisfação em ver você experimentando mais essa impotência. Era minha contrapartida para não me esgueirar pelo corredor e ir escutar atrás da porta.

Quando finalmente saiu do quarto dele, você fechou a porta com ar solene e entrou na sala ostentando uma expressão muito curiosa de paz. Raciocinei que liberar toda a vergonha e o desgosto do organismo devia ter sido bom e, quando me fez um gesto para irmos até a cozinha, presumi que fosse me explicar que tipo de castigo você havia imposto, para que pudéssemos agir em conjunto. Eu esperava que você tivesse inventado alguma penalidade nova, facilmente aplicável, que atingiria o nosso filho num lugar — que eu nunca encontrei — onde doesse de fato. Eu duvidava que ele sentisse qualquer remorso em relação ao episódio dos tijolos, mas talvez você tivesse conseguido convencê-lo de que a delinqüência juvenil, pura e simples, era um erro tático.

"Olha só", você cochichou. "A coisa toda foi idéia do Lenny, e Kevin topou porque achou que o amigo estava propondo só balões cheios de água, no começo. Ele achou que as bexigas só iriam espirrar água e pronto — e você sabe que garotos acham isso muito engraçado. Eu expliquei a ele que mesmo uma pequena bexiga explodindo pode assustar o motorista e ser perigoso, e ele disse que agora percebeu isso."

"E quanto aos...", disse eu. "E o que me diz... dos... tijolos?"

"Bom... eles ficaram sem bexigas. O Kevin me disse que, antes que ele tivesse percebido, Lenny tinha jogado uma pedra — talvez fosse um pedaço de tijolo — num carro que vinha vindo. Kevin diz que falou para o Lenny na mesma hora não fazer aquilo, já que alguém podia se machucar."

"É, claro", disse eu, com a voz abafada. "Isso é bem a cara do Kevin."

"Imagino que o Lenny tenha conseguido atirar mais alguns tijolos lá para baixo, antes que o Kevin conseguisse convencê-lo a parar. Deve ter sido nessa altura que alguém ligou para a polícia pelo celular. Parece que eles ainda estavam lá em cima, na passarela, quando a polícia parou no acostamento. Foi uma tremenda de uma burrice — Kevin admitiu isso, também —, mas, para um garoto que nunca teve problema nenhum antes, ver aquelas luzes azuis piscando deve ter sido muito assustador e, sem pensar..."

"Kevin é um garoto muito esperto, você sempre diz isso." Tudo que saía da minha boca parecia pesado, arrastado. "Imagino que ele *pensou* um bocado."

"Mamãe...?"

"Meu bem", disse eu, "continue fazendo a sua lição, certo? O papai está contando uma história muito boa e a mamãe mal pode esperar para ver como ela termina."

"Seja como for", retomou você, "eles correram. Não foram muito longe, já que Kevin percebeu que era loucura fugir da polícia — ele puxou a jaqueta do Lenny e pisou no freio. E eis aqui um fato: parece que o nosso amigo Lenny Pugh já tinha tido outro encontro com a polícia — aquele velho truque de açúcar no tanque de gasolina ou algo assim. E já fora avisado de que, se fosse pego cometendo qualquer outro delito, seria autuado. Kevin então raciocinou que, tendo uma ficha limpa, a polícia deixaria o amigo se safar só com uma advertência. De modo que admitiu para os policiais que *ele* era o chefe e que só ele tinha atirado as pedras. Tenho de reconhecer que, depois que a história toda veio à tona, me senti meio envergonhado de ter pego tão pesado com ele."

Olhei para você com uma admiração pasmada. "Você pediu desculpas?"

"Claro." E deu de ombros. "Todo pai tem que admitir quando comete um erro."

Apalpei o dorso de uma cadeira na mesa da cozinha; eu precisava me sentar. Você pegou um copo de suco de maçã, mas eu recusei (qual era o problema com você, que não viu que eu precisava de uma *bebida mais forte*?). Você puxou uma cadeira também, e se debruçou para a frente, comunicativo, como se todo aquele *mal-entendido* fosse nos tornar uma família ainda mais próxima, como se fôssemos poder, um dia, olhar para trás e achar graça naquela história maluca da passarela.

"Sabe que, no fim", disse você, tomando um gole de suco, "acabamos tendo uma tremenda conversa a respeito das complicações da lealdade. Quando ficar ao lado dos amigos, quando dar um basta, se eles estiverem extrapolando os limites, até onde devemos nos sacrificar por um colega. Porque, como eu o avisei, ele poderia ter calculado mal ao assumir a culpa. Ele poderia ter sido autuado. Admiro o gesto dele, mas acabei falando o que acho, disse que não tinha tanta certeza assim de que Lenny Pugh merecia o sacrifício."

"Rapaz", disse eu. "Com golpe baixo e tudo."

Sua cabeça girou na hora para mim. "Isso foi sarcasmo?"

Certo, se você não ia cuidar da emergência médica, eu mesma me serviria de vinho. Voltei depois para a cadeira e dei cabo da taça em dois goles. "Essa foi uma história bem detalhada. De modo que, se você não se importa, eu gostaria de esclarecer alguns detalhes."

"Manda bala."

"Lenny", comecei eu. "Lenny é um verme. Lenny é na verdade meio burro. Levei um tempo para entender a atração... de Kevin, quero dizer. Aí descobri: era essa a atração. O fato de ele ser um verme abjeto, burro e submisso, chegado numa auto-humilhação."

"Espera um pouco, eu também não vou muito com a cara dele, mas *chegado numa auto-humilhação...*"

"Eu não lhe disse que peguei os dois no quintal, e o Lenny estava com a calça abaixada?"

"Eva, você já devia saber que essas coisas acontecem entre garotos na puberdade. Talvez você não se sinta à vontade, mas às vezes eles experimentam..."

"Kevin não estava de calça abaixada. Kevin estava completamente vestido."

"Bem, e o que isso quer dizer?"

"Que Lenny não é *amigo* dele, Franklin! Que Lenny é um escravo! Lenny faz qualquer coisa que Kevin lhe disser para fazer, e quanto mais degradante melhor! De modo que qualquer noção de que aquele fingido, calhorda, imprestável, catinguento possa ter tido a idéia de fazer alguma coisa — muito menos ser o "chefe" de alguma brincadeira daninha e perigosa, arrastando o pobre e virtuoso Kevin contra a sua vontade — bom, essa é uma noção totalmente absurda!"

"Será que dá para baixar um pouco a voz? E não acho que você deveria tomar outra taça de vinho."

"Você tem razão. O que eu precisava mesmo era de uma garrafinha de gim, mas vou ter que me contentar com o Merlot."

"Olha só. Kevin talvez tenha dado um passo meio dúbio, aqui, e ele e eu conversamos a respeito disso. Mas, de qualquer modo, para assumir a culpa é preciso peito e eu estou muito orgulhoso..."

"*Tijolos*", eu interrompi. "Eles pesam. São grandes. Ninguém guarda tijolos de concreto em passarela de pedestre. Como foi que foram parar lá?"

"Um pedaço de tijolo. Eu disse um pedaço."

"Claro", respondi eu, de ombros caídos, "tenho certeza de que foi isso que Kevin também disse."

"Ele é nosso *filho*, Eva. Isso deveria significar ter um pouco de fé."

"Mas a polícia afirmou..." Deixei o pensamento incompleto, tendo perdido o entusiasmo pelo projeto. Senti-me como uma advogada obstinada que sabe que já perdeu a simpatia dos jurados, mas que precisa terminar seu trabalho.

"A grande maioria dos pais", você falou, "se empenha em *compreender* os filhos, e não em esmiuçar cada pequena coisinha..."

"*Estou tentando entendê-lo.*" A ferocidade da resposta foi ouvida para além dos limites da cozinha; do outro lado, Celia começou a choramingar. "E bem que eu gostaria que você também tentasse!"

"Isso mesmo, vá cuidar de Celia", você resmungou, quando me levantei da mesa. "Vá enxugar os olhos de Celia, afagar os lindos cabelos louros de Celia, fazer a lição de casa por Celia, já que Deus nos livre de ela ter que aprender a fazer um único maldito dever ela mesma. Nosso filho acabou de ser detido pela polícia por algo que ele não fez, está ultra-abalado, mas tudo bem, porque Celia precisa tomar seu leitinho e comer seus biscoitos."

"Isso mesmo", retruquei. "Porque um dos nossos filhos está aprendendo a soletrar o nome dos animais de criação, ao passo que o outro está jogando tijolos em cima dos carros. Já era hora de você aprender a ver a diferença."

Fiquei de fato muito brava com o que houve aquela noite e desperdicei grande parte do dia seguinte, um dia normal de trabalho na AWAP, resmungando como fora possível ter me casado com um *idiota completo*. Desculpe-me. E foi desprezível da minha parte nunca ter lhe contado o que foi que escutei aquela tarde. Talvez por constrangimento, ou orgulho excessivo.

Eu estava tão fora de mim, tomada por tanta raiva e frustração, por não conseguir trabalhar. Lancei mão da prerrogativa de diretora executiva e saí mais cedo. Chegando em casa, acompanhei a babá de Celia até a porta e ouvi vozes vindas do corredor. Pelo visto, aquele *verme abjeto, burro e submisso, chegado numa auto-humilhação*, não tinha tido nem o bom senso de ficar longe por uns dias depois de ter aparecido na nossa porta acompanhado da polícia, porque reconheci o cacarejar queixoso que saía do quarto horripilantemente bem arrumado de Kevin. Era inusitado, mas a porta estava entreaberta; por outro lado, eu só deveria chegar em casa dali a duas horas. Quando fui até o banheiro, não estava exatamente escutando conversa alheia, mas... ah! acho que no fundo eu estava, sim. A necessidade de me pôr atrás daquela porta nascera na noite anterior e continuava comigo.

"Ei, você viu a bunda do gordo saindo da calça?", Lenny lembrou. "E aquele sorriso de trabalhador na cara dele, de orelha a orelha! Aposto que, se aquele maluco tivesse tropeçado enquanto corria, o cinto dele teria explodido!"

Kevin não parecia estar achando graça na piada de Lenny. "Bom, é, tudo bem", disse ele. "Sorte sua que eu consegui tirar o *Senhor Plástico* do meu pé. Mas você devia ter visto a cena, aqui, Pugh. Parecia ter saído direto daquela porra do *Dawson's Creek*. Puta, moleque, foi de vomitar. Pensei até que fosse cair no choro antes dos comerciais."

"É, tô sabendo, maluco! Com os homens, lá, meu, você foi demais. Chegou uma hora em que eu achei que o porra do gordo fosse te levar pra uma salinha e mandar ver, porque você estava deixando o cara puto, mané! *Sob terríveis protestos, senhor, devo* mim *confessar como o culpado...*"

"Devo *me* confessar, seu retardado gramatical. E não se esqueça, cara, você me deve uma."

"Claro, moleque. Eu te devo uma e das grandes. Você encarou os homens feito um super-herói, como... como se fosse Jesus!"

"Estou falando sério, cara. Essa vai te custar caro", disse Kevin. "Porque essa sua façanha mixuruca pode causar danos sérios à minha reputação. Eu tenho critérios. Todo mundo sabe que eu tenho critérios. Livrei a sua cara desta vez, mas não espere uma seqüência, do tipo 'Livre-Sua-Cara II'. Não gosto de me associar com essas merdas. *Jogar pedras de uma passarela.* É banal pra caralho, cara. Não tem a menor classe, é *banal* pra caralho."

*Eva*

## *3 de março de 2001*

*Querido Franklin,*

Você concluiu certo: fiquei envergonhada com minhas acusações falsas e, por isso, resolvi convidar Kevin para termos uma conversa de mãe e filho. Você achou a idéia esquisita e, quando recomendou com tanto entusiasmo que repetíssemos a dose sempre que possível, percebi que não tinha gostado — sobretudo depois que acrescentou aquela farpa sobre ser melhor evitarmos as passagens para pedestres: "Já que, você sabe, Kev sentiria aquela vontade incontrolável de atirar poltronas inteiras na estrada".

Eu estava meio sem coragem de ir falar com ele, mas me forcei, pensando que não fazia sentido reclamar o tempo todo que meu filho adolescente não falava comigo se eu nunca falava com ele. Refletindo melhor, concluí que a viagem ao Vietnã, dois verões antes, tinha dado errado por ter sido um excesso, três semanas inteiras de convívio familiar muito próximo quando, aos treze anos, garoto nenhum, nem mesmo os de sociedades comunistas, suporta que o vejam ao lado dos pais. Sem dúvida que um dia por vez seria mais fácil de suportar. Além disso, eu havia forçado goela abaixo dele um entusiasmo por viagens que era só meu, em vez de me esforçar para fazer o que ele queria — seja lá o que fosse isso.

Vacilei tanto antes de lhe fazer a pergunta, que me senti igualzinha a uma garota tímida preparando-se para convidá-lo para ir a um concerto de *rock*. Quando finalmente o peguei de jeito — ou talvez a mim mesma — na cozinha, fui na onda daquela sensação e disse: "Por falar nisso, eu queria convidá-lo para sair."

Kevin ficou desconfiado. "Para quê?"

"Só para fazermos algo juntos. Para nos divertirmos."

"Fazer o quê, por exemplo?"

Essa era a parte que me deixava meio nevosa. Pensar em se "divertir" com o nosso filho era como tentar imaginar uma viagem realmente sensacional junto com uma pedra de estimação. Kevin odiava esportes e não ligava para filme nenhum; a comida nunca prestava e a natureza era aborrecida, um mero agente para calor, frio ou moscas. De modo que encolhi os ombros. "Quem sabe fazer umas comprinhas de Natal. Levar você para jantar?" Depois puxei meu ás da manga, numa cartada perfeita para contrabalançar o jogo absurdo de Kevin. "E disputar uma partida ou duas de *minigolfe*."

Ele abriu aquele meio sorriso azedo dele e garanti companhia para sábado. Na hora comecei a me preocupar com o que vestir.

Numa troca que fazia lembrar *O Príncipe e o Mendigo*, eu assumiria o papel da progenitora desvelada e empenhada de Kevin, ao passo que você se tornaria o protetor de Celia por um dia. "Minha nossa", você comentou, levianamente, "vou ter de descobrir algo que não a deixe aterrorizada. Suponho que isso elimine aspirar a casa."

Dizer que eu quisesse, que eu desejasse de fato, passar a tarde toda e o começo da noite com o meu espinhoso adolescente seria ir longe demais, mas a verdade é que eu desejava com todas as minhas forças desejar por esse momento — se é que isso faz algum sentido. Sabendo como o tempo custava a passar ao lado daquele garoto, eu programara o nosso dia: minigolfe, compras no centro de Nyack e depois ele e eu iríamos a um bom restaurante. O fato de ele não ligar para presentes de Natal ou jantares em bons lugares não me parecia motivo para não ensiná-lo que isso era o que as pessoas faziam. Quanto a nossa aventura esportiva, ninguém em sã consciência liga para minigolfe e devia ser por isso que parecia a escolha mais apropriada.

Kevin apresentou-se para o serviço no *hall* de entrada com uma expressão de resignação funesta no rosto que lembrava a de um preso sendo arrastado para cumprir a pena (ainda que, em circunstância idêntica, menos de dois anos depois, seu rosto tenha aparentado frieza e petulância). Seu colete Izod ridiculamente pequeno era do mesmo laranja berrante dos macacões de presidiários — um tom, como eu teria ampla oportunidade de notar, não muito apropriado para ele — e com a camisa minúscula puxando os ombros para trás, Kevin poderia muito bem estar algemado. A calça cáqui, de cintura baixa, da sétima série, estava no limiar da moda: chegando até a metade das canelas, pressagiava o renascimento do modelo ciclista.

Entramos no meu Luna amarelo metálico, zerinho. "Você sabia que, no meu tempo", comecei eu, tentando entabular conversa, "esses Volkswagen parecidos com o meu estavam por toda parte. Em geral eram uns calhambeques caindo aos pedaços, cheios de cabeludos fumando maconha e tocando Three Dog Night em gravadores jurássicos. Acho que custavam em torno de dois mil e quinhentos dólares. Essa nova reedição é dez vezes mais cara; mas continuam cabendo só dois adultos e um gato, dentro dele. Só que agora é considerado um carro de luxo. Não sei bem se isso é irônico ou engraçado."

Silêncio. Por fim, a muito custo: "Significa que você gasta vinte e cinco mil dólares para fingir que ainda tem dezenove anos e nem assim conta com espaço no porta-malas."

"Bom, eu acho que de vez em quando me canso de toda essa onda retrô", disse eu. "O retorno do *The Brady Bunch* e a nova versão de *Os Flintstones*. Mas, assim que vi esse novo Fusca, me apaixonei por ele. O Luna não copia o original, ele *faz alusão* ao original. E o velho Fusca era desconfortável. O Luna ainda é meio fraco na estrada, mas é um carro muito lindo."

"É, sei", disse Kevin. "Você já disse isso tudo."

Enrubesci. Era verdade. Eu já tinha dito.

Parei na frente daquele minigolfe moderninho, em Sparkhill, chamado "9W Golf", e, finalmente, reparei que Kevin não estava de casaco. E fazia frio, o tempo estava nublado. "Por que você não pegou um *casaco*?", explodi. "Para você, desconforto nenhum basta, não é mesmo?"

"Desconforto? Com minha própria mãe?"

Bati a porta com toda a força, mas, com a engenharia alemã, ela só fez um *pah* abafado.

Sabe Deus o que eu estava pensando. Como minigolfe é fundamentalmente um jogo cômico, talvez eu estivesse esperando que a partida fornecesse um elemento de humor extravagante a nossa tarde. Ou quem sabe estivesse torcendo para uma espécie de inversão emocional: como tudo o que significava algo para mim não significava nada para Kevin, talvez eu achasse que algo que não significava nada para mim poderia significar algo para meu filho. De todo modo, era um raciocínio equivocado. Pagamos no caixa e fomos para o primeiro buraco — uma banheira da qual brotavam ervas daninhas mortas, guardada por uma girafa de gesso que parecia um pônei com o pescoço torcido. A bem da verdade, tudo ali era tosco e descuidado, conferindo ao lugar uma atmosfera, como diria Kevin, de estou cagando e andando. Da 9W vinha o ruído incessante do trânsito pesado e os braços de Kevin estavam arrepiados. Ele estava morrendo de frio, mas o fiz jogar de todo modo, porque tinha aquela noção deturpada de que iríamos ter uma "conversa" de mãe para filho e de que iríamos nos *divertir*, nem que fosse na marra.

Claro que qualquer um poderia rolar uma bola de golfe entre os pés de garras daquela banheira, uma vez que os pés tinham um metro de distância um do outro. Mas assim que o campo foi ficando mais difícil — debaixo do míssel, dali para o farol, descendo pela ponte pênsil, em volta dos latões de leite, através das portas de uma reprodução do Corpo de Bombeiros de Sparkhill-Palisades — Kevin deixou de lado aquela inaptidão estudada com que fingia atirar o disco de *frisbee* no quintal de casa e mostrou a espantosa coordenação visual e manual que seu instrutor no arco-e-flecha já havia elogiado várias vezes. Entretanto, por algum motivo, o simples fato de ele ser tão bom no minigolfe tornou a partida ainda mais sem sentido, e não pude evitar de me lembrar de nosso primeiro "jogo", quando ele tinha dois anos e rolou a bola de um lado a outro três vezes exatamente. De minha parte, a pura idiotice daquele exercício havia se tornado tão patente que fui ficando apática e errei os buracos. Não trocamos uma palavra e levamos pouco tempo para completar o percurso, ao menos segundo o relógio; eu olhava a todo momento para o meu. Então é assim que é ser Kevin, pensei. A lerda passagem de cada minuto: é assim que é ser Kevin o tempo inteiro.

No fim, Kevin parou com o taco na mão, como se fosse um cavalheiro janota, ainda calado, mas com aquele olhar de *e agora o quê?*, como se dissesse, certo, eu fiz o que você queria e espero que esteja satisfeita.

"Bem", falei eu, em tom duro, "você ganhou."

Fiz questão de voltar para pegar um casaco para Kevin, mas reaparecer em casa tão pouco tempo depois de ter saído foi constrangedor — você não entendeu direito —, sem falar que tivemos de atravessar Niack para chegar a Gladstone e depois fomos obrigados a voltar para Nyack, para as compras. Contudo, agora que estropiara minha única idéia brincalhona e inusitada para a tarde — transformando-a numa farsa mecânica e gelada —, Kevin parecia mais contente. Assim que estacionamos (bem no começo da avenida, porque o trânsito de meados de dezembro estava pesado e tivemos sorte de encontrar uma vaga), para meu espanto o nosso filho saiu com um pensamento.

"Não entendo por que você celebra o nascimento de *Cristo* se não é *cristã*." Ele pronunciou *Cristo* com um *i* mais longo, para enfatizar a coisa de Jesus.

"Bom", disse eu, "é verdade que o seu pai e eu não acreditamos que um jovem muito bom de *slogans* dois mil anos atrás seja o filho de Deus. Mas é gostoso ter uns feriados, não é? Tornar uma parte do ano algo um pouco diferente, algo pelo que esperar com ansiedade. Aprendi, estudando antropologia em Green Bay, que é importante observar os rituais culturais."

"Desde que sejam todos completamente vazios", disse Kevin, com jovialidade.

"Você acha que somos hipócritas."

"Foi você quem disse, não eu." E lá se foi ele, deslizando diante das janelas do Runcible Spoon, na esquina da rua principal, e atraindo os olhares de algumas colegas mais velhas que faziam hora em frente à Long Island Drum Center. Para ser sincera, não acho que fosse aquele aspecto armênio meio mormacento o que chamava a atenção, e sim a elegância lânguida dos gestos, tão em desacordo com aquelas roupas absurdas: Kevin se movia de modo uniforme num mesmo plano, como se caminhasse sobre rolimãs. Além disso, aqueles belos ilíacos à mostra devem ter contribuído um pouco.

"Quer dizer então", resumiu ele, enquanto ziguezagueava pelos pedestres, "que você quer manter os presentes e o *eggnog*, mas dispensa as preces e a Missa do Galo. Quer faturar com o lado bom sem ter que pagar a conta com merda."

"Pode-se dizer que sim", concordei, cautelosa. "Num sentido mais amplo, é o que tenho tentado fazer a vida inteira."

"Então tá, desde que você consiga sair ilesa", disse ele, de forma um tanto hermética. "Não sei se dá, o tempo todo." E deixou que o assunto morresse.

A conversa parou de fluir, de modo que, quando um garoto de patinete quase me atropelou, aventei em voz alta a hipótese de comprar para Celia um desses patinetes elétricos de alumínio superdelgados, da Razor, que da noite para o dia tinham se tornado tão populares.

Kevin então disse: "Sabia que uns dois anos atrás, se algum garoto recebesse um desses aí, de Natal, o olho até saltava fora, de tanta animação."

Agarrei a chance. "Você tem razão, essa é uma das coisas erradas com o país, esses modismos todos. Foi a mesma coisa com aqueles patins *in-line*, não foi? De uma hora para a outra, todo mundo tinha que ter um par. De todo modo...", mordi o lábio, vendo mais outro garoto passar a toda por mim, numa daquelas estruturas fininhas, prateadas, "eu não gostaria que Celia ficasse de fora."

"*Mãemãe,* cai na real. A Ceil ia se cagar de medo. Você teria que segurar a mãozinha dela aonde quer que ela fosse, ou teria que *carregá-la* com o patinete e tudo. Está disposta? Porque eu tô fora."

Certo. Não compramos o patinete elétrico.

Na verdade, não compramos nada. Kevin me deixou tão constrangida que tudo que me passava pela cabeça parecia me condenar. Olhei para as echarpes e chapéus através dos olhos dele e, de repente, tudo me parecia estúpido ou desnecessário. Nós tínhamos echarpes. Tínhamos chapéus. Para que me incomodar?

Embora triste porque iríamos perder nossa vaga na rua, senti-me contente por ter a chance de agir, uma vez na vida, como uma mãe de fato e declarei, severa, que voltaríamos para casa, onde ele então vestiria *roupas de tamanho normal* — mesmo que sua resposta afetada, "O que você mandar", me fizesse ainda mais consciente dos limites e da pouca força da minha autoridade. Ao passarmos de novo em frente ao Runcible Spoon, a caminho do carro, vimos uma mulher corpulenta, sentada sozinha a uma mesa junto à janela, tomando um daqueles *hot fudge sundaes* de proporções extravagantes, que faziam o desespero e a inveja dos europeus.

"Toda vez que eu vejo alguém gordo, a pessoa está comendo", ruminei já a uma boa distância dos ouvidos da senhora. "Não me venham dizer que são glândulas, ou genes, ou metabolismo lento. É comida e pronto. Eles são gordos porque comem a comida errada, comem demais dela e comem o tempo todo."

A falta usual de resposta, nem mesmo um *ahã*, ou *é verdade*. Por fim, um quarteirão adiante: "Sabe que você às vezes é bem dura."

Surpreendi-me com aquilo e parei de andar. "Olha só quem fala."

"Pois é. Eu também. De quem será que puxei."

No caminho de casa, portanto, toda vez que eu achava algo para dizer — fosse a respeito da agressividade dos motoristas daqueles imensos veículos utilitários, ou do excesso de luzes natalinas em Nyack — eu me dava conta de que estava descascando os outros e engolia o comentário. Pelo visto eu era uma daquelas pessoas que prefeririam não dizer nada quando seguiam o édito de *se você não pode dizer algo de bom*. Nosso silêncio incômodo dentro do Luna forneceu um antegosto dos longos períodos de ar parado que iríamos enfrentar em Claverack.

Nesse meio-tempo, você e Celia tinham trabalhado a tarde toda para criar enfeites de Natal e você a ajudara a entrelaçar purpurina no cabelo. Você estava na cozinha, pondo umas iscas de peixe congelado numa bandeja quando entrei de supetão e lhe pedi para abotoar o botão de cima do meu vestido de seda rosa. "Puxa", você falou, "você não está com um jeito muito maternal."

"Eu quero que seja uma ocasião especial", disse eu. "Pensei que você gostasse desse vestido."

"E gosto. Mas", você resmungou, continuando a me abotoar, "essa fenda aí do lado vai até o meio da coxa. Você não vai querer que ele se sinta constrangido."

"Alguém está ficando constrangido, isso é óbvio."

Saí para pôr os brincos e passar um pouco de Opium, depois voltei à cozinha e lá estava Kevin: uma vez na vida, ele não tinha apenas seguido ao pé da letra meu ditame (porque eu meio que esperava encontrá-lo vestido com uma fantasia de coelho em "tamanho normal"). Mesmo parado diante da pia, de costas para mim, deu para ver o tecido macio da calça preta ajustado delicadamente nos quadris estreitos caindo até os sapatos de couro, com uma ligeira prega. Não fora eu que comprara aquela camisa branca para ele; de mangas compridas e um drapeado gracioso, poderia servir a um espadachim.

Fiquei comovida. Comovida de verdade. E estava a ponto de elogiar a bela figura que ele fazia sem aquelas roupas feitas para um garoto de oito anos quando Kevin se virou para mim. Nas mãos, segurava um frango inteiro, tirado da geladeira. Ou melhor dizendo, era um frango inteiro antes de ele arrancar o peito e uma coxa, que ainda estava devorando.

É muito provável que eu tenha empalidecido. "Nós estamos indo jantar fora. Então por que você está comendo um frango quase inteiro antes de sair de casa?"

Kevin limpou um canto engordurado da boca com o dorso da mão, mal disfarçando um sorrisinho de deboche. "Eu estava com fome." Uma afirmação rara o bastante para ser fingimento. "Sabe como é... garoto em crescimento?"

"Largue isso *agora mesmo* e vá buscar seu casaco."

De modo que, é claro, depois de instalados no Hudson House, o nosso *garoto em crescimento* já havia crescido o suficiente por um dia e seu apetite sumira. Eu dividiria o pão com meu filho apenas no sentido mais literal da expressão, porque ele se recusou a pedir um primeiro prato, não quis antepasto e ficou remexendo no cestinho de pães. Embora tenha arrancado o miolo e feito bolinhas cada vez menores, duvido que tenha comido alguma coisa.

Numa atitude de óbvio desafio, pedi uma salada *mesclun*, *confit* de peito de pombo, salmão e uma garrafa inteira de *sauvignon blanc* que, segundo meus pressentimentos, chegaria ao fim.

"E então", comecei, lutando contra o embaraço, enquanto comia minhas folhas debaixo do olhar acético de Kevin; estávamos num restaurante, por que eu haveria de me sentir sem graça por comer? "Como vai a escola?"

"Vai indo. Não se pode pedir mais que isso."

"Eu poderia pedir mais alguns detalhes."

"Quer os horários das aulas?"

"*Não*." Eu queria muito não ficar irritada. "Por exemplo, qual é a sua matéria favorita nesse semestre?" Lembrei-me, tarde demais, que, para Kevin, a palavra *favorito* estava ligada apenas aos entusiasmos dos outros, que ele gostava de saquear.

"Parece que você está querendo dizer que eu tenho alguma."

"Bem", argumentei eu, tendo uma certa dificuldade em arrebanhar uma garfada de rúcula pequena o suficiente para que o molho de mostarda e mel não escorresse pelo queixo. "Já pensou em se afiliar a alguma atividade depois das aulas?"

Ele me olhou com a mesma incredulidade que, depois, responderia a minhas indagações sobre a qualidade da comida no refeitório de Claverack. Talvez o fato de ele não ter se dignado a me responder fez de mim uma pessoa de sorte.

"E o que me diz dos seus, hum, professores? Tem algum, você sabe, por quem você esteja especialmente..."

"E que *bandas* você anda escutando no momento?", disse ele, a sério. "Depois você pode dar umas sondadas pra ver se não pintou uma piranha bonitinha sentada na primeira fileira que me deu tesão. Dessa forma, você pode então introduzir o argumento de que a escolha é minha, claro, mas que, antes de transar com a garota no corredor, eu devia *esperar* até estar *pronto*. Lá pela sobremesa, você pode me perguntar sobre *drooogas*. Com muito cuidado, porque você não quer me deixar assustado, mentindo até dizer chega, de modo que vai ter que dizer que você *experimentou*, mas que isso não significa que eu deva *experimentar* também. No fim, depois que tiver mamado essa garrafa toda, pode virar para mim com aquele olhar sentimentalóide e grudento, dizer como é fantástico passar *algumas horas* junto com seu filho, depois se mexer na cadeira, pôr a mão no meu ombro e dar uma *apertada*."

"Tudo bem, Seu Raposa." Larguei minhas alfaces. "Sobre o que *você* quer falar?"

"A idéia foi sua. Eu nunca disse que queria conversar sobre porra nenhuma."

Preparamo-nos para o embate quando meu *confit* de peito de pombo com *red-currant* foi servido e comecei a serrá-lo. Kevin tinha o dom de transformar qualquer prazer em um trabalho árduo. Quanto à guinada que ele deu, após três ou quatro minutos de silêncio, só me restava concluir que tivesse sido por pena. Mais tarde, em Claverack, ele jamais seria o primeiro a pedir arrego, mas ali, no Hudson House, Kevin só tinha catorze anos.

"Certo, eu tenho um *tópico*," propôs ele, com um jeito sonso, apanhando um lápis vermelho do copo cheio de Crayolas — tão onipresentes quanto os patinetes elétricos — que o restaurante punha à disposição dos filhos dos clientes. "Você está sempre criticando este país e desejando estar na Malásia ou algo assim. Qual é o problema com o país. De verdade. O *materialismo* americano?"

Assim como eu despertara as suspeitas de Kevin, ao propor o encontro, agora quem desconfiava de alguma armadilha era eu, mas restavam o prato principal e dois terços de uma garrafa para terminar e eu não queria passar esse tempo fazendo o jogo-da-velha na toalha descartável. "Não, acho que não", respondi com sinceridade. "Afinal, como seu avô diria..."

"*Os materiais são tudo*. Então qual é a sua?"

Essa é a pergunta certa para deixar qualquer um sem fala e, naquele momento, não consegui pensar numa única coisa errada com os Estados Unidos. Não era a primeira vez que eu congelava, sem saber o que dizer, só que isso em geral acontecia em aviões, quando algum estranho, puxando conversa, me perguntava quais eram os melhores livros que eu havia lido nos últimos tempos. O branco na minha cabeça era tão fenomenal que meu companheiro de assento podia muito bem presumir que o livro enfiado no compartimento de revistas era o primeiro que eu lia na vida. O olhar de desconfiança que eu lançava para os Estados Unidos me era precioso — se bem que, graças a você, eu tivesse aprendido a dar ao país um crédito a contragosto por ser, ao menos, um lugar vigoroso e improvisado que, apesar de seu verniz de conformidade, cultivava uma profusão impressionante de loucos de pedra. De repente, incapaz de citar uma única característica que costumava me levar à loucura, senti o chão sumir durante um segundo e me perguntei se a distância que eu mantinha dos Estados Unidos não seria tanto por cosmopolitismo sofisticado e, sim, por preconceitos triviais.

Seja como for, nos aviões eu acabo me lembrando que adoro *O céu que nos protege*, de Paul Bowles. Depois me lembro de *Uma curva no rio*, de V. S. Naipaul, que sempre me traz à mente o delicioso *Girls at Play*, de Paul Theroux, e lá vou eu, de novo restaurada à classe dos alfabetizados.

"É feio", disse eu.

"O quê? As ondas cor de âmbar dos grãos?"

"As lanchonetes de *fast-food*. Todo aquele plástico. Espalhado pelo país inteiro como a praga da batata."

"Você disse uma vez que gostava do prédio da Chrysler."

"É antigo. A maior parte da arquitetura moderna americana é pavorosa."

"Quer dizer então que o país é um lixo. Mas por que um outro lugar qualquer seria melhor?"

"Você saiu muito pouco daqui."

"O Vietnã é um cu. Aquele lago em Hanói fede."

"Mas você não achou o povo maravilhoso? Ainda que apenas fisicamente maravilhoso?"

"Você me levou até a Ásia pra ver xota de china? Eu podia ter reservado um daqueles pacotes da Internet."

"Está se divertindo?", perguntei com secura.

"Já me diverti mais." Kevin jogou uma bolinha de pão para dentro da cesta. "Além do mais, os caras sempre me pareciam garotas."

"Pois eu achei muito interessante", insisti, "lá na beira do lago — mesmo que cheire meio mal — o jeito como os vietnamitas, na esperança de ter *ganho* alguns quilinhos, pagam alguns poucos *dong* para se pesar e que haja pessoas com espírito de iniciativa que levam as balanças de banheiro até lá. É biologicamente sensato."

"Põe esses orientais em volta de um saco sem fundo de batata frita por tempo suficiente pra ver se eles não ficam mais redondos que um tonel, feito os ratos de New Jersey. Você acha que só os americanos é que são gulosos? Eu não presto muita atenção em História européia, mas acho que não."

Servido o salmão, para o qual eu já havia perdido o apetite, batuquei os dedos na mesa. Tendo como pano de fundo a paisagem marítima de parede a parede do Hudson House, dentro daquela camisa branca vistosa de mangas largas, colarinho levantado, aberta até o esterno, Kevin poderia se passar por Errol Flynn em *Capitão Blood*.

"O sotaque", falei. "Eu detesto."

"É seu sotaque, também. Mesmo que você diga *tomáto*."

"Você acha pretensioso."

"Você *não*?"

Ri, ainda que pouco. "Está bem. É pretensioso."

Algo estava se soltando e pensei com meus botões, puxa, talvez essa "conversa" não tenha sido tão má idéia assim. Talvez a gente esteja chegando a algum lugar. Comecei a me dedicar a sério ao nosso papo. "Olhe, quer saber uma das coisas que não suporto, aqui? É a falta de responsabilidade pelos próprios atos. Tudo o que acontece de ruim na vida de um americano é culpa de alguém mais. Todos esses fumantes recolhendo milhões de dólares de indenização das empresas de tabaco quando, ora essa, eles estão sabendo dos riscos há *quarenta anos*. Não conseguem largar? Processam a Philip Morris. Daqui a pouco a gente vai começar a ver os gordos processando as empresas de *fast-food* porque comeram Big Macs demais!" De repente, parei. "Sei que você já ouviu tudo isso antes."

Kevin estava me dando corda, claro, como se eu fosse um brinquedo. Estava com aquela mesma fisionomia atenta e travessa que eu vira fazia pouco num menino que, por controle remoto, conduzia seu carrinho de corrida rumo ao penhasco de Tallman Park. "Uma ou duas vezes", ele admitiu, reprimindo um sorriso.

"O jeito como saem para caminhar, agora, os *power walkers*", falei.

"Que tem eles?"

"Eles me deixam louca." Claro que ele também já tinha escutado isso. Só que não tinha, não, porque até então eu ainda não havia dado uma forma concreta a esse pensamento. "As pessoas aqui não conseguem apenas *sair para caminhar*, elas têm que participar de algum tipo de programa. E talvez esteja aí o cerne da questão, talvez essa seja *a minha*. Todos os intangíveis da vida, os troços realmente bons mas realmente fugazes que fazem a vida valer a pena — os americanos parecem acreditar que todos eles podem ser obtidos filiando-se a um grupo, fazendo uma assinatura, entrando numa dieta especial, indo a sessões de aromaterapia. Não é apenas uma questão de acharem que podem comprar tudo; o problema é que os americanos acham que, seguindo as instruções do rótulo, o produto tem que funcionar. E aí, quando o produto não funciona e eles percebem que continuam infelizes, embora o direito à felicidade esteja previsto na Constituição, processam Deus e o mundo."

"O que você quer dizer com *intangíveis*?", disse Kevin.

"*O que for*, como diriam os seus amigos. Amor — alegria — idéias." (Para Kevin, eu poderia muito bem estar falando de homenzinhos verdes na Lua.) "Mas não dá para encomendar pela Internet, nem aprender o que são na New School e tampouco procurar nos manuais. Não é muito fácil, ou talvez seja fácil... tão fácil que tentar, seguindo as instruções, atrapalha... Eu não sei."

Kevin rabiscava furiosamente na toalha. "Mais alguma coisa?"

"Claro que tem mais alguma coisa", disse eu, sentindo o mesmo elã daqueles papos de avião na hora em que finalmente recuperava o acesso à minha biblioteca mental e lembrava de *Madame Bovary*, *Judas, o obscuro* e *Passagem para a Índia*. "A população norte-americana é gorda, inarticulada e ignorante. É exigente, imperiosa e mimada. Considera-se irrepreensível e se sente superior por ter tido uma democracia precoce; é condescendente em relação a outras nacionalidades porque acha que está sempre certa, ainda que metade dos eleitores não vote. Se não bastasse, gosta de contar vantagem. Acredite você ou não, na Europa não é considerado aceitável enfiar pela goela abaixo de pessoas conhecidas recentemente que você fez faculdade em Harvard, que tem uma casa imensa que custou tanto e que janta com várias celebridades. E o americano também não saca que em alguns lugares é considerado grosseria partilhar as preferências por sexo anal com alguém que se conheceu cinco minutos antes num coquetel — já que o conceito todo de privacidade, no país, foi pelos ares. Isso porque a população norte-americana é confiante demais e inocente de um jeito que a torna burra. Pior de tudo, não faz idéia de que o resto do mundo não a suporta."

Meu tom de voz era um pouco alto demais, para um estabelecimento tão pequeno e sentimentos tão cáusticos, mas eu me sentia curiosamente estimulada. Era a primeira vez que conseguia falar de verdade com meu filho e esperava que tivéssemos cruzado o Rubicão. Por fim, eu podia lhe confiar coisas em que eu acreditava de fato, e não apenas sermões — por favor, não apanhe as rosas premiadas dos Corleys. Admito que eu havia começado de um jeito infantil e inepto, *como vai a escola*, ao passo que Kevin conduzira a conversa como um adulto competente, fazendo sua companheira falar. Em conseqüência disso, senti orgulho dele. Estava preparando um comentário nesse sentido quando o nosso filho, que não parara de rabiscar um minuto a toalha de mesa com aquele lápis, terminou seja lá o que for que estava desenhando, levantou a cabeça e acenou para os rabiscos.

"Puxa. Quanto adjetivo junto."

*Transtorno de* deficit *de atenção* uma ova. Kevin era um aluno muito capaz quando se interessava e não estava rabiscando, estava tomando notas.

"Vejamos", disse ele, e começou a conferir os elementos todos de sua lista com o lápis vermelho. "*Mimada.* Você é rica. Não tenho bem certeza o que você acha que está fazendo sem esse qualificativo, mas aposto como poderia comprar. *Imperiosa.* Uma descrição bastante apta da preleção de agora há pouco; se eu fosse você, não pediria sobremesa, porque pode apostar que o garçom vai dar uma cuspida no seu molho de framboesa. *Inarticulada*? Deixa eu ver..." Ele buscou na toalha de mesa e, depois, leu em voz alta. "*Não é muito fácil, ou talvez seja fácil, eu não sei.* Eu não diria que é uma frase muito shakespeariana. Além do mais, me parece que estou sentado diante de uma senhora que vive fazendo longas diatribes contra os '*reality shows*' quando ela mesma nunca assistiu a um único programa desse tipo. E isso — e eis aqui uma de suas palavras prediletas, *mãemãe* — é ser *ignorante*. Seguindo adiante: *gosta de contar vantagem*. Então me diga, se não é se vangloriar, que nome dar a quem se acha tão mais legal que esses idiotas-da-porra-que-vivem-lambendo-o-cu-de-todo-o-mundo? Feito alguém que acha *que está sempre certa* e mais ninguém. *Confiante demais ... não faz idéia de que os outros não a suportam*." Kevin sublinhou essa frase e depois me olhou com uma expressão de indisfarçável repugnância. "Bom. Até onde eu posso dizer, a única coisa que impede que você e a porra dos outros *americanos* sejam idênticos é que você não é *gorda*. E só porque você é magra, age como se fosse *irrepreensível — condescendente — superior*. Talvez eu preferisse ter uma baranga bem gorda como mãe, alguém que não se acha melhor que todos os demais nessa porra desse país."

Paguei a conta. Não teríamos mais nenhuma dessas conversas entre mãe e filho até Claverack.

Desaconselhada a comprar o patinete, tive um trabalho considerável para localizar um "musaranho elefante de orelha pequena" para dar de Natal a Celia. Quando visitamos a mostra Pequenos Mamíferos no zoológico do Bronx, ela se encantou com uma criaturinha incongruente que parecia um dos últimos frutos do cruzamento de elefante e canguru com várias gerações de roedores. A importação dos bichinhos era provavelmente ilegal — se não estava em extinção, o minúsculo animal, originário do sul da África, fora identificado no zoológico como uma "espécie ameaçada, devido à perda de *habitat*" —, o que não facilitou minha escolha, quando você se impacientou com o tempo que estava levando para achar um à venda. No fim, chegamos a um acordo. Você olhou para um lado, enquanto eu localizava uma *pet shop* especializada em animais "inusitados" na Internet, e eu para o outro, quando você comprou a besta para Kevin.

Nunca lhe contei quanto custou o presente de Celia, e acho que não vou lhe contar agora. Basta dizer que, de vez em quando, era bom ser rica. O musaranho elefante de orelha curta — que na verdade não é nem musaranho nem elefante e tem umas orelhas espetadas proporcionalmente enormes — foi de longe o presente de maior sucesso que dei a Celia. Ela costumava expressar gratidão até mesmo quando recebia um pacote de pastilhas Lifesavers, mas mesmo nossa dócil menina tinha diferentes graus de contentamento, e quando desembrulhou a grande gaiola de vidro, seus olhos se arregalaram. Depois se jogou em meus braços, com uma torrente de obrigadas. Ela não parava de levantar da mesa do almoço de Natal para ver se a gaiola estava aquecida o bastante ou para dar uma uva-do-monte crua para ele. Eu já estava preocupada. Os bichos nem sempre se dão bem em climas estranhos e dar um presente tão perecível quanto aquele a uma criança sensível fora, quem sabe, imprudência.

Por outro lado, talvez eu tenha comprado o "Fanhoso", como Celia o batizou, tanto para mim quanto para ela, ao menos porque sua vulnerabilidade delicada, de olhos arregalados, era muito semelhante à dela. Com pêlos longos e macios, quase uma penugem que lembrava o cabelo fino de Celia, essa bolinha de lã de dois quilos e meio parecia capaz de se espalhar ao vento, como um dente-de-leão. Equilibrado nas patas traseiras, delgadas como caniços, Fanhoso parecia precário quando ficava de pé. Seu focinho característico, uma tromba móvel, esquadrinhava o fundo forrado de terra da gaiola de um jeito ao mesmo tempo comovente e cômico. O bichinho saltava, mais que corria, e aquele seu confinamento dentro de um mundo tão bem delimitado transpirava o otimismo de "faça o melhor possível de tudo" com que Celia iria dentro em breve enfrentar as próprias limitações. Embora o musaranho elefante não seja estritamente vegetariano — eles comem larvas e insetos — os olhos castanhos imensos lhe davam um aspecto espantado, assustado, tudo menos predatório. Por constituição, Fanhoso, assim como Celia, era a presa.

Ciente de que seu bichinho de estimação não deveria ser muito acariciado, ela punha um dedo nervoso pela porta da gaiola para afagar as pontinhas do pêlo castanho. Quando alguma amiguinha ia brincar com ela em casa, mantinha a porta do quarto fechada e atraía as colegas para brinquedos mais duráveis. Talvez isso signifique que ela está aprendendo a entender como são os outros, eu rezava. (Celia era popular em parte pela forma indiscriminada com que fazia amigas, já que levava para casa meninas que as outras crianças detestavam — como aquela criatura mimada e estridente, Tia, cuja mãe teve o desplante de me aconselhar, baixinho, que era "muito melhor se Tia pudesse ganhar nos jogos de tabuleiro". Celia deduziu o mesmo sem que precisassem lhe dizer nada, já que veio me perguntar, pensativa, depois que sua colega mandona se foi: "Tudo bem a gente trapacear para perder?") Contemplando nossa filha defender Fanhoso, eu buscava alguma firmeza em sua expressão que pudesse indicar uma capacidade incipiente de se defender.

Embora a contragosto, pensei na possibilidade de que Celia, mesmo sendo adorável aos meus olhos, o era de uma forma que os estranhos podiam não notar. Ela só tinha seis anos, mas eu já temia que nunca fosse ser bonita — que era improvável que pudesse se portar com a autoridade que a beleza exige. Ela tinha a sua boca, muito grande para uma cabeça tão pequena; os lábios eram finos e sem cor. A postura trêmula incentivava um cuidado ao seu redor que era cansativo. O cabelo, tão sedoso e fino, estava destinado a se tornar sem vida, liso demais, e o dourado a ceder lugar a um louro mais sujo na adolescência. Além disso, a verdadeira beleza não é um tanto enigmática? Celia era ingênua demais para sugerir segredos. Ela tinha um rosto disponível, e há um desinteresse implícito na fisionomia de alguém que lhe diz tudo quanto você quer saber. Eu já estava até vendo: ela acabaria virando o tipo de adolescente que se enamora perdidamente pelo presidente do conselho estudantil que nem sabe que ela existe. Celia sempre se daria por um preço baixo. Mais tarde, iria viver — ainda muito jovem — com um homem mais velho que tiraria partido de sua natureza generosa e a deixaria por uma mulher mais viçosa com mais tino para se vestir. Mas, ao menos, ela sempre viria passar o Natal conosco e, tendo a oportunidade, seria uma mãe muito melhor do que eu jamais fora.

Kevin fugia de Fanhoso, cujo próprio nome representava uma indignidade para um garoto adolescente. Ele não se importava de pegar aranhas ou grilos e pendurar os bocados vivos na gaiola — coisas de garoto e perfeitas para alguém como ele, já que a irmã tinha horror disso. Mas as arreliações e implicâncias eram constantes. Acho que você não se esqueceu daquela noite em que eu servi codorna e ele a convenceu de que a carcaça magrela em seu prato era "você sabe quem".

Eu sei, Fanhoso era só um bichinho de estimação, um bichinho caro, e algum tipo de final infeliz seria inevitável. Eu devia ter pensado nisso antes de lhe dar o presente, se bem que é óbvio que evitar relacionamentos por medo da perda é evitar a vida. Eu havia esperado que o animal durasse mais tempo, mas isso não teria feito as coisas mais fáceis para ela, quando veio a calamidade.

Aquela noite de fevereiro de 1998 é a única ocasião em que me lembro de Celia ter sido dissimulada. Ela não parava de andar pela casa, se agachava no chão, levantava o saiote do sofá, espiava lá embaixo, mas, quando eu lhe perguntava o que estava procurando, ela me respondia, toda alegrinha: "Nada!" Ela continuou se arrastando de gatinhas muito depois da hora de ir para cama, recusando-se a explicar que brincadeira era aquela, mas implorando para ficar um pouco mais acordada. Por fim, tive de dar um basta e arrastei-a para a cama, sob muitos protestos. Não era típico dela ser tão rebelde.

"Como vai o Fanhoso?", perguntei, tentando distraí-la, enquanto acendia a luz do quarto.

O corpo dela enrijeceu e ela não olhou para a gaiola quando eu a pus no colchão. Depois de alguns instantes, sussurrou: "Ele está ótimo."

"Não estou vendo ele daqui", falei. "Ele está escondido?"

"Está escondido, sim", ela disse, numa vozinha ainda mais débil.

"Então por que você não vai procurá-lo para eu ver?"

"Ele está *escondido*", ela repetiu, ainda sem olhar para a gaiola.

O musaranho elefante às vezes dormia num cantinho, ou debaixo de um galho, mas, quando fui procurar eu mesma na gaiola, não consegui ver nenhum tufo de pêlo. "Você não deixou o *Kevin* brincar com o Fanhoso, deixou?", perguntei com voz ardida, no mesmo tom que eu poderia ter usado para perguntar: *Você não pôs o Fanhoso no liqüidificador, pôs?*

"Foi tudo culpa minha!", Celia deixou escapar, começando a soluçar. "Eu achei que tinha fechado a porta da gaiola, mas acho que não fechei! Porque quando eu voltei aqui, depois do jantar, estava aberta e ele tinha sumido! Já procurei por todo canto!" *Pssiu, olha só, nós vamos encontrá-lo*, eu murmurava, mas Celia não conseguia se acalmar. "Eu sou burra! O Kevin diz que eu sou e tem razão. Sou uma burra! Burra, burra, burra!" E deu uma pancada tão forte na têmpora com a mão fechada que tive que pegá-la pelo pulso.

Eu tinha esperança de que aquele rompante de lágrimas fosse se esgotar por si mesmo, mas a dor de uma menina tem um poder espantoso de permanência e a força com que ela se odiava me levou a fazer promessas falsas. Garanti-lhe que o Fanhoso não poderia ter ido muito longe e que estaria *decididamente* de volta à gaiola até o dia seguinte. Agarrada a minha pérfida palha de esperança, Celia estremeceu e se aquietou.

Acho que nós só fomos desistir lá pelas três da manhã — e, de novo, obrigada por sua ajuda. Você tinha um compromisso logo cedo e nós dois iríamos sentir falta daquelas horas de sono. Não consigo pensar num único canto em que não tenhamos procurado; você tirou a secadora do lugar, eu procurei pelo lixo todo. Resmungando, de bom humor, "Onde foi parar aquele menino malvado?", você tirou todos os livros das prateleiras mais baixas, enquanto eu fui de mansinho conferir o ralo da pia da cozinha, para ver se via algum pêlo.

"Eu não quero piorar ainda mais as coisas com um 'eu não falei?'", disse você, quando desabamos os dois no sofá da sala, com bolas de pó no cabelo. "E eu até achei o bichinho uma graça. Mas é um animal raro, delicado, e ela está só na primeira série."

"Mas ela tem sido tão conscienciosa com ele. Nunca deixou o bichinho sem água, toma cuidado para não lhe dar comida demais. E aí, de repente, deixar simplesmente a porta aberta?"

"Ela é distraída, Eva."

"Verdade. Imagino que eu poderia encomendar um outro..."

"Nem pensar. Uma lição sobre mortalidade basta por um ano."

"Você acha que ele talvez tenha escapado?"

"Se for esse o caso, ele já deve ter morrido congelado", você disse, alegremente.

"Obrigada."

"Melhor que um *cachorro*..."

E essa foi a história que eu montei para Celia, no dia seguinte: que o Fanhoso tinha ido brincar lá fora, onde ele seria muito mais feliz, com muito ar fresco e montes de amigos com quem brincar. Ei, por que não fazer as coisas tomarem um lado bom? Celia tinha o hábito de acreditar em tudo.

Tudo somado, imagino que eu jamais vou me esquecer do ar desarvorado e sem cor de nossa filha, durante a semana seguinte, mas o mesmo não se poderia dizer das tarefas domésticas de hábito. Mas, nas circunstâncias, tenho bons motivos para me lembrar de que a pia do banheiro das crianças entupiu, naquele fim de semana. Janis só voltaria na segunda-feira e eu nunca fugi de atacar um ou outro servicinho em nossa própria casa. De modo que despejei uma boa quantidade de Liquid-Plumr no cano, em seguida pus um copo de água fria e deixei um tempo, segundo as instruções. Depois guardei o Liquid-Plumr. Você acha mesmo que depois de todo esse tempo eu iria mudar minha história? *Eu o guardei.*

*Eva*

## *8 de março de 2001*

*Querido Franklin,*

Meu Deus, houve mais um. Eu devia ter percebido isso na segunda-feira à tarde, quando todos os meus colegas de trabalho de repente começaram a me evitar.

Procedimento padrão. Nos subúrbios de San Diego, um garoto de quinze anos, chamado Charles "Andy" Williams — branco, magrelo, com jeito despretensioso, lábios finos e cabelo emaranhado feito carpete bem gasto —, levou um rifle calibre 22 na mochila para sua escola, a Santana High. Escondeu-se no banheiro dos meninos, baleou dois colegas, dali saiu para o corredor e continuou atirando em tudo que se movesse. Dois alunos morreram, treze ficaram feridos. Depois que ele voltou a se refugiar no banheiro, a polícia o encontrou encolhido no chão, com o rifle apontado para a cabeça. Ele choramingava, de modo incongruente: "Sou só eu"; o garoto não ofereceu resistência ao ser preso. Quase nem é preciso dizer que ele tinha acabado de terminar com a namorada — de doze anos.

Curiosamente, nos noticiários da segunda-feira à noite, alguns colegas caracterizaram-no da mesma forma de sempre, como um garoto "marcado", perseguido por ser um "esquisitão, um trouxa, um panaca". No entanto, um outro grupo declarou que Andy possuía diversos amigos, que não tinha nada de impopular e, especialmente, que nunca fora alvo de gozações; que ele era, ao contrário, "uma pessoa querida". Essas últimas afirmações devem ter confundido o espectador, já que, quando, hoje, Jim Lehrer reviu a história para mais uma avaliação do *por que, por que, por que*, todas as descrições pendendo para a "pessoa muito querida" tinham sido eliminadas. Se Andy Williams não houvesse sido vítima de intimidações na escola, não poderia participar da interpretação corrente — da "vingança dos *nerds*" — aplicada a incidentes parecidos, onde o que importa não é um controle mais severo do uso de armas de fogo, e sim as aflições do rejeitado menor de idade.

Assim sendo, enquanto "Andy" Williams goza agora de quase tanta fama quanto o cantor homônimo, duvido que haja um único consumidor de notícias no país que possa lhe dizer o nome de um dos dois alunos que foram mortos por ele — adolescentes que nunca fizeram nada errado a não ser ir ao banheiro numa manhã em que seus colegas mais sortudos resolveram segurar a bexiga até o fim da aula de geometria: Brian Zuckor e Randy Gordon. Exercendo o que só posso considerar como um dever cívico, decorei o nome de ambos.

A vida toda ouvi falar de acidentes horripilantes nos quais algo acontece com os filhos dessa ou daquela pessoa: um batismo de corpo inteiro num caldeirão fervente de guisado de peru, ou a recuperação de um gato fujão por uma janela no terceiro andar de um prédio. Antes de 1998, eu havia presumido, sem pensar muito no assunto, que sabia do que essas pessoas estavam falando — ou sobre o que evitavam falar, uma vez que em geral existe uma cerca protetora em volta dessas histórias, às quais só têm acesso, assim como nas unidades de tratamento intensivo, os familiares mais próximos. Sempre respeitei essas cercas. Os desastres dos outros, de qualquer natureza, são excludentes, e eu agradecia a existência daquela placa de Proibido a Entrada, atrás da qual esconder o alívio, ofensivo, é verdade, por meus bem-amados estarem todos seguros. Ainda assim, imaginava que sabia, por alto, o que havia do outro lado. Seja uma filha ou um avô, angústia é angústia. Bem, peço desculpas por essa minha presunção. Eu não fazia idéia.

Quando se é pai, ou mãe, não importa qual seja o acidente, não importa a que distância você se encontre e o quão pouco possa fazer para evitar, a desdita sempre vai parecer culpa sua. Você é tudo que seus filhos têm, e a convicção deles de que você saberá protegê-los é contagiosa. De modo que, se você espera, Franklin, que eu vá embarcar de novo na isenção de culpa, está enganado. Em termos gerais, ainda parece ser minha culpa, e, em termos gerais, na época parecia também ser minha culpa.

No mínimo, eu bem que gostaria de ter feito pé firme quanto a uma questão. Nós havíamos contratado Robert, aquele estudante de sismologia do Observatório da Terra Lamont-Doherty, para ir buscar Celia na escola e ficar com ela em casa até que um de nós chegasse, e era assim que a regra deveria ter permanecido. Contra todas as expectativas, conseguimos manter Robert no cargo — embora ele tivesse ameaçado ir embora — depois que lhe garantimos que Kevin já tinha idade suficiente para se cuidar sozinho e que ele só precisava ficar de olho em Celia. Mas você estava naquela fase de assumir responsabilidades. Kevin tinha catorze anos, a idade da maioria dos jovens que prestavam serviços de babá, nas redondezas. Para que Kevin se tornasse uma pessoa digna de confiança, seria preciso, primeiro, confiar nele; claro, isso até que soava bem. Assim, você disse a Robert que, tão logo Kevin estivesse de volta do colégio, e tivesse sido informado de que teria de tomar conta de Celia, ele poderia ir embora. Isso resolvia um problema constante, quando você ficava preso no trânsito e eu, trabalhando até um pouco mais tarde; Robert (por melhor que nós o compensássemos pelo tempo) não precisaria mais ficar ilhado em Palisades Parade, impaciente para voltar ao trabalho de pesquisa no Observatório Lamont.

Quando tento me lembrar daquela segunda-feira, minha mente se abaixa como se tentando escapar de uma bola de vôlei em movimento. Aí a memória se curva centrifugamente de volta, de tal sorte que, quando me ergo de novo, ela me atinge na cabeça.

Eu estava mais uma vez trabalhando até mais tarde. O novo trato que tínhamos com Robert me deixava um pouco menos culpada pelas horas extras no trabalho — a vantagem da AWAP no nicho dos guias de viagens baratas começara a despencar. Tínhamos muito mais competição do que quando iniciamos as publicações — *The Lonely Planet* e *The Rough Guide* haviam surgido no mercado; ao mesmo tempo, com o país todo nadando em dinheiro devido a uma bolsa de valores em maré de sorte, a demanda por viagens realmente baratas, nas quais eu me especializara, havia caído. De modo que, contra a vontade, eu estava trabalhando numa proposta para uma série inteiramente nova, *A Wing & a Prayer for Boomers* — cujo público-alvo seriam os novos acionistas via Internet, muito provavelmente acima do peso, nostálgicos da primeira viagem à Europa na década de sessenta, feita no impulso, acompanhados de uma cópia surrada do guia *W&P*, todos convencidos de que ainda eram, pelo menos no espírito, estudantes de faculdade, embora tivessem se acostumado a garrafas de *cabernets* de trinta dólares, mas que, por vaidade, ainda se consideravam aventureiros, quer dizer, ansiosos por conforto desde que não viesse rotulado com esse nome e, de todo modo, apavorados com a idéia de ter de recorrer ao sólido *Blue Guide* como seus pais — quando o telefone tocou.

Você me disse para dirigir com cuidado. Disse que ela já estava no hospital e que não havia nada que eu pudesse fazer no momento. Você disse que a vida dela não corria perigo. Disse isso mais de uma vez. Era tudo verdade. Depois disse que ela ia ficar "bem", o que não era verdade, ainda que para a maioria dos mensageiros de notícias atrozes o ímpeto de divulgar garantias infundadas pareça irresistível.

Eu não tinha escolha senão dirigir com cuidado, porque o trânsito na Ponte George Washington mal se mexia. Quando por fim pus os olhos em sua fisionomia derrubada, na sala de espera, percebi que você a amava, afinal, e me senti culpada por alguma vez ter duvidado disso. Kevin não estava com você, para meu alívio, porque acho que teria sido capaz de arrancar os olhos dele.

Poucas vezes o seu abraço me consolou tão pouco. Eu não o soltava, apertando cada vez mais, para ver se tirava algo lá de dentro, mais ou menos como espremer um frasco de creme para as mãos até ele espirrar um jato.

Celia já estava sendo operada, você explicou. Enquanto eu chegava, você levou Kevin para casa, porque só restava esperar e não havia motivo para transtornar ainda mais o menino. Mas eu me perguntei, na época, se você não o tirou daquela sala de espera para protegê-lo de mim.

Sentamo-nos naquelas mesmas cadeiras de metal verde-água onde eu me afligira sobre o que Kevin iria contar aos médicos, quando quebrei o braço dele. Talvez, imaginei, desconsolada, nos últimos oito anos ele estivesse de fato *esperando a oportunidade certa*. Falei: "Não entendi o que houve." Em voz baixa; sem gritar.

Você disse: "Pensei que eu já tivesse dito. No telefone."

"Mas não faz sentido." Meu tom não era de quem queria briga, era, isso sim, de quem estava aturdida. "Por que ela haveria de... o que ela poderia estar fazendo com aquilo?"

"Crianças." Você deu de ombros. "Brincando, imagino."

"Mas", disse eu."Ela vai, ah..." Minha mente estava passando por um branco. Tive de reconstruir o que eu ia dizer outra vez, repetindo a conversa para mim mesma, onde nós estávamos, o que vinha depois... Banheiro. Isso.

"Ela agora vai ao banheiro sozinha", retomei. "Mas não gosta de ficar lá dentro. Nunca gostou. Ela jamais iria *brincar* lá." Uma insistência ainda incipiente em minha voz deve ter soado perigosa; nós nos retiramos da beirada do parapeito. Celia ainda estava na sala de cirurgia. Nós não iríamos brigar e você seguraria minha mão.

O médico apareceu depois do que me pareceram horas e horas. Você ligou para casa do celular duas vezes, longe de mim, como se para me poupar de algo; você me comprou café na máquina encostada numa parede e a bebida já tinha criado um filme por cima. Quando uma enfermeira nos apontou ao cirurgião, de repente entendi porque há os que sentem veneração pelos médicos, e por que os médicos têm a tendência de se sentir deuses. Mas bastou uma olhada naquele rosto para entender que ele não estava se sentindo muito parecido com deus.

"Eu sinto muito", disse ele. "Nós tentamos de tudo. Mas os danos foram extensos. Receio que não pudemos salvar o olho."

Fomos encorajados a ir para casa. Celia estava fortemente sedada e iria continuar assim por um bom tempo, ainda. Mas não o suficiente, pensei. E assim foi que deixamos a sala de espera. Pelo menos, você ressaltou, com voz oca, o médico disse que o outro olho provavelmente não sofreu nenhum dano. Horas antes, para mim era líquido e certo que a nossa filha tinha dois.

No estacionamento do hospital, fazia frio; na correria, saindo do escritório, eu esquecera o casaco. Estávamos cada um com um carro, o que me deixou com mais frio ainda. Pressentia que estávamos numa espécie de cruzamento e temia que, se cada um de nós partisse num universo veicular separado, terminaríamos no mesmo lugar apenas no sentido mais banal e geográfico. Você deve ter experimentado alguma necessidade de confirmar que estávamos, como minha equipe tinha adquirido a mania de dizer, cinco vezes por dia, *na mesma página*, porque me convidou a entrar no seu veículo por alguns minutos para fazer a minha *devassa* e me aquecer.

Eu tinha saudades daquela velha picape azul-clara que sempre associei ao nosso tempo de namoro, avançando pela estrada com os vidros baixados e o som no máximo, feito uma letra viva de Bruce Springsteen. E a picape era mais você, ou o seu antigo você: clássica, sem pretensão, honesta. Pura, até. Edward Hopper jamais teria pintado aquele volumoso 4x4 que veio para substituí-la. Erguida artificialmente em cima de enormes e larguíssimos pneus, sua carroceria tinha os contornos rombudos e dilatados de um bote inflável. Os pára-lamas ameaçadores e a pose vaidosa me faziam pensar naqueles pobres lagartos pequenos cuja única arma é a capacidade de se exibir, e a masculinidade forçada, de desenho animado, daquele utilitário, me fez brincar, em dias melhores: "Se você der uma boa olhada debaixo do chassi, Franklin, aposto como vai encontrar um pintinho lá." Pelo menos você riu.

O aquecimento funcionava bem; bem demais, já que, depois de alguns minutos com o motor ligado, a cabine ficou abafada. A do 4x4 era maior, mas a da picape Ford nunca parecera claustrofóbica.

Por fim, você pousou a cabeça no encosto estofado e olhou para o teto. "Não consigo acreditar que você não tenha guardado."

Aturdida, não respondi.

"Pensei em não dizer nada", continuou você. "Mas, se eu tivesse engolido, se não tivesse dito nada, não dizer nada durante semanas seria pior."

Passei a língua nos lábios. Eu tinha começado a tremer. "Eu guardei."

Você deixou a cabeça cair, depois suspirou. "Eva. Não me faça fazer isso. Você usou aquele Liquid-Plumr no sábado. Lembro bem porque você até falou que o ralo das crianças estava com um cheiro esquisito, ou algo assim, e depois, mais tarde, no mesmo dia, você nos avisou para não abrir a torneira daquela pia durante a próxima hora porque tinha posto desentupidor de pia lá."

"Eu guardei", repeti. "De volta naquele armário *alto* com o trinco à prova de crianças, que Celia não conseguiria alcançar nem com uma cadeira!"

"Então *como foi que ele saiu de lá?*"

"Boa pergunta", respondi com frieza.

"Escute, eu sei que você em geral toma todo o cuidado com essas substâncias cáusticas, e tranca tudo automaticamente. Mas as pessoas não são máquinas..."

"Eu me *lembro* de ter guardado o produto, Franklin."

"Você se *lembra* de ter calçado os sapatos essa manhã, você se *lembra* de ter fechado a porta ao sair? Quantas vezes nós já não entramos no carro e tivemos que sair de novo para ver se não tínhamos deixado o fogo aceso, quando desligá-lo é supostamente um ato automático?"

"Mas o fogão nunca está aceso, certo? É quase uma regra da vida, é um, o quê, um tipo de aforismo de biscoito chinês: O Fogão Nunca Está Aceso."

"Pois eu lhe digo quando ele está ligado, Eva: aquela *única vez* em que você resolve não ir conferir. E *aí* é que a desgraça pega fogo."

"Por que estamos tendo essa conversa vazia? Com a nossa filha no hospital?"

"Quero que você admita. Não estou dizendo que não vou perdoá-la. Sei que você deve estar se sentindo terrível. Mas uma parte de superar tudo isso tem que ser enfrentar as coisas de frente..."

"A Janis veio hoje de manhã, talvez *ela* tenha deixado fora do armário." Na verdade, nunca passou pela minha cabeça, em momento algum, que Janis fosse ser tão desmazelada, mas estava desesperada para manter ao largo a imagem que se formara em minha cabeça quando pensei num suspeito mais plausível.

"Janis não tinha por que usar desentupidor. Todos os encanamentos estavam limpos."

"Muito bem", disse eu, criando coragem. "Então pergunte ao *Kevin* como foi que o produto saiu do armário."

"Eu sabia que iríamos acabar nisso. Primeiro é, ah, que mistério, depois é culpa da empregada, até que sobrou quem? Mas não é surpresa nenhuma o fato de Eva — que nunca faz nada errado — apontar o dedo para seu próprio filho!"

"Ele deveria estar tomando conta dela. *Você* mesmo disse que ele já tinha idade suficiente..."

"É verdade, era o turno dele. Mas Celia estava no banheiro, ele diz que com a porta fechada, e que eu saiba nunca incentivamos um garoto de catorze anos a invadir o banheiro da irmã."

"Franklin, essa história não bate. Esqueça por enquanto isso de estar ou não guardado. Esqueça isso. Mas por que Celia iria despejar desentupidor de pia no *próprio olho*?

"Eu não faço idéia! Talvez porque as crianças não sejam apenas burras, elas são criativas também, e a mistura dos dois é fatal. Por que outro motivo nós teríamos que manter aquela bosta trancada? O que é importante é que Kevin fez tudo que deveria ter feito. Ele disse que quando ela começou a berrar ele foi correndo até lá, e quando descobriu o que era, ele deixou a água escorrer pelo rosto dela e enxaguou da melhor maneira que pôde, e *então* chamou uma ambulância, *antes mesmo* de me ligar no celular — o que foi a forma *correta* de agir, a ordem foi *correta* e ele, *nota dez*."

"Ele não ligou para mim", disse.

"Bom", você respondeu. "Por que será?"

"O dano..." Respirei fundo. "Foi muito grande, não foi? Deve ter sido um acidente muito, muito feio..." Eu tinha começado a chorar, mas me obriguei a parar, porque precisava desabafar. "Se ela perdeu um olho, e os médicos são muito melhores hoje em dia do que costumavam ser, então significa... Foi um estrago. Isso leva, ah. Isso leva um tempo." Parei de novo, escutando o *uá* do aquecimento. O ar tinha ficado seco, minha saliva grossa. "Leva um tempo para aquele negócio começar a funcionar. É por isso que o rótulo diz para você... deixar um tempo."

Compulsivamente, eu havia pressionado as pontas dos dedos contra meus próprios olhos, apalpando as pálpebras finas que protegem o globo tenro e liso.

"O que você está querendo dizer com isso? Não basta ter acusado o menino de negligência..."

"O médico diz que vai ficar cicatriz! Que ela ficou queimada, todo aquele lado do rosto dela queimou! Tempo, isso tem que ter levado um tempo! Talvez ele tenha lavado o rosto dela, mas *quando*? Depois que ele *terminou*?"

Você pegou meus dois braços, ergueu-os até a lateral da cabeça e me olhou bem nos olhos. "Terminou com o quê? Com o dever de casa? Com os exercícios de arqueiro?"

"Terminou", gemi, "com *Celia*."

"Nunca mais diga uma coisa dessas! A ninguém! Nem mesmo a mim!"

"Pense um pouco, Franklin!" Liberei os dois braços com um puxão. "Celia, jogar ácido em si mesma? Celia tem medo de tudo! E ela tem seis anos, não *dois*. Sei que você não acha que ela é muito esperta, mas ela não é retardada! Ela sabe que não deve tocar no fogão e sabe que não é para beber água sanitária. Enquanto isso, Kevin tem altura para pegar o que quiser no armário e Kevin sabe abrir trincos à prova de criança até dormindo. Ele não foi o *salvador* dela. Ele foi o culpado! Ah, Franklin, foi ele..."

"Sinto vergonha de você, *vergonha*", você disse para as minhas costas, enquanto eu me encurvava contra a porta. "Transformando o seu próprio filho num demônio só porque não consegue admitir que foi descuido seu. Isso é pior que covardia. É de dar nojo. Você aí, esbravejando, fazendo acusações *caluniosas* e, como sempre, sem uma prova sequer. Aquele médico... por acaso ele disse alguma coisa sobre a história de Kevin não se encaixar com os ferimentos de Celia? Não. Não disse nada. Só a mãe dele consegue perceber alguma maldade indizível que foi acobertada, e isso porque ela é uma grande especialista médica, uma especialista e tanto em produtos químicos corrosivos, só porque muito de vez em quando limpa a casa."

Como sempre, ao me ver chorar, você não conseguiu continuar gritando comigo. "Escute", você implorou. "Você não sabe o que está dizendo porque está fora de si. Completamente. Isso foi um golpe duro, e vai continuar sendo duro, porque você vai ter que olhar o que houve de frente. Ela vai sentir dor e vai ficar muito feio, por uns tempos. A única coisa que vai facilitar um pouco é se você encarar de frente o papel que teve nisso tudo. Celia — até a *Celia*, com aquela musaranho elefante dela — admite que a culpa foi dela. Ela é que deixou a porta da gaiola aberta! E isso faz parte, é o que dói, que além de ela ter feito com que algo triste acontecesse, se tivesse feito algo de forma diferente, não teria acontecido. Ela aceitou a responsabilidade por seus atos, e ela só tem seis anos! *Por que você não consegue fazer o mesmo?*"

"Bem que eu gostaria de assumir a responsabilidade", cochichei, nublando a janela do meu lado. "Eu diria: 'Ó, eu tenho vontade de me matar por ter deixado aquele desentupidor de pia num lugar onde ela pudesse encontrá-lo!' Será que você não percebe como isso seria muito mais fácil? *Por que* eu não ficaria tão perturbada? Se fosse minha culpa, *só* minha culpa? Nesse caso, não seria assustador. Franklin, isso é sério, não é só mais uma menina pequena coçando o eczema. Eu não sei como foi que ele ficou assim, mas ele é um horror, e ele *odeia a irmã...*"

"Agora chega!" Sua afirmação teve uma finalidade litúrgica, profunda e sonora, como os ecos de um Amém num *benedictus*. "Não é sempre que eu imponho as regras. Mas Kevin passou por um trauma horrível. A irmã dele nunca mais será a mesma. Ele manteve a cabeça fria durante uma crise e eu quero que ele sinta orgulho disso. De qualquer modo, era ele o encarregado de tomar conta de Celia e sei que vai ficar preocupado, achando que foi culpa dele. De modo que você vai me prometer, aqui, agora, que vai fazer o que estiver a seu alcance para garantir a ele que não *foi*."

Baixei a maçaneta da porta e abri-a uns poucos centímetros. Pensei, tenho que sair daqui, tenho que escapar daqui.

"Não vá ainda", você disse, segurando meu braço. "Quero que você prometa."

"Ficar de boca fechada ou acreditar naquela história mal contada? E eu até poderia acrescentar: mais uma mal contada."

"Não consigo fazer você acreditar no seu próprio filho. Embora eu tenha tentado. Porra, como eu tentei."

Num aspecto você tinha razão: não havia uma única prova. Apenas o rosto de Celia. Pois não é que eu estava certa. Ela nunca seria bonita, não é mesmo.

Saltei da caminhonete e encarei-o pela porta aberta. O vento frio batia em meu cabelo e era como se eu estivesse em posição de sentido, em meio a uma precária trégua militar entre generais desconfiados, no meio de um campo de batalha árido.

"Certo", concordei. "Vamos dizer que tenha sido um acidente. Você até pode dizer a ele: 'Infelizmente, sua mãe esqueceu de guardar o Liquid-Plumr no sábado.' Afinal de contas, ele sabia que eu tinha desentupido a pia naquele dia. Mas, em troca, você me promete o seguinte: que nunca mais na vida nós vamos deixar o Kevin sozinho com Celia. Nem por cinco minutos."

"Combinado. Aposto como o Kevin não está muito entusiasmado em continuar cuidando da irmã no momento."

Eu disse que nos veríamos em casa; a despedida civilizada foi um esforço.

"Eva!", você chamou, quando eu já tinha lhe dado as costas, e eu me virei. "Você sabe que em geral eu não vou muito com a cara de psicanalistas. Mas talvez fosse bom você ir conversar com alguém. Acho que você precisa de ajuda. Isso não é uma acusação. É só que... numa coisa você tem razão. Isto está ficando sério. E acho que não posso fazer nada."

De fato, estava mesmo.

As duas semanas seguintes foram estranhamente quietas em nossa casa, com Celia ainda se recuperando no hospital. Você e eu falávamos pouco. Eu perguntava o que você queria para o jantar; você dizia que qualquer coisa servia. Em relação a Celia, nós nos ocupávamos mais da logística — quando cada um de nós iria visitá-la. Embora na superfície parecesse mais sensato se cada um de nós fosse num horário, assim ela teria companhia durante a maior parte do dia, a verdade é que nem você nem eu estávamos ansiosos para compartilhar aquele 4x4 superaquecido. Em casa, discutíamos os detalhes do estado dela, e ainda que esses detalhes fossem aflitivos — uma infecção surgida depois de sua *enucleação*, uma lição de semântica que eu gostaria de não ter precisado, danificara ainda mais o nervo óptico e eliminara a possibilidade de um transplante —, os fatos alimentavam a fome de interação. Procurando um oculista para o que viria depois, acabei optando por um médico chamado Krikor Sahatjian, no Upper East Side. Os armênios se preocupam uns com os outros, eu lhe garanti. Ele vai nos dar uma atenção especial. "Assim como daria o dr. Kevorkian", resmungou você, ainda que plenamente consciente de que o padrinho do suicídio assistido era um armênio que a minha comunidade tão conservadora relutava em aceitar. Ainda assim, fiquei grata por um diálogo que quase poderia ser considerado uma brincadeira — mercadoria bem escassa, na época.

Lembro-me de ter me comportado da melhor forma possível, sem nunca reclamar quando você mal tocava numa comida que tinha me dado o maior trabalho para fazer. Ao cozinhar, tentava não fazer muito barulho, abafando os ruídos das panelas. Em respeito ao bom humor absurdo de Celia no hospital de Nyack, engoli muitos comentários de admiração por me parecerem um tanto indecorosos, como se aquela sua natureza improvavelmente serena fosse uma afronta para os demais mortais, que, com toda a razão, gemem de dor e ficam irascíveis durante a convalescença. Em nossa casa, meus elogios a nossa filha sempre acabavam confundidos com bazófias de minha própria lavra. Durante todo aquele período, fiz um esforço enorme para *agir de forma normal*, o que, junto com *tentar* se divertir e *tentar* ser uma boa mãe, podemos acrescentar agora à nossa lista de projetos inerentemente fadados ao fracasso.

Aquele comentário que você fez, sobre eu "precisar de ajuda", provou ser perturbador. Eu havia repetido na memória a cena de colocar o Liquid-Plumr no armário tantas e tantas vezes que a fita se gastara e eu não podia mais confiar nela. Eu revia minhas suspeitas e, às vezes, elas não pareciam... bem, nada parecia muito nítido. Eu *tinha ou não tinha* guardado o desentupidor no armário? O ferimento *fora* muito severo para a história contada por Kevin? Haveria como apontar para um único vestígio de evidências sólidas que se sustentassem em tribunal? Eu não queria "falar com ninguém", mas eu daria qualquer coisa para poder falar com você.

Uns dois dias depois do *acidente* você convocou a nossa mesa-redonda de três. Nós tínhamos acabado de jantar, por assim dizer; Kevin engolira a comida direto do fogão. Para lhe agradar, ele se aboletou à mesa, de lado como sempre. Tendo sido convocada a contragosto para essa reunião, senti-me uma menina, eu também, uma vez mais, aos nove anos, obrigada a pedir desculpas formais ao sr. Wintergreen por ter roubado alguns frutos caídos ao pé de sua árvore, na frente da casa. Dando uma olhada rápida para Kevin, o que eu queria dizer era: *Apague esse sorrisinho idiota do rosto, isso não é brincadeira; sua irmã está no hospital.* Eu queria dizer: *Vá pôr uma camiseta que não seja cinco números menor que o seu, só de me ver no mesmo ambiente que você vestido assim me dá coceira.* Mas não podia. Na cultura de nossa casa, advertências tão usuais como essa não eram permitidas, pelo menos não quando vinham de mim.

"Caso você esteja nervoso, Kev", começou você (se bem que ele não me parecesse nem um pouco nervoso), "isso aqui não é uma inquisição. O que nós queremos lhe dizer, sobretudo, é como ficamos impressionados com a rapidez com que você raciocinou. Sabe-se lá, se você não tivesse chamado os paramédicos na hora, poderia ter sido ainda pior." (*Como?* pensei com meus botões. Se bem que suponho que ela poderia ter tomado banho com aquilo.) "E sua mãe tem algo para lhe dizer."

"Eu queria agradecê-lo", comecei, evitando os olhos de Kevin, "por ter levado sua irmã ao hospital."

"Diga a ele o que você me disse", você me sugeriu. "Lembra-se que você me disse que estava preocupada que ele viesse a se sentir, você sabe..."

Essa parte era fácil. Olhei-o bem nos olhos. "Achei que você provavelmente iria se sentir responsável."

Sem piscar, ele me olhou de volta, e vi-me diante de meu próprio nariz de ponte larga, meu queixo estreito, minha testa inclinada e minha pele morena. Eu estava olhando num espelho, no entanto não tinha a mais pálida idéia do que meu reflexo pensava. "Por quê?"

"Porque você *devia* estar cuidando dela!"

"Mas você queria lembrá-lo", interveio você, "que nós nunca esperamos que ele a vigiasse cada minuto, e que acidentes acontecem, e que, portanto, *não foi* culpa dele. O que você me disse. Você sabe. Na caminhonete."

Foi exatamente como pedir desculpas para o sr. Wintergreen. Quando eu tinha nove anos, tudo que eu queria era berrar: *A maior parte daquelas castanhas idiotas estava bichada ou podre, seu velho coió*, mas, em vez disso, tive de prometer colher um belo bocado daquelas porcarias e entregá-las descascadas.

"Nós não queremos que você se culpe." Meu tom duplicava o do próprio Kevin, falando com a polícia — aquele *senhor* daqui, *senhor* dali. "A culpa é toda minha. Eu jamais deveria ter deixado o Liquid-Plumr fora do armário."

Kevin deu de ombros. "Eu nunca disse que me achava culpado." Levantou-se. "Estou dispensado?"

"Só mais uma coisa", você disse. "Sua irmã vai precisar da sua ajuda."

"Por quê?", disse ele, já entrando na cozinha. "Foi só um olho, não foi. Não é que ela vá precisar de um cachorro-guia ou de uma bengala branca."

"Pois é", disse eu. "*Sorte dela.*"

"Ela vai precisar do seu apoio", você insistiu. "Ela vai voltar usando um tapa-olho..."

"Legal." E Kevin voltou da geladeira com o pacote de lichias. Era fevereiro; estavam na estação.

"Ela vai receber um olho de vidro, mais tarde", você continuou, "mas nós gostaríamos muito que você ficasse ao lado dela, caso algum garoto da vizinhança comece a amolá-la..."

"Como?" Kevin estava tirando com todo o cuidado a casca cor de salmão da fruta e expondo sua carne branco-rosada. "*A Celia não está com cara de idiota?*" Assim que a pálida órbita translúcida foi descascada, ele a enfiou na boca, chupou e tirou o caroço.

"Bem, mas de todo modo você..."

"O que eu quero dizer, *papai.*" Com método, ele abriu a lichia ao meio, separado a polpa escorregadia da semente marrom. "Não sei se você ainda se lembra muito bem de como era ser garoto." Colocou o bagaço de novo na boca. "A Ceil vai ter que engolir."

Senti você sorrindo por dentro, de orelha a orelha. Lá estava o seu garoto, exibindo sua arquetípica grosseria adolescente, por trás da qual escondia seus sentimentos confusos e conflituosos sobre o trágico acidente da irmã. Era uma encenação, Franklin, uma selvageria coberta de açúcar para seu consumo. Ele estava bastante confuso e conflituoso, mas, se você olhasse nas pupilas dele, estavam grossas, grudentas como piche. A angústia adolescente dele, Franklin, não era *engraçadinha.*

"E aí, Seu Plástico", Kevin ofereceu. "Quer uma?" Você recusou.

"Eu não sabia que você gostava de lichias", disse eu, com voz ríspida, quando ele pegou a segunda.

"Bom, sabe como é", disse ele, descascando a fruta e rolando o globo polpudo sobre a mesa com o indicador. Ela tinha uma cor fantasmagórica, leitosa, como uma catarata.

"É só que elas são tão delicadas", falei, atormentada.

Ele rasgou a lichia com os dentes da frente. "Bom, como é que vocês dizem mesmo?" Ele engoliu. "É um *gosto adquirido*."

Ele obviamente planejava liquidar o saco todo. Saí correndo de lá e ele riu.

Nos dias em que eu ficava com as primeiras horas da tarde, trabalhava em casa; o ônibus da escola de Kevin em geral o deixava em casa na mesma hora em que eu voltava do hospital. Da primeira vez em que passei por ele, caminhando a passos lânguidos pela Palisades Parade, parei e lhe ofereci uma carona para subir a nossa íngreme entrada. Seria de imaginar que me ver sentada ao lado do meu filho dentro de um carro fosse um acontecimento comum, sobretudo por menos de dois minutos. Mas Kevin e eu muito raramente nos colocávamos numa proximidade tão sufocante e lembro-me de ter subido a ladeira falando baboseiras associativas. A rua estava forrada com vários outros veículos, todos à espera de algum jovem para que ninguém tivesse que andar nem que fossem três metros com os próprios pés, e eu comentei que todos os carros ali parados eram aqueles veículos utilitários idiotas. Saiu da minha boca antes que eu me lembrasse do ódio que Kevin sentia por essas minhas reclamações a respeito desse tipo de automóvel — mais uma suposta gafe para servir ao mito de que eu não morava de fato ali.

"Você sabia que esses veículos são uma metáfora para o país inteiro." E fui em frente. Eu já fora avisada de que esse tipo de conversa deixava meu filho louco da vida, mas talvez fosse por isso mesmo que eu ia adiante, assim como, mais tarde, introduziria Dylan Klebold e Eric Harris em Claverack, só para provocá-lo. "Eles se sentam mais alto que todos os demais e têm mais poder do que saberiam usar. Até mesmo o perfil que eles oferecem — sempre me fazem pensar em gente gordíssima andando pelo shopping com bermudas quadradonas e gigantescos tênis acolchoados, enchendo o carão de pão doce com canela."

"É, tá. Alguma vez já dirigiu um?" (Admiti que não.) "Então como é que você sabe?"

"O que eu sei é que eles tomam espaço demais nas ruas, consomem gasolina demais e às vezes empurram a gente para fora..."

"E você por acaso está preocupada que eles empurrem você para fora? De qualque jeito você odeia essas pessoas".

"Eu não odeio..."

"*Esses veículos utilitários idiotas!*" Abanando a cabeça, Kevin bateu a porta do meu fusca e se foi. E se recusou a pegar carona comigo para subir a ladeira, quando voltei a lhe oferecer.

Havia até algo de curiosamente insuportável a respeito daquelas duas horas que ele e eu às vezes ficávamos sozinhos na casa, antes que seu 4x4 apontasse na garagem. Seria de imaginar que não haveria nada mais fácil do que nos escondermos um do outro naquela vasta estrutura de teca, mas, onde quer que nos instalássemos, nunca perdi consciência de onde ele estava, nem ele, imagino, de onde eu me encontrava. Sem você e Celia para servirem de amortecedores, só nós dois naquela residência, era como se estivéssemos... a palavra *nus* é o que me vem à mente. Mal falávamos. Se ele fosse para o quarto, eu não lhe perguntava sobre os deveres de escola; se Lenny aparecesse, eu não perguntava o que estavam fazendo; e se por acaso Kevin saísse, eu não lhe perguntava aonde ia. Eu dizia a mim mesma que uma mãe deve respeitar a privacidade de um adolescente, mas, no fundo, também sabia que estava sendo covarde.

Essa sensação de nudez era assistida pela coisa real. Sei que garotos de catorze anos estão recheados de hormônios, essa coisa toda. Sei que a masturbação é um alívio normal, vital, um passatempo inócuo e divertido que jamais deveria ser tachado de vício. Mas também achava que para um adolescente — sejamos francos, para qualquer pessoa — essa é uma atividade que fica melhor se feita às escondidas. Nós todos fazemos isso (ou eu costumava fazer — sim, de vez em quando, Franklin, o que você esperava, afinal?), todos nós sabemos que fazemos, mas não é muito comum a pessoa chegar e dizer: "Ei, meu bem, será que dá para você ficar de olho no molho do espaguete, porque eu vou dar uma masturbada?"

E claro que tive de passar mais de uma vez por aquilo para poder fazer menção ao fato, já que, depois daquela nossa sessão no estacionamento do hospital, eu tinha extrapolado por uns bons meses a minha permissão para fuxicar.

"Ele deixa a porta do banheiro aberta", relatei com relutância, no nosso quarto, um dia já tarde da noite, momento em que você começou a tirar os pêlos do seu barbeador elétrico com mais atenção. "E dá para ver o banheiro, do corredor."

"Ou seja, ele esqueceu de fechar a porta." Você engoliu algumas sílabas.

"Ele não esquece. Ele espera até eu ir até a cozinha, para fazer um café, porque assim, na volta, indo para o escritório, eu posso vê-lo. É deliberado. E ele, ah... faz tudo alto."

"Na idade dele, provavelmente eu me masturbava três vezes por dia."

"Na frente da sua mãe?"

"Nos cantos, atrás da porta. Eu achava que era segredo, mas tenho certeza de que ela sabia."

"Atrás da porta", registrei. "Da porta. Isso é importante." Nossa, o barbeador estava mesmo entupido de pêlos naquela noite! "Saber que eu estou vendo... acho que isso o excita."

"Bem, por mais que a pessoa tente ser *sadia* nessas coisas, todo mundo é meio esquisito nesse departamento."

"Você não está, hum, entendendo. Sei que ele vai se masturbar, não me incomodo que se masturbe, mas prefiro não ser incluída. É impróprio." Essa palavra era pau para toda obra na época. O escândalo de Monica Lewinsky viera à tona no mês anterior e, mais tarde, o presidente Clinton encobriria mal e porcamente os detalhes, chamando de *impróprio* o relacionamento dos dois.

"Então, por que você não diz alguma coisa?" Imagino que você estivesse cansado de interceder.

"Que tal se a Celia se masturbasse na sua frente? Você falaria com ela ou preferiria que eu falasse?"

"E o que é que você quer que eu diga?", perguntou você, cansado.

"Que ele está me deixando constrangida."

"Essa é novidade."

Joguei-me na cama e peguei um livro que não vinha conseguindo ler. "Só diga para ele fechar a porcaria da porta."

Eu não devia ter-me incomodado. É, você contou que tinha feito o que eu pedi. Imaginei-o enfiando a cabeça no quarto dele e dizendo alguma coisa jovial e conspiratória sobre "deixar crescer uns pelinhos na palma da mão", expressão obsoleta que ele provavelmente não entendeu, e depois aposto que soltou, com jeito superdescontraído, "Só não se esqueça de que isso é particular, falou, parceiro?", e deu boa-noite. Mas, mesmo que, em vez disso, vocês tivessem tido uma discussão demorada, séria e severa, você teria dado a Kevin a dica de que ele me havia atingido, e, com ele, isso era sempre um erro.

E assim, logo na tarde seguinte à sua "conversa", eu estava indo para o escritório com minha xícara de café quando ouvi uns gemidos reveladores no corredor. Rezei para que ele tivesse entendido o recado e para que houvesse ao menos uma barreira de madeira, fina mas abençoada, entre mim e a virilidade despontante de meu filho. Pensei com meus botões: afora os armários, só há umas quatro ou cinco portas em toda a droga da casa, e é bom que valham o dinheiro que custaram. Mas, quando dei mais um ou dois passos, o nível de ruído desmentiu essa tentativa mínima de compostura.

Encostei a xícara quente de café entre os olhos, para aplacar uma dor de cabeça nascente. Eu tinha dezenove anos de casada, sabia como os homens funcionavam e não havia razão para temer um pipiu glorificado. Mas, submetida aos gemidinhos prementes que vinham do corredor, senti-me de novo com dez anos, mandada à rua para fazer coisas para minha mãe enclausurada e tendo que atravessar o jardim público, olhando fixo para a frente, enquanto os meninos mais velhos abafavam risinhos nas moitas, com a braguilha aberta. Senti-me espreitada em minha própria casa, nervosa, perseguida e achincalhada, e não me importo de lhe dizer que fiquei fula da vida com isso.

E assim, desafiei a mim mesma, do jeito que sempre fazia ao voltar para casa naqueles velhos tempos, quando me disciplinava para não correr, e sim sair em perseguição. Em vez de andar na ponta dos pés, marchei pelo corredor, batendo com os saltos nas tábuas do piso, toc-toc. Cheguei ao banheiro do garoto, de porta escancarada, e lá estava nosso primogênito em todo o seu esplendor púbere, inclusive a erupção de espinhas vermelhas nas costas. Com os pés plantados no chão, bem afastados, as costas arqueadas, ele se posicionara em relação ao vaso sanitário num ângulo que me permitisse ver sua obra-prima — roxo e reluzente com o que, a princípio, presumi ser K-Y, mas que a embalagem prateada no chão sugeriu ser minha manteiga sem sal Land O'Lakes —, e assim fui apresentada ao fato de que meu filho tinha desenvolvido pêlos pubianos finos e incomumente lisos. Embora a maioria dos homens pratique esse exercício de olhos fechados, Kevin tinha os dele entreabertos, para melhor lançar à mãe um olhar sonso e sonolento por cima do ombro. Em resposta, encarei diretamente o seu pau — sem dúvida o que eu deveria ter feito no jardim público, em vez de desviar os olhos, já que esse apêndice é tão pouco impressionante, quando confrontado, que a gente se pergunta por que tanto alvoroço com ele. Estendi a mão e puxei a porta, batendo-a com força.

No corredor, ressoou um risinho seco. Voltei à cozinha. Tinha derramado café na saia.

Pois é. Sei que você deve ter-se perguntado por que não fui simplesmente embora. Nada me impedia de pegar Celia enquanto ainda lhe restava um olho bom e me mandar de volta para Tribeca. Eu poderia ter deixado você com seu filho e aquela casa pavorosa, um belo par. Afinal, todo o dinheiro era meu.

Não sei ao certo se você vai acreditar, mas nunca me ocorreu ir embora. Talvez eu tivesse passado tanto tempo em sua órbita, que absorvi sua convicção feroz de que uma família feliz não pode ser um simples mito, ou, mesmo que seja, é melhor morrer tentando alcançar o objetivo, ainda que inatingível, do que afundar na resignação cética e passiva de que o inferno são os outros com quem nos relacionamos. Eu detestava a perspectiva da derrota; se, ao ter Kevin, para começo de conversa, eu havia aceitado meu próprio desafio, suportá-lo no cotidiano implicava colocar-me à altura de um desafio ainda maior. E talvez também houvesse um lado prático em minha tenacidade. Ele estava prestes a fazer quinze anos. Nunca tinha falado em faculdade — nunca tinha dito nada sobre seu futuro como adulto; sem jamais haver manifestado o menor interesse por qualquer ofício ou profissão, ele se mantinha fiel, ao que eu soubesse, a seu juramento dos cinco anos de viver da ajuda do governo. Em tese, porém, nosso filho estaria fora de casa dali a uns três anos. A partir daí, seríamos apenas você, eu e Celia, e então cuidaríamos dessa tal família feliz de que você falava. Agora, esses três anos estão quase encerrados e se mostraram ser os mais longos da minha vida, eu não tinha como prever isso naquela época. E por último, mesmo que isto lhe pareça simplista, eu amava você. Amava você, Franklin. Ainda amo.

No entanto, eu me sentia sitiada. Minha filha estava parcialmente cega, meu marido duvidava da minha sanidade e meu filho sacudia na minha cara seu pênis borrado de manteiga. Para intensificar a sensação de ataques por todos os lados, Mary Woolford escolheu justamente essa época para fazer sua primeira visita indignada à nossa casa — primeira e última, pensando bem, porque a ocasião seguinte em que nos encontramos foi no tribunal.

Ela ainda era magra feito um varapau nessa época, com o cabelo preto feito piche até a raiz, de modo que eu nunca adivinharia que era pintado; nesse dia, estava preso no alto, de um jeito um tantinho severo. Até para fazer essa visita entre vizinhas ela se vestira com esmero, num terninho Chanel, com um broche recatado na lapela que faiscava respeitabilidade. Quem havia de imaginar que, mal decorridos três anos, ela estaria andando trôpega pelo Grand Union de Nyack, com uma roupa de listras que precisava ser passada, estraçalhando ovos na parte destinada a carregar crianças no carrinho de outra mulher!

Ela se apresentou secamente e, apesar do frio, recusou o convite para entrar. "Minha filha, Laura, é uma menina encantadora", disse. "É o que pensaria qualquer mãe, naturalmente, mas creio que os atrativos dela também são evidentes para outras pessoas. Com duas exceções importantes: a própria Laura e esse seu rapazinho."

Tive vontade de garantir à mulher que, *grosso modo*, meu filho rabugento não conseguia enxergar os atrativos de ninguém, mas intuí que ainda estávamos no preâmbulo. Isto soa impiedoso, considerando-se que, em pouco mais de um ano, meu filho assassinaria a filha dessa mulher, mas receio ter sentido uma antipatia instantânea por Mary Woolford. Os gestos dela eram bruscos e seus olhos corriam daqui para ali, como que agitados por um constante tumulto interno. Mas algumas pessoas afagam suas aflições do mesmo jeito que outras mimam cãezinhos de *pedigree* com latas de patê. Logo de cara, Mary me pareceu ser uma dessas, as pessoas para quem minha denominação abreviada particular era Procurando Problemas — um desperdício de capacidade detetivesca, sempre me pareceu, já que, na minha experiência, a maioria dos problemas propriamente ditos vem nos procurar.

"Faz mais ou menos um ano", continuou Mary, "que a Laura sofre com a idéia equivocada de que está acima do peso. A senhora por certo já leu sobre essa doença. Ela pula refeições, joga o café-da-manhã no lixo e mente sobre ter comido na casa de amigos. Abuso de laxantes, comprimidos para emagrecer — bem, basta dizer que é tudo extremamente assustador. Em setembro último, ela ficou tão frágil que teve de ser hospitalizada para tomar soro intravenoso, soro que ela arrancava fora caso não fosse vigiada vinte e quatro horas por dia. Está compreendendo a situação?"

Resmunguei qualquer coisa em tom de vaga comiseração. Normalmente, eu ouviria essas histórias com simpatia, mas, naquele momento, não conseguia parar de pensar que minha filha também estava no hospital, e não — disso eu tinha uma convicção feroz — por ter feito alguma coisa estúpida contra ela mesma. Depois, eu já ouvira um número grande demais dessas histórias de Karen Carpenter nas reuniões da Associação de Pais e Professores da Gladstone, e era freqüente elas assumirem a forma de bazófias. O prestigioso diagnóstico de anorexia parecia muito cobiçado não apenas pelas alunas, mas também por suas mães, que competiam para saber qual das filhas comia menos. Não admira que as pobres garotas ficassem totalmente confusas.

"Estávamos progredindo", continuou Mary. "Nestes últimos meses, ela se submeteu a ingerir porções modestas nas refeições em família, às quais é obrigada a comparecer. E finalmente recuperou um pouquinho de peso — como o seu filho Kevin *mais do que se apressou a assinalar*."

Suspirei. Comparada à nossa visitante, eu devia estar com uma aparência arrasada. O que não devo ter parecido é surpresa, e o fato de não ter dito, com a voz entrecortada, ah, meu Deus, que foi que esse menino fez?, pareceu enfurecê-la.

"Ontem à noite, peguei minha linda filha vomitando o jantar! Também a fiz admitir que ela tem-se obrigado a vomitar há uma semana. *Por quê?* Porque um dos meninos da escola vive lhe dizendo que ela é *balofa*! Ela nem chega a quarenta e cinco quilos e está atormentada com a idéia de ser uma 'bóia'! Bem, não foi fácil arrancar-lhe o nome desse menino, e ela me implorou para não vir aqui hoje. Mas, de minha parte, acho que está na hora de nós, os pais, começarmos a assumir a responsabilidade pelo comportamento destrutivo de nossos filhos. Meu marido e eu temos feito todo o possível para impedir que a Laura se prejudique. Portanto, a senhora e seu marido, por favor, também podem tratar de impedir seu filho de prejudicá-la!"

Minha cabeça balançava como a de um daqueles cachorros no vidro traseiro dos carros. "C-c-omo?", perguntei, com a voz arrastada. É possível que ela tenha achado que eu estava bêbada.

"Não me interessa como!"

"A senhora quer que *conversemos* com ele?" Tive que prender os cantos da boca, para impedir que se curvassem para cima num riso incrédulo de chacota, que lembraria demais o do próprio Kevin.

"Imagino que sim!"

"Quer que lhe digamos que tenha *sensibilidade para com os sentimentos alheios* e que *se lembre do preceito áureo do Evangelho*?" Eu estava encostada no batente da porta, com algo próximo de um olhar de esguelha, e Mary deu um passo atrás, alarmada. "Ou, quem sabe, meu marido poderia ter uma *conversinha de homem para homem* e ensinar a nosso filho que um *homem de verdade* não é cruel e agressivo, que um *homem de verdade* é gentil e compassivo, certo?"

Tive que fazer uma pausa de um segundo para não rir. De repente, imaginei você entrando na cozinha para me informar: *Bom, querida, foi tudo um grande mal-entendido! Diz o Kevin que aquele pobre saco de ossos da Laura Woolford simplesmente ouviu mal! Ele não a chamou de 'balofa', e sim de 'fofa'! E não disse que ela era uma 'bóia', mas que ela havia contado uma piada que era uma 'jóia'!*

Devo ter deixado escapar um sorriso, a despeito de mim mesma, porque Mary ficou rubra e explodiu: "Juro por Deus que não consigo entender por que a senhora parece achar isso engraçado!"

"Sra. Woolford, a senhora tem filhos homens?"

"Laura é nossa única filha", disse ela, em tom reverente.

"Nesse caso, devo relembrar-lhe nossas velhas quadrinhas do pátio da escola sobre *de que são feitos os menininhos*. Eu gostaria de ajudá-la, mas, na prática? Se Franklin e eu dissermos alguma coisa a Kevin, as conseqüências serão ainda piores para sua filha na escola. Talvez seja melhor a senhora ensinar à Laura... Como é que a garotada diz? A *entubar*.

Mais tarde eu pagaria por esse acesso de realismo, embora dificilmente pudesse saber, naquele momento, que meu conselho cortante seria alardeado no depoimento de Mary no julgamento, dali a dois anos — com alguns adornos cáusticos, de quebra.

"Bem, obrigada por não ajudar em nada!"

Ao ver Mary afastar-se, protestando pelas lajotas do piso, refleti sobre o fato de você, os professores de Kevin e, agora, essa tal de Mary Woolford andarem me regalando com a idéia de que, como mãe, eu devia *assumir a responsabilidade*. Era justo. Mas, se eu era tão completamente responsável, por que continuava a me sentir tão desamparada?

Celia voltou para casa no começo de março. Kevin não fora visitá-la uma única vez; protetora, eu nunca o incentivara. Você tinha feito o curioso convite de que ele o acompanhasse, mas havia recuado, em deferência ao trauma de nosso filho. Ele nunca chegou sequer a perguntar como ela estava passando, sabe? Quem o escutasse não saberia que ele tinha uma irmã.

Eu só tinha feito um progresso modesto em minha adaptação à nova aparência de Celia. As queimaduras salpicadas no rosto e riscadas na têmpora, embora começassem a sarar, ainda estavam cheias de crostas e eu implorava que ela não as cutucasse, para não tornar as cicatrizes ainda piores. Ela foi boazinha e me fez pensar em Violetta. Sem contato, até então, com a moda monocular, eu havia esperado que a venda colocada em seu olho fosse preta, e algumas lembranças de Shirley Temple cantando "On the Good Ship Lollipop", no filme *Olhos Encantados*, talvez me houvessem consolado com visões anódinas de minha piratinha loura. Acho que eu também teria preferido uma venda preta, para poder ir correndo comprar-lhe um chapéu de três pontas e fazer alguma tentativa patética de transformar aquele pesadelo macabro numa brincadeira a fantasia, para distraí-la.

Em vez disso, a cor de carne daqueles curativos aderentes Opticlude, da 3M, transformava o lado esquerdo do rosto dela num branco. A inchação desse lado obliterava qualquer estrutura definidora, como a maçã do rosto. Era como se o rosto de Celia já não fosse propriamente tridimensional, e sim uma espécie de cartão-postal, com uma imagem de um lado e papel em branco do outro. Eu vislumbrava seu perfil pela direita e, por um momento, minha menininha alegre estava inalterada; vislumbrada pela esquerda, ela se apagava.

Esse caráter de esconde-esconde de suas feições expressou minha nova e dolorosa consciência de que as crianças eram um bem de consumo perecível. Embora eu não ache que jamais a houvesse subestimado, resolvi, quando Celia voltou para casa, praticamente abandonar qualquer esforço que já tivesse feito para disfarçar minha preferência por um filho em vez de outro. Ela já não conseguia mais sair do meu lado, e eu a deixava seguir-me pela casa de mansinho e me acompanhar em minhas saídas. Você com certeza tinha razão em que não devíamos deixá-la atrasar-se ainda mais na escola e em que, quanto mais depressa ela se acostumasse com sua deficiência em público, melhor seria, porém, mesmo assim, tirei uma licença da AWAP e a mantive em casa por mais duas semanas. Nesse meio-tempo, ela perdeu algumas habilidades que havia dominado, como amarrar os tênis, e tive que voltar a amarrá-los para ela e recomeçar a lhe dar a lição do zero.

Eu a vigiava como um falcão quando Kevin estava por perto. Admito que ela não agia como se o temesse. E ele voltou prontamente a lhe dar uma plenitude de ordens entediadas; desde que Celia tinha crescido o bastante para pegar coisas, Kevin a tratava como se ela fosse um animal de estimação com um número restrito de truques. Entretanto, mesmo em resposta a pedidos pequenos e inofensivos, como buscar um biscoito para ele ou jogar-lhe o controle remoto da televisão, pareceu-me passar a detectar em Celia uma hesitação momentânea, uma pequena imobilidade, como se ela engolisse em seco. E, apesar de ter havido épocas em que ela implorava para carregar a aljava do irmão e se sentia honrada em ajudá-lo a tirar suas flechas do alvo para guardá-las, na primeira vez em que ele sugeriu sem cerimônia que ela retomasse esses deveres, finquei o pé: eu sabia que ele era cuidadoso, mas Celia ficara com um único olho e não chegaria nem perto daquele estande de arco-e-flecha. Eu havia esperado que ela choramingasse. A menina estava sempre desesperada para se mostrar útil ao irmão e adorava vê-lo postar-se de pé, alto como Hiawatha, e disparar aquelas flechas certeiras na mosca. Mas ela me lançou um olhar que pareceu agradecido, e em sua testa, junto ao couro cabeludo, brilhou um leve suor.

Fiquei surpresa quando ele a convidou para jogar *frisbee* — jogar com a irmã, essa era novidade —, e até meio impressionada. Assim, disse a Celia que estava bem, desde que ela usasse os óculos de proteção; minha relação com seu olho sadio tinha-se tornado histérica. Minutos depois, no entanto, quando olhei pela janela, vi que Kevin só estava *brincando com* a irmã no sentido em que se brinca com o próprio *frisbee*. A percepção de profundidade de Celia ainda estava muito precária e ela ficava tentando agarrar o disco antes que ele chegasse, errava e recebia o impacto do *frisbee* no peito. Muito engraçado.

É claro que a parte mais difícil, no começo, foi lidar com aquele buraco na cabeça dela, que tinha de ser limpo freqüentemente com xampu de bebê e um cotonete molhado. Embora o dr. Sahatjian nos houvesse garantido que as secreções diminuiriam quando a prótese fosse encaixada e a cicatrização estivesse completa, no início a cavidade exsudava continuamente aquela secreção amarela e, às vezes, de manhã, eu tinha que embeber a região com um lenço de papel molhado, porque a pálpebra fechava e formava uma crosta durante o sono. A pálpebra em si estava frouxa — *sulcus*, era assim que o oculista a chamava — e também inchada, especialmente por ter sido danificada pelo ácido e parcialmente reconstituída com um pedacinho de pele da parte interna da coxa de Celia. (Ao que parece, o aumento palpebral transformou-se numa arte graças à grande demanda japonesa pela ocidentalização de feições, o que, em dias melhores, eu teria considerado um testemunho pavoroso dos poderes da propaganda do Ocidente.) O inchaço e o ligeiro arroxeado davam a Celia a aparência de uma daquelas crianças espancadas dos cartazes que incentivam as pessoas a denunciarem os vizinhos à polícia. Com um olho fundo e o outro aberto, ela parecia estar dando uma enorme piscadela, como quem compartilhasse um segredo pavoroso.

Eu tinha dito a Sahatjian que não tinha certeza de conseguir limpar aquele buraco todos os dias, mas ele me assegurou que eu me acostumaria. A longo prazo, teve razão, mas precisei lutar contra a ânsia de vômito quando eu mesma levantei a pálpebra com o polegar pela primeira vez. Se não era tão angustiante quanto eu havia temido, era perturbador num nível mais sutil. Como se não houvesse ninguém em casa. O efeito fazia lembrar aqueles Modiglianis de olhos amendoados cuja ausência de pupilas dá às figuras uma brandura e uma tranqüilidade hipnóticas, embora dê também uma sensação dolorosa e um toque de estupidez. A cavidade ia de rosa, na borda, até um misericordioso negro no fundo, mas, quando pus Celia embaixo da lâmpada, para pingar as gotas de antibiótico, vi aquele incongruente conformador de plástico que impedia a órbita de afundar; foi como se eu olhasse para uma boneca.

Sei que você se ressentiu de eu paparicá-la tanto, e que se sentiu mal por se ressentir. Em compensação, foi de uma afeição constante com Celia, pondo-a no colo, lendo histórias para ela. De minha parte, reconheci perfeitamente a marca de deliberação daqueles esforços — com que então, aquilo era *tentar ser um bom pai* —, mas duvido que Kevin tenha visto neles outra coisa senão o que as superfícies sugeririam. Estava claro que a lesão de sua irmãzinha só fizera granjear mais mimos para ela — mais *Você quer outro cobertor, querida?*, mais *Quer mais uma fatia de bolo?*, mais *Por que não deixamos a Celia ficar acordada, Franklin? É um programa sobre bichos*. Observando o quadro formado na sala por Celia adormecida em seu colo, enquanto Kevin assistia com olhos fuzilantes a um episódio sobre o tema "Minha avó teve um filho do meu namorado", no programa de Jerry Springer, pensei com meus botões: *Ora se o seu pequeno estratagema não saiu pela culatra.*

Caso você queira saber, não importunei demais a Celia para descobrir detalhes daquela tarde no banheiro. Fui tão cautelosa na discussão do assunto quanto ela; nenhuma das duas tinha o menor desejo de reviver aquele dia. Mas, por um sentimento de obrigação de mãe — não queria que ela achasse que o assunto era tabu, caso a exploração dele se revelasse terapêutica —, perguntei-lhe só uma vez, em tom despreocupado: "Naquele dia em que você se machucou, o que aconteceu?"

"O Kevin..." Ela bateu de leve com o dorso do pulso na órbita; estava coçando, mas, por medo de tirar o conformador do lugar, ela havia aprendido a esfregar sempre em direção ao nariz. "Botei uma coisa no olho. O Kevin me ajudou a lavar."

E foi só o que ela disse.

*Eva*

## *11 de março de 2001*

*Querido Franklin,*

Parece que aquela história do Andy Williams desencadeou uma febre de crimes de imitação. Mas, afinal, eles são todos crimes imitados, não concorda?

Houve mais quatro Matanças na Escola naquela primavera de 1998. Lembro-me claramente de quando veio a notícia da primeira, porque foi no mesmo dia em que o dr. Sahatjian fez os desenhos da prótese da Celia e tirou o molde de sua órbita. Celia ficou extasiada quando ele pintou minuciosamente à mão a íris de seu olho sadio; fiquei surpresa por não fazerem o escaneamento por computador, e sim ainda um desenho com pincéis finos e aquarelas. Ao que parece, pintar a íris é uma arte e tanto, já que cada olho é tão singular quanto uma impressão digital, e até o branco do olho tem uma tonalidade característica. Com certeza, esse foi o único componente de todo o processo angustiante que poderia passar por atraente.

Quanto à feitura do molde, garantiram-nos que não seria dolorosa, embora Celia pudesse experimentar um certo "desconforto", um termo adorado pela classe médica e que parece ser sinônimo de uma agonia que não é da gente. Ainda que o enchimento de sua órbita com uma massa branca fosse indiscutivelmente desagradável, ela só deu uns gemidinhos, não chegou propriamente a chorar. A valentia da Celia era de uma desproporção ímpar. Ela foi um soldadinho estóico ao perder um olho. Mas continuava a berrar feito louca quando detectava mofo na cortina do chuveiro.

Enquanto a assistente recolocava o conformador e punha uma nova venda no olho de Celia, perguntei a Krikor Sahatjian, como quem não quer nada, o que o havia atraído para esse ramo de atividade. Ele me contou que, aos doze anos, ao pegar um atalho pelo quintal de um vizinho, havia trepado numa cerca de hastes pontiagudas; escorregou, e a ponta de uma haste de ferro em forma de seta... Deixando o resto por conta da minha imaginação, misericordiosamente, ele disse: "Fiquei tão fascinado com o processo de fabricação da minha prótese, que resolvi que havia descoberto minha vocação." Incrédula, tornei a olhar para seus olhos castanhos calorosos, que fazem lembrar os de Omar Sharif. "Você ficou surpresa", disse ele, em tom amistoso. "Eu não tinha reparado", admiti. "Você vai descobrir que isso é comum. Depois de colocada a prótese, muita gente jamais saberá que Celia só tem um olho. E há maneiras de disfarçar... mexer a cabeça em vez dos olhos, ao olhar para alguém, por exemplo. Eu lhe ensinarei, quando ela estiver pronta." Senti-me grata. Pela primeira vez, a *enucleação* dela não me pareceu o fim do mundo e cheguei até a me perguntar se a distinção conferida pela invalidez, bem como a força que ela poderia despertar, não ajudaria Celia a se tornar ela mesma.

Quando nós duas voltamos do Upper East Side, você já tinha chegado e estava instalado na sala íntima com Kevin, diante de um daqueles festivais de episódios sucessivos de *Happy Days* apresentados no Nick at Night. Da porta, comentei: "Ah, os anos cinqüenta que nunca aconteceram! Continuo esperando que alguém conte a Ron Howard sobre o Sputnik, o macarthismo e a corrida armamentista." E acrescentei, em tom pesaroso: "Embora eu perceba que vocês estão *se entrosando*."

Naquela época, eu sempre esbanjava uma ironia carregada nas frases e expressões de efeito norte-americanas que entravam em moda, como se as segurasse com luvas de borracha. Do mesmo modo, tinha explicado à professora de inglês de Kevin que a utilização errada da palavra *literalmente* era "uma das minhas questões", com uma piscadela e um aceno exagerados que só podem ter deixado a mulher perplexa. Eu sempre havia pensado na cultura norte-americana como um esporte para espectadores, sobre o qual eu podia formular julgamentos das arquibancadas elevadas do meu internacionalismo. Hoje em dia, porém, junto-me à imitação dos comerciais de cerveja quando meus colegas de trabalho na Travel R Us gritam em uníssono *Qué-qui-háàá?*, uso *impactar* como verbo transitivo e omito as aspas afetadas. A verdadeira cultura a gente não observa, incorpora. Eu vivo aqui. E, como não tardaria a descobrir da maneira mais sofrida, não existe uma cláusula opcional de não-participação.

Nosso filho, no entanto, era capaz de ler tudo o que eu acabei de dizer, e mais até, na minha pronúncia desdenhosa de *entrosando*. "Será que há alguma coisa, ou alguém, a quem você não se sinta superior?", perguntou-me, olho no olho.

"Tenho sido franca com você a respeito dos meus problemas com esse país", respondi, tensa, deixando pouca dúvida de que essa franqueza era fonte de pesar e fazendo minha única alusão, talvez, a nosso jantar desastroso no Hudson House. "Mas não sei o que lhe dá a idéia de que me sinto 'superior'."

"Já notou que você nunca fala dos norte-americanos como 'nós'?", disse Kevin. "É sempre 'eles'. Como se você estivesse falando dos chineses, ou coisa assim."

"Passei boa parte da minha vida adulta fora do país e é provável que eu..."

"Tá, tá, tá", fez ele, rompendo o contato visual e tornando a fixar os olhos na tela. "Eu só queria saber o que faz você se achar tão *especial*."

"Eva, sente aí e participe da diversão", você disse. "Esse é o episódio em que o Richie é obrigado a sair com a filha do patrão sem conhecê-la, e aí ele faz Potsie..."

"O que significa que você já o viu vinte vezes", repreendi-o afetuosamente, sentindo-me grata por você ter me salvado. "Quantos *Happy Days* já passaram em seqüência, três ou quatro?"

"Esse é o primeiro! Ainda tem mais cinco!"

"Antes que eu me esqueça, Franklin, fiz o dr. Sahatjian concordar com o vidro." Afagando o cabelo louro e fino de Celia, sentada em meu colo, abstive-me de citar o que seria feito de vidro. Já coubera a mim mais cedo, naquela tarde, a tarefa de desiludir nossa filha da expectativa de que seu novo olho pudesse enxergar.

"E-va", cantarolou você, sem disposição para brigas. "Os polímeros são o que há de mais avançado."

"Essa criolita alemã também é."

"Menos infec-ções, menos probabilidade de que-bras..."

"*Polímero* é só um nome sofisticado para plástico. Detesto plástico." Encerrei a discussão. "*O material é tudo*."

"Olhe só", você assinalou a Kevin. "O Richie se livra do encontro e acontece de a garota ser um tesão."

Eu não queria estragar sua festa, mas a missão de que tinha acabado de voltar era muito penosa e não dava para eu começar a mastigar imediatamente o seu lanche visual de segunda. "Franklin, são quase sete horas. Será que podemos assistir ao jornal, por favor?"

"Cha-ti-ce!", exclamou você.

"Não, não ultimamente." O escândalo de Lewinsky ainda continuava a aparecer em lasciva câmera lenta. "Ultimamente, é impróprio para menores." Voltei-me polidamente para nosso filho: "Kevin, será que você se importa muito se, depois que terminar esse episódio, nós mudarmos para o noticiário?"

Kevin estava afundado na poltrona, com os olhos a meio mastro. "Tanto faz."

Você cantou a música-tema, acompanhando a televisão: *Monday, Tuesday, happy days...!*, enquanto eu me ajoelhava para tirar um pouco de massa branca da testa de Celia. Na hora exata, mudei para o Jim Lehrer. Era a matéria principal. Fugindo à regra, nosso presidente teria que manter a braguilha fechada para dar espaço a dois garotinhos desagradáveis de seu estado de origem, o mais velho dos quais tinha completos treze anos, o menor, apenas onze.

Dei um gemido, desabando no sofá de couro. "Mais um, não."

Do lado de fora da Westside, uma escola de ensino fundamental em Jonesboro, no Arkansas, Mitchell Johnson e Andrew Golden tinham ficado à espreita, escondidos nas moitas com roupas camufladas, depois de dispararem o alarme de incêndio da escola. Quando os alunos e professores saíram do prédio, os dois tinham aberto fogo com um rifle Ruger calibre 44 e um rifle de caça 30.06, matando quatro meninas e uma professora, e ferindo outros onze estudantes. Também ferido, nem que fosse apenas por uma desilusão amorosa, o menino mais velho parecia ter avisado a um amigo, na véspera, com fanfarronice cinematográfica, que "tenho que matar uns e outros", enquanto o pequeno Andrew Golden havia jurado a um confidente que planejava atirar em "todas as garotas que já romperam comigo". Apenas um menino fora ferido; as outras quinze vítimas eram mulheres.

"Idiotas de merda", rosnei.

"Epa, Eva!", você censurou. "Olhe a linguagem."

"Mais mergulhos na autocomiseração!", retruquei. "*Oh, não, minha namorada não gosta mais de mim, vou matar cinco pessoas!*"

"E toda aquela titica armênia?", perguntou Kevin, lançando-me um olhar cortante feito aço. "*Oh, não, tipo assim, há um milhão de anos os turcos eram uns bandidões, e agora ninguém se incomoda!* Isso não é autocomiseração?"

"Eu dificilmente equipararia o genocídio a levar um fora", rebati.

"Nhe nhe-*nhém* nhe NHE-nhe-nhém nhe-nhe *nhém* nhe nhe-nhém nhe-NHÉM!", caçoou Kevin entre dentes. "Nossa, dá um tempo!"

"E que história é essa de querer matar *todas as garotas que já romperam com ele*?", zombei.

"Será que dá para você *calar a boca*?", disse Kevin.

"Kevin!", você repreendeu.

"Bem, estou *tentando* acompanhar isso e ela *disse* que queria ver o noticiário." Era comum Kevin falar da mãe como eu falava dos norte-americanos. Nós dois preferíamos a terceira pessoa.

"Mas o guri tem onze anos!" Eu também detestava gente que falava na hora do jornal, mas não consegui me conter. "Quantas namoradas isso pode significar?"

"Em média?", disse nosso especialista residente. "Umas vinte."

"Ora, quantas *você* já teve?", perguntei.

"Ze-ro." A essa altura, Kevin estava tão afundado que quase se deitara e sua voz tinha um chiado áspero que ele logo passaria a empregar o tempo todo. "É só trepar e largar."

"Ei, Casanova!", exclamou você. "É nisso que dá a gente ensinar as verdades da vida a um garoto aos sete anos."

"Mamãe, quem são Trepar e Largar? É que nem o Tweedledum e o Tweedledee?"

"Celia, meu bem", respondi, voltando-me para nossa menina de seis anos, cuja educação sexual não parecia muito urgente. "Você não quer ir brincar na sala de jogos? Estamos vendo o jornal e isso não é muito divertido para você."

"Vinte e sete balas, dezesseis na mosca", calculou Kevin, em tom apreciativo. "E com alvos móveis. Sabe, para dois garotinhos, até que é uma percentagem decente."

"Não, eu quero ficar com você!", disse Celia. "Você é minha amiiiiga!"

"Mas eu queria um desenho, Celia. Hoje você não fez nenhum desenho para mim, o dia inteiro!"

"Tá legal." Mas ela se deixou ficar por ali, socando a saia.

“Então, pronto, primeiro me dê um abraço.” Puxei-a para mim e ela pôs os braços em volta do meu pescoço. Eu não imaginaria que uma menina de seis anos pudesse apertar com tanta força, e foi penoso ter que soltar os dedos dela de minha roupa, quando ela se recusou a largá-la. Depois de ela se arrastar para fora da sala, com uma parada no vão da porta para acenar com a mão em concha, flagrei você revirando os olhos para Kevin.

Enquanto isso, um repórter na tela entrevistava o avô de Andrew Golden, de quem tinham sido roubadas algumas das armas do estoque que os meninos haviam feito, e que incluía três rifles de alta potência, quatro pistolas e um monte de munição. “É uma tragédia terrível”, disse o homem, com a voz fraquejando. “Nós perdemos. Eles perderam. A vida de todo mundo está destruída.”

“Pode apostar”, comentei. “Quero dizer, o que poderia acontecer, senão eles serem capturados, presos e trancafiados por toda a eternidade? Em que é que eles estavam pensando?”

“Eles não estavam pensando”, disse você.

“Está brincando?”, perguntou Kevin. “Esse troço precisa de planejamento. É claro que eles estavam pensando. É provável que nunca tenham pensado tanto em toda a porcaria da vida deles.” Desde a primeira vez em que eles haviam ocorrido, Kevin falava desses incidentes como se fossem seus e, toda vez que o assunto vinha à baila, assumia um ar de autoridade que me dava nos nervos.

“Eles não estavam pensando no que vem depois”, repliquei. “Podem ter pensado em seu ataque imbecil, mas não nos cinco minutos seguintes — muito menos nos cinqüenta anos seguintes.”

“Eu não teria tanta certeza”, disse Kevin, pegando um punhado de biscoitos de tortilha com queijo fluorescente. “Você não estava ouvindo, como de praxe, porque a Celia tinha que ganhar seus abracinhos apertadinhos. Eles têm menos de catorze anos. Pela lei do Arkansas, o Batman e o Robin aí vão estar de volta no Batmóvel aos dezoito.”

“Isso é um absurdo!”

“E com os autos do processo trancados sob sigilo. Aposto que todo mundo em Jonesboro está mesmo ansioso por isso.”

“Mas você não pode imaginar, a sério, que primeiro eles foram à biblioteca jurídica e consultaram o código penal.”

“Hmmm”, cantarolou Kevin, evasivo. “Como é que a gente vai saber? Enfim, talvez seja besteira ficar pensando no futuro o tempo todo. É só adiar bastante o presente que ele, tipo assim, nunca acontece, sacou?”

"Eles aplicam sentenças mais brandas aos menores por um bom motivo", disse você. "Esses garotos não tinham idéia do que estavam fazendo."

"Você não acha isso", contrapôs Kevin, em tom cáustico. (Se nosso filho se ofendia com minha ridicularização da angústia adolescente, é possível que se sentisse ainda mais insultado pela sua compaixão.)

"Nenhum menino de onze anos tem uma apreensão real da morte", disse você. "Ele não tem um conceito real das outras pessoas — de que elas sentem dor, sequer de que existem. E o seu futuro como adulto também não é real para ele. O que torna muito mais fácil jogá-lo fora."

"Pode ser que o futuro dele seja real para ele", objetou Kevin. "Vai ver que o problema é esse."

"Ora, vamos, Kev", fez você. "Todos os garotos desses ataques vieram da classe média, não são caras de um esgoto urbano qualquer. Esses meninos tinham pela frente uma vida com casa própria, carro e um emprego de diretor, com férias anuais em Bali ou coisa parecida."

"É", rosnou Kevin. "Foi o que eu disse."

"Sabe de uma coisa?", perguntei. "Quem é que liga a mínima? Quem se incomoda em saber se atirar em gente é ou não é real para esses garotos, e quem se incomoda com seus rompimentos dolorosos com namoradas que ainda nem têm seios? Isso não vem ao caso. O problema são as armas. As armas de fogo, Franklin. Se não houvesse armas espalhadas na casa dessas pessoas feito cabos de vassoura, nenhum desses...

"Ai, meu Deus, lá vem você de novo", você disse.

"Você ouviu o Jim Lehrer dizer que, no Arkansas, não é ilegal nem mesmo os menores terem armas de fogo?"

"Eles as roubaram..."

"Elas estavam lá para ser roubadas. E os dois meninos tinham seus próprios rifles. É um absurdo. Se não houvesse armas de fogo, esses dois cretinos dariam um chute num gato, ou — o que é a *sua* idéia de como resolver divergências — socariam a cara das namoradas. Um nariz sangrando e, pronto, vai todo mundo para casa. Essas fuzilarias são tão ocas que acho que nos sentiríamos gratos por encontrar uma titica de lição nelas."

"Certo, eu entendo que se restrinjam as armas automáticas", disse você, assumindo aquele tom pontificante que, para mim, era a desgraça da função parental. "Mas as armas de fogo vieram para ficar. São uma parte importante desse país, com o tiro ao alvo e a caça, para não falar na legítima defesa..." Você parou, porque era óbvio que eu tinha parado de escutar.

"A resposta, se é que existe alguma, são os *pais*", você recomeçou, agora andando pela sala e elevando a voz acima da televisão, de onde a cara grande e gorda de amante desprezada de Monica Lewinsky lançava olhares desejosos mais uma vez. "Pode apostar até o último tostão que esses garotos não tinham ninguém para quem se voltar. Ninguém com quem pudessem realmente se abrir, em quem pudessem confiar. Quando você ama os filhos e se faz presente para eles, os leva para sair, para visitar museus e campos de batalha, arranja tempo para eles, e confia neles e manifesta interesse pelo que eles pensam, sabe? E *aí* esse tipo de salto no precipício não acontece. E, se você não acredita em mim, *pergunte ao Kevin*."

Mas, para quebrar a rotina, Kevin exibiu seu escárnio abertamente. "Tá, *papai*! Faz mesmo uma enorme diferença para mim eu poder contar qualquer coisa a você e à *mãemãe*, especialmente quando eu sofro toda essa *pressão dos pares* e o resto da porcaria! Você sempre me pergunta que *videogames* eu jogo, ou qual é o meu *dever de casa*, e eu sempre sei que posso recorrer a você *nas horas de aperto*!"

"É, bom, se você não pudesse recorrer a nós, parceiro, não acharia isso tão engraçado", resmungou você.

Celia tinha acabado de voltar pé ante pé para a entrada do escritório, onde ficou parada, balançando um pedaço de papel. Tive que lhe fazer sinal para entrar. Ela sempre havia parecido indefesa, mas essa sua mansidão servil e dickensiana de Pequeno Tim era nova, e eu esperava que fosse só uma fase. Depois de reapertar as bordas de seu curativo oclusivo, eu a pus no colo para admirar seu desenho. Era desanimador. O jaleco branco do dr. Sahatjian fora desenhado num tamanho tão grande, que a cabeça ficava fora da página; o auto-retrato de Celia só chegava até o joelho do oculista. E, embora seus desenhos em geral fossem leves, hábeis e meticulosos, ela havia desenhado, no lugar em que deveria estar seu olho esquerdo, um rabisco amorfo que lhe rompia o contorno da face.

Enquanto isso, você perguntava: "Falando sério, Kev, algum aluno da sua escola parece instável? Alguém fala em armas de fogo, em algum momento, ou brinca com jogos sanguinários, ou gosta de filmes violentos? Você acha que uma coisa dessas pode acontecer na sua escola? E, pelo menos, há algum orientador por lá, algum profissional com quem os garotos possam falar, se estiverem tristes?"

Em linhas gerais, é provável que você realmente quisesse respostas a essas perguntas, mas a intensidade de papai atencioso com que elas saíram as fez soar oportunistas. Kevin sacou você antes de responder. As crianças têm um radar bem sintonizado para captar a diferença entre um adulto interessado e um adulto que faz questão de parecer interessado. Em todas aquelas ocasiões em que me abaixei junto do Kevin, depois do jardim-de-infância, e perguntei o que ele tinha feito naquele dia, já aos cinco anos ele era capaz de saber que eu não me importava.

"Toda a galera da minha escola é instável, papai", disse ele. "Eles só jogam jogos de computador violentos e não vêem nada a não ser filmes violentos. A gente só procura a psicóloga para sair da aula, e tudo que diz a ela é besteira. Mais alguma coisa?"

"Desculpe, Franklin", eu disse, levantando Celia para sentá-la a meu lado, "mas não vejo como mais algumas conversas francas possam frear o que está claramente virando uma espécie de modismo. Está se espalhando como os *Teletubbies*, só que, em vez de ter um boneco de borracha com um televisor na barriga, todo adolescente tem que dar tiros na escola. Os acessórios obrigatórios deste ano são um celular de *Guerra nas estrelas* e uma semi-automática do *Rei Leão*. Ah, e uma história triste para acompanhar, sobre ser perseguido pelos outros ou chutado por uma carinha bonita."

"Seja um pouco compreensiva", contrapôs você. "Esses meninos são perturbados. Precisam de ajuda."

"São também meninos *imitadores*. Você acha que não ouviram falar das escolas de Moses Lake e West Palm Beach? De Bethel, Pearl e Paducah? As crianças vêem as coisas na televisão, escutam os pais conversando. Escreva o que estou lhe dizendo, todo acesso de raiva bem armado que acontece só faz aumentar a probabilidade de outros. Este país inteiro está perdido, todo mundo copia todo mundo, e todos querem ser famosos. A longo prazo, a única esperança é que essas fuzilarias se tornem tão comuns que deixem de ser notícia. Dez garotos são baleados numa escola primária de Des Moines e a matéria sai na página seis. Todo modismo acaba deixando de ser a coisa mais legal do mundo e, se Deus quiser, em algum momento, os garotos descolados de treze anos simplesmente não vão querer ser *vistos* com um revólver Mark 10 na segunda aula. Até lá, Kevin, eu ficaria de olho em qualquer colega seu que comece a se lamuriar e a usar roupas camufladas."

Quando recomponho essa minha espinafração, não posso deixar de observar a lição implícita nela: se era inevitável que as Matanças na Escola virassem uma banalidade, era melhor que os adolescentes ambiciosos, com predileção por manchetes, fizessem suas apostas enquanto a idéia estava em alta.

Pouco mais de um mês depois, em Edinboro, na Pensilvânia, Andrew Wurst, de catorze anos, um belo dia prometeu tornar "memorável" o seu baile de formatura da oitava série, e foi o que fez no dia seguinte. No pátio do Nick's Place, às dez horas da noite, quando 240 formandos dançavam ao som de "My Heart Will Go On", do filme *Titanic*, Wurst baleou fatalmente na cabeça um professor de quarenta e oito anos com a pistola calibre 25 do pai. Do lado de dentro, disparou vários outros tiros, ferindo dois meninos e atingindo de raspão uma professora. Ao fugir pelos fundos, foi detido pelo dono do Nick's Place, que segurava uma espingarda e convenceu o fugitivo a recuar diante de um poder de fogo superior. Como os jornalistas se apressaram a observar, para acrescentar um toque bem-vindo de bom humor, a canção-tema do baile era "I've Had the Time of My Life".

Cada um desses incidentes foi destacado pela triste lição que se conseguiu espremer deles. O apelido de Wurst era "Satanás", o que fez eco com a comoção causada pelo fato de que Luke Woodham, da escola de Pearl, estava envolvido num culto satânico. Wurst era fã de um vocalista andrógino de *heavy-metal* chamado Marilyn Manson, um homem que dava pulos no palco usando um delineador mal aplicado, de modo que esse cantor, que só estava tentando ganhar uma grana honesta com o mau gosto adolescente, passou um tempo sendo deplorado nos meios de comunicação. De minha parte, fiquei sem jeito por ter zombado tanto das precauções tomadas no baile de oitava série do Kevin, no ano anterior. Quanto à motivação do atirador, ela soou amorfa. "Ele detestava sua vida", disse um amigo. "Detestava o mundo. Detestava a escola. A única coisa que o deixava contente era quando uma garota que lhe agradasse conversava com ele" — conversas que somos forçados a concluir que eram muito pouco freqüentes.

Talvez as Matanças na Escola já estivessem ficando batidas, porque a história de Jacob Davis, de dezoito anos, em Fayetteville, no Tennessee, ocorrida em meados de maio, ficou meio perdida na confusão. Davis já tinha conseguido uma bolsa de estudos para a universidade e nunca se metera em encrencas. Um amigo comentou com os repórteres, um pouco depois: "Ele nem era muito de conversa. Mas acho que são esses que pegam a gente... os quietinhos." Do lado de fora da escola, três dias antes de os dois se formarem no ensino médio, Davis aproximou-se de outro formando, que andava saindo com sua ex-namorada, e deu três tiros no rapaz com um rifle calibre 22. Parece que o rompimento o deixara muito magoado.

Talvez eu fosse impaciente com os melodramas amorosos da adolescência, mas, em matéria de assassino, Davis foi um cavalheiro. Deixou um bilhete no carro, garantindo aos pais e à ex-namorada que os amava muito. Praticado o seu ato, ele depôs a arma, sentou-se ao lado dela e pôs a cabeça entre as mãos. Ficou assim até a polícia chegar e, nessa hora, segundo noticiaram os jornais, "entregou-se sem maior incidente". Dessa vez, anomalamente, fiquei comovida. Pude compreender: Davis sabia que tinha feito uma idiotice, e soubera de antemão que era uma estupidez. E esses dois fatos, concomitantemente verdadeiros, lhe dariam de presente o grande enigma humano, pelo resto de sua vida entre quatro paredes.

Enquanto isso, em Springfield, no Oregon, o jovem Kipland Kinkel digeriu a lição de que acabar com a raça de apenas um colega já não era uma via segura para a imortalidade. Passados só três dias desde que Jacob Davis arrasou seus queridos pais, Kinkel, um guri magrelo de quinze anos, com cara de fuinha, subiu a aposta. Por volta das oito da manhã, enquanto seus colegas da Escola Thurston terminavam o café-da-manhã, ele entrou calmamente na lanchonete da escola, levando embaixo do sobretudo um revólver calibre 22, uma pistola Glock de 9 milímetros e um rifle semi-automático calibre 22. Manejando primeiro a arma mais eficaz, Kinkel deu uma saraivada de tiros de rifle, estilhaçando janelas e fazendo os alunos se jogarem no chão para se proteger. Dezenove dos que estavam no refeitório foram baleados, mas sobreviveram, enquanto outros quatro alunos se feriram durante o pânico para fugir do prédio. Um estudante foi morto na hora, um segundo veio a falecer no hospital, e um terceiro também teria morrido se o rifle de Kinkel não tivesse ficado sem munição. Encostado na têmpora de um menino, o rifle fez *clique, clique, clique.*

Enquanto Kinkel se atrapalhava para inserir um segundo pente na arma, Jake Ryker, de dezesseis anos — um integrante da equipe de luta romana da escola que fora baleado no peito — lançou-se sobre o atirador. Kinkel sacou uma pistola do sobretudo. Ryker agarrou a arma e a jogou longe, levando outro tiro na mão. O irmão caçula de Ryker pulou em cima do atirador e ajudou a derrubá-lo no chão. Quando outros estudantes se empilharam em cima dele, Kinkel gritou: "Atirem, atirem em mim agora!" Diante das circunstâncias, fico bastante surpresa que não o tenham feito.

Ah, e *a propósito*. Uma vez detido, Kinkel aconselhou a polícia a dar uma olhada em sua casa — uma encantadora casa de dois andares num bairro endinheirado, com uma exuberância de abetos altos e rododendros —, onde os policiais descobriram um homem e uma mulher de meia-idade mortos a tiros. Durante pelo menos um ou dois dias, houve muitas evasivas na imprensa sobre quem seriam exatamente essas duas pessoas, até a avó de Kinkel identificar os corpos. Fico meio desconcertada ao pensar em quem a polícia imaginou que estaria morando na casa de Kinkel, além de seus pais.

Bem, no contexto, essa foi uma história suculenta, de moral agradavelmente clara. O pequeno Kipland dera uma profusão de "sinais de advertência" que não tinham sido encarados com seriedade suficiente. Nas últimas séries do primeiro grau, fora eleito "O cara com maior probabilidade de desencadear a Terceira Guerra Mundial". Numa ocasião recente, tinha feito uma exposição em sala de aula sobre como construir uma bomba. Em linhas gerais, predispunha-se a extravasar suas inclinações violentas nos mais inofensivos trabalhos escolares. "Quando mandavam a gente escrever sobre o que faria num jardim", disse um estudante, "o Kipland escrevia sobre matar o jardineiro com o cortador de grama." Embora, por uma estranha coincidência, as iniciais de Kip Kinkel também fossem "KK", ele era tão universalmente malquisto pelos colegas, que, mesmo depois do espetáculo que deu na lanchonete, eles se recusaram a lhe dar um apelido. E o mais triste de tudo é que, justo na véspera da fuzilaria, ele fora detido por posse de uma arma de fogo roubada, mas o tinham soltado sob a custódia dos pais. E assim a idéia se espalhou: os alunos perigosos deixam transparecer suas intenções. Podem ser identificados, logo, podem ser impedidos.

A escola de Kevin tinha agido com base nesse pressuposto durante a maior parte do ano letivo, embora cada notícia de uma nova matança aumentasse mais um pouquinho a paranóia. A Escola Gladstone tinha ganho um ar de fortaleza militar, exceto pelo fato de que a suposição macarthista corrente era que o inimigo estava do lado de dentro. Os professores tinham recebido listas de condutas desviantes a observar e, nas assembléias escolares, os alunos eram instruídos a comunicar à direção qualquer comentário vagamente ameaçador, mesmo que "parecesse" brincadeira. As redações passavam por um pente fino, em busca de um interesse pouco saudável por Hitler e pelo nazismo, o que complicou muito dar aulas sobre a História européia do século XX. Do mesmo modo, havia uma hipersensibilidade ao satânico, e assim um aluno da última série, chamado Robert Bellamy, conhecido pelo apelido de "Bobby Belzebu", foi levado ao escritório do diretor para explicar — e trocar — seu apelido. Imperava uma literalidade opressiva, de forma que, quando uma aluna agitada do segundo ano gritou "Vou te matar!" para uma colega do time de vôlei que tinha deixado a bola cair, foi levada aos trancos para a sala da orientadora educacional e suspensa pelo resto da semana. Mas também não havia refúgio seguro no metafórico. Quando um batista devoto da aula de inglês de Kevin escreveu, num poema, "Meu coração é uma bala e Deus é meu atirador", a professora foi direto falar com o diretor, recusando-se a retomar as aulas enquanto o menino não fosse transferido. Até a escola de ensino fundamental de Celia ficou num mau humor fatal: um garoto da primeira série foi suspenso por três dias por ter apontado uma coxa de galinha assada para a professora e dito "pou, pou, pou!".

O mesmo acontecia no país inteiro, se é que se podia confiar nas piadinhas sarcásticas das colunas que comentavam as matérias principais do *New York Times*. Em Harrisburg, na Pensilvânia, uma menina de catorze anos foi despida e submetida a uma revista — *despida e submetida a uma revista*, Franklin —, e em seguida suspensa, por ter dito, durante uma discussão em sala de aula sobre Matanças na Escola, que entendia por que a garotada submetida a chacotas podia acabar pirando. Em Ponchatoula, na Louisiana, um garoto de doze anos passou duas semanas inteiras na casa de detenção de menores porque o aviso que deu a seus colegas da quinta série, na fila da lanchonete, de que ia "pegá-los" se eles não lhe deixassem batata suficiente, foi interpretado como uma "ameaça terrorista". Num *site* na Internet, chamado Buffythevampireslayer.com, um estudante de Indiana divulgou a teoria segundo a qual, de vez em quando, devia passar pela cabeça de muitos alunos do ensino médio que seus professores cultuavam o demônio; insatisfeitos com uma simples suspensão, os professores moveram um processo por difamação e danos morais contra o menino e sua mãe. Um garoto de treze anos passou duas semanas suspenso porque, numa excursão escolar ao Museu Atômico de Albuquerque, perguntou: "Eles vão nos ensinar a construir bombas?"; outro garoto foi interrogado por um diretor só por estar carregando seu manual de química. Em todo o país, havia crianças sendo expulsas por usar sobretudos como Kipland Kinkel, ou simplesmente por se vestirem de preto. E minha história favorita pessoal foi a da suspensão de um menino de nove anos, depois de apresentar em classe um trabalho sobre a diversidade e a cultura asiática, no qual escreveu uma mensagem de um biscoito da sorte: "Você terá uma morte desonrosa."

Embora Kevin comumente se calasse sobre o que acontecia na escola, fez todo o possível para nos suprir de novidades apetitosas sobre essa escalada da histeria. O noticiário surtiu o efeito desejado: você ficou mais temeroso *por* ele; eu, com mais medo *dele*. Kevin gostava da sensação de parecer perigoso, mas obviamente encarava as precauções da escola como uma piada. "Se continuarem desse jeito", comentou certa vez, e foi astuto nesse ponto, "eles só vão encher a galera de *idéias*."

Foi numa noite próxima da formatura, essa despencada da infância que tem sempre um toque apocalíptico para os formandos e que, por isso, talvez deixasse os professores nervosos, mesmo sem a ajuda de Kip Kinkel. Depois de seu jantar de praxe — uma comilança grosseira diante da geladeira aberta —, Kevin refestelou-se na poltrona da sala e transmitiu a última notícia: todo o corpo discente havia acabado de ser submetido a um "encarceramento" nas salas de aula por quatro períodos seguidos, enquanto a polícia vasculhava todos os armários e percorria os corredores com cães farejadores.

"E o que eles estavam procurando: drogas?"

Kevin respondeu, descontraído: "Ou *poemas*."

"É esse disparate de Jonesboro e Springfield", disse você. "É óbvio que eles estavam procurando armas."

"O que me mata mesmo", disse Kevin, espreguiçando-se e soltando as palavras feito fumaça de cigarro, "se vocês me *perdoam* a expressão, é que eles mandaram um memorando sobre essa revista aos professores, sabem? Aquela panaca da professora de teatro, a Pagorski, largou os papéis na mesa dela e o Lenny viu; fiquei impressionado, não sabia que ele sabia ler. Enfim, a notícia se espalhou. A escola inteira sabia o que ia acontecer. Um garoto com um AK no armário teria tempo de sobra para reconsiderar a porra do esconderijo."

"Kevin, nenhum de seus colegas objetou a isso?", perguntei.

"Umas meninas, sim, depois de algum tempo", disse ele, distraído. "Ninguém podia ir fazer xixi, sabe? Aliás", e Kevin conseguiu dar um risinho ofegante, "aquela idiota da Ulanov mijou nas calças."

"Houve alguma coisa que assustasse particularmente a direção, ou foi só qualquer coisa como, ah, é quarta-feira, que tal brincarmos de cães farejadores?"

"É provável que tenha sido uma denúncia anônima. Agora eles têm uma linha telefônica de emergência, pra gente poder dedurar os amigos. Com uma moeda de 25 centavos, posso sair da aula de Ciência Ambiental em qualquer dia da semana."

"Denúncia anônima de quem?", perguntei.

"*Mãemãe?* Se eu lhe dissesse de quem foi, não seria anônima, não é?"

"Bem, e depois de todo esse incômodo, pelo menos acharam alguma coisa?"

"É claro que sim", murmurou Kevin. "Uma porrada de livros da biblioteca com prazo de devolução vencido. Umas batatas fritas velhas que estavam começando a feder. Um poema bem picante e malicioso que deixou os caras ocupados por algum tempo, até eles descobrirem que era uma letra de uma música do Big Black: *Aqui é o Jordan, a gente faz o que quer...* Ah, e mais uma coisa. Uma lista."

"Que tipo de lista?"

"Uma lista de 'dez mais'. Não do estilo 'minhas músicas favoritas', mas do outro tipo. Você sabe, com TODOS ELES MERECEM MORRER rabiscado no alto, em letras garrafais."

"Nossa!", exclamou você, erguendo o corpo na cadeira. "Hoje em dia, isso não tem a menor graça."

"Nãããão, eles não acharam engraçado."

"Espero que dêem uma boa espinafrada nesse garoto", você disse.

"Aaaah, eu acho que vão fazer mais do que dar uma *espinafrada*."

"Bem, e quem foi?", perguntei. "Onde encontraram a lista?"

"No armário dele. E foi a coisa mais engraçada. Era o último cara de quem a gente podia esperar. O Supercucaracho."

"Kev", disse você, em tom ríspido. "Já adverti você sobre esse tipo de linguagem."

"*Mil desculpas*! Eu quis dizer o *Señor Espinoza*. Acho que ele anda transbordando de *hostilidade étnica* e *ressentimento acumulado*, por causa do *povo latino*."

"Espere aí", disse eu. "Ele não ganhou um prêmio acadêmico importante no ano passado?"

"Não estou lembrado", disse Kevin, animadamente. "Mas a suspensão de três semanas vai fazer um estrago danado no histórico escolar dele. Não é *mesmo* uma pena? Puxa, e a gente pensa que conhece as pessoas."

"Se todos sabiam que ia haver essa revista, por que esse menino, o Espinoza, não tiraria antes uma lista tão incriminadora de seu armário?", perguntei.

"Sei lá", respondeu Kevin. "Acho que ele é amador."

Tamborilei os dedos na mesa de centro. "Esses armários... os do tipo que eu conheci quando era garota tinha umas aberturas no alto. Para a ventilação. Os de vocês também têm?"

"É claro" ele começou a se retirar da sala. "Para conservar melhor as batatas fritas."

Suspenderam o candidato a orador da turma; fizeram Greer Ulanov urinar nas calças. Castigaram os poetas, os esportistas de pavio curto, a garotada que usava roupas mórbidas. Qualquer um com um apelido chamativo, uma imaginação extravagante, ou uma condição social não propriamente abastada, que marcasse o estudante como um "pária", tornou-se suspeito. Pelo que eu podia ver, era uma Guerra aos Esquisitos.

Mas eu me identificava com os esquisitos. Na adolescência, eu tinha traços armênios acentuados, marcantes, e não era considerada bonita. Tinha um sobrenome engraçado. Meu irmão era um joão-ninguém pouco falante e taciturno, que não tinha marcado pontos para mim no campo social como meu predecessor. Eu tinha uma mãe que vivia encerrada em casa, não me levava a lugar algum nem comparecia às cerimônias da escola, embora sua insistência em continuar a fabricar desculpas fosse muito delicada; e eu era uma sonhadora que fantasiava o tempo todo com a fuga, não só de Racine, mas da totalidade dos Estados Unidos. Os sonhadores não sabem se cuidar. Se eu fosse aluna da Gladstone em 1998, com certeza escreveria uma fantasia chocante, na aula de inglês da penúltima série, sobre acabar com o sofrimento da minha família desamparada explodindo aquele sarcófago que era o 112 da Avenida Enderby e o mandando para o reino dos céus, ou, então, num trabalho de estudos sociais sobre a "diversidade", os detalhes horripilantes com que eu descreveria o genocídio dos armênios deixariam transparecer um fascínio *pouco saudável* pela violência. Por outro lado, eu expressaria uma simpatia não recomendável pelo pobre Jacob Davis, sentado ao lado de sua arma com a cabeça nas mãos, ou, sem o menor tato, criticaria uma prova de latim como sendo *de matar*. De um jeito ou de outro, eu estaria ferrada.

Mas o Kevin, Kevin não era esquisito. Não que alguém percebesse. É verdade que tinha aquela história de exibir roupas diminutas, mas não se vestia todo de preto nem andava sorrateiro, metido num sobretudo; "roupas ínfimas" não eram a fotocópia da lista oficial de "sinais de advertência". Ele só tirava B e ninguém além de mim parecia achar isso surpreendente. Eu pensava com meus botões: esse garoto é inteligente, a inflação das notas é uma constante, e seria de se esperar que ele tirasse um A *por acaso*. Mas não, Kevin dedicava sua inteligência a manter a cabeça abaixo do parapeito. Acho que chegava a exagerar. Quero dizer, as redações dele eram tão enfadonhas, tão sem vida e tão repetitivas que beiravam o desequilíbrio. Era de se supor que alguém notasse que aquelas frases quebradas e idiotizadas ("Paul Revere montou num cavalo. Disse que os ingleses estavam chegando. Disse: 'Os ingleses estão chegando. Os ingleses estão chegando'.") equivaliam a enfiar dois dedos no rabo do professor. Mas foi só quando escreveu um texto feito de propósito para repetir as palavras *negrume*, *denigrescer* e *Nigéria*, para o professor de História dos Negros, que ele arriscou o pescoço.

No plano social, Kevin se camuflava com um número suficiente de "amigos" para não parecer assustadoramente solitário. Eram todos medíocres — mediocridades excepcionais, se é que isso existe —, ou perfeitos cretinos, como Lenny Pugh. Todos adotavam uma abordagem minimalista da educação e não se metiam em confusões. É bem possível que levassem toda uma vida secreta por trás dessa cortina cinzenta de obediência bovina, mas, na escola deles, a única coisa que não levantava a bandeira vermelha era ser suspeitamente insípido. A máscara era perfeita.

Será que Kevin usava drogas? Nunca tive certeza. Você já se angustiava o bastante para saber como abordar o assunto, se adotando a via da retidão moral e denunciando todos os fármacos como o caminho certeiro para a loucura e a sarjeta, ou se bancando o regenerado que já pintou e bordou e se gabando de uma longa lista de substâncias que um dia devorou feito balas, até descobrir pelo caminho mais árduo que elas podiam estragar seus dentes. (A verdade — que não havíamos chegado propriamente a esvaziar o armário de remédios, mas ambos tínhamos experimentado uma variedade de drogas recreativas, e não só nos anos sessenta, mas até um ano antes de ele nascer; que viver melhor com a ajuda da química não tinha levado nenhum de nós dois para o hospício, ou sequer para o pronto-socorro; e que aquelas alegres viagens na montanha-russa mental eram muito mais fonte de saudade que de remorso — era *inaceitável*.) Os dois caminhos tinham armadilhas. O primeiro condenaria você como um quadradão que não fazia idéia do que ele estava dizendo; o segundo cheirava a hipocrisia. Lembro-me de que você acabou mapeando uma espécie de curso intermediário e admitiu ter fumado maconha; disse a ele, em nome da coerência, que estaria tudo bem se ele quisesse "experimentar", mas que não se deixasse apanhar e que, por favor, não contasse a ninguém que você tinha feito outra coisa senão condenar qualquer tipo de narcótico. Quanto a mim, mordi a língua. Cá com meus botões, eu achava que engolir uns comprimidos de *ecstasy* talvez fosse a melhor coisa que podia acontecer com aquele menino.

Quanto ao sexo, deixo a exatidão daquela bazófia do "trepar e largar" para quem souber decidir. Se, de nós dois, eu dizia ser quem melhor "conhecia" o Kevin, era só no sentido de saber que ele era opaco. Sei que não o conheço. Pode ser que ele ainda seja virgem. Só tenho certeza de uma coisa: é que, se ele teve alguma relação sexual, foi uma coisa deprimente — curta, ofegante, de camisa. (Aliás, era bem possível que ele andasse sodomizando o Lenny Pugh. Isso é estranhamente fácil de imaginar.) Por isso, pode até ser que Kevin tenha dado ouvidos à sua severa advertência de que, quando se sentisse pronto para o sexo, ele sempre usasse camisinha, nem que fosse porque uma bainha gosmenta de borracha, cheia de gozo leitoso, tornaria seus encontros vazios muito mais prazerosamente sórdidos. Meu raciocínio é que não há nada na cegueira para a beleza que implique necessariamente uma cegueira para a feiúra, pela qual Kevin desenvolveu há muito tempo uma predileção. Presumivelmente, há tantos matizes delicados do repulsivo quanto do deslumbrante, de maneira que uma mente cheia de malignidade não seria empecilho para um certo refinamento.

Houve mais um assunto, no fim do ano letivo em que Kevin cursou a primeira série do ensino médio, com o qual nunca incomodei você, mas que agora menciono de passagem, a bem da exatidão.

Você com certeza se lembra de que, no começo de junho, os computadores da AWAP foram contaminados por um vírus. Nossa equipe técnica descobriu a origem dele num *e-mail* habilmente intitulado de "AVISO: Novo vírus letal em circulação". Ninguém mais parecia dar bola para cópias impressas dos dados nem para aqueles disquetes vagabundos, de modo que, como o vírus também infectou nosso *drive* de cópias de segurança, os resultados foram desastrosos. Num arquivo após outro, ou o acesso era negado, ou o arquivo não existia, ou aparecia na tela um monte de quadradinhos, rabiscos ou ondinhas. Quatro edições diferentes foram atrasadas em pelo menos seis meses, o que animou dezenas de nossas livrarias mais fiéis, inclusive as cadeias de lojas, a fazer encomendas generosas de *The Rough Guide* e *The Lonely Planet*, quando a *A Wing & a Prayer* não pôde satisfazer o animado mercado de verão com listagens atualizadas. (Também não ganhamos muitos amigos quando o vírus foi enviado para todos os endereços de *e-mail* da nossa lista comercial.) Nunca recuperamos inteiramente os negócios perdidos naquela temporada; assim, o fato de eu ter sido forçada a vender a empresa, no ano 2000, por menos da metade do valor dela dois anos antes, é atribuível, em certa medida, a essa contaminação. Para mim, ela deu uma contribuição substancial para o clima de estado de sítio que prevaleceu em 1998.

Não falei com você sobre a fonte do vírus por vergonha. Eu nunca deveria ter andado bisbilhotando, diria você. Deveria ter obedecido ao mandamento de todos os manuais parentais que manda respeitar a inviolabilidade do quarto de um filho. Se sofri conseqüências terríveis, eu tinha feito minha própria cama. Essa é a mais velha inversão que existe e é uma das favoritas dos desonestos no mundo inteiro: quando uma pessoa descobre uma coisa incriminadora, por bisbilhotar onde não deveria, inverte-se imediatamente a questão e se acusa a bisbilhotice, para desviar a atenção do que foi descoberto.

Não sei ao certo o que me levou a entrar lá. Eu tinha ficado em casa, em vez de ir à AWAP, para levar a Celia a mais uma consulta com o oculista e verificar sua adaptação à prótese. Havia bem pouca coisa no quarto de Kevin que despertasse a curiosidade, embora talvez tenha sido exatamente essa característica — aquele vazio misterioso — que me pareceu tão magnética. Ao entreabrir a porta, tive a forte sensação de que não devia estar ali. Kevin tinha ido à escola, você estava procurando locações, e Celia estava debruçada sobre um trabalho de casa que deveria tomar-lhe dez minutos e que, portanto, levaria umas boas duas horas, de modo que a chance de eu ser apanhada era pequena. Mesmo assim, meu coração acelerou e minha respiração ficou ofegante. Isto é besteira, eu disse a mim mesma. Estou na minha casa e, se for interrompida, o que é improvável, posso dizer que estou procurando louça suja.

Naquele quarto, nem pensar. Era imaculado; você implicava com o Kevin por ele ser "ranzinza", tão maníaco pela arrumação. A cama fora feita com a precisão de um campo de treinamento militar. Tínhamos oferecido a ele uma colcha com carros de corrida, ou com motivos do *Caverna do dragão*, mas ele fora firme em sua preferência pelo bege liso. As paredes não tinham adornos:

nenhum cartaz do Oasis ou das Spice Girls, nem Marilyn Manson olhando de esguelha. As prateleiras da estante eram praticamente vazias: alguns livros didáticos, um único exemplar de *Robin Hood*; os muitos livros que lhe déramos de Natal e de aniversário haviam simplesmente sumido. Ele tinha seu próprio televisor e seu som estéreo, mas praticamente a única "música" que eu o ouvira tocar tinha sido um CD meio no estilo de Philip Glass, que punha em seqüência frases geradas por computador, de acordo com uma equação matemática; não tinha forma, picos nem vales, e se aproximava do ruído branco que ele também sintonizava na televisão, quando não estava assistindo ao Weather Channel. Os CDs que lhe déramos, na tentativa de descobrir do que ele "gostava", também não estavam visíveis em parte alguma. Embora a gente pudesse arranjar protetores de tela encantadores, com golfinhos saltitantes ou naves espaciais em *zoom*, o do computador Gateway de Kevin meramente ostentava pontos ao acaso.

Seria aquela a aparência do interior da cabeça dele? Ou será que o quarto também era uma espécie de protetor de tela? Bastaria acrescentar uma paisagem marinha acima da cama e seria como estar num quarto desocupado da rede Quality Inn. Nem uma fotografia na mesa de cabeceira, nem uma lembrança na cômoda — as superfícies eram lisas e ausentes. Como eu teria preferido entrar numa verdadeira zona, cheia de *heavy-metal*, de páginas centrais chamativas da *Playboy*, fedendo a malhas de ginástica sujas de lama e com uma crosta de sanduíches de atum de um ano de idade! Esse era o tipo de covil adolescente de entrada proibida que eu compreendia, no qual poderia descobrir segredos seguros e acessíveis, como um pacote de camisinhas embaixo das meias ou um saquinho de maconha enfiado num tênis fedido. Em contraste, todos os segredos do quarto de Kevin tinham a ver com o que eu não descobriria, como algum vestígio de meu filho. Olhando em volta, pensei, inquieta: *Ele poderia ser qualquer pessoa.*

Mas, quanto à pretensão de não haver nada para esconder, essa eu não engolia. Por isso, quando avistei uma pilha de disquetes na prateleira acima do computador, dei uma espiada neles. Escritos em letra de imprensa perfeitamente impessoal, os títulos eram obscuros: "Nostradamus", "Amo você", "D4-X". Sentindo-me mal-intencionada, escolhi um, repus os outros como os havia encontrado e saí de fininho porta afora.

No estúdio, inseri o disquete em meu computador. Não reconheci os sufixos no *drive* A, mas não se tratava de arquivos usuais de editores de texto, o que me desapontou. Na esperança de encontrar uma agenda ou um diário particular, é possível que eu estivesse menos ansiosa por descobrir o conteúdo exato dos pensamentos mais íntimos de Kevin do que por confirmar que ao menos ele *tinha* pensamentos íntimos. Disposta a não desistir com facilidade, entrei no Explorer e carreguei um dos arquivos; para minha perplexidade, o Microsoft Outlook Express apareceu na tela, e nessa hora a Celia me chamou da mesa de jantar, dizendo que precisava de ajuda. Afastei-me por uns quinze minutos.

Quando voltei, o computador estava apagado. Tinha desligado sozinho, o que nunca havia feito sem receber essa instrução. Desconcertada, tornei a ligá-lo, mas só consegui mensagens de erro, mesmo quando tirei o disquete do *drive*.

Você já sacou tudo. Levei o computador para o trabalho no dia seguinte, para que meu pessoal do suporte técnico descobrisse qual era o problema, e encontrei o escritório inteiro andando de um lado para outro. Não era propriamente um pandemônio, mais parecia o clima de uma festa em que a bebida tivesse acabado. Havia editores conversando fiado nos cubículos uns dos outros. Ninguém trabalhava. Não podiam trabalhar. Não havia um único terminal funcionando. Mais tarde, fiquei quase aliviada quando o George me informou que o disco rígido do meu PC estava tão corrompido, que mais valeria eu comprar outro. Talvez, depois de destruído o objeto infeccioso, ninguém jamais descobrisse que o vírus fora enviado pela própria diretora executiva da AWAP.

Furiosa com Kevin por ele guardar esse equivalente moderno de um escorpião de estimação, agarrei-me ao disquete por vários dias, como prova, em vez de inseri-lo de volta na prateleira dele, discretamente. Mas, quando me acalmei, tive de admitir que Kevin não havia apagado pessoalmente os arquivos da minha empresa e que o desastre fora culpa minha. Assim, uma tarde, bati à porta dele, fui autorizada a entrar e a fechei atrás de mim. Ele estava sentado à escrivaninha. O protetor de tela piscava do seu jeito desconexo, um ponto aqui, outro ali.

"Eu queria lhe perguntar", comecei, dando um tapinha no disquete, "o que é isso."

"Um vírus", disse ele, animado. "Você não o carregou, não é?"

"É claro que não", apressei-me a dizer, descobrindo que mentir para um filho dá exatamente a mesma sensação de mentir para um dos pais; minhas bochechas comicharam, como quando garanti à minha mãe, depois de perder a virgindade aos dezessete anos, que tinha passado a noite com uma amiga de quem ela nunca ouvira falar. Mamãe tinha percebido; Kevin também. "Quero dizer", revisei minha afirmação, em tom pesaroso, "só o carreguei uma vez."

"Só precisa ser uma vez."

Ambos percebemos que seria ridículo eu ter entrado escondida no quarto dele, surrupiado um disquete, com o qual em seguida havia destruído meu computador e paralisado meu escritório, e depois chegar num rompante e acusá-lo de sabotagem industrial. Por isso, o diálogo prosseguiu com certo equilíbrio.

"Por que você tem isso?", perguntei, respeitosamente.

"Tenho uma coleção."

"Não é uma coisa esquisita para se colecionar?"

"Não gosto de selos."

Nessa hora exata, tive um pressentimento do que ele diria se você irrompesse quarto adentro, decidido a descobrir *por que diabo* ele tinha uma pilha de vírus de computador na escrivaninha: *Bem, depois de assistirmos a* O silêncio dos inocentes, *resolvi que queria ser agente do FBI! E você sabe que eles têm toda aquela força-tarefa, tipo assim, que rastreia os* hackers *que espalham esses vírus terríveis de computador, não é? Pois então, estou estudando os vírus e tudo mais, porque li que isso é mesmo um problema enorme para a nova economia e a globalização, e até para a defesa do nosso país...!* O fato de Kevin ter me poupado dessa encenação — ele colecionava vírus de computador, fim de papo, e daí? — fez eu me sentir estranhamente lisonjeada.

Assim, perguntei, timidamente: "Quantos você tem?"

"Vinte e três."

"Eles são... difíceis de achar?"

Ele me olhou com ar esquivo, com aquele velho sentimento de indecisão, mas, por um capricho qualquer, resolveu experimentar como era conversar com a mãe.

"São difíceis de *capturar vivos*", respondeu. "Eles escapolem e mordem. É preciso saber manejá-los. Sabe, como um médico. Que estuda doenças no laboratório, mas não quer adoecer."

"Quer dizer que você tem que impedir que eles infectem seu próprio computador."

"É. O Mouse Ferguson andou me ensinando as mutretas."

"Já que você os coleciona, talvez possa me explicar: por que as pessoas criam vírus? Eu não entendo. Elas não ganham nada. Qual é o atrativo?"

"Não entendi o que você não entende."

"Compreendo que alguém penetre na rede da AT&T para telefonar de graça, ou roube códigos de cartões de crédito para fazer compras na Gap. Mas esse tipo de crime de computador... ninguém se beneficia. Qual é a finalidade?

"É exatamente essa."

"Continuo sem entender."

"Os vírus, eles são meio elegantes, sabe? Quase... puros. É meio como... uma obra de caridade, sacou? É um negócio *altruísta.*

"Mas não é muito diferente de criar o vírus da AIDS."

"Vai ver que alguém o criou", disse ele, em tom afável. "Por que não pode ter sido assim, não é? Você digita coisas no computador, vai para casa e a geladeira está funcionando, e outro computador cospe o seu cheque de pagamento, e você dorme e torna a pôr mais merda no computador... Podia muito bem estar morta."

"Então, é isso... É quase para, como se diz, saber que você está vivo. Para mostrar às outras pessoas que elas não o controlam. Para provar que você é capaz de fazer alguma coisa, mesmo que possa ser preso por isso."

"É, é por aí", disse ele, com ar apreciativo. Aos olhos de Kevin, eu me havia superado.

"Ah", devolvi o disquete. "Bem, obrigada por me explicar."

Quando me virei para ir embora, ele disse: "O seu computador está ferrado, não é?"

"É, está ferrado", respondi, arrependida. "Acho que eu mereci."

"Sabe, se houver alguém de quem você não goste...", ele se ofereceu. "E se você tiver o endereço eletrônico dele... É só me dizer."

Ri. "Tá legal. Farei isso, com certeza. Só que já faz uns dias que as pessoas de quem não gosto formam uma lista e tanto."

"É melhor avisar a elas que você tem amigos no submundo", disse Kevin.

Então, *entrosamento* era isso? Fiquei maravilhada, e fechei a porta.

*Eva*

## *16 de março de 2001*

*Querido Franklin,*

Bem, é mais uma noite de sexta-feira em que me preparo para a visita a Chatham amanhã de manhã. As lâmpadas de halogênio recomeçaram a tremer, oscilando como minha estóica determinação de ser um bom soldado e viver o que me resta de vida em prol de um dever inominável. Faz mais de uma hora que estou sentada aqui, pensando no que me faz continuar e, mais especificamente, no que é que quero de você. Acho desnecessário dizer que quero você de volta; o volume desta correspondência — embora ela esteja mais para *respondência*, não é? — é uma prova maciça disso. E o que mais? Será que quero que você me perdoe? E, se for assim, exatamente por que motivo?

Afinal, fiquei constrangida com a maré não solicitada de perdão que rolou sobre o naufrágio de nossa família depois da *quinta-feira*. Além de cartas que prometem arrebentar-lhe os miolos ou gerar os filhos dele, o Kevin tem recebido dezenas de cartas que se oferecem para compartilhar a sua dor, pedem desculpas pelo fato de a sociedade não ter reconhecido sua aflição espiritual e lhe concedem completa anistia moral por aquilo de que ele ainda vier a se arrepender. Divertido, ele tem lido trechos seletos para mim, em voz alta, na sala das visitas.

É claro que isso transforma o exercício de perdoar os impenitentes numa caricatura, e também falo por mim. Também recebi uma enxurrada de cartas (meu endereço eletrônico e minha caixa postal foram divulgados na partnersprayer.org e na beliefnet.com, sem o meu consentimento; ao que parece, em todos os momentos, milhares de norte-americanos têm rezado pela minha salvação), grande parte delas invocando um Deus em que eu tinha menos inclinação do que nunca a acreditar e, ao mesmo tempo, perdoando todas as minhas deficiências como mãe. Só posso presumir que essas pessoas bem-intencionadas sintam-se comovidas com a minha aflição. Mas me incomodou que quase todo esse consolo tenha sido oferecido por estranhos, o que o fez parecer sem valor; e um certo toque de vaidade deixou transparecer que essa clemência conspícua transformou-se na versão religiosa de dirigir um carro chamativo. Em contraste, a resoluta incapacidade de meu irmão Giles de nos perdoar pelas atenções indesejadas de que a família dele foi cumulada graças a nosso filho delinqüente é uma má vontade a que dou enorme valor, nem que seja pela franqueza. Assim, cheguei a pensar em ticar nos envelopes "Devolver ao remetente", como fiz com as varas de pescar Pocket Fisherman e as facas Ginsu que não havia encomendado. Nos primeiros meses, ainda asmática com o luto, eu me inclinava mais para o revigorante ar livre dos párias do que para a confinação sufocante da caridade cristã. E o caráter vingativo da correspondência insultuosa que eu recebia era cru e vermelho como o sangue, ao passo que a bondade das condolências era pálida e pasteurizada, feito comida pronta para bebê; depois de ler algumas páginas dos caridosos, eu me sentia como se houvesse acabado de sair me arrastando de um tonel de abóbora liquefeita. Tinha vontade de sacudir aquela gente e gritar: *Perdoar-nos? Vocês sabem o que ele fez?*

Em retrospectiva, porém, talvez o que mais me irrite é que essa grande absolvição idiota que entrou em voga ultimamente é concedida de um modo muito seletivo. Os maus-caracteres do tipo corriqueiro — intolerantes, sexistas, fetichistas — nem precisam se candidatar. "KK", o assassino, recebe pilhas de cartas de correspondentes penalizados; já uma professora de teatro atrapalhada, na ânsia desesperada de ser benquista, é posta no ostracismo pelo resto da vida. Daí você pode depreender, corretamente, que eu me sinto menos incomodada com os caprichos da compaixão de todos os Estados Unidos do que com a sua. Você fez um esforço extraordinário para ser compreensivo com assassinos como Luke Woodham, em Pearl, e os pequenos Mitchell e

Andrew, em Jonesboro. Então, por que não pôde demonstrar nenhuma solidariedade por Vicki Pagorski?

O primeiro semestre da penúltima série de Kevin no ensino médio, em 1998, foi dominado por aquele escândalo. Fazia semanas que os boatos circulavam, mas nós não estávamos por dentro, de modo que a primeira notícia que tivemos foi quando a direção enviou aquela carta a todos os alunos de teatro da srta. Pagorski. Eu ficara surpresa por Kevin ter escolhido cursar uma cadeira de teatro. Ele tendia a se afastar dos refletores nessa época, por medo de que o exame minucioso expusesse às claras o seu disfarce de Garoto Comum. Por outro lado, como o quarto dele sugeria, *ele poderia ser qualquer pessoa*, de maneira que talvez fizesse anos que estava interessado em representar.

"Franklin, você precisa dar uma olhada nisso", eu lhe disse numa noite de novembro, quando você resmungava diante do *Times* que Clinton era "um sacana de merda mentiroso". Entreguei-lhe a carta. "Não sei como interpretar isso."

Enquanto você ajeitava os óculos para perto, tive um daqueles momentos vibrantes de atualização em que percebi que seu cabelo tinha passado decididamente de louro para grisalho.

"Está me parecendo", determinou você, "que essa senhora tem uma queda por carne tenra."

"Bem, é o que a gente tem que inferir", disse eu. "Mas, se alguém fez uma acusação, essa carta não a está defendendo. *Caso seu filho ou sua filha tenha comunicado alguma coisa irregular ou imprópria... Por favor, conversem com seus filhos...* Eles estão cavando mais sujeira!"

"Eles têm que se proteger. KEV! Dê um pulo aqui na sala um instante!"

Kevin veio andando pela sala de jantar com uma malha cinzenta minúscula, com o elástico dos tornozelos enrolado abaixo dos joelhos.

"Kev, isso é meio chato", você disse, "e você não fez nada de errado. Nada. Mas essa professora de teatro, a srta... Pagorski. Você gosta dela?"

Kevin encostou-se na parede da passagem em arco, relaxado.

"Ela é legal, eu acho. É meio..."

"Meio o quê?"

Kevin deu um olhar deliberado em todas as direções.

"Esquisita."

"Esquisita como?", perguntei.

Ele examinou os tênis desamarrados, espiando por entre os cílios.

"Tipo assim, ela usa umas roupas engraçadas e tal. Não parece professora. *Jeans* apertados e, às vezes, a blusa dela..." Kevin remexeu-se e coçou um dos tornozelos com o outro pé. "Tipo assim, os botões de cima, eles não... Sabe, ela fica toda empolgada quando dirige uma cena, e aí... É meio embaraçoso."

"Ela usa sutiã?", você perguntou, sem meias palavras.

Kevin desviou o rosto, prendendo o riso. "Nem sempre."

"Quer dizer que ela usa roupas informais e, às vezes... provocantes", disse eu. "Mais alguma coisa?"

"Bom, não é grande coisa nem nada, mas ela usa uma linguagem meio pesada, sabe? Quer dizer, tá legal, mas, vindo de uma professora e tudo, bom, como eu disse, é esquisito."

"Linguagem pesada como *titica* e *diabo*?", você insistiu. "Ou palavrões mais cabeludos?"

Kevin levantou os ombros, com ar desamparado. "É, tipo assim... desculpe, *mãemãe...*"

"Ora, pare com isso, Kevin", retruquei com impaciência; o encabulamento dele me parecia muito exagerado. "Sou uma mulher adulta."

"Como *puta*", disse ele, enfrentando meu olhar. "Ela fala, tipo assim, *Foi uma puta apresentação*, ou então, quando está dirigindo um cara, ela diz: "*Olhe para ela como se você estivesse com vontade de trepar, como se quisesse foder com ela até ela ganir feito um porco.*"

"Isso é meio forte, Eva", disse você, levantando as sobrancelhas.

"Como é a aparência dela?", indaguei.

"Ela tem uns... hum...", fez um gesto imitando melões, "grandes, e tem...", dessa vez, não conseguiu prender o riso, "tipo assim, uma bunda enorme. É velha e tudo. Tipo uma bruxa, basicamente."

"Ela é boa professora?"

"É dedicada à beça, com certeza."

"Dedicada como?", você perguntou.

"Está sempre tentando fazer a gente ficar depois da hora para ensaiar as cenas com ela. A maioria dos professores só quer ir para casa, sabe? Mas a Pagorski, não. Ela nunca se cansa."

"Alguns professores são realmente apaixonados por seu trabalho", retruquei com rispidez.

"É isso que ela é", fez Kevin. "*Apaixonada* mesmo, de verdade."

"Está me parecendo que ela é meio irreverente, ou meio biruta", disse você. "Até aí, tudo bem. Mas há outras coisas que não são corretas. Por isso, nós precisamos saber. Ela já tocou você alguma vez? Como quem flerta? Ou... abaixo da cintura? De algum modo que o tenha deixado sem jeito?"

As contorções tornaram-se extravagantes e ele coçou o peito nu como se não estivesse realmente coçando.

"Depende do que você quer dizer por *sem jeito*, eu acho."

Você pareceu assustado. "Meu filho, estamos só nós aqui. Mas isso é uma coisa séria, está bem? Temos que saber se aconteceu... alguma coisa."

"Olhe", disse Kevin, com ar tímido. "Sem ofensa, *mãemãe*, mas, será que você se incomoda? Prefiro falar com o papai em particular."

Para ser franca, eu me incomodava muito. Se iam me pedir para acreditar nessa história, eu mesma queria ouvi-la. Mas não havia nada a fazer senão pedir licença e ir me afligir na cozinha.

Quinze minutos depois, você estava espumando de raiva. Servi-lhe uma taça de vinho, mas você não conseguiu sentar-se. "Estou lhe dizendo, Eva, essa mulher passou dos limites", murmurou em tom urgente, e me contou a história toda.

"Você vai denunciar isso?"

"Pode apostar que vou. Essa professora devia ser despedida. Diabos, devia ser presa. Ele é menor de idade."

"Você... quer que eu vá junto?", indaguei. Em vez disso, por pouco não perguntei: *Você acredita nele?* Mas não me dei ao trabalho.

Deixei por sua conta a apresentação das provas da promotoria, enquanto me oferecia para me encontrar com Dana Rocco, a professora de inglês de Kevin, para uma conversa rotineira entre pais e mestres.

Saindo furtivamente da sala da srta. Rocco às quatro da tarde, Mary Woolford passou por mim no corredor, mal fazendo um aceno com a cabeça; sua filha não era nenhum luminar acadêmico e, se aquilo não era um simples estado permanente, ela parecia desconcertada. Quando entrei, a srta. Rocco exibia aquela expressão de quem acabou de respirar fundo, como que apelando para seus recursos internos. Mas se recuperou bem depressa, e seu aperto de mão foi caloroso.

"Eu estava ansiosa por vê-la", disse-me, mais firme do que efusiva. "Seu filho é um enigma e tanto para mim, e andei esperando que a senhora pudesse me ajudar a decifrar o mistério."

"Receio que eu dependa dos professores para explicar *a mim* esse mistério", respondi com um sorriso abatido, ocupando a berlinda junto a sua mesa.

"Mas eu duvido que eles tenham sido esclarecedores."

"O Kevin faz os deveres de casa. Não mata aulas. Não leva facas para a escola, pelo que se sabe. É só isso que os professores dele se interessam por saber."

"Receio que a maioria dos professores aqui tenha quase cem alunos..."

"Desculpe. Não pretendi ser crítica. Vocês vivem tão sobrecarregados que me admira que tenham sequer aprendido o nome dele."

"Ah, eu notei o Kevin de imediato..." Ela pareceu prestes a dizer algo mais, e parou. Encostou a borracha da ponta do lápis no lábio inferior. Magra e atraente, ali pelo meio da casa dos quarenta, era uma mulher de feições marcantes, que tendiam a se fixar numa expressão implacável, com os lábios levemente comprimidos. No entanto, se exsudava um ar de continência, sua reserva não parecia natural, mas aprendida, talvez à custa de um duro por tentativa e erro.

Não era uma época fácil para ser professor, se é que algum dia já foi. Pressionados pelo Estado para elevar os padrões e pelos pais para dar notas mais altas, colocados sob uma lente de aumento para que se descobrisse qualquer insensibilidade étnica ou impropriedade sexual, dilacerados entre as exigências repetitivas da proliferação de testes padronizados e o clamor dos estudantes pela criatividade de expressão, os professores eram responsabilizados por tudo que dava errado com as crianças e assediados para salvá-las de todas as maneiras. Esse duplo papel de bode expiatório e salvador era decididamente messiânico, mas, mesmo em siclos de 1998, provavelmente Jesus seria mais bem pago.

"Qual é o jogo dele?", recomeçou a srta. Rocco, batendo com a borracha na mesa.

"Como?"

"O que a senhora acha que aquele menino quer? Ele tenta esconder, mas é esperto. E também um satirista social selvagem. Ele sempre escreveu essas redações gozadoras, ou será que essas paródias de ar impassível são novidade?

"Ele tem um senso agudo do absurdo desde pequeno."

"Aquelas redações com monossílabos são um verdadeiro *tour de force*. Diga-me, há alguma coisa que ele não ache ridícula?"

"Tiro com arco", respondi, envergonhada. "Não faço idéia de por que ele não se cansa daquilo."

"Qual o motivo que a senhora acredita que o leva a gostar de arco-e-flecha?"

Franzi o cenho.

"Alguma coisa sobre a flecha... o foco... o senso de propósito dela, ou o senso de direção. Talvez ele a inveje. O Kevin tem uma certa ferocidade quando se exercita no tiro. Afora isso, bem que parece não ter nenhum objetivo."

"Sra. Khatchadourian, não quero pressioná-la, mas houve alguma coisa na sua família que eu deva saber? Eu tinha a esperança de que a senhora pudesse ajudar a explicar por que seu filho parece ter tanta *raiva*."

"Que estranho. A maioria dos professores do Kevin o descreve como plácido, até mesmo letárgico."

"É uma fachada", disse ela, confiante.

"Eu o acho mesmo meio rebelde..."

"E o jeito de ele se rebelar é fazer tudo o que se espera que faça. É uma forma muito inteligente. Mas eu o olho nos olhos, e ele está furioso. Por quê?"

"Bem, ele não ficou muito contente quando a irmã nasceu... Mas isso foi há mais de sete anos, e ele também não era muito feliz antes de ela nascer." Minha fala se tornara rabugenta. "Nós temos uma boa situação... sabe, temos uma casa grande..." Introduzi um ar de embaraço. "Tentamos não mimá-lo, mas não falta nada a ele. O pai o adora, quase... demais. A irmã dele sofreu, sim, um... acidente, no inverno passado, no qual o Kevin esteve... envolvido, mas não pareceu se incomodar muito com isso. Não o bastante, na verdade. Afora isso, não sei lhe dizer por que trauma terrível ele passou, ou que privações sofreu. Levamos a chamada boa vida, não é?"

"Talvez seja disso que ele sente raiva."

"Por que a riqueza haveria de irritá-lo?"

"Talvez ele sinta raiva por não haver nada melhor que isso. Sua casa grande. A boa escola dele. De certo modo, acho que é muito difícil para as crianças, hoje em dia. A própria prosperidade do país se tornou um fardo, um beco sem saída. Tudo funciona, não é? Pelo menos, se o sujeito for branco e de classe média. Então, muitas vezes deve parecer aos jovens que eles não são necessários. Em certo sentido, é como se não houvesse mais nada para fazer."

"Exceto destruir tudo."

"Sim. E a gente vê os mesmos ciclos na História. Não são só as crianças."

"Sabe, tentei falar com meus filhos sobre as dificuldades da vida em países como Bangladesh ou Serra Leoa. Mas não são as dificuldades deles e não posso propriamente deitá-los numa cama de pregos todas as noites para que eles valorizem o milagre do conforto."

"A senhora disse que seu marido 'adora' o Kevin. Como é sua relação com ele?"

Cruzei os braços. "Ele é adolescente."

Sensata, ela deixou o assunto de lado. "Seu filho é tudo, menos um caso perdido. Era basicamente isso que eu queria lhe dizer. Ele é afiado como uma navalha. Alguns de seus textos... A senhora leu a redação sobre os carros utilitários esportivos? Era digna de Swift. E notei que ele faz perguntas questionadoras só para me pegar desprevenida — para me humilhar na frente da turma. Na verdade, ele sabe a resposta de antemão. Por isso, eu tenho entrado no jogo. Eu o chamo e ele me pergunta o que é *logomaquia*. Eu admito tranqüilamente que não sei e, pronto, ele aprendeu mais uma palavra, porque teve de procurá-la no dicionário para fazer a pergunta. É um joguinho entre nós. O Kevin desdenha da aprendizagem pelos canais regulares. Mas, se a gente chegar a ele pela porta dos fundos, seu rapazinho tem brilho."

Fiquei enciumada. "Em geral, quando eu bato, a porta está trancada."

"Por favor, não perca a esperança. Imagino que, com a senhora, como na escola, ele seja inacessível e sarcástico. Como a senhora disse, é um adolescente. Mas também está absorvendo informações a uma velocidade furiosa, nem que seja por estar determinado a não deixar que ninguém leve a melhor."

Olhei de relance para o relógio; havia passado da hora. "Esses massacres nas escolas secundárias", comentei com ar displicente, apanhando a bolsa. "A senhora se preocupa com a possibilidade de acontecer uma coisa dessas aqui?"

"É claro que pode acontecer aqui. Num grupo suficientemente grande de pessoas, seja de que idade for, é fatal que alguém tenha um parafuso a menos. Mas, sinceramente, o fato de eu entregar os poemas violentos à administração só faz irritar meus alunos. E é para se irritarem mesmo. Para ficarem até mais zangados. Inúmeros garotos consideram toda essa censura, essas revistas nos armários..."

"Flagrantemente ilegais", comentei.

"...revistas flagrantemente ilegais." Ela balançou a cabeça, concordando. "Bem, muitos deles aceitam feito cordeirinhos. Alguém lhes diz que é 'para a proteção deles' e a maioria simplesmente... engole. Se fosse comigo, quando eu tinha essa idade, organizaríamos protestos e faríamos passeatas com cartazes..." Ela voltou a se interromper. "*Eu* acho bom eles expressarem a hostilidade no papel. É inofensivo e é uma válvula de escape. Mas essa passou a ser a opinião da minoria. Pelo menos, esses incidentes pavorosos ainda são muito raros. Eu não perderia o sono por isso."

"E...", levantei-me, "quanto aos boatos sobre Vicki Pagorski? A senhora acha que têm algum fundamento?"

Os olhos da srta. Rocco se nublaram. "Não me parece que tenham sido comprovados."

"Eu quero dizer, confidencialmente. Parece crível. Presumindo que a senhora a conheça."

"Vicki é minha amiga, de modo que não sou imparcial..." Ela encostou a borracha no queixo mais uma vez. "Tem sido uma fase dolorosa para ela." E foi só o que se dispôs a dizer.

A srta. Rocco acompanhou-me até a porta. "Quero que a senhora dê um recado ao Kevin por mim", disse, com um sorriso. "Diga-lhe que eu *sei qual é a dele*."

Muitas vezes eu tivera a mesma convicção, mas nunca a havia afirmado num tom de voz tão animado.

Na ânsia de evitar um processo na Justiça, a Diretoria de Ensino de Nyack organizou uma audiência disciplinar fechada na Escola de Ensino Médio de Gladstone, para a qual só foram convidados os pais de quatro alunos de Vicki Pagorski. Procurando manter a informalidade do evento, eles fizeram a reunião numa sala de aula comum. Mesmo assim, o ambiente fervilhava com a sensação de um grande acontecimento e as outras três mães estavam todas arrumadas. (Percebi que eu tinha feito suposições terrivelmente classistas sobre os pais de Lenny Pugh, que nunca havíamos conhecido, quando me apanhei procurando em vão um lixo obeso, do estilo acampamento de *trailer*, que usasse roupas espalhafatosas de poliéster. Mais tarde, discerni que o pai dele era o que fazia o gênero banqueiro, com um terno de risca-de-giz, e a mãe fazia o estilo ruiva deslumbrante de ar inteligente, com uma roupa discreta que era claramente de alta-costura, porque não havia um só botão aparente. Ou seja, todos temos nossas cruzes para carregar.) A Diretoria Municipal de Ensino e o pançudo diretor da Gladstone, Donald Bevons, haviam ocupado um conjunto de cadeiras dobráveis encostadas numa parede, e todos tinham os sobrolhos carregados de retidão, enquanto nós, os pais, fomos enfiados naquelas carteirinhas infantilizantes. Havia outras quatro cadeiras dobráveis dispostas num dos lados da mesa do professor, na frente, onde se sentavam dois meninos de ar nervoso, que eu não conhecia, junto com Kevin e Lenny Pugh, que se inclinava o tempo todo para o Kevin e cochichava por trás da mão. Do outro lado da mesa sentava-se, só me restou presumir, Vicki Pagorski.

É uma lástima o poder descritivo dos adolescentes. Dificilmente se poderia chamá-la de bruxa; duvido que sequer tivesse trinta anos. Eu nunca teria retratado seus seios como grandes ou seu traseiro como volumoso, pois ela exibia a figura agradavelmente sólida de uma mulher que cuida da alimentação. Atraente? Difícil dizer. Com aquele nariz esnobe e as sardas, havia nela um ar inocente de menina perdida que agrada a alguns homens. O *tailleur* insosso, cor-de-burro-quando-foge, sem dúvida fora escolhido para a ocasião; sua amiga Dana Rocco devia ter-lhe desaconselhado os *jeans* apertados e as blusas de decote cavado. Mas era uma pena ela não ter feito nada com o cabelo, que era farto e encarapinhado; enroscava-se cabeça afora em todas as direções e sugeria um estado mental desmiolado e debilitado. Os óculos também eram uma lástima: a armação redonda, grande demais, dava-lhe uma aparência de olhos esbugalhados, induzindo a uma impressão de choque abestalhado. Retorcendo as mãos no colo e com os joelhos grudados sob a saia reta de lã, ela me fez lembrar um pouco a vamos-chamá-la-de-Alice, no baile da oitava série, logo depois de Kevin cochichar coisas que era melhor eu não saber.

Quando o presidente da Diretoria de Ensino, Alan Strickland, pediu silêncio ao grupo, a sala já estava incomodamente quieta. Strickland disse que eles esperavam esclarecer as alegações de um modo ou de outro, sem que o assunto fosse parar nos tribunais. Falou de como a Diretoria levava a sério esse tipo de coisa e tagarelou sem parar sobre o ensino e a confiança. Enfatizou não querer que nada do que fosse dito naquela noite saísse daquela sala, até a Diretoria decidir sobre que providência tomar, caso se tomasse alguma; a estenógrafa tomaria notas apenas para fins internos. Desmentindo a retórica do bate-papo informal, ele explicou que a srta. Pagorski havia declinado de ter seu advogado presente. Em seguida, pediu a Kevin para se sentar na cadeira em frente à mesa do professor e apenas nos dizer, com suas próprias palavras, o que havia acontecido naquela tarde de outubro na sala da srta. Pagorski.

Kevin também havia reconhecido a importância do traje e, para quebrar a monotonia, usava um par de calças simples e camisa social do tamanho certo.

Ao ouvir o pedido, assumiu a postura embaraçada e irrequieta, de olhar desviado, que havia treinado na entrada de nossa sala íntima. "Quer dizer, tipo assim, aquela vez que ela me pediu para ficar depois do horário de aula?"

"Nunca pedi que ele ficasse depois do horário de aula", Pagorski deixou escapar. Tinha a voz trêmula, mas de uma convicção surpreendente.

"A senhorita terá sua oportunidade, srta. Pagorski", disse Strickland. "Por enquanto, vamos ouvir a versão do Kevin, certo?" Estava claro que ele queria que a audiência prosseguisse com calma e civilidade, e pensei comigo mesma: *boa sorte*.

"Sei lá", disse Kevin, encolhendo-se e balançando a cabeça. "Só ficou assim meio *íntimo*, sabe como é? Eu não ia dizer nada nem nada, mas aí meu pai começou a fazer perguntas, e eu contei a ele."

"Contou-lhe o quê?", perguntou Strickland, delicadamente.

"Sabe... o que eu também tinha dito ao sr. Bevons, antes." Kevin enfiou as mãos entre as coxas e olhou para o chão.

"Kevin, eu percebo que isso é difícil para você, mas vamos precisar de detalhes. A carreira de sua professora está em jogo."

Kevin olhou para você. "Papai, eu tenho que falar?"

"Receio que sim, Kev", você respondeu.

"Bom, a srta. Pagorski sempre foi legal comigo, sr. Strickland. Legal *mesmo*. Sempre perguntando se eu precisava de ajuda para escolher uma cena, ou se oferecendo para ler o outro papel, para eu decorar o meu... E nunca achei que eu fosse tão bom assim, mas ela dizia que eu era um grande ator e que adorava meu 'rosto dramático' e minha 'compleição rija', e que, com a minha aparência, eu podia estar no cinema. Disso eu não sei. Mesmo assim, é claro que eu não gostaria de complicar a vida dela."

"Deixe isso conosco, Kevin, e apenas nos conte o que aconteceu."

"Sabe, ela havia perguntado várias vezes se eu podia ficar depois da aula, para ela poder treinar a minha dicção, mas antes eu sempre tinha dito que não podia. Na verdade, eu podia quase todos os dias, quer dizer, não tinha nada que eu precisasse fazer nem nada, mas eu só... era estranho pra mim. Não sei por quê, eu só achava meio esquisito quando ela me puxava pra mesa dela depois da aula e, sei lá, ficava tirando fiapinhos da minha camisa que eu não sabia direito se estavam mesmo lá. Ou então, ela pegava a ponta do meu cinto e tornava a enfiar na alça, sabe?"

"Desde quando o Kevin usa *cinto*?", cochichei. Você fez psiu, para eu ficar calada.

"... Mas, dessa vez, ela foi insistente mesmo, quase como se eu tivesse que ficar, como se fosse parte do trabalho de aula, ou coisa assim. Eu não queria ir... eu lhe disse, não sei exatamente por quê, eu só não queria... mas foi como se, dessa vez, eu não tivesse escolha."

Quase tudo isso foi dito para o linóleo do piso, mas Kevin olhava de relance para Strickland de vez em quando, e Strickland balançava a cabeça para encorajá-lo.

"Aí, esperei até as quatro horas, porque ela disse que tinha umas coisas pra fazer logo depois da sineta e, àquela altura, já não havia quase ninguém por perto. Fui até a sala dela e achei meio estranho ela ter trocado de roupa depois da nossa aula, no quarto tempo. Quer dizer, só a blusa, mas agora era uma daquelas camisetas *stretch* muito cavadas, e era tão justa que dava para eu ver... o senhor sabe."

"Para ver o quê?"

"Os... mamilos dela", completou Kevin. "Aí, eu perguntei: 'A senhora quer que eu recite o meu monólogo?', e ela se levantou e fechou a porta. E trancou. Ela disse: 'A gente precisa de um pouco de privacidade, não é?' Eu falei que, na verdade, o vento não me incomodava. Aí eu perguntei se era para começar do começo, e ela disse: 'Primeiro nós temos que trabalhar nessa sua postura.' Ela disse que eu tinha que aprender a falar tirando a voz do diafragma, bem *aqui*, e pôs a mão no meu peito e a deixou ficar. Depois, disse: 'E você tem que ficar bem ereto', e pôs a outra mão nas minhas costas, abaixo da cintura, e fez pressão, e meio que deu uma alisada. Eu não fiquei ereto realmente. Lembro de ter prendido a respiração, sei lá. Porque eu estava nervoso. Depois, comecei o meu monólogo de *Equus* — na verdade, eu tinha querido fazer Shakespeare, sabe? Aquele negócio de *ser ou não ser*. Eu achava meio legal."

"Quando chegar o momento, filho. Mas, o que aconteceu depois?"

"Acho que ela me interrompeu, depois de umas duas ou três linhas. Ela disse: 'Você precisa se lembrar de que essa peça é toda sobre *sexo*.' E disse: 'Quando ele cega os cavalos, é um *ato erótico*.' E aí ela começou a perguntar se eu já tinha visto algum cavalo, um cavalo grande, assim de perto, não um daqueles pangarés castrados, mas um garanhão, e se eu já tinha notado como era grande... Desculpe, o senhor quer que eu diga realmente o que ela falou, ou devo só, sabe como é, resumir?"

"Seria melhor você usar as palavras exatas dela, tanto quanto possa se lembrar."

"Está bem, o senhor pediu." Kevin respirou fundo. "Ela queria saber se eu já tinha visto o *pau* de um cavalo. Como era grande. E, durante esse tempo todo, eu me sentia meio... engraçado. Tipo assim, inquieto. E ela pôs a mão na minha... hum... Braguilha. Das minhas calças. E eu fiquei um bocado sem jeito, porque, com toda aquela conversa, eu tinha ficado... meio excitado."

"Você está dizendo que teve uma ereção", perguntou Strickland, com ar severo.

"Escute, eu tenho que continuar?", apelou Kevin.

"Se for possível, seria melhor você terminar sua história."

Kevin olhou para o teto e juntou as pernas com força, batendo com o bico do tênis direito no do esquerdo, num ritmo agitado e irregular. "Aí, eu disse: 'Srta. Pagorski, talvez a gente deva trabalhar nessa cena numa outra hora, porque eu vou ter que ir embora logo.' Eu não sabia ao certo se devia dizer alguma coisa sobre a mão dela, então só fiquei repetindo que talvez a gente devesse *parar*, que eu queria *parar*, que eu tinha que *ir embora*. Porque não 'tava parecendo legal, sabe, e eu gosto dela, mas não *desse jeito*. Ela podia ser minha mãe, sei lá."

"Vamos esclarecer as coisas aqui", disse Strickland. "Legalmente, isso só tem uma certa importância por você ser menor. Mas, além do fato de você só ter quinze anos, isso foi uma *investida indesejada*, correto?"

"Bom, foi. Ela é feia."

Pagorski estremeceu. Foi aquele tremorzinho rápido e mole de quando a gente continua atirando num bichinho com uma pistola de alto calibre depois que ele já está morto.

"E então, ela parou?"

"Não, senhor. Ela começou a esfregar a mão pra cima e pra baixo por cima dos meus *jeans*, e dizia o tempo todo 'Nossa'... Ela dizia, e eu realmente peço desculpas, sr. Strickland, mas o senhor me pediu... Ela disse que, toda vez que via o pau de um cavalo, 'ficava com vontade de chupar'. E foi nessa hora que eu..."

"Você ejaculou."

Kevin deixou pender a cabeça, olhando para o colo. "É. Foi uma certa sujeira. Eu saí correndo. Depois disso, faltei à aula umas duas vezes, mas depois voltei e procurei agir como se nada tivesse acontecido, porque eu não queria estragar minha média."

"Como assim?", murmurei entre dentes. "Tirando *outro B?*" Você me fuzilou com os olhos.

"Sei que isso não foi fácil para você, e queremos agradecer-lhe, Kevin, por sua franqueza. Pode ir sentar-se agora."

"Posso ficar sentado com meus pais?", implorou ele.

"Por que não se senta ali com os outros meninos, por enquanto? É que talvez precisemos fazer-lhe mais umas perguntas. Tenho certeza de que seus pais estão muito orgulhosos de você."

Kevin voltou pesadamente para seu assento original, encolhendo-se com uma pitada de vergonha — belo toque. Enquanto isso, a sala ficou num silêncio de se ouvir cair um alfinete, e os pais se entreolharam e abanaram a cabeça. Foi um desempenho brilhante. Não posso fingir que não tenha ficado impressionada.

Mas, então, olhei para Vicki Pagorski. No começo do depoimento de Kevin, ela havia emitido um ou outro guincho reprimido, ou ficado boquiaberta. Mas, quando a coisa terminou, já estava além das manifestações de emoção, e olhe que essa era uma professora de arte dramática. Ela havia desabado de um jeito tão frouxo na cadeira que tive medo de que caísse e o frisado de seu cabelo evanescia no ar, como se toda a cabeça dela estivesse em estado de dissolução.

Strickland virou-se para a cadeira da professora de arte dramática, embora se mantivesse distante. "Pois bem, srta. Pagorski. É sua afirmação que esse encontro nunca aconteceu?"

"Isso..." Ela precisou pigarrear. "Isso mesmo."

"A senhora tem alguma idéia de por que o Kevin contaria uma história dessas, se não fosse verdade?"

"Não, não tenho. Não consigo compreender. A turma do Kevin é um grupo incomumente talentoso, e achei que estava sendo muito divertido para todos nós. Dei muita atenção individual a ele..."

"Parece que é com a atenção individual que ele tem problemas."

"Dou atenção individual a todos os meus alunos!"

"Ah, srta. Pagorski, esperemos que não", disse Strickland, em tom pesaroso. Nossa pequena platéia soltou um risinho abafado. "Então, a senhorita afirma que *não* convidou Kevin a permanecer na escola depois das aulas?"

"Não separadamente. Eu disse à turma toda que, se eles quisessem usar minha sala para ensaiar suas cenas depois do horário de aulas, eu a deixaria à sua disposição."

"Então, a senhorita *realmente* convidou Kevin a ficar depois do horário". Enquanto Pagorski engrolava a fala, Strickland prosseguiu: "Algum dia a senhorita manifestou admiração pela aparência de Kevin?"

"Talvez eu tenha dito alguma coisa sobre ele ter traços muito marcantes, sim. Eu procuro instilar confiança em meus alunos..."

"E quanto a essa questão de 'falar com o diafragma', a senhorita disse isso?"

"Bem, sim..."

"E pôs a mão no peito dele, para indicar onde fica o diafragma?"

"Pode ser, mas eu *nunca* o toquei na..."

"Na parte inferior das costas, para 'melhorar' a postura dele?"

"É possível. Ele tem tendência a ficar curvado, e isso estraga sua..."

"E quanto à escolha de *Equus*? O Kevin escolheu essa passagem?"

"Eu a recomendei."

"E por que não um trecho de *Nossa cidade*, ou de Neil Simon, uma coisa um pouquinho menos picante?"

"Procuro encontrar peças com que os alunos possam se identificar, sobre coisas que sejam importantes para eles..."

"Coisas como sexo."

"Bem, sim, entre outras coisas, é claro..." Ela começava a se alvoroçar.

"A senhorita descreveu o conteúdo dessa peça como 'erótico'?"

"Pode ser, provavelmente, sim! Achei que um drama sobre a sexualidade adolescente e suas confusões naturalmente atrairia..."

"Srta. Pagorski, *a senhorita* se interessa pela sexualidade adolescente?"

"Ora, quem não se interessa?", exclamou ela. Alguém devia ter dado uma pá à pobre coitada, a tal ponto ela estava empenhada em cavar a própria sepultura. "Mas *Equus* não é obscena nem explícita, é tudo simbolismo..."

"Um simbolismo que a senhorita estava ansiosa por explicar. E conversou sobre cavalos com Kevin?"

"É claro, a peça..."

"Falou sobre garanhões, srta. Pagorski?"

"Bem, chegamos a discutir o que os tornava símbolos tão comuns da virilidade..."

"E o que é que os *torna* 'viris'?"

"Bem, eles são musculosos, e muito bonitos, e potentes, e elegantes..."

"Como os meninos adolescentes", assinalou Strickland com sarcasmo. "Alguma vez a senhorita chamou a atenção para o pênis dos cavalos, para o tamanho dele?"

"Pode ser; como é que se pode ignorá-lo? Mas eu nunca disse..."

"Algumas pessoas não conseguem ignorá-lo, ao que parece."

"O senhor não entende! Estamos falando de jovens, e eles se entediam com facilidade. Tenho que fazer alguma coisa para deixá-los excitados!"

Essa o sr. Strickland deixou pairar no ar por um instante. "É, bem", disse depois. "Nisso a senhorita parece ter logrado êxito."

Mortalmente pálida, Pagorski virou-se para nosso filho. "O que foi que eu lhe fiz?"

"Isso é exatamente o que estamos tentando descobrir", interveio Strickland. "Mas temos outros depoimentos para ouvir, e a senhorita terá a oportunidade de responder. Leonard Pugh?"

Lenny cochichou com Kevin antes de se encaminhar lentamente para a cadeira do centro. A qualquer momento, com certeza, um dos garotos começaria a se contorcer de agonia, porque a *Bruxa Pagorski* os estava atacando com espíritos maléficos.

"Muito bem, Leonard, você também se encontrou com sua professora de arte dramática depois do horário escolar?"

"Sim, ela parecia doidinha pra fazer uma *conferência*", disse Lenny, com seu sorriso de quem faz cocô. O *piercing* do nariz estava infeccionado de novo, com a narina esquerda vermelha e inchada. Fazia pouco tempo que ele havia cortado o cabelo, agora curto como o de um neonazista e com a letra Z raspada num dos lados. Quando eu lhe perguntara o que significava o Z, ele tinha respondido *Qualquer coisa*, o que eu fora obrigada a assinalar que começava com "Q".

"Pode nos contar o que aconteceu?"

"Foi que nem o Kevin disse. Achei que a gente ia só ensaiar, esses troços. E entrei na sala e ela fechou a porta, sabe como é? 'Tava usando uma saia bem curta, sabe, quase dava pra ver a bunda." Lenny fez uma pequena careta.

"E vocês ensaiaram o seu trabalho de aula?", perguntou Strickland, embora instruí-lo parecesse perfeitamente desnecessário. Mais até, os detalhes revelaram ser o forte de Lenny.

"Pode crer que a gente ensaiou alguma coisa!" fez Lenny. "Ela disse: 'Andei olhando pra você lá na última fileira, quando estou sentada na minha mesa, sabe? E há umas tardes em que fico tão molhada, que tenho que me masturbar na aula!'"

Strickland pareceu meio constrangido. "A srta. Pagorski fez alguma coisa que você achasse imprópria?"

"Bom, aí, tipo assim, ela sentou na beirada da mesa, né? Com as pernas arreganhadas. E aí eu cheguei perto da mesa e vi que *ela não tava de calcinha*. Era assim, que nem uma xoxota escancarada, sacou? Toda vermelha e cabeluda, e tava, sabe, *pingando*..."

"Leonard, vamos apenas examinar os fatos..." Strickland massageou a testa. Enquanto isso, o risca-de-giz torcia a gravata; a ruiva enfiara o rosto nas mãos.

"Daí ela falou: 'Tá a fim? Porque eu olho pra esse volume na sua calça e não consigo tirar as mãos da xoxota...'"

"Quer ter a bondade de moderar sua linguagem?", Strickland fez gestos desesperados de corte para a estenógrafa.

"'...então, se você não me comer agora mesmo, eu vou enfiar esse apagador na xereca até gozar!'"

"Leonard, já chega..."

"As garotas daqui são muito pão-duras com isso, e eu não ia dispensar uma xoxota grátis. Daí eu transei com ela, ali mesmo na mesa, e o senhor devia ter escutado ela implorando pra eu deixar ela me chupar..."

"*Leonard, volte imediatamente para o seu lugar.*"

Ora, se não foi embaraçoso. Lenny cambaleou de volta para sua cadeira e Strickland anunciou que a Diretoria já ouvira o bastante por uma noite, e agradeceu a presença de todos. Repetiu sua advertência de que não espalhássemos boatos até que se decidisse algo. Seríamos informados de qualquer providência tomada sobre o caso.

Depois de nós três entrarmos em silêncio no seu 4x4, você finalmente disse ao Kevin: "Sabe, aquele seu amigo fez você parecer mentiroso."

"Idiota", resmungou Kevin. "Eu nunca devia ter contado a ele o que aconteceu com a Pagorski. Ele me copia em tudo. Acho que foi só porque eu precisava contar a alguém."

"Por que não falou direto comigo?", você perguntou.

"Era nojento!", ele se enroscou no banco traseiro. "Aquela história toda foi o fim da picada. Eu nunca devia ter contado a ninguém. Você não devia ter me obrigado a fazer isso."

"Ao *contrário*", disse você, torcendo o corpo em volta do encosto de cabeça. "Kevin, se você tiver um professor cujo comportamento saia dos limites, eu quero saber, e quero que a escola saiba. Você não tem nada de que se envergonhar. A não ser, possivelmente, da escolha de seus amigos. O Lenny é meio fantasioso. Um pouco de distância dele seria uma boa, parceiro."

"É", concordou Kevin. "Tipo daqui à *China*."

Acho que eu não disse uma palavra em todo o trajeto de volta. Ao chegarmos em casa, deixei por sua conta a tarefa de agradecer ao Robert por ter conseguido, espantosamente, fazer a Celia dormir sem a mamãe lhe ajeitando as cobertas por quarenta e cinco minutos. Relutei em abrir a boca, um pouquinho que fosse, como alguém hesitaria em abrir até um buraquinho ínfimo numa bola inflada.

"Vai de Triskets, Kev?", você ofereceu, depois de Robert sair. "Puro sal engordético, cara."

"Nããão. Vou pro meu quarto. Saio de lá quando puder mostrar a cara outra vez. Assim, daqui a uns cinqüenta anos." E foi embora, desanimado. Ao contrário da melancolia teatral das semanas seguintes, ele parecia murcho de verdade. Como se sofresse aquela sensação persistente de injustiça que se abate sobre o jogador de tênis que se destacou bravamente num jogo de duplas, mas cujo parceiro estragou tudo, de modo que os dois perderam a partida.

Você se ocupou de pôr os pratos espalhados na lavadora de louça. Cada talher parecia fazer um barulho extraordinário.

"Uma taça de vinho?"

Abanei a cabeça. Você me lançou um olhar intrigado. Eu sempre tomava uma ou duas taças antes de me deitar, e tinha sido uma noite estressante. Mas ele se transformaria em vinagre na minha boca. E eu ainda não podia abri-la. Sabia que já tínhamos passado por aquilo. Mas finalmente me dera conta de que não poderíamos continuar a visitar aquele lugar — ou melhor, aqueles lugares, isso é, não poderíamos ocupar indefinidamente universos paralelos, de caráter tão oposto, sem acabar morando em lugares diferentes no sentido mais pé no chão, mais literal.

E foi o quanto bastou: minha recusa de uma taça de vinho, que você interpretou como agressiva. Desafiando nossas regras estabelecidas — era eu a pinguça da família —, você pegou uma cerveja.

"Não me pareceu *aconselhável*", você começou, depois de uma golada vingativa, "pedir *desculpas* àquela tal de Pagorski depois da audiência. Pode ser que ajude a defesa, se isso acabar num tribunal.

"Não vai acabar num tribunal", retruquei. "Não vamos dar queixa."

"Bem, eu mesmo preferiria não fazer o Kevin passar por isso. Mas, se a direção da escola deixar essa pervertida continuar a dar aulas..."

"Isso não pode continuar."

Nem eu tinha muita certeza do que queria dizer, embora o sentisse vivamente. Você esperou que eu elucidasse.

"Já foi longe demais", disse eu.

"Que é que foi longe demais, Eva? Vá direto ao ponto."

Passei a língua nos lábios. "Costumava ter a ver conosco, basicamente. Minha parede de mapas. Depois, mais tarde, foram umas bobagens — o eczema. Mas agora está pior — o olho da Celia, a carreira de uma professora. Não posso continuar a desviar os olhos. Nem mesmo por você."

"Se a carreira daquela senhora está em perigo, a culpa é só dela."

"Acho que devemos pensar em mandá-lo para um internato. Algum lugar severo, antiquado. Nunca pensei que diria isso, mas talvez até uma academia militar."

"Opa! Nosso filho sofreu um abuso sexual, e a sua reação é bani-lo para um campo de treinamento? Santo Deus, se algum cretino tivesse se metido com a *Celia*, você já estaria na delegacia neste momento, preenchendo formulários! Estaria no telefone com o *New York Times* e com dez grupos de apoio às vítimas, e nem pensar em nem mesmo uma escola em Annapolis — você nunca a deixaria sair do seu colo!"

"Isso porque, se a Celia dissesse que alguém tinha mexido com ela, a situação seria muito mais grave do que ela deixaria transparecer. Seria mais provável a Celia deixar um velho safado passar anos bolinando-a, por não querer criar problemas para o coitadinho."

"Eu sei o que está por trás disso: é o típico dois pesos, duas medidas. Alguém passa a mão numa garota e é: oh, que coisa terrível, mandem esse tarado embora. Mas uma mulher alisa um garoto todo e é: puxa, que guri sortudo, teve uma primeira provinha, aposto que adorou! Ora, só porque o menino reage — por um reflexo físico —, isso não quer dizer que não seja uma violação degradante, humilhante!"

"Na vida profissional", disse eu, encostando pacientemente o indicador na testa, "eu posso ter tido sorte, mas nunca me achei tão brilhante assim. O

Kevin recebeu a inteligência dele de algum lugar. Portanto, você deve ter ao menos considerado a possibilidade de que toda essa história tenha sido uma armação sádica."

"Só porque a intromissão do Lenny Pugh na história foi uma farsa..."

"O Lenny não 'se intrometeu', ele só não decorou suas falas direito. Ele é preguiçoso, e é um péssimo aluno de teatro, ao que parece. Mas o Kevin obviamente insuflou os outros meninos a isso."

"*Conversa!...*"

"Ele não precisava ter dito que ela era 'feia'." Estremeci ao me lembrar. "Aquilo foi como torcer a faca."

"Uma ninfomaníaca seduz o nosso próprio filho e a única pessoa com quem você se importa..."

"Ele cometeu um erro, você notou? Disse que ela havia trancado a porta. Aí, disse que 'saiu correndo', depois de *ela fazer o que queria com ele*. Aquelas portas nem trancam por dentro, sabia? Eu verifiquei."

"Grande coisa se ela não a trancou de verdade! É óbvio que ele se sentiu aprisionado. E, o que é mais pertinente, por quê, pelo amor de Deus, o Kevin inventaria essa história?

"Não sei." Encolhi os ombros. "Mas com certeza se encaixa."

"Com quê?"

"Com um rapazinho perverso e perigoso."

Você me lançou um olhar clínico. "Ora, o que eu não consigo entender é se você está tentando me ferir, ou ferir o Kevin, ou se isso é uma espécie de autotortura confusa."

"O julgamento das bruxas desta noite já foi suficientemente excruciante. Podemos deixar de lado a *autotortura*."

"As bruxas são um mito. Os pedófilos são reais como o pecado. Basta uma olhada para aquela biruta para a gente saber que ela é instável."

"Ela é uma figuraça", concordei. "Quer que gostem dela. Procura cair nas graças deles rompendo as normas, escolhendo peças picantes e dizendo *puta* durante a aula. Pode até ser que goste da idéia de eles a desejarem um pouquinho, mas não a esse preço. E não há nada de ilegal em ser ridícula."

"Ele não disse que ela abriu as pernas e implorou, como fez o Lenny Pugh, disse? Não, ela se deixou levar um pouco e ultrapassou um limite. O Kevin ficou inclusive com as calças. Eu pude imaginar a coisa acontecendo. Foi isso que me convenceu. Ele não inventaria o pedaço do *por cima dos jeans*."

"Que interessante", disse eu. "Foi exatamente assim que eu soube que ele estava mentindo."

"Agora eu boiei."

"Por cima dos *jeans*. Foi uma autenticidade calculada. Uma credibilidade *artisticamente montada*."

"Vamos ver se eu entendo. Você não acredita na história dele porque ela é crível demais."

"Isso mesmo", concordei, sem me alterar. "Ele pode ser maquinador e maldoso, mas a professora de inglês tem razão. Ele é *afiado como uma navalha*."

"Ele lhe pareceu uma pessoa que estivesse com vontade de depor?"

"É claro que não. Ele é um gênio."

Foi então que aconteceu. Quando você desabou na poltrona em frente, não estancou apenas por eu haver formado uma opinião definitiva e por lhe ser tão impossível abalar a minha convicção de que Kevin era um patife maquiavélico quanto me era impossível abalar a sua de que ele era um coroinha incompreendido. Foi pior do que isso. Maior. O seu rosto desabou, exatamente como eu veria o do seu pai desabar, pouco tempo depois, quando ele emergiu da escada do porão — como se todas as suas feições tivessem sido artificialmente sustentadas por tachinhas que, de repente, houvessem caído. Ora, naquele momento, foi como se você e seu pai tivessem quase a mesma idade.

Franklin, eu nunca me dera conta de quanta energia você gastava para manter a ficção de que, em linhas gerais, éramos uma família feliz, cujos problemas banais e transitórios só faziam tornar a vida mais interessante. Talvez toda família tenha um membro cuja tarefa principal é fabricar essa embalagem atraente. Como quer que fosse, você havia renunciado abruptamente. De um modo ou de outro, já visitáramos essa conversa inúmeras vezes, com a lealdade habitual que faz outros casais irem para a mesma casa de férias todo verão. Mas, em algum momento, esses casais têm que olhar para sua casa de campo, dolorosamente conhecida, e admitir um para o outro: *No ano que vem, teremos que experimentar outra coisa*.

Você comprimiu os olhos com os dedos. "Pensei que conseguiríamos levar a coisa adiante até que as crianças saíssem de casa." Sua voz soou grisalha. "Cheguei até a pensar que, se fôssemos tão longe assim, talvez... Mas ainda faltam dez anos, e são dias demais. Os anos eu consigo encarar, Eva, mas os dias, não."

Eu nunca havia desejado, de maneira tão plena e consciente, nunca ter parido nosso filho. Naquele instante, teria sido capaz de renunciar até mesmo a Celia, cuja ausência uma mulher sem filhos na casa dos cinqüenta não sentiria a ponto de deplorar. Desde que era garota, só havia uma coisa que eu sempre tinha desejado, além de sair de Racine, no Wisconsin: um bom homem que me amasse e que me fosse fiel. Todo o resto era secundário, um bônus, como os programas de milhagem das companhias aéreas. Eu poderia ter vivido sem filhos. Não podia viver sem você.

Mas teria que viver. Eu havia criado minha própria Outra, que, por acaso, era um menino. Já tinha visto essa corneação doméstica em outras famílias e é curioso que não a houvesse identificado na nossa. Brian e Louise tinham se separado dez anos antes (toda aquela integridade também tinha sido meio feijão-com-arroz para ele; na festa de seus quinze anos de casamento, um vidro de nozes em conserva espatifou-se no chão e ele foi apanhado trepando com a amante na despensa), e é claro que o Brian ficou muito mais perturbado por se separar daquelas duas molecotas do que por deixar Louise. Não deveria ser um problema amar a mulher e os filhos, mas, não sei por quê, alguns homens escolhem; como bons administradores de fundos mútuos, que minimizam o risco enquanto maximizam o lucro da carteira de títulos, eles pegam tudo que um dia investiram nas mulheres e aplicam nos filhos. O que é isso? Será que os filhos parecem um investimento mais seguro por precisarem de vocês? Pelo fato de vocês nunca poderem se tornar ex-pais deles, como eu poderia me tornar sua ex-mulher? Você nunca confiou muito em mim, Franklin. Peguei aviões demais nos meus anos de formação, e você nunca registrou inteiramente que eu sempre comprava passagens de ida e volta.

"O que você quer fazer?", perguntei. Sentia-me zonza.

"Esperar até acabar o ano letivo, se pudermos. Tomar as providências no verão. Pelo menos, a questão da guarda não dá muita dor de cabeça, não é?", você acrescentou, irritado. "E isso já diz tudo."

Naquele momento, é claro, não tínhamos como saber que você também ficaria com a Celia.

"Isso já..." Eu não queria soar digna de pena. "Você já decidiu."

"Não há mais nada para decidir, Eva", foi sua resposta frouxa. "Já aconteceu."

Se eu tivesse imaginado essa cena — e não tinha, porque imaginar essas coisas é convidá-las —, esperaria ficar acordada até o amanhecer, secando uma garrafa e me angustiando para descobrir o que dera errado. Mas intuí que, se tanto, iríamos dormir cedo. Como acontece com as torradeiras e os carros pequenos, a gente só mexe na mecânica de um casamento para resgatá-lo e repô-lo em funcionamento; não adianta muito bisbilhotar para descobrir onde foi que os cabos se romperam, antes de jogar o equipamento no lixo. E mais, embora eu esperasse chorar, descobri-me completamente seca; com a casa superaquecida, minhas narinas estavam ressecadas e pinicando, e meus lábios rachavam. Você tinha razão, já havia acontecido, e talvez fizesse dez anos que eu estava de luto por nosso casamento. Nessa hora, entendi como se sentiam os parceiros de cônjuges que estavam senis há muito tempo, quando, depois de visitas perseverantes e debilitantes a um asilo, aquilo que estava funcionalmente morto sucumbia à morte de fato. Um arrepio culminante de tristeza, um tremor de alívio culpado. Pela primeira vez desde que eu conseguia me lembrar, relaxei. Meus ombros arriaram uns bons cinco centímetros. Sentei-me em minha poltrona. Sentei-me. Talvez nunca me houvesse sentado tão completamente. Tudo que fiz foi sentar.

Por isso, foi preciso um esforço supremo para erguer os olhos e virar a cabeça, quando um quê de movimento na boca do corredor perturbou a estase perfeita de nossa vida imóvel. Kevin deu um passo deliberado em direção à luz. Uma olhadela confirmou que ele estivera escutando. Parecia diferente. A despeito daquelas tardes sórdidas, com a porta do banheiro aberta, essa era a primeira vez em anos que eu o via nu. Ah, ele ainda estava usando as roupas de tamanho normal da audiência. Mas deixara para lá o olhar de esguelha; estava ereto. A torção sarcástica da boca havia sumido; as feições estavam em repouso. Pensei com meus botões: ele é mesmo "marcante", como observara expressivamente sua professora de teatro. Parecia mais velho. Porém, o que mais me admirou foram seus olhos. Comumente, eles tinham o ar baço daquela película verde-azulada das maçãs por lavar — vazios e sem foco, entediados e beligerantes, barravam minha entrada. É claro, de vez em quando cintilavam de maldade, como as portas fechadas de metal de uma fornalha em torno das quais às vezes arde uma bordinha vermelha, da qual se elevam umas labaredas perdidas. Mas, quando ele entrou na cozinha, as portas da fornalha se escancararam e revelaram os jatos de fogo.

"Tenho que beber água", anunciou ele, conseguindo sibilar, de algum modo, sem pronunciar um único "S", e andou até a pia.

"Kev", disse você. "Não se deixe perturbar por nada que possa ter entreouvido. É fácil entender mal quando se escuta uma coisa fora do contexto."

"E por que eu não conheceria o contexto?" fez ele. Bebeu um só gole de seu copo. "O contexto sou eu." Pôs o copo na bancada e foi embora.

Tenho certeza disso: naquele momento, naquele engolir em seco, foi ali que ele decidiu.

Uma semana depois, recebemos outra carta da diretoria da escola. Já afastada das aulas desde que tinham sido feitas as primeiras acusações, Vicki Pagorski seria permanentemente transferida para tarefas administrativas e nunca mais poderia supervisionar alunos diretamente. Entretanto, na falta de qualquer prova, a não ser a palavra dos meninos contra a dela, não seria demitida. Nós dois julgamos a decisão covarde, se bem que por razões diferentes. A mim me pareceu que ou ela era culpada ou não era, e não havia justificativa para afastar uma inocente de uma ocupação que ela claramente adorava. *Você* ficou ultrajado por ela não ser demitida e por nenhum dos outros pais estar planejando mover um processo.

Depois de andar recurvado pela casa, da maneira mais conspícua possível, num exercício essencialmente perfeito, Kevin lhe confidenciou que estava deprimido. Você disse que sabia por quê. Perplexo com a injustiça da punição ridícula aplicada pela diretoria da escola, Kevin sentia-se humilhado, portanto, é claro que estava deprimido. Você também se afligiu por ele haver intuído um divórcio iminente, cuja oficialização nós dois queríamos adiar até termos que fazê-la.

Ele quis tomar Prozac. Pela minha amostragem aleatória, uns bons cinqüenta por cento do corpo discente andavam tomando um ou outro antidepressivo, embora ele tenha pedido especificamente o *Prozac*. Sempre desconfiei dos reanimadores legalmente aprovados, e me preocupava, sim, com a fama desse remédio de causar apatia; a idéia de que nosso filho ficasse ainda mais indiferente ao mundo era inquietante. Mas, sendo tão raro eu me ausentar dos Estados Unidos naquela época, também eu me havia aculturado e aceitado a idéia de que, num país com mais dinheiro, mais liberdade, casas maiores, melhores escolas, melhor assistência médica e oportunidades mais irrestritas do que qualquer outro lugar do mundo, é claro que uma abundância da população ficaria desnorteada de tristeza. Por isso concordei, e o psiquiatra que consultamos pareceu tão satisfeito em fornecer punhados de medicamentos quanto nosso dentista gostava de oferecer pirulitos grátis.

Quase todos os filhos ficam mortificados com a perspectiva do divórcio dos pais e não nego que a conversa entreouvida no corredor fizera Kevin entrar em parafuso. Mesmo assim, aquilo me desconcertou. Fazia quinze anos que esse menino tentava nos separar. Por que não estava satisfeito? E, se eu era mesmo tamanho horror, por que ele não se livraria alegremente da mãe horrorosa? Em retrospectiva, só posso presumir que era muito ruim viver com uma mulher fria, desconfiada, ressentida, acusatória e distante. Só uma eventualidade devia parecer pior do que isso: era viver com você, Franklin. Ficar atolado com o papai.

Ficar atolado com Papai, o Panaca.

*Eva*

# *25 de março de 2001*

*Querido Franklin,*

Tenho uma confissão a fazer. Apesar de toda a minha implicância com você nos últimos tempos, tornei-me vergonhosamente dependente da televisão. Na verdade, já que estou mesmo abrindo o jogo, uma noite, no mês passado, no meio de um episódio de *Frasier*, o tubo de imagem deu uma piscada e apagou, e receio que eu tenha desmoronado — chutando o televisor, ligando e desligando a tomada, futucando os controles. Faz muito tempo que parei de chorar diariamente por causa da *quinta-feira*, mas fico pirada quando não posso descobrir como o Niles reagirá à notícia de que Daphne vai se casar com Donnie.

Enfim, hoje à noite, depois do peito de frango habitual (meio cozido demais), eu estava correndo os canais quando, de repente, a tela se encheu com o rosto de nosso filho. Seria de se supor que eu já estivesse acostumada com ele agora, mas não estou. E não era a foto escolar do primeiro ano que todos os jornais publicaram — desatualizada, preto-e-branco, com aquele risinho mordaz —, mas as feições mais robustas de Kevin aos dezessete anos. Reconheci a voz do entrevistador. Era o documentário do Jack Marlin.

Marlin se desfizera de "Atividades Extracurriculares", aquele título seco de filme de suspense, trocando-o por outro de mais impacto, "Garoto Malvado", o que me fez lembrar de você; *eu acabo com esse garoto malvado em duas horas*, você costumava dizer, referindo-se a uma locação fácil de ser encontrada. Aplicava essa expressão a quase tudo, menos a seu filho.

A quem Jack Marlin a aplicou bem depressa. O Kevin era o astro, entende? O Marlin devia ter obtido o consentimento de Claverack, porque, entremeada com imagens das conseqüências chorosas — as pilhas de flores do lado de fora do ginásio, a cerimônia fúnebre, as reuniões do grupo Nunca Mais na cidade —, havia uma entrevista exclusiva com o próprio *KK*. Perturbada, quase desliguei a televisão. Mas, depois de um ou dois minutos, fiquei grudada na tela. Na verdade, o jeito de Kevin era tão cativante que, no começo, mal consegui prestar atenção ao que ele dizia. Ele foi entrevistado no cubículo que é seu dormitório — e que, como o quarto dele, é mantido em rígida ordem e não possui adornos, cartazes nem quinquilharias. Com a cadeira inclinada sobre dois pés e os braços envolvendo o encosto, ele parecia estar perfeitamente em seu *habitat*. No mínimo, pareceu-me maior, cheio de si, estourando dentro da malha minúscula, e eu nunca o tinha visto tão animado e à vontade. Refestelava-se sob o olhar da câmera, como se estivesse sob uma lâmpada ultravioleta.

Marlin falava em *off* e suas perguntas eram deferentes, quase meigas, como se ele não quisesse afugentar o Kevin. Quando comecei a ver o programa, ele perguntava com delicadeza se Kevin ainda afirmava ter sido um da minúscula percentagem de pacientes do Prozac que tinham uma reação radical e antagônica ao medicamento.

Kevin havia aprendido a importância de sustentar a própria história desde os seis anos de idade. "Bem, decididamente, comecei a me sentir meio esquisito."

"Mas, segundo o *New England Journal of Medicine* e a revista *Lancet*, a ligação causal entre o Prozac e a psicose homicida é pura especulação. Você acha que outras pesquisas..."

"Ei", interrompeu Kevin, levantando a mão. "Eu não sou médico. A defesa foi idéia do meu advogado, que estava fazendo o trabalho dele. Eu disse que me senti meio esquisito. Mas não estou procurando desculpas. Não culpo nenhum culto satânico, nem uma namorada irritadinha, nem nenhum valentão que tenha me chamado de bicha. Uma das coisas que eu não consigo agüentar neste país é o *descompromisso com a responsabilidade*. Tudo que os norte-americanos fazem e que não funciona muito bem tem que ser culpa de outra pessoa. Quanto a mim, eu respondo pelo que fiz. Não foi idéia de ninguém, só minha.

"E aquele episódio de abuso sexual? Será que aquilo o deixou machucado?"

"É claro que houve uma *interferência comigo*. Mas, que diabo", acrescentou Kevin, com um olhar malicioso e confidencial, "aquilo não foi *nada*, comparado com o que acontece *aqui*." (Nessa hora, cortaram para uma entrevista com Vicki Pagorski, cujas negativas foram apopléticas, num exagero que evocava um "acho que você está protestando demais". Claro, uma indignação muito débil pareceria igualmente incriminadora, de modo que ela não tinha saída. E devia urgentemente fazer alguma coisa com aquele cabelo.)

"Podemos falar um pouco de seus pais, Kevin?", recomeçou Marlin.

Mãos atrás da cabeça. "Manda ver."

"O seu pai... vocês se davam bem, ou brigavam?"

"O sr. Plástico?", zombou Kevin. "Seria sorte minha se a gente tivesse uma briga. Não, era tudo alegrinho, na base do cachorro-quente e das pastinhas de queijo. Uma fraude completa, sabe? Era tudo *Vamos ao Museu de História Natural, Kev, eles têm umas pedras que são mesmo geniais!* Ele era ligado numa espécie de fantasia da Liga Infantil de beisebol, ficou congelado lá nos anos cinqüenta. Eu ouvia aquele negócio de *Eu te aaaaaaaamo, parceiro!*, e ficava só olhando pra cara dele, tipo assim, *Com quem você tá falando, cara?* Que quer dizer esse negócio de o papai 'amar' você e não ter uma p[*bip*] de uma idéia de quem você é? Então, quem é que ele amava? Algum garoto do *Happy Days*, não eu."

"E sua mãe?"

"Que é que tem ela?", rebateu Kevin, embora tivesse sido afável e expansivo até esse momento.

"Bem, houve aquele processo movido por negligência parental..."

"Tudo conversa", disse Kevin, peremptório. "Puro oportunismo, francamente. Mais cultura de compensação. Quando menos você esperar, os velhotes vão processar o governo por envelhecerem e as garotas vão levar as mamães pro tribunal por terem nascido feias. A minha visão é que a vida é um saco; *azar*. A verdade é que os advogados sabiam que a mãezinha era cheia da grana, e aquela vaca da Woolford não tinha peito para encarar uma notícia ruim."

Nesse momento, a câmera girou num ângulo de noventa graus e deu um *zoom* no único enfeite que eu conseguia ver na cela, preso na parede acima da cama dele. Muito amarrotada, por ter sido dobrada até ficar pequena o bastante para caber num bolso ou numa carteira, era uma fotografia minha. Santa mãe do céu, era aquela foto só do rosto, tirada numa casa flutuante em Amsterdã, a que tinha desaparecido quando a Celia nasceu. Eu tinha certeza de que ele a havia picado em pedacinhos.

"Mas, tenha ou não sido legalmente negligente", prosseguiu Marlin, "talvez a sua mãe tenha lhe dedicado muito pouca atenção...?"

"*Ih, larga do pé da minha mãe.*" Essa voz contundente e ameaçadora me era estranha, mas devia ser útil lá dentro. "Os terapeutas daqui passam o dia inteiro tentando me fazer desancar a mulher e eu já estou ficando meio cansado disso, se você quer bem saber."

Marlin recomeçou. "Então, você descreveria como estreita a relação de vocês?"

"Ela andou pelo mundo inteiro, sabia? Quase não dá para dizer o nome de um país de onde ela não tenha uma camiseta. Ela fundou sua própria empresa. Entre em qualquer livraria por aí que você vai ver a série dela. *Guia A Wing & a Prayer de Cafundós Fedorentos no Exterior*, sabe qual é? Eu costumava rodar pela Barnes and Noble no shopping, só pra olhar pra todos aqueles livros. Muito legal."

"Então, você não acha que ela de nenhum modo possa ter..."

"Olhe, eu sabia ser meio asqueroso, sacou? E ela também sabia ser meio asquerosa, de modo que a gente ficava empatado. No mais, isso é *particular*, tá bem? Será que ainda existe nesse país alguma coisa que se possa chamar de *particular*, ou eu tenho que lhe dizer a cor da minha cueca? Próxima pergunta."

"Acho que só resta uma pergunta, Kevin — a grande pergunta. Por que você fez isso?"

Pude perceber que Kevin se preparara para esse momento. Ele fez uma pausa dramática, depois deixou os pés dianteiros da cadeira de plástico baterem com força no chão. Com os cotovelos nos joelhos, desviou os olhos de Marlin para fitar diretamente a câmera.

"Está bem, é o seguinte. Você acorda de manhã, *assiste* à TV e entra no carro e *escuta* o rádio. Vai pro seu empreguinho ou pra sua escolinha, mas não vai ouvir falar disso no noticiário das seis, porque, adivinhe: *Não há mesmo nada acontecendo.* Você *lê* o jornal, ou então, quando é ligado nesse tipo de coisa, *lê* um livro, que dá na mesma que ficar assistindo, só que é ainda mais chato. Você *assiste* à televisão toda noite, ou então sai pra *assistir* a um filme, e pode ser que receba um telefonema e possa contar aos seus amigos o que você *viu*. E, sabe, a coisa tá tão ruim que eu comecei a notar que as pessoas na TV, sabe? *Dentro* da TV? Metade do tempo, elas estão *vendo televisão*. Ou então, quando você vê um romance num filme. Que é que eles fazem, senão *ir ao cinema*? Todas essas pessoas, Marlin", e ele fez um aceno, convidando o entrevistador, "o que é que elas estão vendo?"

Depois de um silêncio incômodo, entrou a voz de Marlin: "Diga você, Kevin."

"*Gente como eu*." Reclinou-se na cadeira e cruzou os braços.

Marlin devia estar satisfeito com a cena e não ia deixar o espetáculo acabar justo nessa hora. Kevin estava a mil e com aquele jeito de quem mal havia começado. "Mas as pessoas vêem outras coisas além de assassinos, Kevin", instigou.

"*Babaquice*. Elas querem ver as coisas acontecerem e eu fiz um estudo disso: boa parte da definição de uma coisa que acontece é ela ser ruim. Pelo que vejo, o mundo está dividido entre os que vêem e os que são vistos, e há cada vez mais platéia e cada vez menos o que ver. As pessoas que realmente fazem alguma coisa são uma bosta de uma espécie em extinção."

"Pelo contrário, Kevin", observou Marlin, em tom pesaroso, "um número grande demais de jovens como você anda num surto de matanças nos últimos anos."

"Sorte sua! Vocês precisam de nós! O que você faria sem mim: filmaria um documentário sobre a secagem de tintas? Que é que todos esses caras estão fazendo", e apontou um braço para a câmera, "senão *assistir* a mim? Não acha que eles já teriam mudado de canal, se eu só tivesse tirado um A em geometria? Sanguessugas! Eu faço o trabalho sujo pra eles!"

"Mas todo o objetivo de lhe fazermos estas perguntas", disse Marlin, em tom apaziguador, "é podermos descobrir como impedir que esse tipo de fenômeno de Columbine volte a acontecer."

Ante a menção a *Columbine*, o rosto de Kevin se crispou. "Só quero deixar registrado que aqueles dois nanicos não eram profissionais. As bombas deles não estouraram e eles atiraram praticamente em qualquer um. Sem critério. A minha turma foi escolhida a dedo. Os vídeos que aqueles idiotas deixaram foram um vexame completo. Eles me copiaram, e é óbvio que toda a operação deles foi para superar a Gladstone..."

Marlin tentou introduzir de mansinho alguma coisa como "Na verdade, a polícia declarou que Klebold e Harris vinham planejando seu ataque fazia pelo menos um ano", mas Kevin seguiu em frente.

"Nada, nem uma coisa naquele circo saiu conforme o planejado. Foi um fiasco completo, do começo ao fim. Não admira que aqueles idiotas infelizes tenham acabado com a própria raça — e eu achei que isso foi amalerar. Parte desse troço é arcar com as conseqüências. E o pior é que eles eram uns panacas incorrigíveis. Li uns pedaços do diário chorão e melequento do Klebold. Sabe qual era um dos grupos de que aquele paspalho queria se vingar? *As pessoas que acham que sabem fazer a previsão do tempo.* Ele não tinha idéia do tipo de recado que eles queriam dar. Ah, e saque só, no fim do Grande Dia, aqueles dois infelizes tinham planejado, originalmente, *seqüestrar um avião* e *jogá-lo contra o World Trade Center.* Ah, dá um tempo!"

"Você, hum, comentou que suas vítimas foram 'escolhidas a dedo'", disse Marlin, que devia estar-se perguntando *O que vem a ser isso?* "Por que aqueles alunos, em particular?"

"Acontece que eles eram as pessoas que me davam nos nervos. Quero dizer, se você planejasse uma grande operação como essa, será que *você* não iria atrás dos cê-dê-efes e dos maricas e dos feiosos que não conseguisse suportar? Pra mim, esse parece ser o grande bônus de enfrentar o xilindró. Você e os seus câmeras aqui ficam parasitando as minhas realizações, ganham salários extravagantes e têm o nome incluído nos créditos. Já eu tenho que cumprir pena. Tenho que tirar alguma vantagem disso."

"Tenho mais uma pergunta, Kevin, embora ache que você já a respondeu", disse Marlin, com um toque de tragédia. "Você sente algum remorso? Sabendo o que sabe agora, se pudesse voltar a 8 de abril de 1999, você mataria aquelas pessoas de novo?"

"Só tem uma coisa que eu faria diferente. Eu meteria uma flechada bem no meio dos olhos daquele bestalhão do Lukronsky, que anda ganhando uma grana preta com a *terrível provação* dele desde aquela época. Eu li que agora ele vai *atuar* naquele filme da Miramax! E também sinto pena do elenco. Ele vai ficar citando o *Vamos encarnar nossos papéis* de *Tempo de violência* e fazendo suas imitações do Harvey Keitel, e eu aposto que em Hollywood essa porcaria sai de moda depressa. E, por falar nisso, eu quero reclamar que a Miramax e toda essa gente deveriam me pagar *royalties*. Eles estão roubando a minha história, e essa história deu uma trabalheira danada. Acho que não é legal meterem a mão nela de graça."

"Mas, aqui nesse estado, é contra a lei os criminosos lucrarem com..."

Kevin tornou a se virar para a câmera. "A minha história é praticamente tudo que eu tenho agora e é por isso que eu me sinto roubado. Mas uma história é muito mais do que quase todo mundo tem. Vocês todos que estão aí assistindo, vocês estão escutando o que eu digo porque eu tenho uma coisa que vocês não têm: *eu tenho um roteiro*. Comprado e pago. É isso que vocês todos querem e é por isso que estão me sugando. Vocês querem o meu roteiro. E eu sei como se sentem, porque, puxa, eu me sentia do mesmo jeito. TV e videogames e filmes e telas de computador... No dia 8 de abril de 1999, eu *entrei* na tela, virei aquele que *é visto*. De lá pra cá, descobri pra que serve a minha vida. Eu dou um boa história. Pode ter sido meio sangrento, mas, admitam, *vocês todos adoraram*. Vocês *devoraram*. Droga, eu devia estar na folha de pagamento de algum governo. Sem gente como eu, o país inteiro pularia de uma ponte, porque a única coisa na TV seria uma dona-de-casa no *Show do milhão*, ganhando sessenta e quatro mil dólares por se lembrar do nome do cachorrinho do presidente."

Desliguei a televisão. Não pude mais agüentar. Senti que se aproximava outra entrevista com Thelma Corbitt, fadada a incluir um pedido de ajuda para o fundo de bolsas de estudos "Amor às Crianças Decididas", criado por ela em homenagem ao Denny, para o qual eu já havia contribuído com mais do que podia pagar.

Obviamente, essa tese brilhante sobre o caráter de espectadores passivos das pessoas da vida moderna não passava de um lampejo nos olhos do Kevin, dois anos atrás. Ele dispõe de tempo em Claverack, e montou essa motivação extravagante do mesmo jeito que os detentos mais velhos fabricam placas de automóvel personalizadas. Mesmo assim, tenho que admitir, com relutância, que a exegese *post hoc* que ele fez tinha uma semente de verdade. Se a NBC passasse uma sucessão interminável de documentários sobre os hábitos de acasalamento das lontras marinhas, a audiência diminuiria. Ao ouvir a diatribe de Kevin, fiquei impressionada, a despeito de mim mesma, com a proporção numerosa da nossa espécie que se alimenta da depravação de um punhado de gente sem escrúpulos, se não para ganhar a vida, pelo menos para passar o tempo. E não são só os jornalistas. São centros de pesquisa que geram montanhas de papel sobre a índole soberana do pequeno e rebelde Timor Leste.

Departamentos universitários de Estudo de Conflitos que outorgam inúmeros graus de doutorado sobre os terroristas do ETA, que não somam mais de cem. Cineastas que geram milhões, dramatizando a predação de *serial killers* solitários. E, pense nisso: os tribunais, a polícia, a Guarda Nacional — que parcela do governo consiste na administração do um por cento de delinqüentes? Com a construção e administração de presídios constituindo uma das indústrias que mais crescem nos Estados Unidos, uma conversão popular repentina e generalizada à civilização poderia desencadear uma recessão. Já que eu mesma tinha ansiado por uma *virada da página*, será realmente um exagero tão grande dizer que precisamos do *KK*? Por baixo de sua máscara sentimentalóide, Jack Marlin pareceu grato. Não estava interessado nos hábitos de acasalamento das lontras marinhas, e ficou *agradecido*.

Afora isso, Franklin, minha reação a essa entrevista é muito confusa. O horror costumeiro se mistura a alguma coisa como... orgulho. Ele foi lúcido, seguro, cativante. Fiquei comovida com aquela fotografia acima da cama, e um bocado sem jeito por ele não a ter destruído, afinal (acho que sempre presumi o pior). Ao reconhecer em seu solilóquio trechos retirados de minhas próprias invectivas à mesa, fiquei não apenas mortificada, mas envaidecida. E estarrecida por ele ter-se arriscado a entrar na Barnes and Noble algum dia para ver o meu trabalho, pelo qual a redação que ele escreveu, "Conheça minha mãe", não deixou transparecer muito respeito.

Mas fiquei desolada com os comentários impiedosos que ele fez a seu respeito, os quais espero que você não leve a mal. Você fez um esforço enorme para ser um pai atencioso, afetuoso. Mesmo assim, eu lhe avisei que os filhos são incomumente atentos aos artifícios, de modo que faz sentido que seja justamente o seu esforço que ele despreza. E dá para entender por que é logo em relação a você que ele se sente compelido a se retratar como vítima.

Fui longamente interrogada pelos advogados da Mary sobre os "sinais de advertência" que eu deveria ter captado, com antecedência suficiente para evitar a calamidade, mas acho que a maioria das mães teria achado os sinais tangíveis difíceis de detectar. Eu realmente indaguei sobre a finalidade dos cinco jogos de trancas e correntes Kryptonite, quando eles foram entregues pelo FedEx na nossa porta, uma vez que o Kevin já tinha uma tranca de bicicleta, junto com uma bicicleta em que nunca andava. Mas a explicação dele pareceu crível: ele topara com uma pechincha fantástica na Internet e planejava vender com lucro, na escola, esses conjuntos Kryptonite, que custavam cem dólares por unidade. Se até então ele nunca havia manifestado esse espírito empresarial, a aberração só parece flagrante agora, por sabermos para que serviram as trancas. Como foi que ele conseguiu o papel timbrado da escola, disso eu não faço idéia, e nunca perguntei a ele. E, embora Kevin tenha acumulado um estoque generoso de flechas para o seu arco, ao longo de um período de meses ele nunca encomendou mais de meia dúzia de cada vez. Estava sempre comprando flechas e o estoque, que ele guardava do lado de fora, no depósito, nunca despertou minha atenção.

A única coisa que notei, durante todo o resto de dezembro e os primeiros meses de 1999, foi que aquela encenação do Kevin, a história de dizer *Puxa, papai!*, estendeu-se a um *Puxa, mãezinha*! Não sei como você agüentava. *Puxa, hoje nós vamos jantar essa comida armênia genial? Beleza! Eu quero muito saber mais sobre a minha herança étnica! Tem uma porção de caras na escola que são da pura e velha classe média, e eles morrem de inveja de eu ser integrante de uma minoria perseguida de verdade!* Se é que ele tinha alguma preferência alimentar, o Kevin detestava a culinária armênia, e essa animação fingida me magoava. Até então, o comportamento dele comigo tinha sido tão sem adornos quanto seu quarto — austero, sem vida, às vezes duro e ríspido, mas sem camuflagens (ou assim eu imaginava). Eu preferia desse jeito. Foi uma surpresa descobrir que meu filho podia vir a parecer ainda mais distante.

Interpretei a transformação dele como induzida por aquela conversa que ele entreouvira na cozinha — à qual nem você nem eu tínhamos tornado a aludir, nem mesmo em particular. Nossa futura separação avultava como um elefante grande e fétido na sala de estar, barrindo de vez em quando ou largando pilhas maciças de esterco para tropeçarmos.

Surpreendentemente, porém, nosso casamento desabrochou numa segunda lua-de-mel, lembra-se? Fizemos aquele Natal com um calor humano ímpar. Você comprou para mim um exemplar autografado de *Black Dog of Fate*, de Peter Balakian, e também *Passagem para Ararat*, de Michael J. Arlen, dois clássicos armênios. Em troca, eu lhe dei um DVD de *Alistair Cooke's America* e uma biografia do Ronald Reagan. Se estávamos fazendo troça um do outro, a implicância foi terna. Presenteamos Kevin com umas roupas esporte grotescamente pequenas, enquanto a Celia, como era típico, ficou tão encantada com sua boneca antiga de olhos de vidro quanto com o plástico bolha em que ela veio embalada. Fizemos amor com mais freqüência do que fazíamos havia anos, sob o disfarce do "em nome dos velhos tempos".

Eu não sabia ao certo se você estava reconsiderando nossa separação no verão, ou se era apenas impelido pela culpa e pela tristeza a fazer o melhor possível com o que era irreversivelmente terminal. O que quer que fosse, havia algo de relaxante em chegar ao fundo do poço. Se estávamos prestes a nos divorciar, não era possível que acontecesse nada pior.

Ou assim imaginávamos.

*Eva*

## *5 de abril de 2001*

*Querido Franklin,*

Sei que é fatal este ser um assunto delicado para você. Mas juro que, se você não lhe tivesse dado aquela balestra no Natal, teria sido o arco longo, ou então flechas envenenadas. Aliás, Kevin era desenvolto o bastante para capitalizar na Segunda Emenda e pôr as mãos no arsenal mais convencional de pistolas e rifles de caça preferido por seus colegas de mentalidade mais moderna. Francamente, os instrumentos tradicionais da Matança na Escola não só teriam reduzido a margem de erro dele, como teriam aumentado a probabilidade de ele suplantar a concorrência em matéria de baixas — o que era, claramente, uma de suas principais ambições, uma vez que, antes de aparecerem aqueles arrivistas de Columbine, doze dias depois, ele ficou no topo da lista. E você pode ter certeza de que Kevin refletiu longamente sobre essa questão. Aos catorze anos, ele mesmo tinha dito: "A escolha das armas é metade da luta." Portanto, à primeira vista, a escolha arcaica foi peculiar. Deixou-o em desvantagem, ou assim parecia.

Talvez ele tenha gostado disso. Talvez eu lhe houvesse transmitido minha propensão a enfrentar desafios, como o próprio impulso que me fizera ficar grávida desse filho, para começo de conversa. E, embora ele talvez gostasse de espicaçar a mãe, que se imaginava tão "especial", com o insulto de um lugar-comum — querendo ou não, a srta. Viajante Internacional tinha se tornado mais uma mãe de linha de montagem do tipo brega norte-americano, e ele sabia o quanto me era doloroso que o meu insolente Luna tivesse passado a ser um de cada cinco carros no nordeste do país —, Kevin gostava da idéia de se distinguir. Considerando que, depois de Columbine, ele resmungou em Claverack que "qualquer idiota é capaz de disparar uma espingarda", ele deve ter reconhecido que ser "o garoto da balestra" daria destaque à sua pequena travessura, na imaginação popular. Na verdade, na primavera de 1999, esse campo estava superlotado, e os nomes de Luke Woodham e Michael Carneal, antes indelevelmente gravados, já começavam a esmaecer.

Além disso, com certeza ele estava se exibindo. Talvez o Jeff Reeves fosse um arraso no violão, o Soweto Washington acertasse os arremessos livres sem a bola encostar no aro, e a Laura Woolford fizesse todo o time de futebol americano ficar de butuca no seu traseiro esbelto quando o balançava pelo corredor, mas Kevin Khatchadourian era capaz de cravar uma flecha numa maçã — ou num ouvido — a cinqüenta metros de distância.

Ainda assim, estou convencida de que sua principal motivação foi ideológica. Não aquela besteirada de "eu tenho um roteiro" com que ele tapeou o Jack Marlin. Ao contrário, o que eu tenho em mente é a "pureza" que ele admirava nos vírus de computador. Depois de registrar a compulsão social a extrair alguma lição geral e incisiva de todo surto assassino imbecil, ele deve ter analisado minuciosamente as perspectivas das conseqüências do dele.

O pai dele, pelo menos, estava sempre a arrastá-lo para este ou aquele atravancado museu indígena norte-americano, ou para algum insípido campo de batalha da Guerra da Independência, de modo que qualquer um que tentasse retratá-lo como a vítima negligenciada de um casamento em que ambos os pais só pensavam em suas carreiras teria uma batalha insana, e, independentemente do que ele houvesse intuído, nós não éramos divorciados: até aí, nada de cópia. Ele não era membro de nenhum culto satânico; a maioria de seus amigos também não freqüentava a igreja, o que tornava improvável que a falta de religiosidade despontasse como um tema cautelar. Ele não era alvo de caçoadas — tinha seus amigos insípidos e seus contemporâneos faziam o impossível para deixá-lo em paz —, de modo que a história do pobre desajustado perseguido, ou do "temos que fazer alguma coisa para acabar com a intimidação nas escolas", não iria muito longe. Ao contrário dos incontinentes mentais por quem ele sentia tamanho desprezo, aqueles que passavam bilhetinhos virulentos na aula e faziam promessas extravagantes a seus confidentes, Kevin mantivera a boca fechada; não havia criado um *site* homicida na Internet nem escrito redações sobre explodir a escola, e o mais criativo dos comentaristas sociais teria muita dificuldade para exibir uma sátira sobre as picapes esportivas como um daqueles imperdíveis "sinais de advertência" que, hoje em dia, destinam-se a levar pais e professores vigilantes a telefonar para linhas diretas confidenciais. Mas o melhor de tudo era que, se ele conseguisse levar a cabo toda a sua proeza com uma simples balestra, a mãe dele e todos os amigos sentimentalóides que a cercavam não poderiam exibi-lo diante do Congresso como mais um caso clássico em defesa do controle das armas de fogo. Em suma, a escolha que ele fez da arma teve a intenção de garantir, da melhor maneira possível, que a *quinta-feira* não significasse absolutamente nada.

Quando me levantei no dia 8 de abril de 1999, no meu horário de praxe das seis e meia, ainda não me sentia impelida a grifar esse dia da semana. Escolhi uma blusa que raramente usava; você se inclinou para mim, quando eu a abotoava diante do espelho, e disse que talvez eu não quisesse admitir, mas ficava bonita de cor-de-rosa, e me deu um beijo na têmpora. Naquela época, a menor gentileza sua era uma coisa gigantesca, e ruborizei de prazer. Mais uma vez, tive a esperança de que você estivesse reconsiderando nossa separação, embora relutasse em lhe fazer uma pergunta direta e, com isso, correr o risco de estragar a ilusão. Fiz café, acordei Celia e a ajudei a limpar e recolocar sua prótese. Ela ainda tinha problemas com a secreção, e limpar a crosta amarela que ficava no vidro, além de tirá-la de seus cílios e do ducto lacrimal, podia levar uns bons dez minutos. Embora sejam incríveis as coisas com que a gente se acostuma, eu ainda sentia alívio quando o olho de vidro voltava para o lugar e o lacrimoso olhar azul de Celia era restaurado.

À parte o fato de Kevin ter se levantado sem que fosse preciso chamá-lo três vezes, tudo começou como uma manhã normal. Como sempre, fiquei maravilhada com o seu apetite, recém-recuperado; você talvez fosse o último protestante branco anglo-saxão dos Estados Unidos que ainda comia regularmente no café-da-manhã dois ovos, *bacon*, salsichas e torradas. Nunca consegui tomar mais do que um café, mas adorava o chiado da carne de porco fritando, a fragrância do pão torrado e o clima geral fomentado por esse ritual, como um aperitivo do dia que viria pela frente. O simples vigor com que você preparava esse banquete devia escovar as suas artérias e retirar delas as conseqüências.

"Olhe só para você!", exclamei, quando Kevin apareceu. Eu estava fritando com todo o cuidado a rabanada da Celia, deixando-a completamente seca, para que uma pitadinha de ovo mal frito não viesse a parecer *muco*. "O que houve, todas as suas roupas manequim zero estão lavando?"

"Há dias em que a gente simplesmente acorda", disse ele, enfiando a bufante camisa branca de esgrima nas mesmas calças de raiom corrugado preto que tinha usado no Hudson House, "com a sensação de um evento importante."

Bem embaixo do nosso nariz, ele pôs os cinco jogos de trancas e correntes Kryptonite na mochila. Presumi que tivesse encontrado compradores na escola.

"O Kevin está bonito mesmo", disse Celia, timidamente.

"É, o seu irmão está de arrasar corações", concordei. E como arrasaria.

Espalhei uma porção generosa de açúcar de confeiteiro sobre a rabanada, abaixando-me junto ao cabelo macio e louro de Celia para murmurar: "Agora, não fique remanchando, senão vai se atrasar de novo para a escola. É para comer a rabanada, não para fazer amizade com ela."

Ajeitei-lhe o cabelo para trás das orelhas, dei-lhe um beijo no alto da cabeça e, nesse momento, Kevin me olhou de relance, enquanto punha mais uma corrente na mochila. Embora ele tivesse entrado na cozinha com uma rara vitalidade, seus olhos já estavam mortos.

"Ei, Kev", você chamou. "Já lhe mostrei como funciona essa câmera? Um bom conhecimento de fotografia nunca fez mal a ninguém; para mim, com certeza compensou. Venha até aqui, ainda temos tempo. Não sei o que deu em você, mas ainda lhe sobram quarenta e cinco minutos para gastar." Você tirou do caminho seu prato engordurado e abriu a bolsa da câmera que estava a seus pés.

A contragosto, Kevin se aproximou. Não parecia estar no clima do *Puxa, papai* nessa manhã. Enquanto você falava da iluminação e das posições da distância focal, senti uma pontada de reconhecimento. A versão desajeitada de intimidade do seu próprio pai sempre consistia em explicar, com muito mais detalhes do que qualquer pessoa estava interessada em ouvir, como funcionava tal ou qual aparelho. Você não partilhava da convicção do Herbert de que desmontar o relógio do universo equivalia a desvendar todos os seus mistérios, mas havia herdado o recurso de usar a mecânica como uma muleta afetiva.

"Isso me lembra", disse você, em meio à preleção, "que ando querendo tirar umas fotos suas nos exercícios de arco-e-flecha, uma hora dessas. Captar para a posteridade aquele olhar severo e aquele braço firme, que tal? Poderíamos fazer uma fotomontagem completa para o vestíbulo: o Coração Valente das Palisades!"

É provável que o tapinha no ombro dele tenha sido um erro; Kevin se encolheu. E, por um brevíssimo instante, reconheci como era pequeno o acesso que jamais tivéramos ao que realmente se passava na cabeça dele, porque, por um segundo, a máscara caiu e o rosto dele se crispou... bem, de nojo, eu receio. Para nos deixar ter até esse vislumbre brevíssimo de como funcionava sua mente, ele devia estar pensando em outras coisas.

"Sim, *papai*", disse Kevin, com esforço. "Seria... *ótimo*."

Mas, de todas as manhãs, escolhi justamente essa para fitar o nosso quadro doméstico por um prisma ameno. Todos os adolescentes detestam os pais, pensei, e havia qualquer coisa de impagável nessa antipatia, se a gente conseguisse agüentá-la. Quando o sol bateu nos cabelos finos e dourados de Celia, enquanto você embarcava num comentário sobre os perigos da iluminação por trás e Kevin se contorcia de impaciência, fiquei tão animada com aquele momento no estilo de uma pintura de Norman Rockwell, que pensei em ficar por ali até as crianças terem que sair para a escola e, quem sabe, dar uma carona à Celia, em vez de deixar o trajeto por sua conta. Quem dera eu tivesse cedido a essa tentação! Mas as crianças precisam da rotina, decidi, e, se eu não saísse antes da hora do *rush* matinal, teria que pagar um preço infernal por isso na ponte.

"Cale a boca!", rosnou Kevin de repente, a seu lado. "Já *chega*. Cale a *boca*!"

Desconfiados, todos três olhamos para aquela impertinência não provocada.

"Não me *importa* como funciona a sua câmera", ele continuou, sem alterar a voz. "*Não quero* pesquisar locações para a publicidade de uma porção de produtos inúteis. *Não estou interessado*. Não estou interessado no *beisebol* nem nos *pais fundadores* nem nas *batalhas decisivas* da *Guerra da Secessão*. Detesto *museus* e *monumentos nacionais* e *piqueniques*. Não quero decorar a *Declaração da Independência* nas minhas horas vagas, nem ler *Tocqueville*. Não suporto as remontagens de *Tora, Tora, Tora!* nem os documentários sobre *Dwight Eisenhower*. Não quero jogar *frisbee* no quintal nem outra partida de *Banco Imobiliário* com uma anã lamurienta, cheia de frescuras e com um olho só. Não ligo *a mínima* para *coleções de selos* nem *moedas raras* nem para prensar *folhas coloridas de outono* dentro de enciclopédias. E já estou até aqui de *conversas francas entre pai e filho* sobre aspectos da minha vida que *não são da sua conta*."

Você ficou estarrecido. Nossos olhos se cruzaram e abanei quase imperceptivelmente a cabeça. Era incomum eu recomendar moderação. Mas a panela de pressão tinha sido muito popular na geração da minha mãe. Depois de um incidente já mítico em minha família, que envolvera a necessidade de raspar *madagh* do teto com uma vassoura, eu tinha aprendido em tenra idade que, quando aquele apitinho redondo está soltando vapor, a pior coisa que se pode fazer é abrir a panela.

"Muito bem", disse você, tenso. "Está registrado."

Da mesma forma abrupta que havia explodido, Kevin tornou a se fechar, voltando a ser o aluno presunçoso e pouco imaginativo do segundo ano que se preparava para mais um monótono dia de aula. Pude vê-lo fechando a porta para a mágoa que infligira a você — mais uma das coisas, suponho, em que *não estava interessado*. Durante uns cinco minutos, ninguém disse nada e, depois, aos poucos retomamos a farsa da manhã comum, sem fazer referência à explosão de Kevin, tal como as pessoas refinadas devem fingir que não notaram que alguém soltou um pum muito alto. Mesmo assim, o cheiro persistiu, embora fosse menos de gases que de cordite.

Apesar de já estar com pressa, tive que me despedir de Celia duas vezes. Abaixei-me e escovei seu cabelo, tirei um último pedacinho de crosta de sua pálpebra inferior, relembrei-lhe os livros que ela precisava levar nesse dia e lhe dei um abraço comprido e apertado; mas, quando me virei para pegar minhas coisas, notei que ela continuava parada onde eu a havia deixado, com um ar aflito, esticando as mãos duras para longe do corpo, como se estivessem contaminadas por *sujeira seca*. Assim, levantei-a no colo, embora ela estivesse com quase oito anos e carregar todo o seu peso fosse um sufoco para as minhas costas. Ela enroscou as pernas na minha cintura, afundou a cabeça em meu pescoço e disse: "Vou sentir saudade de você!" Eu lhe disse que também sentiria saudade dela, embora não fizesse idéia de quanta.

Talvez desanimado por causa do sermão injustificado de Kevin e carente de um porto seguro, você me deu um beijo de despedida que, para variar, não foi uma bicota distraída na bochecha, mas um beijo febril, com a boca aberta. (Obrigada, Franklin. Já revivi tantas vezes aquele momento, que as células da memória devem estar desbotadas e puídas, como o brim dos *jeans* mais queridos.) Quanto à minha incerteza anterior a respeito de os filhos gostarem ou não de ver os pais se beijarem, uma olhadela para o rosto de Kevin resolveu a questão. Não gostavam.

"Kevin, hoje você tem aquele treino de arco-e-flecha na aula de educação física, não é?", relembrei-lhe, ansiosa por consolidar nossa normalidade, enquanto me apressava a enfiar meu casaco de primavera. "Não se esqueça de levar seu material."

"Pode contar com isso."

"Outra coisa, você precisa resolver o que vai querer de aniversário. Só faltam três dias, e dezesseis anos são uma espécie de marco, não acha?"

"De certo modo", disse ele, evasivo. "Já notou como *marco* se transforma em *manco*, trocando apenas uma letra?"

"Que tal domingo?"

"Talvez eu esteja ocupado."

Era frustrante para mim o modo como ele sempre nos tornava tão difícil ser agradáveis, mas eu tinha que sair. Nos últimos tempos, eu não costumava beijá-lo — os adolescentes não gostam disso —, de modo que rocei de leve as costas da mão na testa dele, e foi assim que me surpreendi ao sentir que estava úmida e fria. "Você está meio pegajoso. Está se sentindo bem?"

"Nunca me senti melhor", eu já ia saindo pela porta quando Kevin chamou: "Tem certeza de que não quer se despedir da Celinha *mais uma vez*?"

"Muito engraçado", respondi, e fechei a porta. Achei que ele estava só curtindo com a minha cara. Em retrospectiva, vejo que me deu um conselho muito sensato, que eu realmente devia ter aceitado.

Não faço idéia do que deve ser acordar com uma determinação terrível como aquela. Sempre que a imagino, eu me vejo rolando de um lado para outro no travesseiro e resmungando: *Pensando bem, não estou nem aí*, ou então, no mínimo, *Dane-se, amanhã eu faço isso*. E amanhã, e amanhã. Admito, os horrores que gostamos de chamar de "impensáveis" são perfeitamente pensáveis, e inúmeras crianças devem tecer fantasias de vingança pelos milhares de choques naturais herdados pelos alunos do ensino médio. Não são as visões nem tampouco os planos mal-acabados que distinguem nosso filho. É a capacidade estarrecedora de passar do plano para a ação.

Depois de quebrar a cabeça, a única analogia que consegui encontrar em minha própria vida é uma forçação danada: são todas aquelas viagens a países estrangeiros que, pensando bem, eu na verdade não queria fazer. Eu facilitava as coisas para mim, decompondo uma excursão aparentemente monumental em seus componentes mais ínfimos. Em vez de me desafiar a passar dois meses no Marrocos, infestado por assaltantes, eu me desafiava a pegar o telefone. Isso não é muito difícil. E, com um funcionário do outro lado da linha, eu tinha que dizer alguma coisa e, assim, reservava uma passagem, refugiando-me na natureza misericordiosamente teórica dos horários das empresas de aviação, em datas tão esplendidamente distantes, que nunca poderiam vir a acontecer. E eis que chegava uma passagem pelo correio: o plano se transformava em ação. Eu me desafiava a comprar livros sobre a história da África setentrional, depois me desafiava a fazer as malas. Decompostos, os desafios eram superáveis. Até que, depois de me desafiar a entrar num táxi e cruzar a sanfona do aeroporto para o avião, era tarde demais para retroceder. Os grandes feitos são uma porção de feitos pequenos, um atrás do outro, e deve ter sido disso que o Kevin foi se conscientizando — encomendar os conjuntos de trancas e correntes Kryptonite, roubar o papel timbrado, pôr aquelas correntes na mochila, uma por uma. É só cuidar dos componentes e a soma das partes aparece, como que num passe de mágica.

De minha parte, naquela quinta-feira — ainda uma velha e simples quinta-feira —, eu estava assoberbada: corríamos para cumprir um prazo com a gráfica. Mas, num ou noutro momento desocupado, refleti sobre a explosão peculiar de Kevin naquela manhã. Em sua diatribe tinham estado marcantemente ausentes os *tipo assim*, *quer dizer* e *eu acho* que comumente apimentavam sua imitação sofrível de um adolescente típico. Em vez da postura desabada e meio torta, ele tinha ficado ereto, falando pelo centro da boca, e não por um dos cantos. Decerto me afligi por ele ter ferido os sentimentos do pai com tamanha displicência, mas o jovem que tinha feito aquelas declarações cruas e diretas parecia muito diferente do menino com quem eu convivia todos os dias. Apanhei-me esperando que voltássemos a nos encontrar, especialmente num momento em que o estado de ânimo daquele filho-estranho fosse mais agradável — uma perspectiva improvável, pela qual continuo ansiando até hoje.

Por volta das 6:15 da noite, houve uma comoção do lado de fora de meu escritório, uma aglomeração conspiratória da minha equipe, que interpretei como uma fofoca sociável de fim de expediente. Quando eu já começava a me resignar a trabalhar até tarde sozinha, Rose, a representante escolhida por eles, suponho, deu uma batida hesitante em minha porta. "Eva", disse em tom grave, "o seu filho estuda na Escola Secundária Gladstone, não é?"

Já estava na Internet.

Os detalhes eram incompletos: "Temem-se Mortes em Matança na Escola Gladstone." Quem e quantos alunos tinham sido atingidos não estava claro. Não se sabia quem era o culpado. Na verdade, a notícia era exasperantemente curta. O "pessoal da segurança" havia deparado com "uma cena de carnificina" no ginásio da escola, ao qual a polícia estava "tentando obter acesso". Sei que fiquei alvoroçada, mas aquilo não fez o menor sentido para mim.

Liguei imediatamente para o seu celular e xinguei ao encontrá-lo desligado; você fazia isso com excessiva freqüência, valorizando a solidão ininterrupta do seu 4x4 enquanto circulava por Nova Jersey em busca de vacas da cor certa. Eu admitia que você não quisesse receber telefonemas de um representante da Kraft ou dos seus idiotas da Madison Avenue, mas bem que poderia pensar em deixá-lo ligado para mim. De que *adiantava* ter aquela porcaria? Fiquei nervosa. Telefonei para casa, mas atendeu nossa secretária eletrônica; fazia uma noite adorável de primavera e, sem dúvida, Robert devia ter levado Celia para brincar no quintal. O fato de Kevin não atender fez meu estômago dar voltas, mas ponderei febrilmente que é claro que ele podia ter dado uma fugida com Lenny Pugh, com quem, inexplicavelmente, tinha feito as pazes depois da audiência da Pagorski. Talvez o tráfico de discípulos servis não andasse tão animado a ponto de um cupincha chegado a se humilhar poder ser substituído com facilidade.

Assim, peguei meu casaco e resolvi ir direto à escola. Quando saí, meus funcionários já me olhavam com a reverência reservada aos que têm até a mais ínfima associação com uma rápida aparição na página de notícias da America On-Line.

Enquanto você me acompanha na descida para a garagem, até meu VW, e na saída do centro em disparada, só para empacar na via expressa West Side, vamos esclarecer uma coisa. Eu realmente achava que o Kevin berrava no berço por uma fúria sem causa aparente, e não por que precisasse mamar. Tinha a firme convicção de que, quando ele implicava com a "cara de cocô" da nossa garçonete, sabia que a deixaria magoada, e que tinha desfigurado os mapas das paredes do meu escritório por maldade pura e simples, e não por criatividade mal orientada. Eu ainda estava convencida de que ele induzira Violetta sistematicamente a arrancar uma camada de pele da parte mais bonita do corpo, e de que continuara a precisar de fraldas até os seis anos não por estar traumatizado ou confuso, ou por ter um desenvolvimento lento, mas por estar em pé de guerra com a mãe, em tempo integral. Eu achava que ele destruía os brinquedos e os livros de história que eu criava com tanto esmero porque, para ele, essas coisas tinham mais valor como símbolos de sua ingratidão, no gênero enfia-no-cu, do que como brinquedos sentimentais, e eu tinha certeza de que ele havia aprendido a contar e a ler em segredo, de propósito, para me privar de qualquer sensação de ser útil como mãe. Minha certeza de que tinha sido ele quem havia soltado a trava da roda dianteira da bicicleta de Trent Corley era inabalável. Eu não tinha nenhuma ilusão de que um ninho de bichos-de-cesto pudesse ter entrado sozinho na mochila de Celia, ou de que ela tivesse trepado seis metros em nosso carvalho-europeu, só para ficar presa, sozinha, num dos galhos mais altos; eu tampouco achava que fora idéia dela preparar um almoço de vaselina misturada com pasta tailandesa de *curry* ou brincar de "seqüestro" e de "Guilherme Tell". Tinha certeza de que, o que quer que Kevin houvesse cochichado no ouvido de vamos-chamá-la-de-Alice, naquele baile da oitava série, não tinha sido para elogiar o vestido dela; e, como quer que o Liquid-Plumr houvesse entrado no olho esquerdo de Celia, eu tinha certeza absoluta de que seu irmão tivera algo a ver com isso, além de seu papel de nobre salvador. Eu encarava a masturbação dele em casa, com a porta escancarada, como um insolente abuso sexual — contra a própria mãe —, e não como o fervilhar normal e descontrolado dos hormônios da adolescência. Apesar de eu ter dito à Mary que a Laura deveria *entubar*, pareceu-me inteiramente crível que nosso filho tivesse dito à cria frágil e desnutrida dessa mulher que ela era gorda. Não era mistério para *mim* a questão de como uma lista de alvos de ataque havia aparecido no armário de Miguel Espinoza e, embora eu assumisse plena responsabilidade por ter espalhado um deles em minha própria empresa, era impossível eu ver o *hobby* de colecionar vírus de computador como outra coisa senão perturbado e degenerado. Eu continuava com a firme opinião de que Vicki Pagorski tinha sido perseguida, num simulacro de julgamento da lavra pessoal de Kevin Khatchadourian. Certo, eu me enganara quanto à responsabilidade de nosso filho por atirar pedaços de tijolo nos carros que passavam pela 9W e, até dez dias atrás, havia listado o desaparecimento de uma fotografia preciosa de Amsterdã como mais uma vítima do rancor ímpar de meu filho. Portanto, como eu disse, sempre pensei o pior. Mas até meu ceticismo materno antinatural tinha limites. Quando Rose me disse que houvera uma agressão perversa na escola de Kevin e que havia um temor de que alguns alunos tivessem morrido, eu me preocupei com o bem-estar dele. Nem por um segundo imaginei que o criminoso fosse o nosso filho.

O depoimento das testemunhas de um acontecimento é sabidamente caótico, em especial logo depois que ele ocorre. *In loco*, impera a desinformação. Só depois é que se imprime ordem ao caos. Assim, com alguns cliques quando estou *on-line*, posso agora consultar numerosas versões dos atos de nosso filho naquele dia, as quais fazem um grosseiro sentido cronológico. Eu dispunha de poucos pedaços dessa história quando entrei com uma guinada no estacionamento da escola, mas teria pela frente anos de reflexão contemplativa para montar calmamente esse quebra-cabeça, assim como Kevin teria anos de carpintarias mal equipadas em que desbastar, lixar e polir suas desculpas.

As escolas não necessariamente encaram seu papel timbrado como as chaves do reino e duvido que fique tudo trancado. Como quer que o tenha obtido, Kevin havia prestado atenção suficiente às aulas de inglês de Dana Rocco para digerir a idéia de que a forma dita o tom. Assim como não se usam gírias populares num artigo para o jornal escolar, a pessoa também não se permite joguinhos niilistas com monossílabos ao imprimir um texto em papel timbrado. Por isso, a carta oficial enviada a Greer Ulanov, por exemplo — com antecedência suficiente para compensar o precário serviço postal de Nyack —, exibe o mesmo toque de autenticidade que Kevin exibiu ao imitar o Ron Howard para você e ao bancar a vítima tímida e alvoroçada diante de Alan Strickland:

Prezado(a) ___*Greer*___________,

O corpo docente da Escola Secundária Gladstone orgulha-se de *todos* os seus alunos, cada um dos quais contribui com seus notáveis talentos para a comunidade. No entanto, invariavelmente, alguns alunos nos chamam a atenção por se haverem distinguido nas artes, ou por terem feito ainda mais do que lhes competia para criar um ambiente educacional dinâmico. Temos o prazer de recompensar esse nível inusitado de excelência no final do ano letivo.

Consultando professores e administradores, preparei uma lista de nove estudantes exemplares que nos parecem sumamente dignos de nosso novo Prêmio Aluno Brilhantemente Promissor. Tenho a satisfação de lhe informar que você é um desses nove, havendo se destacado por sua excepcional contribuição no campo de ___*política e consciência cívica*___.

Para levar adiante este processo, solicitamos a todos os vencedores do PABP que se reúnam no ginásio na quinta-feira, 8 de abril, às 15:30 horas. É nossa esperança que vocês possam começar a preparar o programa para uma reunião no início de junho, na qual os prêmios serão entregues. Uma demonstração de seus dotes excepcionais seria apropriada. Os que se destacaram no campo artístico poderão demonstrar prontamente suas habilidades; os de talentos mais acadêmicos talvez tenham que exercer a criatividade para determinar a melhor maneira de exemplificar suas realizações.

Embora tenhamos tomado nossas decisões exclusivamente com base no mérito, procuramos chegar a uma mescla de sexos, raças, etnias, religiões e preferências sexuais, a fim de que o PABP reflita de forma adequada a diversidade de nossa comunidade.

Por fim, rogo a todos vocês a fineza de manterem em sigilo a sua escolha para esta premiação. Se eu tiver notícia de qualquer fanfarrice, é possível que a administração seja forçada a reconsiderar sua candidatura. Gostaríamos muito que fosse possível conceder um prêmio a *todos* os estudantes, por serem as pessoas especiais que são, e é muito importante que vocês não provoquem invejas desnecessárias antes que os ganhadores do prêmio sejam divulgados.

Minhas sinceras congratulações,

Atenciosamente,

Donald Bevons

Diretor

Avisos idênticos foram enviados a outros oito alunos, com as lacunas devidamente preenchidas. Denny Corbitt foi elogiado como ator, Jeff Reeves, pelo violão clássico, Laura Woolford, pela "aparência impecável", Brian Ferguson, o "Mouse", por suas habilidades no computador, Ziggy Randolph, não apenas pelo balé, mas por "estimular a tolerância à diferença", Miguel Espinoza, pelo aproveitamento acadêmico e pelas "habilidades vocabulares", Soweto Washington, pelos esportes, Joshua Lukronsky, pelos "estudos cinematográficos" e — nesse ponto, eu culpo Kevin por não ter sido capaz de se controlar — por "decorar roteiros completos de Quentin Tarantino", embora a maioria das pessoas tenha pouca propensão a encarar a lisonja com desconfiança. Dana Rocco recebeu uma carta um pouco diferente, solicitando que ela dirigisse essa reunião da quinta-feira, mas também informando que ela própria fora escolhida para o Prêmio Professor Mais Querido e, similarmente, já que todos os outros professores *também* eram queridos, solicitando que ela guardasse segredo sobre seu PPMQ.

Embora estivesse bem preparada, a armadilha não era imune a percalços. Dana Rocco poderia ter mencionado a reunião a Bevons, que protestaria ignorância, e a história toda teria vindo à tona. Será que podemos realmente dizer que Kevin teve *sorte*? Ela não disse.

Na noite de 7 de abril, Kevin programou o despertador para meia hora mais cedo que de praxe e, para a manhã seguinte, separou roupas folgadas o bastante para lhe dar liberdade de movimentos, escolhendo aquela linda camisa branca de mangas bufantes de esgrimista, na qual sairia bem nas fotos. Pessoalmente, eu teria rolado de angústia na cama durante essa noite, mas também, pessoalmente, eu nunca teria concebido um projeto tão grotesco, para começo de conversa, de modo que só posso presumir que, se Kevin perdeu algum minuto de sono, foi por excitação.

No ônibus escolar na manhã seguinte, ele devia estar sobrecarregado — cada uma daquelas trancas de bicicleta pesava quase três quilos —, mas já havia providenciado um curso independente de tiro de arco no início do semestre, visto que o interesse por esse passatempo impopular era pequeno demais para aulas regulares. Os outros alunos tinham sido treinados para considerar corriqueiro o arrastar do equipamento de arco-e-flecha para a escola. Ninguém tinha familiaridade suficiente com as minúcias desse esporte idiota para se inquietar com o fato de Kevin não estar carregando seu arco usual, nem o arco longo, e sim a balestra, que depois a administração fez o impossível para negar que algum dia tivesse sido permitida no terreno da escola. Embora o número de flechas em poder dele fosse considerável — Kevin tinha sido obrigado a carregá-las em sua mochila de viagem —, ninguém reparou na sacola; a distância prudente que os colegas de classe mantinham dele na oitava série só fizera aumentar, dois anos depois.

Depois de guardar o material de tiro ao alvo na sala de equipamentos do ginásio, como de praxe, ele assistiu a todas as suas aulas. Na de inglês, perguntou a Dana Rocco o que significava *maleficência*, e ela deu um largo sorriso.

Seus exercícios independentes de tiro ao alvo estavam marcados para o último período, e — como já fora firmemente estabelecido o entusiasmo dele — os professores de educação física não mais verificavam as atividades de Kevin quando ele disparava flechas num alvo de serragem. Por isso, ele teve tempo de sobra para retirar do ginásio todo e qualquer equipamento, como sacos de boxe, cavalos para salto ou colchões gordos. Convenientemente, as arquibancadas já estavam montadas e, para se certificar de que continuariam assim, ele prendeu pequenos cadeados na intersecção de dois suportes de ferro nos dois bancos, com isso impedindo que eles se abrissem. Quando terminou, não havia absolutamente nada no ginásio, exceto seis colchonetes azuis — do tipo fininho, para fazer abdominais —, dispostos num simpático círculo bem no centro.

A logística, para quem se impressiona com essas coisas, foi elaborada de forma impecável. O prédio da educação física é uma estrutura separada, a uns bons três minutos de caminhada do *campus* principal. Há cinco entradas no ginásio central em si — para quem vem dos vestiários masculino e feminino, da sala de equipamentos e do saguão; uma porta no segundo andar abre-se para uma sala usada para os aparelhos aeróbicos de musculação, com vista para o ginásio. Mas nenhuma dessas entradas fica na parte externa do prédio. O ginásio é incomumente alto, dois andares inteiros, e só há janelas na parte superior; do térreo, não é possível olhar lá para dentro. E não havia nenhum evento esportivo marcado para aquela tarde.

A sineta tocou às três horas e, às 3:15, o vozerio distante da saída dos alunos começava a se extinguir. O ginásio em si estava deserto, embora Kevin ainda deva ter andado com apreensão ao entrar de fininho no vestiário dos meninos e tirar do ombro sua primeira tranca de bicicleta Kryptonite. Em circunstâncias comuns, ele é uma pessoa metódica, donde podemos ter certeza de que teria encaixado a chave certa em cada um dos brilhantes cadeados amarelos revestidos de plástico. Enroscando a corrente pesada nas duas maçanetas da porta dupla, ele a apertou com firmeza. Depois de arrancar da corrente a capa protetora de *nylon* preto, enfiou o ensolarado cadeado amarelo num elo central, fechou-o, girou a chave redonda, tirou-a e a enfiou no bolso. Eu me atreveria a dizer que ele testou as portas, que a essa altura só abririam uma fresta antes de travar. Kevin repetiu esse exercício no vestiário das meninas e na porta entre o ginásio e a sala de equipamentos, saindo pela porta dos fundos deste para a sala dos pesos.

Agora sei que aqueles cadeados eram a última palavra em segurança para bicicletas. A parte em forma de U no cadeado pequeno e robusto tem apenas uns cinco centímetros de altura, o que nega a quem pretenda roubá-las o espaço para usar um pé-de-cabra como alavanca. A corrente, por sua vez, é de elos interligados fundidos na fábrica, e cada elo tem mais de um centímetro de espessura. As correntes Kryptonite são famosas por sua resistência ao calor, pois é sabido que os ladrões profissionais de bicicletas usam maçaricos, e a empresa tem tanta confiança em sua tecnologia que, se uma bicicleta for roubada, ela garante o reembolso total de seu valor de compra. Ao contrário dos modelos de muitos concorrentes, essa garantia é válida até em Nova York.

Apesar do declarado desinteresse no seu trabalho, Franklin, o Kevin estava prestes a lançar a mais bem-sucedida campanha de propaganda da Kryptonite já feita até então.

Às 15:20, rindo de alegria autocongratulatória, os primeiros ganhadores do PABP começaram a chegar pela entrada principal do saguão, que continuava destrancada.

"*Higiene pessoal, o cacete!*", declarou Soweto.

"Ei, nós somos *brilhantemente promissores*", disse Laura, jogando para trás o sedoso cabelo castanho. "Não tem cadeira pra gente?"

Mouse foi até a sala de equipamentos procurar umas cadeiras dobráveis, mas, quando voltou, informando que ela já tinha sido trancada, Greer disse: "Sei lá, acho legal assim. Podemos sentar de pernas cruzadas, como se estivéssemos em volta de uma fogueira."

"Quaaal ééé?", fez Laura, cuja roupa era... exígua. "Cruzar as pernas com essa saia? E é Versace, pelo amor de Deus! Não quero que fique suja de suor de abdominais."

"Ei, garota", Soweto apontou com a cabeça para a figura macérrima de Laura, "isso é o mais perto que você vai chegar de *suor de abdominal*."

Kevin pôde ouvir da sala de musculação, que era um recesso na parede do nível superior, a conversa de seus ganhadores; enquanto permanecesse encostado na parede dos fundos, não poderia ser visto de baixo. As três bicicletas ergométricas, a esteira mecânica e o aparelho de remo já tinham sido arrastados para longe da grade protetora do recesso. Transferido da mochila de viagem, o estoque de aproximadamente cem flechas erguia-se em dois baldes.

Seduzido pelo eco maravilhoso, Denny entoou a plenos pulmões um trecho de *Don't Drink the Water*, enquanto Ziggy, que tinha o hábito de saltitar pela escola com uma camiseta colante e uma malha, para exibir as panturrilhas, não resistiu a fazer o que Kevin depois chamou de "uma entrada gloriosa de *drag queen*", executando uma série de piruetas em ponta em toda a extensão do ginásio e terminando num *grand jeté*. Mas Laura, que sem dúvida não achava legal ficar olhando para bichas, só tinha olhos para Jeff Reeves — apesar de caladão e extremamente sério, um belo garoto de olhos azuis, com um longo rabo-de-cavalo louro, por quem era sabido que havia uma dúzia de meninas apaixonadas. Uma das fãs que babavam por Jeff, segundo uma entrevista gravada pela NBC com uma amiga, era Laura Woolford, o que, mais do que seu domínio do violão de doze cordas, talvez explique por que ele também foi batizado de Brilhantemente Promissor.

Miguel, que devia dizer a si mesmo que era impopular por ser inteligente ou por ser latino — qualquer coisa, menos ser meio gorducho —, desabou prontamente num dos colchonetes azuis e enfiou o nariz, com toda a seriedade e de cenho franzido, num exemplar surrado de *A cultura inculta*, de Alan Bloom. A seu lado, Greer cometia o mesmo erro tão comum entre os rejeitados de toda parte, supondo que os párias gostam uns dos outros, e, por isso, empenhava-se em tentar atrair Miguel para uma discussão sobre a intervenção da OTAN em Kosovo.

Dana Rocco chegou às 15:35. "Vamos lá, tropa!", reuniu-os. "Ziggy, tudo isso é muito bonito, mas aqui não é aula de balé. Será que podemos ir ao que interessa? Sei que a ocasião é festiva, mas, mesmo assim, já passa da hora para mim e eu gostaria de chegar em casa antes do programa do Letterman."

Nesse momento, chegou um empregado da lanchonete, empurrando um carrinho com sanduíches embrulhados em papel celofane. "Onde a senhora quer que eu ponha isso?", perguntou a Rocco. "Recebemos ordens do sr. Bevons para trazer uns comes e bebes."

"Ora, quanta consideração do Don!", exclamou ela.

Bem. Alguém tinha tido consideração. E devo dizer que os sanduíches foram um belo toque, aquele enfeitezinho de um autêntico evento escolar. Mas talvez Kevin tivesse exagerado um pouco a dose, e esse gesto lhe custaria alguns *danos colaterais*.

"Professora, o meu horário acabou; a senhora se incomoda se eu bater uma bola? Eu fico lá na outra ponta, não vou incomodar. Não tem cesta lá onde eu moro. Eu ficaria muito grato."

Rocco deve ter hesitado — o barulho seria uma distração —, mas o empregado da lanchonete era negro.

Kevin devia estar dando pontapés em si mesmo por ter deixado a cesta de basquete lá na ponta, mas, àquela altura — 15:40 —, talvez estivesse mais preocupado com o ausente. Só nove de seus dez convidados para a festa haviam se apresentado, junto com um penetra. A operação não tinha sido organizada prevendo atrasos e, uma vez iniciada a reunião, ele devia estar arquitetando freneticamente um plano de contingência, para lidar com a conduta retardatária de Joshua Lukronsky.

"Ai, que nojo!", exclamou Laura, passando a bandeja. "*Sanduíche* de peru. Desperdício completo de calorias."

"Antes de mais nada, turma", começou Rocco, "quero dar os parabéns a todos vocês por terem sido escolhidos para esse prêmio especial..."

"Tudo bem!", escancarou-se a porta do saguão. "*Vamos encarnar nossos papéis!*"

Kevin nunca deve ter se sentido tão feliz por ver o rematadamente irritante Joshua Lukronsky. Quando o círculo se alargou para dar espaço a Josh, Kevin saiu pé ante pé da sala de musculação e desceu sorrateiramente, com mais uma tranca Kryptonite. Embora fizesse o mínimo possível de barulho, a corrente chacoalhou um pouco, e pode ser que, nessa hora, ele tenha ficado grato pelas batidas que o empregado da lanchonete dava na bola. De volta ao recesso, ele usou sua última corrente e cadeado nas barras internas da porta da sala de musculação.

*Voilà*. Tiro e queda.

Estaria ele reconsiderando, ou simplesmente se divertindo? A reunião havia prosseguido por mais cinco minutos quando Kevin avançou pé ante pé até a grade, com a balestra carregada. Embora se tornasse visível para as pessoas lá embaixo, o grupo estava absorto demais em planejar sua própria premiação para erguer os olhos.

"Eu podia fazer um discurso", propôs Greer. "Assim, sobre como o cargo de promotor especial devia ser abolido, sabe? Porque eu acho que o Kenneth Starr é a encarnação da maldade!"

"Que tal alguma coisa um pouco menos polêmica?", propôs Rocco. "Não seria bom você se indispor com os republicanos."

"Quer *apostar*?"

Um som discreto, veloz. Assim como há uma pausa minúscula entre o raio e o trovão, houve um único e denso instante de silêncio entre o *fffiu-tum* da flecha atravessando a blusa Versace de Laura Woolford e o ponto em que os outros estudantes começaram a gritar.

"Ai, meu Deus!"

"De onde veio isso?"

"Ela está TODA ensangüentada!"

*Fffiu-tum.* Ainda sem ter concluído seu esforço para ficar de pé, Miguel levou uma na barriga. *Fffiu-tum.* Jeff foi atingido entre as omoplatas ao se curvar sobre Laura Woolford. Só posso concluir que, naquelas muitas horas passadas por Kevin em nosso quintal, a mosquinha preta no meio de todos aqueles círculos concêntricos era, na sua cabeça, um círculo perfeito de viscose Versace. Perfeitamente atingida no coração, Laura estava morta.

"Ele está lá em cima!", apontou Denny.

"*Meninos, saiam! Corram!*", ordenou Rocco, embora não precisasse; os que ainda estavam ilesos já haviam disparado em direção à saída principal, onde descobriram um novo sentido para a expressão *barra antipânico*. Mas, dada a posição do recesso, não havia dez centímetros quadrados naquele ginásio que não pudessem ser penetrados a partir da grade da sala de musculação, como todos não tardariam a descobrir.

"Ai, merda, eu já devia saber!", gritou Joshua, olhando para cima de relance e sacudindo a porta da sala de equipamentos, que Mouse já havia experimentado. "É o *Khatchadourian*!"

*Fffiu-tum.* Quando ele socava a porta principal, gritando por socorro enquanto a flecha cravada em suas costas tremia, outra se enterrou na nuca de Jeff Reeves. Ao correr para a saída do vestiário masculino, onde as portas cederam ligeiramente e depois travaram, Mouse recebeu uma flechada na bunda; ela não o mataria, mas, ao capengar até a última saída, do lado das meninas, com certeza ele começou a perceber que haveria muito tempo disponível para outra que o matasse.

Dana Rocco chegou à saída do vestiário feminino mais ou menos na mesma hora, vergada pelo peso do corpo de Laura em seu colo — um esforço inútil, mas valente, que teria destaque na cerimônia fúnebre. Mouse deparou com o olhar dela e abanou a cabeça. Enquanto seus colegas circulavam aos gritos de uma porta para outra, num movimento agitado que lembrava massa numa batedeira, Mouse berrou acima da gritaria: "As portas estão trancadas! Todas as portas estão trancadas! Protejam-se!"

Atrás de *quê*?

O empregado da lanchonete — menos sintonizado com o estilo Matança na Escola do que os alunos, que haviam passado por assembléias preparatórias completas e *encarnado seus papéis* prontamente — ia se esgueirando junto às paredes, como quem tateasse por uma daquelas passagens secretas dos romances de suspense, andando devagar e atraindo o mínimo de atenção. Como nenhum dos blocos de concretos produziu o efeito desejado, ele se enroscou no chão feito uma bola fetal, com a bola de basquete entre o arqueiro e sua própria cabeça. Sem dúvida Kevin estava aborrecido por ter deixado um obstáculo qualquer permanecer no ginásio, por menor que fosse, e a proteção ineficaz só fez atrair os disparos. *Fffiu-tum*. A bola foi espetada.

"Kevin!", gritou a professora de inglês, triangulando Mouse atrás de seu corpo no canto mais distante do recesso na parede. "Por favor, pare! Por favor, por favor, pare!"

"*Maleficência*", sibilou Kevin audivelmente, lá de cima. Joshua disse, mais tarde, que tinha sido estranho o modo como se pudera ouvir essa palavra relativamente baixa acima da barulheira. De momento, foi só o que Kevin disse. Depois, mirou firmemente sua mais vigorosa aliada no corpo docente da Gladstone e lhe enfiou uma flecha bem no meio dos olhos.

Quando ela caiu, Mouse ficou exposto no canto e, embora começasse a se agachar sob a proteção do corpo de Dana, levou outra flechada que varou um dos pulmões. Isso lhe ensinaria a compartilhar os segredos dos vírus de computador com meros diletantes cibernéticos que, na verdade, estavam muito mais interessados no tiro com arco.

Mas Mouse, na opinião de Joshua, teve a idéia certa; até então, a idéia de Lukronsky de empilhar todos os colchonetes azuis e tentar criar uma espécie de escudo não vinha surtindo, nem de longe, o mesmo efeito que surtia nos filmes, e duas flechas já tinham zunido a poucos centímetros de sua cabeça. Disparando para o canto de Mouse, enquanto Kevin se ocupava em abrir buracos nas coxas poderosas de Soweto Washington, Joshua erigiu uma meia-água improvisada no canto, montada com a espuma azul, Dana Rocco, Laura Woolford e o corpo gemedor e semiconsciente de Mouse Ferguson. Foi dessa tenda abafada que ele observou o desfecho, espiando por baixo da axila de Laura, enquanto a respiração de Mouse fazia bolhas. Ela era quente, cheia dos vapores fétidos do suor do medo e de um outro cheiro mais perturbador, que era nauseantemente repulsivo.

Desistindo de buscar proteção, Greer Ulanov tinha marchado direto para a parede que descia da grade da sala de musculação, parando a seis metros de distância, bem embaixo do Cupido perverso. Finalmente encontrara um bicho-papão mais odioso do que Kenneth Starr.

"Detesto você, seu asqueroso idiota!" — gritou. "Tomara que te fritem! Tomara que encham você de veneno e que eu te veja morrer!" Foi uma conversão rápida. Apenas um mês antes, ela havia escrito um ensaio apaixonado, criticando a pena de morte.

Debruçando sobre a grade, Kevin disparou uma flecha direto para baixo e atingiu Greer no pé. A flecha atravessou o pé, cravou-se no piso de madeira e a fixou onde ela estava. Enquanto Greer empalidecia e lutava para arrancar a flecha do chão, Kevin prendeu-lhe o outro pé. Podia dar-se ao luxo de se divertir — ainda devia ter umas cinqüenta ou sessenta flechas de reserva.

A essa altura, todos os outros feridos tinham rastejado até a parede mais distante, onde desabaram feito bonecos de vodu espetados com alfinetes. A maioria se enroscou no chão, tentando se transformar no menor alvo possível. Mas Ziggy Randolph, ainda ileso, caminhou bem para o meio do ginásio, onde se apresentou de peito aberto, com os calcanhares unidos e os dedos do pé em pronação. Moreno e de traços finos, ele era um lindo menino, com uma presença imponente, embora com um jeito vulgarmente efeminado; eu nunca soube ao certo se os gestos de pulso mole dos homossexuais são inatos ou deliberados.

"Khatchadourian!", ressoou a voz de Ziggy acima do som dos soluços. "Escute! Você não precisa fazer isso. Ponha o arco no chão e vamos conversar. A maior parte desses caras aqui vai ficar na boa se a gente chamar o médico agora mesmo!"

Neste ponto, vale a pena inserir o lembrete de que, depois de Michael Carneal atirar naquele grupo de fiéis em Paducah, no Kentucky, em 1997, um devoto que cursava o terceiro ano do ensino médio da escola Heath, um filho de pastor que tinha o nome romanesco de Ben Strong, foi festejado de costa a costa por ter se aproximado do atirador com ar sereno, exortando o garoto a largar a arma e, nesse processo, expondo-se a um perigo mortal. Em resposta, segundo a lenda, Carneal tinha largado a pistola e desmaiado. Dada a sede nacional de heróis em acontecimentos que, afora isso, vinham se tornando um irredimível embaraço internacional, a história caíra na boca do povo. Strong tinha saído na revista *Time* e fora entrevistado no *Larry King Live*. Talvez a familiaridade de Ziggy com essa parábola tenha insuflado sua coragem de confrontar o agressor, e a admiração sem precedentes que ele despertara ao "assumir" o homossexualismo diante de uma assembléia naquele semestre, alguns meses antes, deve ter acentuado ainda mais sua confiança nos poderes persuasivos de sua oratória.

"Eu sei que você deve estar muito aborrecido com alguma coisa, tá?", continuou Ziggy. A maioria das vítimas de Kevin ainda não estava morta e já havia alguém sentindo pena dele. "Eu tenho certeza de que você deve estar machucado por dentro! Mas isso não é maneira de..."

Infelizmente para Ziggy, a natureza apócrifa da severa e cativante fala de Ben Strong, *Michael, largue esse revólver!*, só viria a ser revelada na primavera de 2000, quando uma ação movida pelos pais das vítimas contra mais de cinqüenta outras pessoas — incluindo pais, professores, funcionários da escola, outros adolescentes, vizinhos, os fabricantes dos videogames *Doom* e *Quake* e os produtores de *Diário de um adolescente* — foi a julgamento num tribunal distrital. Sob juramento, Strong confessou que uma descrição inicialmente melodramática dos acontecimentos para seu diretor tinha sido enfeitada pela mídia e depois ganhara vida própria. Apanhado numa mentira, ele vivia angustiado desde então. Ao que parece, quando da aproximação de nosso herói, Michael Carneal já tinha parado de atirar e havia desabado, e sua rendição não tivera nada a ver com um apelo eloqüente que desafiasse a morte. "Ele estava acabado", disse Strong em seu depoimento, "e largou a arma."

*Fffiu-tum*. Ziggy cambaleou para trás.

Espero não ter relatado essa cronologia de uma forma tão desapaixonada que pareça insensível. É só que os fatos continuam a ser maiores, mais ousados e mais brilhantes do que qualquer lamuriazinha. Apenas reitero uma seqüência de acontecimentos costurada pela *Newsweek*.

Ao papaguear a matéria da revista, porém, não tenho a pretensão de nenhum discernimento notável do estado de espírito de Kevin, o país estrangeiro em que mais relutei em pôr os pés. As descrições que Joshua e Soweto fizeram da expressão de nosso filho lá no alto diferem das reportagens sobre acontecimentos similares. Aqueles meninos de Columbine, por exemplo, eram maníacos de olhos vidrados, que davam sorrisos insanos. Kevin, em contraste, foi descrito como "concentrado" e "impassível". Mas, afinal, ele sempre teve essa aparência no campo de treinamento de tiro, nem que fosse só no tiro com arco, pensando bem — como se ele se transformasse na flecha e descobrisse nessa encarnação o senso de propósito que faltava tão extravagantemente em sua fleumática *persona* cotidiana.

Mas andei refletindo sobre o fato de que, para a maioria de nós, há uma barreira sólida, intransponível, entre a depravação mais imaginativamente detalhada e sua execução na vida real. É a mesma sólida parede de aço que se interpõe entre uma navalha e meu pulso, mesmo quando estou no mais extremo desconsolo. Então, como foi que Kevin pôde levantar aquela balestra, apontá-la para o esterno de Laura e realmente, de verdade, no tempo e no espaço, disparar a flecha? Só posso presumir que ele tenha descoberto o que eu nunca desejo descobrir. Que não existe barreira. Que, tal como minhas viagens ao exterior ou esse plano ridículo, com trancas de bicicleta e convites em papel timbrado da escola, o próprio ato de disparar pode ser decomposto numa série de partes integrantes simples. Talvez seja tão pouco milagroso apertar o gatilho de uma balestra ou de um revólver quanto pegar um copo d'água. Temo que passar para o "impensável" se revele tão pouco atlético quanto cruzar a soleira de um cômodo comum; e o truque é esse, se você quiser. O segredo. Como sempre, o segredo é que não existe segredo algum. Ele deve ter quase sentido vontade de rir, embora não seja esse o seu estilo; aqueles garotos de Columbine *realmente* riram. E, quando o sujeito descobre que não há nada para detê-lo — que a barreira, aparentemente tão intransponível, *está toda na cabeça* —, deve ser possível avançar e recuar na soleira repetidamente, um disparo após outro, como se um bundão que não intimida ninguém houvesse feito um risco no tapete que você não deve cruzar, e você, de gozação, pulasse por cima dele, para frente e para trás, numa dancinha zombeteira.

Dito isso, é a última parte que mais me atormenta. Não tenho metáforas para nos ajudar.

Se parece extraordinário que ninguém tenha atendido aos gritos de socorro, o ginásio é isolado, e os desgarrados que vadiavam pela escola e depois admitiram ter ouvido berros e guinchos presumiram, como era compreensível, que estivesse havendo um evento esportivo empolgante ou tumultuado. Não houve os estalos reveladores das armas de fogo. E a explicação mais óbvia para essa falta de alarme é que, embora demore um pouco para ser contada, a confusão não pode ter durado mais de dez minutos. Mas, se o Kevin tinha entrado em algum tipo de estado mental alterado, este se manteve por muito mais que dez minutos.

Soweto desmaiou, o que provavelmente foi a sua salvação. Como Joshua continuava imóvel, sua fortaleza de carne foi sacudida por uma chuva sistemática de flechadas, uma combinação das quais acabou dando fim a Mouse Ferguson. Os gritos de socorro ou os gemidos de dor mais adiante, junto à parede, foram silenciados por disparos adicionais. Ele agiu sem pressa, Franklin — esvaziou os dois baldes, até a fileira de corpos flácidos eriçar-se como uma família de porcos-espinhos. Mais aterrador, porém, do que esse exercício barato de arco-e-flecha — as vítimas já não podiam ser consideradas alvos móveis — foi a cessação dele. É surpreendentemente difícil matar gente com uma balestra, e Kevin sabia disso. Assim, esperou. Quando um guarda do serviço de segurança finalmente se aproximou, às 17:40, sacudindo o molho de chaves para trancar o ginásio, consternando-se ao ver as trancas Kryptonite, espiando pela fresta da porta e se enfurecendo, Kevin esperou. Quando a polícia chegou, com aqueles alicates enormes e inúteis (que as correntes só fizeram cegar), e por fim foi obrigada a buscar uma serra elétrica para cortar metais, que apitava e soltava fagulhas — e tudo isso levou tempo —, Kevin pôs os pés para cima na grade da sala de musculação e esperou. Na verdade, o interlúdio prolongado entre sua última flecha e a invasão final da equipe da SWAT pela porta do saguão, às 18:55, foi um daqueles períodos desocupados em que eu dissera a ele, aos seis anos de idade, que ele ficaria grato por ter um livro por perto.

Laura Woolford e Dana Rocco foram mortas pelo trauma das próprias flechadas. Ziggy, Mouse, Denny, Greer, Jeff, Miguel e o empregado da lanchonete sangraram até morrer, gota a gota.

(6 DE ABRIL DE 2001 – CONTINUAÇÃO)

Quando desci do carro, o estacionamento já estava abarrotado de ambulâncias e carros da polícia. Uma faixa amarela demarcava seu perímetro. Começava a escurecer, e os paramédicos de ar aflito eram iluminados por uma mistura fantasmagórica de luzes vermelhas e azuis. Maca após maca desfilou pelo estacionamento; fiquei estarrecida — elas pareciam não ter fim. Mesmo em meio a um pandemônio, entretanto, um rosto conhecido sempre brilha mais forte do que os veículos de emergência, e meus olhos captaram Kevin em questão de segundos. Foi uma clássica tomada em dois momentos. Embora eu pudesse ter tido meus problemas com nosso filho, fiquei aliviada ao ver que ele estava vivo. Mas não pude dar-me ao luxo de me refestelar em meus saudáveis instintos maternos. Num relance, ficou óbvio que ele não estava saindo, mas *sendo conduzido* para fora do ginásio por uma dupla de policiais, e a única razão pela qual poderia estar com as mãos nas costas, em vez de balançá-las em seu andar convencionalmente insolente, era que não lhe restava alternativa.

Fiquei zonza. Por um instante, as luzes do estacionamento desfizeram-se em borrões sem sentido, como as formas que se desenham dentro das pálpebras quando a gente esfrega os olhos.

"Dona, receio que a senhora tenha que se retirar..." Era um dos policiais que tinham aparecido em nossa porta depois do incidente da passarela, o mais pesado e mais cético da dupla. Eles deviam conhecer uma pletora de pais de olhos arregalados cujos queridinhos criminosos vinham "de boa família", porque o homem não pareceu me reconhecer.

"O senhor não está entendendo", disse eu, acrescentando a mais difícil afirmação de fidelidade que já fizera na vida. "*Aquele é meu filho*."

O rosto dele endureceu. Foi uma expressão com a qual eu viria a me acostumar; essa e os derretidos "coitadinha, não sei o que lhe dizer", que eram ainda piores. Mas eu ainda não estava habituada e, quando lhe perguntei o que tinha acontecido, já deu para ver que aquilo por que eu era indiretamente responsável, fosse o que fosse, era péssimo.

"Tivemos alguns mortos, dona", foi tudo que ele se dispôs a explicar. "É melhor a senhora ir à delegacia. Siga pela 59 até a 303 e pegue a saída da Rua Orangeberg. A entrada é na rua da prefeitura. Isso, *presumindo* que a senhora nunca tenha ido lá."

"Posso... falar com ele?"

"A senhora terá que falar com aquele policial ali, dona. O de boné." E se afastou depressa.

Ao caminhar até a radiopatrulha para cujo banco traseiro eu vira um policial empurrar nosso filho, pondo-lhe uma das mãos no alto da cabeça, fui obrigada a fazer uma peregrinação, explicando com crescente cansaço quem eu era a uma sucessão de policiais. Finalmente entendi a história do Novo Testamento sobre São Pedro, e por que ele fora levado a negar por três vezes qualquer associação com um pária social perseguido por um bando de linchadores. O repúdio talvez fosse ainda mais tentador para mim do que para Pedro, já que, como quer que ele se imaginasse, aquele garoto não era nenhum messias.

Finalmente, depois de uma batalha, cheguei ao carro preto-e-branco de Orangetown, cuja inscrição na lateral, "Em parceria com a comunidade", já não parecia me incluir. Olhando para a janela traseira, não consegui enxergar pelo vidro, por causa dos reflexos ofuscantes. Assim, pus a mão em concha sobre ela. Kevin não estava chorando nem de cabeça baixa. Virou-se para a janela. Não teve qualquer dificuldade de me fitar nos olhos.

Eu tinha pensado em gritar *Que foi que você fez?*, mas essa exclamação surrada teria sido uma retórica egoísta, uma exibição de renegação maternal. Eu não tardaria a conhecer os detalhes. E não podia imaginar uma conversa que fosse outra coisa que não ridícula.

Assim, encaramo-nos em silêncio. A expressão de Kevin era tranqüila. Ainda exibia uns restos de determinação, mas esta já deslizava para a empáfia arrogante e serena de um trabalho bem-feito. Os olhos dele estavam estranhamente desanuviados — imperturbados, quase pachorrentos —, e reconheci a transparência daquela manhã, embora o café já parecesse ter acontecido dez anos antes. Aquele era o filho-estranho, o menino que largara o disfarce vulgar e evasivo do *quer dizer* e do *eu acho* e o trocara pelo porte de chumbo e pela lucidez do homem que tem uma missão.

Estava satisfeito consigo mesmo, pude perceber. E era só isso que eu precisava saber.

No entanto, quando visualizo agora o rosto dele pela janela traseira, também me lembro de algo mais. Ele estava procurando. Buscava alguma coisa no meu rosto. Buscou-a com muito cuidado e afinco, depois reclinou-se um pouco no banco. O que quer que estivesse procurando, não o havia encontrado, e também isso pareceu deixá-lo satisfeito, de algum modo. Ele não sorriu. Mas bem que poderia ter sorrido.

A caminho da delegacia de Orangetown, receio ter sentido raiva de você, Franklin. Não era justo, mas seu celular continuava desligado, e você sabe como a gente se fixa nesses probleminhas logísticos, à guisa de distração. Eu ainda não tinha conseguido ficar com raiva do Kevin, e parecia mais seguro descarregar minhas frustrações em você, já que você não tinha feito nada de errado. Apertando o botão de rediscagem uma vez atrás da outra, esbravejei com o volante. "Onde é que você *está*? São quase sete e meia! Ligue essa porra desse telefone! Pelo amor de Deus, justamente hoje, por que você tinha que trabalhar até mais tarde *esta noite*!? E será que não ouviu o *noticiário*?" Mas você não ligava o rádio em sua picape; preferia os CDs do Springsteen ou do Charlie Parker. "*Franklin, seu filho-da-puta!*", gritei, com as lágrimas ainda quentes, ralas e avarentas da fúria. "Como é que você pode me fazer passar por tudo isso sozinha?"

Primeiro passei direto pela rua da prefeitura, porque, visto de fora, aquele prédio verde e branco, lustroso e berrante mais parece uma filial de cadeia de churrascarias ou uma academia de ginástica. Além do friso de bronze malfeito em memória de quatro policiais de Orangetown que morreram no cumprimento do dever, o saguão também era uma extensão de paredes brancas e linóleo sem marcas distintivas, onde a gente esperaria encontrar indicações sobre o caminho da piscina. Mas a sala da recepção era pavorosamente íntima, ainda mais claustrofobicamente minúscula do que o pronto-socorro do Hospital de Nyak.

Recebi um tratamento que foi tudo, menos preferencial, embora a recepcionista tenha me informado com frieza, pelo guichê, que eu poderia acompanhar meu "menor" — palavra que parecia impropriamente redutora — enquanto ele era fichado. Em pânico, implorei: "Tenho que fazer isso?", e ela respondeu: "Como quiser." Indicou-me um sofá de vinil preto, o único que havia, onde fiquei abandonada sem que ninguém me atendesse, enquanto os policiais corriam de um lado para outro. Senti-me ao mesmo tempo implicada e irrelevante. Não queria estar lá. Caso isso soe como um eufemismo ressentido, o que quero dizer é que tive a experiência inédita de também não querer estar em nenhum outro lugar. Arrasada, queria estar morta.

Durante um curto período, na outra ponta do sofá pegajoso de vinil preto sentou-se um menino que agora sei que era Joshua Lukronsky. Mesmo que estivesse familiarizada com esse aluno, duvido que eu o tivesse reconhecido naquele momento. Miúdo, ele já não parecia um adolescente, e sim uma criança mais perto da idade de Celia, pois não tinha nada da insolência cheia de piadinhas pela qual parecia ser conhecido na escola. Seus ombros estavam encolhidos, o cabelo preto e curto em desalinho. As mãos curvavam-se para dentro no colo, com os pulsos dobrados naquele ângulo anormalmente agudo das crianças em estágio avançado de distrofia muscular. Ele estava sentado em perfeita imobilidade. Nem parecia piscar. Agraciado com uma atenção policial que meu papel não merecia — eu já experimentava aquela sensação de estar infectada, contagiosa, em quarentena —, ele não reagiu quando o homem de uniforme que parou a seu lado tentou interessá-lo numa vitrine cheia de miniaturas de veículos da polícia. Era uma bela coleção, todas as peças de metal, algumas muito antigas — caminhonetes, carroças puxadas a cavalo, motocicletas, Fords '49 da Flórida, da Filadélfia e de Los Angeles. Com ternura paterna, o policial explicou que um dos carros era muito raro, da época em que os veículos da polícia nova-iorquina eram verde-e-branco — antes do azul do Departamento de Polícia de Nova York. Joshua olhava fixo para a frente. Se soube que eu estava ali, não pareceu ter idéia de quem eu era, e eu dificilmente me apresentaria. Perguntei-me por que não teriam levado aquele menino para o hospital, como os outros. Não havia como saber se nenhuma parte do sangue que lhe encharcava a roupa não era dele.

Passados alguns minutos, uma mulher grande e gorducha entrou voando pela porta da recepção, baixou sobre Joshua e o levantou no colo, num único movimento. "Joshua!", gritou. A princípio flácidos em seu abraço, aos poucos os pulsos distróficos enroscaram-se nos ombros dela. As mangas da camisa do menino deixaram manchas vermelhas na capa cor de pérola da mãe. O rosto miúdo afundou no vasto pescoço. Fiquei simultaneamente comovida e com inveja. Aquele era o tipo de encontro que me fora negado. *Amo você muito! Estou muito, muito aliviada por você estar bem!* Quanto a mim, eu já não me sentia tão aliviada por meu filho estar *bem*. Por minha olhadela por aquela janela do carro, era a própria aparência de *bem-estar* dele que começava a me atormentar.

O trio cruzou a porta interna arrastando os pés. A policial no guichê da recepção me ignorou. Já não sabendo para onde me voltar, é provável que tenha me sentido grata por minha tarefa com o celular, que eu cutucava como um rosário; discar me dava alguma coisa para fazer. Só para variar, passei algum tempo tentando nosso número de casa, mas continuava a ser atendida pela secretária eletrônica e desligava no meio da gravação afetada, detestando o som de minha própria voz. Eu já tinha deixado três ou quatro recados, o primeiro controlado, o último em prantos — que fita para se ouvir ao chegar em casa!

Percebendo que estávamos ambos atrasados, era óbvio que Robert devia ter levado Celia ao McDonald's; ela adorava aquelas tortas de maçã quentes. Por que é que *ele* não me telefonava? Ele tinha o número do meu celular! Será que o *Robert* não tinha escutado as notícias? Ah, eu sei, o McDonald's toca Muzak, e Robert não necessariamente ligaria o rádio do carro num trajeto tão curto. Mas será que ninguém mencionaria o assunto enquanto ele estava na fila? Como é que alguém do condado de Rockland poderia estar falando de outra coisa?

Quando dois policiais me levaram para uma salinha despojada para colher meu depoimento, eu estava tão transtornada que não fui propriamente gentil. É provável que também tenha parecido burra; não entendia o objetivo de entrar em contato com nosso advogado quando não parecia haver nenhuma dúvida de que o culpado tinha sido Kevin. E aquele foi o primeiro momento em que alguém se dignou dar à mãe dele a mais resumida dica sobre *o que* ele fizera. A estimativa de baixas que um policial matraqueou com ar displicente veio a se revelar exagerada, mais tarde, porém, naquele momento, eu não tivera nenhuma razão para pesquisar o fato de que as cifras referentes a atrocidades são quase sempre inflacionadas, ao serem divulgadas pela primeira vez. Além disso, que diferença fazia, na verdade, ter um filho que havia assassinado *apenas* nove pessoas, em vez de treze? E as perguntas deles me pareceram obscenamente irrelevantes: como era o aproveitamento de Kevin na escola, como estivera ele naquela manhã.

"Ele ficou meio irritado com meu marido. Afora isso, nada de especial! Que é que eu devia fazer? Meu filho foi grosseiro com o pai e eu devia chamar a polícia?"

"Vamos, acalme-se, sra. Kachourian..."

"Khatchadourian!", insisti. "O senhor quer fazer o *favor* de dizer o meu nome direito?"

Ah, eles diriam.

"Então, sra. *Khadourian*. Onde o seu filho teria conseguido aquela balestra?"

"Foi presente de Natal. Ah, eu *disse* ao Franklin que era um erro. Eu *disse* a ele. Será que eu posso ligar para o meu marido de novo, por favor?"

Eles permitiram o telefonema e, depois de mais uma rediscagem em vão, desmoronei. "Eu sinto muito", murmurei. "Sinto muito, sinto muito mesmo. Eu não queria ser indelicada com vocês, não me incomodo com o meu nome. Detesto o meu nome. Nunca mais quero ouvir meu nome outra vez. Eu sinto muito..."

"Sra. Khadarian...", disse um policial, com um tapinha cauteloso em meu ombro. "Talvez devamos tomar o seu depoimento numa outra hora."

"É só que eu tenho uma filha, uma garotinha, Celia, lá em casa, será que vocês podem..."

"Eu entendo. Escute, receio que o Kevin tenha que continuar detido. A senhora gostaria de falar com seu filho?"

Visualizando aquela expressão hipócrita e implacável de serenidade com que eu havia deparado pela janela do carro da polícia, estremeci e cobri o rosto com as mãos. "Não, por favor, não", implorei, sentindo-me uma tremenda covarde. Devo ter soado como Celia, implorando com voz miúda para não ser obrigada a tomar banho quando ainda havia aquele horror preto e grudento espreitando no sifão da banheira. "Por favor, não me obriguem. Por favor, não. Eu não poderia enfrentá-lo."

"Então, talvez seja melhor a senhora ir para casa, por enquanto."

Fitei-o com ar estúpido. Estava com tanta vergonha que, sinceramente, achava que eles iam me manter na cadeia.

Nem que fosse apenas para preencher o silêncio constrangedor, enquanto eu só fazia olhá-lo, ele acrescentou com delicadeza: "Quando conseguirmos um mandado, teremos que revistar sua casa. Provavelmente será amanhã, mas não se preocupe. Nossos policiais são muito respeitadores. Não vão virar tudo de pernas para o ar."

"Por mim, vocês podem pôr fogo naquela casa", respondi. "Eu a detesto. Sempre detestei..."

Os dois se entreolharam: *histérica*. E me levaram até a porta.

Livre — eu nem podia acreditar — no estacionamento, saí vagando desolada e passei direto pelo carro, sem reconhecê-lo na fileira na primeira vez; no que já era minha vida antiga, tudo se tornara estranho. E eu estava perplexa. Como é que eles podiam me soltar? Já naquela conjuntura inicial, eu devia ter começado a sentir uma profunda necessidade de ser repreendida, de ser intimada a dar explicações. Tive que me impedir de esmurrar a porta da delegacia e importunar a recepcionista, pedindo por favor que ela me deixasse passar a noite numa cela. Aquele era o meu lugar, com certeza. Eu estava convencida de que a única cama dura em que conseguiria dormir em paz naquela noite seria um colchão barato e encaroçado, com um lençol institucional que desse coceira, e o único acalanto que poderia me fazer adormecer seria o arranhar de sapatos no concreto e o tilintar distante de chaves.

No entanto, quando encontrei o carro, fiquei estranhamente calma. Sedada. Metódica. Como Kevin. Chave. Faróis. Cinto de segurança. Limpadores de pára-brisa no temporizador, porque havia uma névoa fina. Havia um branco em minha cabeça. Parei de falar sozinha. Voltei para casa dirigindo muito devagar, freando à luz amarela dos sinais e parando completamente nos cruzamentos, mesmo que não houvesse trânsito. E, quando fiz a curva para nossa comprida entrada da garagem e notei que nenhuma das luzes estava acesa, não dei a mínima. Preferi não pensar.

Estacionei. Sua picape estava na garagem. Movi-me com gestos muito lentos. Desliguei os limpadores e os faróis. Tranquei o carro. Pus as chaves em minha bolsa egípcia. Parei para pensar numa ou noutra coisinha cotidiana de que precisava cuidar, antes de entrar em casa; tirei uma folha presa no pára-brisa, peguei sua corda de pular do piso da garagem e a pendurei no gancho.

Quando acendi a luz da cozinha, pensei em como era atípico você ter deixado todos aqueles pratos engordurados do café-da-manhã. A frigideira usada para preparar suas salsichas estava em pé no secador, mas não a que fora usada para fazer as rabanadas, e a maioria dos pratos e copos de suco continuava na bancada. Havia cadernos do *Times* espalhados na mesa, embora levar o jornal para a pilha da garagem todas as manhãs fosse uma de suas obsessões com a arrumação. Acendendo o interruptor seguinte, vi num relance que não havia ninguém na sala de jantar, na sala de estar nem na sala da televisão; essa era uma das vantagens de uma casa sem portas. Mesmo assim, percorri cada um dos cômodos. Devagar.

"Franklin?", chamei. "Celia?" O som de minha voz me irritou. Era muito baixo e metálico, e não houve nenhuma resposta.

Ao seguir pelo corredor, parei em frente ao quarto de Celia e tive que me obrigar a entrar. Estava escuro. A cama estava vazia. O mesmo no nosso quarto de casal, nos banheiros, no terraço. Nada. Ninguém. Onde você estava? Teria saído para me procurar? Eu estava com o celular. Você sabia o número. E por que não teria levado a picape? Aquilo era uma brincadeira? Você estava escondido, rindo com Celia dentro de um armário. Você tinha escolhido justamente essa noite para brincar?

A casa estava deserta. Senti uma ânsia crescente e regressiva de telefonar para minha mãe.

Percorri-a duas vezes. Embora já tivesse verificado os cômodos antes, da segunda vez só senti aprofundar-se minha inquietação. Era como se houvesse alguém em casa, um estranho, um ladrão, fora do meu campo visual, espreitando atrás de mim, abaixando-se sob os armários, segurando um cutelo. Por fim, trêmula, voltei para a cozinha.

Os antigos proprietários da casa deviam ter instalado aqueles holofotes nos fundos na expectativa de suntuosas festas ao ar livre. Nós não éramos chegados a festas no jardim e raramente usávamos os holofotes, mas eu estava familiarizada com o interruptor: logo à esquerda da copa, ao lado das portas corrediças de vidro que davam para nosso quintal ladeirento. Era ali que eu costumava ficar vendo você treinar beisebol com Kevin, sentindo-me melancólica e excluída. Era assim que me sentia um pouco nesse momento — excluída. Como se você tivesse feito uma comemoração familiar de grande importância afetiva e eu, logo eu, não tivesse sido convidada. Devo ter ficado com a mão naquele interruptor por uns bons trinta segundos antes de acendê-lo. Se tivesse que fazer isso de novo, teria esperado mais alguns minutos. Pagaria um bom dinheiro por cada instante da minha vida sem aquela imagem.

No alto da ladeira, o estande de tiro com arco se acendeu. Eu não tardaria a entender a piada por trás do telefonema de Kevin para Lamont na hora do almoço, no qual ele parecia ter dito a Robert que não se incomodasse em buscar Celia na escola, porque ela "não estava bem". Encostada no alvo estava Celia — parada em posição de sentido, imóvel e confiante, como que ansiosa para brincar de "Guilherme Tell".

Quando abri a porta com um arrancão e subi correndo a ladeira, minha pressa foi irracional. Celia podia esperar. Seu corpo estava fixado no alvo por cinco flechas, que seguravam seu tronco como tachinhas prendendo um de seus auto-retratos amarrotados num quadro de avisos da sala de aula. À minha aproximação trôpega, gritando seu nome, ela me deu uma piscadela grotesca, com a cabeça caída para trás. Embora eu me lembrasse de ter posto a prótese em seu olho naquela manhã, ela não estava lá.

Há coisas que a gente sabe com todo o nosso ser, sem nem ter que pensar ativamente nelas, pelo menos não com aquele tagarelar constrangido que nos balbucia na superfície do pensamento. Foi desse jeito; eu soube o que mais encontraria, sem ter que explicitá-lo para mim mesma naquele instante. Assim, ao bracejar para chegar ao estande de tiro, quando tropecei em alguma coisa que se projetava da moita, posso ter ficado nauseada, mas não me surpreendi. Reconheci o obstáculo num instante. Eu tinha comprado pares de botas cor de chocolate da Banana Republic com freqüência suficiente.

Ah, meu amor! Pode ser que eu precise desesperadamente inventar histórias para mim mesma, mas me senti obrigada a tecer algum fio que ligasse o furdunço sem sentido daquele quintal ao que havia de melhor no homem com quem eu tinha casado.

Com uns bons vinte minutos de sobra antes de eles terem que ir para a escola, você deixara as crianças irem brincar lá fora. Na verdade, teria sido animador para você que, para quebrar a rotina, eles dois fizessem estripulias juntos — se *entrosassem*. Você ficou folheando o *Times*, mas era o caderno C de *Casa e decoração* numa quinta-feira, o que não o atraía. Por isso, resolveu começar a lavar a louça do café-da-manhã. Ouviu um grito. Não duvido que tenha saído pela porta corrediça num segundo. Do sopé da ladeira, correu em direção a ele. Você era um sujeito vigoroso, mesmo na casa dos cinqüenta; ainda pulava corda quarenta e cinco minutos por dia. Seria preciso muita coisa para deter um homem como você. E você quase conseguiu, aliás — ficou a poucos metros do topo, com aquela chuvarada de flechas.

Portanto, esta é a minha teoria: você parou. Lá fora, no terraço, vendo nossa filha fincada num estande de tiro com uma flecha cravada no peito, enquanto nosso primogênito girava nos calcanhares em seu morrinho e fazia mira no próprio pai, com a balestra que ganhara no Natal, você simplesmente não acreditou. A vida íntegra existia. Era possível ser um bom pai, investir em fins de semana e piqueniques e histórias na hora de dormir, e com isso criar um filho forte e decente. Estávamos nos Estados Unidos. E você tinha feito tudo certo. Logo, aquilo não podia estar acontecendo.

E assim, por um único e mortífero momento, essa convicção presunçosa — aquilo que você queria ver — interpôs-se de um modo fatal. É possível que seu cérebro tenha até conseguido reconfigurar a imagem, remixar a trilha sonora: Celia, a linda Celia, com seu jeito de tirar o melhor partido de tudo, a querida Celia do *olhe pelo lado positivo*, estava de novo conformada com sua deficiência e balançando alegremente seus finos cabelos dourados na brisa primaveril. Ela não estava gritando, estava rindo. Estava *urrando* de rir. A única razão pela qual a ajudante eficiente de Kevin poderia estar parada na frente do alvo era para recolher zelosamente as flechas desperdiçadas pelo irmão — ah, Franklin, e como ela as recolhia! Quanto a seu belo e jovem filho, fazia seis anos que ele praticava tiro com arco. Fora escrupulosamente instruído por profissionais equilibrados, e era tudo, menos descuidado com a segurança. Jamais apontaria uma balestra carregada para a cabeça de outra pessoa, muito menos para a do próprio pai.

Era óbvio que o sol tinha criado alguma ilusão de óptica. Ele estava apenas acenando com o braço levantado. Devia estar com a esperança, mesmo sem dizê-lo — afinal, era um adolescente —, de se desculpar pelo café-da-manhã, por ter soltado aquelas frases duras e ofensivas de repúdio a tudo o que o pai tinha tentado fazer por ele. Estava interessado, *sim*, no funcionamento da Canon, e esperava que você explicasse mais uma vez o que significava "distância focal". Na verdade, tinha profunda admiração pelo espírito de iniciativa do pai, que o fizera adotar uma profissão tão peculiar, que proporcionava tanta independência e espaço para a criatividade. É só que aquilo era esquisito para um garoto adolescente. Eles ficavam competitivos nessa idade. Queriam enfrentar a gente. De qualquer modo, agora o menino se sentia péssimo por ter soltado os cachorros. Aquele acesso de ressentimento tinha sido uma farsa. Ele adorava todas aquelas idas aos campos de batalha da Guerra da Secessão, nem que fosse porque a guerra era uma coisa que só os homens eram capazes de entender juntamente com outros homens, e ele havia aprendido *à beça* nos museus. À noite, em seu quarto, às vezes pegava aquelas folhas de outono que vocês dois tinham apanhado no terreno da casa herdada dos ancestrais por Theodore Roosevelt e comprimiram entre as páginas da *Enciclopédia Britânica* no ano anterior. A visão das cores que começavam a esmaecer o fazia lembrar-se da mortalidade de todas as coisas, mas especialmente da de seu pai, e ele chorava. *Chorava.* A gente nunca via, ele jamais contaria. Mas não precisava. Viu como ele estava acenando? Estava acenando para que você levasse a câmera. Tinha mudado de idéia e, como restavam cinco minutos antes de ter que pegar o ônibus, ele queria que você tirasse umas fotografias, afinal — que começasse a montagem do Coração Valente das Palisades para colocá-la no vestíbulo.

É possível que essa refilmagem magistral não tenha durado mais de um ou dois segundos antes de se corromper, assim como um negativo empola e franze diante da lâmpada quente de um projetor. Mas deve ter durado o bastante para que Kevin cravasse a primeira seta destrutiva — talvez a que achei entortada em sua garganta, atravessando-a e saindo pela nuca. Ela deve ter rompido uma artéria, porque em volta da sua cabeça, sob a luz dos holofotes, a grama estava negra. As outras três — uma fincada na depressão entre seus músculos peitorais, onde eu adorava descansar a cabeça, outra firmemente fixada no músculo fibroso de sua panturrilha volumosa de pulador de corda, a terceira pendendo da virilha cujos prazeres tínhamos redescoberto juntos, tão recentemente — foram só um toque de precaução, por medida de segurança, como umas estacas adicionais nas bordas de uma barraca bem armada.

Ainda assim, eu me pergunto com que esforço você terá lutado para subir aquela colina, de verdade — resfolegando, começando a sufocar com seu próprio sangue. Não é que você não se importasse com ela, mas talvez tenha percebido num relance que era tarde demais para salvar Celia. O fato de ela ter parado de gritar era mau sinal. Quanto a salvar a própria pele, talvez você simplesmente não tivesse jeito para isso. Nítida sob a luz ofuscante dos holofotes, aguçada pela sombra lançada pela flecha em seu pescoço, a expressão em seu rosto... era de profunda decepção.

*Eva*

## *8 de abril de 2001*

*Querido Franklin,*

Não sei se você acompanha essas coisas, mas, há cerca de uma semana, um caça chinês bateu num avião de espionagem norte-americano sobre o mar da China Meridional. É provável que o piloto chinês tenha-se afogado, e o avião de espionagem abalroado aterrissou na ilha chinesa de Hainan. Parece ter havido algumas dúvidas sobre quem abalroou quem. Enfim, a coisa virou um confronto diplomático e tanto, e agora a China mantém como reféns os vinte e quatro tripulantes do avião norte-americano — só para receber um pedido de desculpas, imagine só. Não tive disposição para acompanhar quem está ou não está errado, mas ando intrigada com a idéia de que a paz mundial (ou assim eles dizem) possa estar em perigo por causa da simples questão do remorso. Antes de me educar nessas coisas, talvez eu achasse a situação exasperante. Pois então, digam que sentem muito, se isso vai trazê-los de volta! Mas, hoje em dia, a questão do remorso tem grande vulto para mim, e não me surpreende nem me frustra que eventos de peso sejam decididos de acordo com ele. Até agora, além disso, o tal dilema de Hainan é relativamente simples. É muito mais freqüente um pedido de desculpas não trazer ninguém de volta.

Ultimamente, para mim, a política também parece ter se decomposto num enxame de pequenas histórias pessoais. Pareço já não acreditar nela. Só existem as pessoas e o que acontece com elas. Até aquela brigalhada na Flórida... para mim, ela teve a ver com um homem que queria ser presidente desde pequenininho. E chegou tão perto, que deu para sentir o gosto. Teve a ver com uma pessoa e sua tristeza, e seu desespero de fazer o tempo retroceder, para contar e recontar, até finalmente sair uma notícia boa — teve a ver com sua pungente negação. Do mesmo modo, tenho pensado menos nas restrições ao comércio e nas futuras vendas de armamentos a Taiwan do que naqueles vinte e quatro jovens, num prédio estranho com cheiros estranhos, alimentados com uma comida que não se parece com os pratos chineses para viagem com que eles cresceram, dormindo mal e imaginando o pior — serem acusados de espionagem e apodrecerem numa prisão chinesa, enquanto os diplomatas trocam comunicados ríspidos que ninguém os deixa ler. Jovens que se julgavam sedentos de aventura, até que a conseguiram.

Às vezes me espanto com a mesma ingenuidade na minha versão mais jovem — desanimada porque a Espanha tinha árvores, desolada porque todas as regiões agrestes inexploradas revelavam ter comida e condições climáticas ruins. Eu queria ir a algum *outro* lugar, achava. Burramente, imaginava-me com um apetite insaciável de coisas exóticas.

Bem, o Kevin me apresentou a um país realmente estrangeiro. Disso eu posso ter certeza, já que a definição do local verdadeiramente estrangeiro é que ele instiga uma ânsia penetrante e perpétua de voltar para casa.

Uma ou duas dessas pequenas experiências realmente estranhas eu guardei para mim. O que não é do meu feitio. Você se lembra que houve época em que eu adorava voltar de uma viagem ao exterior e lhe apresentar meu bricabraque cultural, aquele tipo de descobertas mundanas sobre "como eles fazem as coisas nos outros lugares" que a gente só faz quando realmente vai lá, como o curioso detalhe de que, na Tailândia, os pães de forma vendidos no comércio não têm a embalagem torcida e amarrada numa das pontas, mas em cima.

Quanto à primeira curiosidade saborosa que guardei, talvez eu seja culpada de pura condescendência. Deveria dar mais crédito a você, já que a aventura do Kevin foi de uma gritante premeditação; numa outra vida, talvez ele crescesse e fizesse sucesso, digamos, montando grandes conferências profissionais — qualquer coisa anunciada como requerendo "sólidas aptidões organizacionais e capacidade de resolver problemas". Por isso, até você se dá conta de que o fato de ele ter montado a *quinta-feira* três dias antes de atingir a plena maioridade legal não foi coincidência. Ele podia ter praticamente dezesseis anos na *quinta-feira*, mas, no sentido jurídico, ainda tinha quinze, o que significava que, no estado de Nova York, um conjunto mais brando de normas de condenação seria aplicável, mesmo que jogassem todo o código penal em cima dele e o levassem a julgamento como adulto. Kevin com certeza havia pesquisado o fato de que a lei, ao contrário de seu pai, não *arredondava* os números.

Mesmo assim, o advogado dele localizou um leque de peritos convincentes, que contaram histórias médicas alarmantes em seus depoimentos. Tipicamente um cinqüentão deprimido, mas de modos agradáveis, começa a tomar Prozac, sofre uma guinada aguda da personalidade para a paranóia e a demência, fuzila a família inteira e depois se mata. Fiquei pensando: será que alguma vez você se agarrou à desculpa farmacêutica? Será que o nosso bom filho tinha sido apenas um daqueles poucos infelizes cujas reações aos antidepressivos eram adversas, de modo que, em vez de aliviar seu fardo, o remédio o havia lançado nas trevas? É que eu mesma tentei acreditar nisso por algum tempo, de verdade, especialmente durante o julgamento do Kevin.

Embora essa defesa não tenha livrado inteiramente a cara dele nem o tenha liberado para receber cuidados psiquiátricos, como era a intenção, é possível que a sentença tenha sido ligeiramente mais branda, por causa da dúvida que o advogado levantou quanto à estabilidade química de Kevin. Depois da audiência para leitura da sentença, na qual ele foi condenado a sete anos, agradeci a seu advogado, John Goddard, do lado de fora do tribunal. Na verdade, eu não me sentia muito grata na ocasião — sete anos nunca me pareceram tão curtos —, mas reconheci que John tinha feito o melhor possível com uma tarefa ingrata. No esforço de encontrar alguma coisa substantiva para admirar, elogiei sua abordagem criativa do caso. Disse-lhe que nunca tinha ouvido falar dos supostos efeitos psicotizantes do Prozac em alguns pacientes, caso contrário, nunca teria deixado Kevin tomar o remédio.

"Ah, não me agradeça, agradeça ao Kevin", disse John, desenvolto. "Eu também nunca tinha ouvido falar dessa história de psicose. A abordagem toda foi idéia do Kevin."

"Mas... ele não podia ter acesso a uma biblioteca, podia?"

"Não, não na detenção antes do julgamento." John me olhou com verdadeira simpatia por um momento. "Para ser franco, mal tive que levantar um dedo. Ele conhecia todos os precedentes legais. Sabia até o nome e endereço dos peritos. Aquele seu garoto é inteligente, Eva." Mas ele não me soou animado. Pareceu deprimido.

Quanto à segunda curiosidade saborosa — sobre como eles fazem as coisas naquele país distante em que os garotos de quinze anos assassinam os colegas de escola —, não a guardei para mim por achar que você não a agüentaria. É só que eu mesma não queria pensar no assunto nem submeter você a ele, embora, até a tarde de hoje, vivesse com um medo eterno de que o episódio se repetisse.

Deve ter sido uns três meses depois da *quinta-feira*. Kevin já tinha sido julgado e condenado, e fazia pouco tempo que eu havia instaurado em minha rotina aquelas visitas robóticas de sábado a Chatham. Ainda não tínhamos aprendido a falar um com o outro e o tempo se arrastava. Naquela época, a visão dele era que minhas visitas eram uma imposição, que ele tinha pavor da minha chegada e aplaudia minha partida, e que sua verdadeira família estava lá dentro, com os fãs juvenis que o cultuavam. Quando lhe informei que Mary Woolford tinha acabado de entrar com uma ação judicial, fiquei surpresa por ele não parecer satisfeito, apenas mais descontente; como ele objetaria depois, *por que é que eu devia ficar com todo o mérito*? Então eu disse: bonito cumprimento, não é, depois de eu perder meu marido e minha filha? Ser processada? Ele resmungou qualquer coisa sobre eu estar com pena de mim mesma.

"E *você*, não?", perguntei. "Não sente pena de mim?"

Ele encolheu os ombros. "Você saiu dessa ilesa, não foi? Sem um arranhão."

"É? E por que foi isso, afinal?", acrescentei.

"Quando a gente monta um show, não atira na platéia", fez Kevin, com ar bajulador, rolando alguma coisa na mão direita.

"Quer dizer que me deixar viva foi a melhor vingança." Já tínhamos passado muito do vingança pelo quê.

Àquela altura, eu não conseguia falar mais nada que tivesse a ver com a *quinta-feira* e estava prestes a recorrer ao velho "eles estão te alimentando direito?", quando meu olhar foi atraído de novo pelo objeto que ele passava de uma das mãos para a outra, apalpando-o ritmadamente com os dedos, feito um rosário. Sinceramente, eu só queria mudar de assunto, não dava a mínima para o brinquedo dele — mas, se interpretei seus gestos irrequietos como um indício de desconforto moral na presença de uma mulher cuja família ele havia trucidado, foi um triste engano.

"O que é isso?", perguntei. "O que você está segurando?"

Com um sorrisinho matreiro, ele abriu a mão, exibindo seu talismã com o orgulho tímido do menino que mostra sua melhor bola de gude. Levantei tão depressa que minha cadeira desabou para trás no chão. Não é sempre que um objeto olha para a gente quando a gente olha para ele.

"Nunca mais me mostre isso", eu disse, em voz rouca. "Se mostrar, eu nunca mais volto aqui. Jamais. Está me ouvindo?"

Acho que ele percebeu que eu falava sério. O que lhe deu um poderoso amuleto para impedir aquelas visitas ostensivamente pestilentas da *mãemãe*. O fato de o olho de Celia ter ficado longe da minha vista desde então só pode significar, suponho, que, no cômputo geral, ele gosta de que eu o visite.

Provavelmente, você deve achar que só estou inventando mais histórias, quanto mais vis, melhor. Que filho hediondo nós temos, eu deveria dizer, para atormentar a mãe com um suvenir tão macabro. Não, dessa vez, não. É só que eu tinha que lhe contar essa história, para você entender melhor a seguinte, a de hoje à tarde.

Você com certeza reparou na data. Hoje é o segundo aniversário. O que também significa que, daqui a três dias, Kevin fará dezoito anos. Para votar (o que, como presidiário, ele ficará proibido de fazer em todos os estados, exceto dois) e se alistar nas forças armadas, é quando ele se tornara oficialmente adulto. Mas, nesse ponto, fico mais inclinada a tomar o partido do sistema judiciário, que o julgou como adulto há dois anos. Para mim, o dia em que todos chegamos formalmente à maioridade será sempre 8 de abril de 1999.

Assim, submeti um pedido especial para ver nosso filho hoje à tarde. Embora seja rotina eles recusarem os pedidos de visita aos detentos em dias de aniversário, o meu foi atendido. Talvez esse seja o tipo de sentimentalismo que os diretores de presídios apreciam.

Quando Kevin foi trazido, notei uma mudança em sua postura, antes que ele dissesse uma palavra. Toda aquela condescendência zombeteira havia sumido, e finalmente reconheci como devia ser fatigante para ele produzir aquela atitude entediada de não-estou-nem-aí o dia inteiro. Dada a epidemia de furtos de malhas e camisetas de tamanho pequeno, Claverack tinha desistido de sua experiência com roupas comuns, de modo que ele estava usando um macacão cor de laranja — para quebrar a rotina, não só de tamanho normal, mas grande demais, e no qual ele parecia ananicado. A três dias da maioridade, Kevin finalmente começava a agir como um garotinho — confuso, desolado. Seus olhos tinham despido o ar vidrado e se escondido no fundo da cabeça.

"Você não está com uma cara muito feliz", arrisquei.

"Algum dia já estive?" O tom foi abatido.

Curiosa, perguntei: "Alguma coisa o está incomodando?", embora nossas regras de combate proíbam esse tipo de solicitação direta e maternal.

O mais extraordinário foi que ele respondeu. "Estou com quase dezoito anos, não é?" Esfregou o rosto. "Fora daqui, ouvi dizer que eles não perdem muito tempo."

"Uma prisão de verdade", comentei.

"Não sei. Isso aqui já é bem real para mim."

"...Será que a transferência para Sing Sing o está deixando nervoso?"

"*Nervoso?*", perguntou ele, incrédulo. "*Nervoso!* Você sabe *alguma coisa* desses lugares?", e abanou a cabeça, desanimado.

Olhei para ele, intrigada. Kevin estava trêmulo. Ao longo dos últimos dois anos, ele adquiriu um labirinto de pequenas cicatrizes de batalha no rosto, e já não tem o nariz muito reto. O efeito não o faz parecer mais durão, e sim bagunçado. As cicatrizes embotaram o que antes tinha sido o nítido recorte armênio de suas feições, transformando-as num borrão mais pastoso. É como se ele tivesse sido desenhado por um retratista inseguro, que recorresse constantemente à borracha.

"Continuarei a visitar você", prometi, preparando-me para uma reprovação sarcástica.

"Obrigado. Eu estava esperando que sim."

Incrédula, receio tê-lo encarado fixamente. A título de teste, mencionei as notícias de março. "Você parece estar sempre acompanhando essas coisas, de modo que presumo que tenha visto as histórias que vieram de San Diego no mês passado, não é? Você tem mais dois *colegas*."

"Você está se referindo ao Andy, hum, Andy Williams?", lembrou-se Kevin, vagamente. "Que panaca. Quer bem saber? Tenho pena do cara. Ele foi engrupido."

"Eu lhe avisei que essa moda ia passar", comentei. "O Andy Williams não saiu na primeira página, você notou? Os problemas cardíacos do Dick Cheney e aquela enorme *tempestade que nunca aconteceu* ganharam manchetes maiores no *New York Times*. E a segunda matança, logo depois dessa — com um morto, também em San Diego, sabe? Essa quase não teve cobertura.

"Pombas, aquele sujeito tinha *dezoito anos*", fez Kevin, abanando a cabeça. "Quer dizer, francamente. Você não acha que ele estava meio velho para isso?"

"Sabe, vi você na televisão."

"Ah, aquilo." Ele se remexeu, com um toque de embaraço. "Foi filmado um tempo atrás, sabe como é. Eu estava numa de... sei lá."

"É, eu não tive muito tempo para o *sei lá*. Mas, mesmo assim, você foi... foi muito desenvolto. Você fala muito bem. Agora só falta ter alguma coisa para dizer."

Ele riu. "Que não seja babaquice, você quer dizer."

"Você sabe que dia é hoje, não sabe?", introduzi, timidamente. "Sabe por que eles me deixaram visitá-lo numa segunda-feira?"

"Ah, é claro. É meu *aniversário*." Kevin está finalmente voltando seu sarcasmo contra si mesmo.

"Eu só queria lhe perguntar...", comecei, e passei a língua nos lábios. Você vai achar curioso, Franklin, mas eu nunca tinha feito essa pergunta a ele. Não sei direito por quê; talvez não quisesse ser insultada com um monte de lixo do tipo *pular para dentro da tela*.

"Está fazendo dois anos", continuei. "Sinto saudade do seu pai, Kevin. Ainda falo com ele. Chego até a escrever para ele, se é que você acredita. Escrevo cartas. E agora, elas estão numa grande pilha bagunçada na minha mesa, porque não sei o endereço dele. Também sinto saudade da sua irmã — muita saudade. E muitas outras famílias ainda estão arrasadas. Sei que os jornalistas, os terapeutas e talvez outros prisioneiros lhe perguntam isso o tempo todo. Mas você nunca me disse. Então, por favor, olhe nos meus olhos. Você matou onze pessoas. Meu marido. Minha filha. Olhe nos meus olhos e me diga por quê."

Ao contrário do dia em que se virara para mim pela janela do carro da polícia, com as pupilas cintilando, hoje à tarde Kevin enfrentou meu olhar com extrema dificuldade. Seus olhos ficavam piscando, mantendo contato em movimentos rápidos, depois tornando a se desviar para a parede de concreto, com sua pintura alegre. E, por fim, ele desistiu, fitando um ponto meio à direita do meu rosto.

"Eu achava que sabia", respondeu, taciturno. "Agora, não tenho tanta certeza."

Sem pensar, estendi a mão sobre a mesa e segurei a dele. Kevin não a retirou.

"Obrigada", disse-lhe.

Será que minha gratidão parece estranha? Na verdade, eu não tinha nenhuma idéia preconcebida da resposta que queria. Com certeza não estava interessada numa explicação que reduzisse a inefável barbaridade do que ele fez a um aforismo sociológico banal sobre a "alienação", retirado da revista *Time*, ou a um constructo psicológico barato do tipo "distúrbio das ligações afetivas", que seus orientadores viviam repetindo em Claverack. Assim, fiquei perplexa ao descobrir que a resposta dele teve as palavras perfeitas. Para Kevin, progredir era desconstruir. Ele só começaria a vasculhar suas profundezas depois de se descobrir insondável.

Quando Kevin finalmente retirou a mão da minha, foi para enfiá-la no bolso do macacão.

"Olhe", disse, "eu fiz uma coisa para você. Um... bom, uma espécie de presente."

Quando ele puxou uma caixinha retangular de madeira escura, de uns dez centímetros de comprimento, pedi desculpas. "Sei que o seu aniversário está chegando. Não me esqueci. Trago seu presente da próxima vez."

"Não se incomode", fez ele, polindo a madeira com um pedaço de papel higiênico. "Só ia ser roubado aqui, de qualquer jeito."

Com cuidado, fez a caixa deslizar por cima da mesa, mantendo dois dedos em cima dela. Não era bem retangular, afinal, mas tinha um formato de caixão, como dobradiças de um lado e fechos minúsculos de latão do outro. Kevin devia tê-la feito nas aulas de marcenaria. O formato mórbido parecia típico, é claro. Mas o gesto me comoveu, e o trabalho artesanal era surpreendentemente bem-feito. Ele me dera uns presentes de Natal nos velhos tempos, mas eu sempre soube que você os havia comprado, e Kevin nunca me dera nada desde que tinha sido preso.

"Está muito bem-feita", comentei, sinceramente. "É para guardar jóias?" Estendi a mão para a caixa, mas Kevin manteve os dedos firmes em cima dela.

"Não!", disse, em tom ríspido. "Quero dizer, por favor. Haja o que houver. Não abra."

Ah. Instintivamente, recuei. Numa encarnação anterior, talvez Kevin tivesse feito esse mesmo "presente", ironicamente forrado de cetim cor-de-rosa.

Mas o teria entregue com alegre despreocupação, abafando um risinho asqueroso, como que numa expectativa inocente, enquanto eu abrisse os trincos. Hoje, foi essa advertência dele — *não abra* — que talvez tenha constituído o maior valor do meu presente.

"Entendo", eu disse. "Pensei que esse fosse um de seus bens mais preciosos. Por que você abriria mão dele?" Eu estava agitada, meio chocada, meio horrorizada, a rigor, e meu tom foi cortante.

"Bem, mais cedo ou mais tarde, algum bandido ia roubá-lo, e ele seria usado numa brincadeirinha barata — sabe como é, ia aparecer na sopa de alguém. Depois... Era assim como se ela meio que olhasse para mim o tempo todo. Começou a dar medo."

"Ela está olhando para você, Kevin. Seu pai também. Todos os dias."

Fixando os olhos na mesa, ele empurrou a caixa um pouco mais na minha direção, depois tirou a mão. "Enfim, achei que você podia levar isso e, bem, talvez pudesse, sabe..."

"Enterrá-lo", concluí por ele. Sentia-me pesada. Era um pedido tremendo, porque, junto com aquele caixão de manchas escuras, feito à mão, eu teria que enterrar muitas outras coisas.

Com ar grave, concordei. Quando lhe dei um abraço de despedida, ele se agarrou a mim feito uma criança, como nunca havia feito na infância propriamente dita. Não tenho muita certeza, porque ele resmungou isso para a gola levantada do meu casaco, mas gosto de achar que soluçou um "*Sinto muito*". Correndo o risco de ter ouvido direito, eu mesma respondi claramente: "*Eu também sinto muito, Kevin*. Também sinto muito."

Nunca me esquecerei de quando fiquei sentada naquele tribunal cível e ouvi a juíza de pupilas minúsculas proferir, em tom afetado, seu veredicto inocentando a ré. Eu teria esperado sentir um grande alívio. Mas não senti. A absolvição pública de minha maternidade, descobri, não significou nada para mim. Se tanto, fiquei irada. Agora devíamos ir todos para casa, e eu me sentiria redimida. Ao contrário, eu sabia que iria para casa e me sentiria hedionda, como de praxe, e desolada, como de praxe, e suja, como de praxe. Eu tinha querido ser purificada, mas minha experiência naquele banco dos réus fora muito parecida com uma tarde tipicamente suarenta e empoeirada num quarto de hotel em Gana: abrir o chuveiro e descobrir que a água foi cortada. Aquele gotejar desdenhoso e cheio de ferrugem tinha sido o único batismo que a lei se dispusera a me conceder.

O único aspecto do veredicto que me deu um mínimo de satisfação foi ter que pagar minhas próprias despesas jurídicas. Embora a juíza não tivesse dado muita importância às acusações de Mary Woolford, estava claro que se tomara de uma antipatia pessoal por mim, e a franca animosidade em pessoas de peso (pergunte ao Denny Corbitt) pode custar caro. Ao longo do julgamento, eu tivera consciência de ser uma figura antipática. Tinha-me disciplinado para nunca chorar. Havia relutado em usar você e Celia para um fim tão venal quanto fugir à responsabilidade e, por isso, o fato de meu filho ter matado não apenas seus colegas, mas meu próprio marido e minha filha, tendeu a se perder na confusão. Embora eu saiba que eles não pretenderam solapar minha defesa, aquele depoimento dos seus pais sobre a minha visita a Gloucester, de uma franqueza fatal, foi desastroso; ninguém gosta de mães que "não gostam" dos próprios filhos. Também não gosto muito dessas mães.

Eu tinha infringido a mais primitiva das regras, profanado o mais sagrado dos laços. Se, em vez disso, tivesse defendido a inocência de Kevin, diante de montanhas de provas cabais em contrário, se houvesse esbravejado contra seus "torturadores" por terem-no levado àquilo, se tivesse insistido em que, depois de começar a tomar Prozac, "ele virou um menino completamente diferente", bem, garanto-lhe que Mary Woolford e aquele fundo que ela criou para a defesa na Internet teriam sido obrigados a pagar minhas custas até o último centavo. Em vez disso, minha postura foi repetidamente descrita nos jornais como "desafiadora", enquanto minhas caracterizações desagradáveis do sangue do meu sangue eram reproduzidas sem comentários, para me deixar na pior. Com uma mãe gélida como essa, não era de admirar, observou nosso *Noticiário do Dia* local, que *KK* houvesse se tornado um *menino ruim*.

Harvey ficou revoltado, é claro, e cochichou de imediato que interporíamos uma apelação. Pagar os custos era uma punição, disse-me. Ele devia saber, já que era a pessoa que ia escrever a fatura. Mas, quanto a mim, fiquei animada. Eu queria um veredicto punitivo. Já tinha esgotado todo o nosso patrimônio líquido na dispendiosa defesa de Kevin, e fizera uma segunda hipoteca sobre a casa de Palisades Parade. Assim, eu soube no mesmo instante que teria de vender a AWAP, e teria que vender nossa casa horrorosa e deserta. *Isso* era purificador.

Mas, de lá para cá — e ao longo da redação destas cartas para você —, descrevi o círculo completo, fazendo um trajeto muito parecido com o de Kevin. Ao perguntar petulantemente se a *quinta-feira* tinha sido culpa minha, tive que retroceder, que desconstruir. É possível que eu esteja fazendo a pergunta errada. Seja como for, debatendo-me entre a exoneração e a descompostura, só fiz cansar-me. Não sei. No final das contas, não faço idéia, e essa ignorância pura e serena transformou-se, ela mesma, num tipo engraçado de consolo. A verdade é que, se eu decidisse que era inocente, ou decidisse que era culpada, que diferença faria? Se eu chegasse à resposta certa, você viria para casa?

É só isso que eu sei. Que, no dia 11 de abril de 1983, nasceu-me um filho, e não senti nada. Mais uma vez, a verdade é sempre maior do que compreendemos. Quando aquele bebê se contorceu em meu seio, do qual se afastou com tamanho desagrado, eu retribuí a rejeição — talvez ele fosse quinze vezes menor do que eu, mas, naquele momento, isso me pareceu justo. Desde então, lutamos um com o outro, com uma ferocidade tão implacável que chego quase a admirá-la. Mas deve ser possível granjear devoção quando se testa um antagonismo até o último limite, fazer as pessoas se aproximarem mais pelo próprio ato de empurrá-las para longe. Porque, depois de quase dezoito anos, faltando apenas três dias, posso finalmente anunciar que estou exausta demais e confusa demais e sozinha demais para continuar brigando, e, nem que seja por desespero, ou até por preguiça, eu amo meu filho. Ele tem mais cinco anos sombrios para cumprir numa penitenciária de adultos, e não posso botar minha mão no fogo pelo que sairá de lá no final. Mas, enquanto isso, tenho um segundo quarto em meu apartamento funcional. A colcha é lisa. Há um exemplar de *Robin Hood* na estante. E os lençóis estão limpos.

*Com todo o amor da sua mulher, para sempre,*
*Eva*

| | |
|---|---|
| *2ª edição* | NOVEMBRO DE 2007 |
| *impressão* | LIS GRÁFICA E EDITORA |
| *papel de miolo* | PÓLEN SOFT 70G/M² |
| *papel de capa* | CARTÃO SUPREMO ALTA ALVURA 250G/M² |
| *tipologia* | BEMBO |